LES ORIGINES

DE LA

FRANCE CONTEMPORAINE

PAR

H. TAINE

LA RÉVOLUTION

TOME I

PARIS

LIBRAIRIE HACHETTE ET Cie

79, BOULEVARD SAINT-GERMAIN, 79

—

LES ORIGINES

DE LA

FRANCE CONTEMPORAINE

DU MÊME AUTEUR

LES ORIGINES DE LA FRANCE CONTEMPORAINE

PREMIÈRE PARTIE

L'ANCIEN RÉGIME

1 volume in-8. Prix . . . . 7 fr. 50

Typographie Lahure, rue de Fleurus, 9, à Paris.

LES ORIGINES

DE LA

FRANCE CONTEMPORAINE

PAR

H. TAINE

LA RÉVOLUTION

TOME I

PARIS

LIBRAIRIE HACHETTE ET Cie

79, BOULEVARD SAINT-GERMAIN, 79

—

1878

Droits de propriété et de traduction réservés

DC
251
T133
[v.2]

104055

136

PRÉFACE.

Cette seconde partie des *Origines de la France contemporaine* aura deux volumes. — Les insurrections populaires et les lois de l'Assemblée constituante finissent par détruire en France tout gouvernement : c'est le sujet du présent volume. — Un parti se forme autour d'une doctrine extrême, s'empare du pouvoir et l'exerce conformément à sa doctrine : ce sera le sujet du volume suivant.

Il en faudrait un troisième pour faire la critique des sources; la place me manque : je dirai seulement la règle que j'ai observée. Le témoignage le plus digne de foi sera toujours celui du témoin oculaire, surtout lorsque ce témoin est un homme honorable, attentif et intelligent, lorsqu'il rédige sur place, à l'instant et sous la dictée des faits eux-mêmes, lorsque manifestement son unique objet est de conserver ou fournir un renseignement, lorsque son œuvre n'est point une pièce de polémique concertée pour les besoins d'une

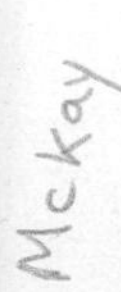

cause ou un morceau d'éloquence arrangé en vue du public, mais une déposition judiciaire, un rapport secret, une dépêche confidentielle, une lettre privée, un memento personnel. Plus un document se rapproche de ce type, plus il mérite confiance et fournit des matériaux supérieurs. — J'en ai trouvé beaucoup de cette qualité aux Archives nationales, principalement dans les correspondances manuscrites des ministres, intendants, subdélégués, magistrats et autres fonctionnaires, des commandants militaires, officiers de l'armée et officiers de la gendarmerie, des commissaires de l'Assemblée et du roi, des administrateurs de département, de district et de municipalité, des particuliers qui s'adressent au roi, à l'Assemblée nationale et aux ministres. Il y a parmi eux des hommes de tout rang, de tout état, de toute éducation et de tout parti. Ils sont par centaines et par milliers, dispersés sur toute la surface du territoire. Ils écrivent chacun à part, sans pouvoir se consulter ni même se connaître. Personne n'est si bien placé qu'eux pour recueillir et transmettre les informations exactes. Aucun d'eux ne cherche l'effet littéraire ou même n'imagine que son écrit puisse jamais être imprimé. Ils rédigent tout de suite et sous l'impression directe des événements locaux. Ce sont là des témoignages de premier choix et de première main, au moyen desquels on doit contrôler tous les autres. — Les notes mises au bas des pages indiqueront la condition, l'office, le nom, la demeure de ces témoins décisifs. Pour plus de certitude, j'ai transcrit, aussi souvent que j'ai pu, leurs propres paroles. De cette façon, le lecteur, placé en face des textes, pourra les interpréter lui-même, et se faire une opinion personnelle; il aura les mêmes pièces que moi pour conclure, et conclura, si bon lui semble, autrement que moi. Pour les allusions, s'il en trouve, c'est qu'il les aura mises, et, s'il fait des applications, c'est lui qui en répondra. A mon sens, le passé a sa figure propre, et le portrait que voici ne ressemble qu'à l'ancienne France. Je l'ai tracé sans me préoccuper de nos débats présents; j'ai écrit comme si j'avais eu pour sujet les révolutions de Florence ou d'Athènes. Ceci est de l'histoire, rien de plus, et, s'il faut tout dire, j'estimais trop mon métier d'historien pour en faire un autre, à côté, en me cachant.

Décembre 1877.

LES ORIGINES DE LA FRANCE CONTEMPORAINE

LA RÉVOLUTION

LA RÉVOLUTION.

LIVRE PREMIER.

L'ANARCHIE SPONTANÉE.

CHAPITRE I.

Les commencements de l'anarchie. — I. Première cause, la disette. — Mauvaise récolte. — Hiver de 1788 à 1789. — Cherté et mauvaise qualité du pain. — En province. — A Paris. — II. Deuxième cause, l'espérance. — Dédoublement et relâchement des pouvoirs administratifs. — Enquêtes des assemblées locales. — Le peuple prend conscience de son état. — Convocation des États généraux. — L'espoir est né. — Coïncidence des premières assemblées et des premiers troubles. — III. Les provinces pendant les six premiers mois de 1789. — Effets de la famine. — IV. Intervention des vagabonds et des brigands. — V. Effet des nouveautés politiques. — VI. La première jacquerie en Provence. — Mollesse ou nullité de la répression.

Dans la nuit du 14 au 15 juillet 1789, le duc de Larochefoucauld-Liancourt fit réveiller Louis XVI pour lui annoncer la prise de la Bastille. « C'est donc une révolte, dit le roi. — Sire, répondit le duc, c'est une révolution. » L'événement était bien plus grave encore. Non-seulement le pouvoir avait glissé des mains du roi, mais il n'était point tombé dans celles de l'Assemblée ; il était par terre, aux mains du peuple lâché, de la foule violente et surexcitée, des attroupements qui le ramassaient comme une arme abandonnée dans la rue. En fait, il n'y avait plus de gouvernement; l'édifice artificiel de la société humaine s'effondrait tout entier; on rentrait dans l'état de nature. Ce n'était pas une révolution, mais une *dissolution.*

I

Deux causes excitent et entretiennent l'émeute universelle. La première est la disette, qui, permanente, prolongée pendant dix ans, et aggravée par les violences mêmes qu'elle provoque, va exagérer jusqu'à la folie toutes les passions populaires et changer en faux pas convulsifs toute la marche de la Révolution.

Quand un fleuve coule à pleins bords, il suffit d'une petite crue pour qu'il déborde. Telle est la misère au dix-huitième siècle. L'homme du peuple, qui vit avec peine quand le pain est à bon marché, se sent mourir quand il est cher. Sous cette angoisse, l'instinct animal se révolte, et l'obéissance générale, qui fait la paix publique, dépend d'un degré ajouté ou ôté au sec ou à l'humide, au froid ou au chaud. En 1788, année très-sèche, la récolte avait été mauvaise; par surcroît, à la veille de la moisson[1], une grêle effroyable s'abattit autour de Paris, depuis la Normandie jusqu'à la Champagne, dévasta soixante lieues du pays le plus fertile et fit un dégât de 100 millions. L'hiver vint et fut le plus dur qu'on eût vu depuis 1709; à la fin de décembre, la Seine gela de Paris au Havre, et le thermomètre marquait 18° 3/4 au-dessous

1. Marmontel, *Mémoires,* t. II, 221. — Albert Babeau, *Histoire de Troyes pendant la Révolution,* I, 91, 187 (Lettre de Huez, maire de Troyes, 30 juillet 1788). — Archives nationales, H, 1274 (Lettre de M. de Caraman, 22 avril 1789). H, 942 (Cahier des demandes des États du Languedoc). — Roux et Buchez, *Histoire parlementaire,* I, 283.

de zéro. Un tiers des oliviers mourut en Provence, et le reste avait tant souffert qu'on le jugeait hors d'état de porter des fruits pendant deux ans. Même désastre en Languedoc; dans le Vivarais et dans les Cévennes, des forêts entières de châtaigniers avaient péri, avec tous les blés et fourrages de la montagne ; dans la plaine, le Rhône était resté deux mois dehors de son lit. Dès le printemps de 1789, la famine était partout, et, de mois en mois, elle croissait comme une eau qui monte. — En vain, le gouvernement commandait aux fermiers, propriétaires et marchands de garnir les marchés, doublait la prime d'importation, s'ingéniait, s'obérait, dépensait 40 millions pour fournir du blé à la France. En vain, les particuliers, princes, grands seigneurs, évêques, chapitres, communautés, multipliaient leurs aumônes, l'archevêque de Paris s'endettant de 400 000 livres, tel riche distribuant 40 000 francs le lendemain de la grêle, tel couvent de Bernardins nourrissant douze cents pauvres pendant six semaines [1]. Il y en avait trop; ni les précautions publiques, ni la charité privée ne suffisaient aux besoins trop grands. — En Normandie, où le dernier traité de commerce a ruiné les manufactures de toiles et de passementeries, quarante mille ouvriers sont sans ouvrage; dans nombre de paroisses [2], le quart des habitants mendie. Ici, « presque « tous les habitants, sans en excepter les fermiers et les « propriétaires, mangent du pain d'orge et boivent de « l'eau ; » là, « bien des malheureux mangent du pain « d'avoine, et d'autres du son mouillé, ce qui a causé la « mort de plusieurs enfants. » — « Avant tout, » écrit le parlement de Rouen, « qu'on subvienne à un peuple qui se

1. *L'Ancien régime*, p. 45. — Albert Babeau, I, 91. (L'évêque de Troyes donne 12 000 francs, et le chapitre 6000, pour les ateliers de charité.)

2. *L'Ancien régime*, 440, 507. — Floquet, *Histoire du parlement de Normandie*, VII, 505, 518. (Représentations du parlement de Normandie, 3 mai 1788; lettre du Parlement au roi, 15 juillet 1789.)

« meurt.... Sire, la majeure partie de vos sujets ne peut « atteindre au prix du pain, et quel pain on donne à ceux « qui en achètent ! » — Arthur Young[1], qui traverse la France en ce moment, n'entend parler que de la cherté du pain et de la détresse du peuple. A Troyes, le pain coûte 4 sous la livre, c'est-à-dire 8 sous d'aujourd'hui, et les artisans sans travail affluent aux ateliers de charité où ils ne gagnent que 12 sous par jour. En Lorraine, au témoignage de tous les observateurs, « le peuple est à « moitié mort de faim. » A Paris, le nombre des indigents a triplé : il y en a trente mille dans le seul faubourg Saint-Antoine. Autour de Paris, les grains manquent ou sont gâtés[2]. Au commencement de juillet, à Montereau, le marché est vide. « Les boulangers n'auraient pu cuire, » si les officiers de police n'avaient porté le prix du pain à 5 sous la livre ; le seigle et l'orge que peut envoyer l'intendant « sont de la plus mauvaise qualité, pourris, et « dans le cas d'occasionner des maladies dangereuses ; « cependant, la plupart des petits consommateurs sont « réduits à la dure nécessité de faire usage de ces grains « gâtés. » A Villeneuve-le-Roi, écrit le maire, « le seigle « des deux derniers envois est d'un étique et noir qui « ne se peut débiter sans froment. » A Sens, l'orge a « un « goût de relent » si mauvais que les acheteurs jettent au nez du subdélégué le détestable pain qu'elle a fourni. A Chevreuse, l'orge est germée et d'odeur infecte ; « il « faut, dit un employé, que les malheureux soient bien « pressés de la faim pour la prendre. » A Fontainebleau, « le seigle, à moitié mangé, produit plus de son que de

1. Arthur Young, *Voyage en France*, 29 juin, 2 et 18 juillet. — *Journal de Paris*, 2 janvier 1789, Lettre du curé de Sainte-Marguerite.

2. Roux et Buchez, IV, 79 à 82. (Lettre du bureau intermédiaire de Montereau, 9 juillet 1789 ; du maire de Villeneuve-le-Roi, 10 juillet ; de M. Baudry, 10 juillet ; de M. Jamin, 11 juillet ; de M. Prioreau, 11 juillet, etc.) — Montjoie, *Histoire de la révolution de France*, 2e partie, ch. XXI, p. 5.

« farine, » et, pour en faire du pain, on est obligé de « le « manutentionner plusieurs fois. » Ce pain, tel quel, est un objet de convoitises furieuses : « on en vient à ne plus « le distribuer que par guichets ; » encore ceux qui ont obtenu ainsi leur ration « sont souvent assaillis en route, « et dépouillés par des affamés plus vigoureux. » A Nangis, « les magistrats défendent à la même personne d'acheter « plus de deux boisseaux au même marché. » — Bref, les subsistances sont si rares qu'on ne sait comment nourrir les soldats ; le ministre expédie deux lettres coup sur coup pour faire couper vingt mille setiers de seigle avant la récolte [1]. Aussi bien, en pleine paix, Paris semble une ville affamée, rationnée à la fin d'un long siége, et la disette ne sera pas plus grande, ni la nourriture pire en décembre 1870 qu'en juillet 1789.

« Plus on approchait du 14 juillet, dit un témoin ocu-« laire [2], plus la disette augmentait. Chaque boutique de « boulanger était environnée d'une foule à qui l'on dis-« tribuait le pain avec la plus grande parcimonie.... Ce « pain était en général noirâtre, terreux, amer, donnait « des inflammations à la gorge et causait des douleurs « d'entrailles. J'ai vu, à l'École militaire et dans d'autres « dépôts, des farines qui étaient d'une qualité détestable ; « j'en ai vu des morceaux d'une couleur jaune, d'une « odeur infecte, et qui formaient des masses tellement « durcies, qu'il fallait les frapper à coups redoublés de « haches, pour en détacher des portions. Moi-même, re-« buté des difficultés que j'éprouvais à me procurer ce « malheureux pain, et dégoûté de celui qu'on m'offrait

1. Roux et Buchez, *ib.* : « Il est très-fâcheux, écrit le marquis d'Autichamp, d'être obligé de couper les récoltes pendantes et prêtes à cueillir ; « mais il est dangereux de laisser les troupes mourir de faim. »

2. Montjoie, *ib.*, ch. XXXIX, V, 37. — De Goncourt, *La société française pendant la Révolution*, p. 53. — Déposition de Maillard (Enquête criminelle du Châtelet sur les événements des 5 et 6 octobre).

« aux tables d'hôte, je renonçai absolument à cette nour-« riture. Le soir, je me rendais au café du Caveau, où, « heureusement, on avait l'attention de me réserver deux « de ces pains qu'on appelle des flûtes ; c'est le seul pain « que j'aie mangé pendant une semaine entière. » — Mais cette ressource n'est que pour les riches. Quant au peuple, pour avoir du pain de chien, il doit faire queue pendant des heures. On se bat à la queue; « on s'arra-« che l'aliment. » Plus de travail, « les ateliers sont dé-« serts. » Parfois, après une journée d'attente, l'artisan rentre au logis les mains vides, et, s'il rapporte une miche de quatre livres, elle lui coûte 3 francs 12 sous, dont 12 sous pour le pain et 3 francs pour la journée perdue. Dans la longue file désœuvrée, agitée, qui oscille aux portes de la boutique, les idées noires fermentent : si cette nuit la farine manque aux boulangers pour cuire, nous ne mangerons pas demain ! Terrible idée et contre laquelle un gouvernement n'a pas trop de toute sa force; car il n'y a que la force, et la force armée, présente, visible, menaçante, pour maintenir l'ordre au milieu de la faim. — Sous Louis XIV et Louis XV, on avait jeûné et pâti davantage ; mais les émeutes, rudement et promptement réprimées, n'étaient que des troubles partiels et passagers. Des mutins étaient pendus, d'autres envoyés aux galères, et tout de suite, convaincu de son impuissance, le paysan, l'ouvrier retournait à son échoppe ou à sa charrue. Quand un mur est trop haut, on ne songe pas même à l'escalader. — Mais voici que le mur se crevasse, et que tous ses gardiens, clergé, noblesse, tiers état, lettrés, politiques, et jusqu'au gouvernement lui-même, y pratiquent une large brèche. Pour la première fois, les misérables aperçoivent une issue; ils s'élancent, d'abord par pelotons, puis en masse, et la révolte maintenant est universelle, comme autrefois la résignation.

II

C'est que, par cette ouverture, l'espérance entre comme une lumière, et descend peu à peu jusque dans les bas-fonds. Depuis un demi-siècle, elle monte, et ses rayons, qui ont d'abord éclairé la haute classe dans ses beaux appartements du premier étage, puis la bourgeoisie dans son entre-sol et son rez-de-chaussée, pénètrent depuis deux ans dans les caves où le peuple travaille, et jusque dans la profonde sentine, dans les recoins obscurs où les gens sans aveu, les vagabonds, les malfaiteurs, toute une tourbe immonde et pullulante se dérobe aux poursuites de la loi. — Aux deux premières assemblées provinciales instituées par Necker en 1778 et 1779, Loménie de Brienne vient, en 1787, d'en ajouter dix-neuf autres; sous chacune d'elles, sont des assemblées d'arrondissement; sous chaque assemblée d'arrondissement, sont des assemblées de paroisse [1], et toute la machine administrative est transformée. Ce sont ces nouvelles assemblées qui répartissent la taille et en surveillent la perception, qui décident et dirigent tous les travaux publics, qui jugent en dernier ressort la plupart des affaires contentieuses. L'intendant, le subdélégué, l'élu perdent ainsi les trois quarts de leur autorité. Partant, entre ces deux pouvoirs rivaux dont les frontières sont mal définies, des conflits s'élèvent; le commandement flotte et l'obéissance est moindre. Le sujet ne sent plus sur ses épaules le poids supérieur de la main unique qui, sans intervention ni résistance possible, le courbait, le poussait et le faisait marcher. — Cependant, dans chaque assemblée de

1. De Tocqueville, *l'Ancien régime et la Révolution*, 272-290. — De Lavergne, *les Assemblées provinciales*, 109. — Procès-verbaux des assemblées provinciales, *passim*.

paroisse, d'arrondissement et même de province, des roturiers, « des laboureurs » et souvent de simples fermiers siégent à côté des seigneurs et des prélats. Ils écoutent et retiennent le chiffre énorme des taxes qu'ils payent seuls ou presque seuls, taille, accessoires de la taille, capitation, impôt des routes, et certainement, au retour, ils en parlent à leurs voisins. Tous ces chiffres sont imprimés ; le procureur de village en raisonne avec ses pratiques, artisans et campagnards, le dimanche au sortir de la messe, ou le soir dans la grande salle de l'auberge. — Et ces conciliabules sont autorisés, provoqués d'en haut. Dès les premiers jours de 1788, les assemblées provinciales demandent aux syndics et aux habitants de chaque paroisse une enquête locale : on veut savoir le détail de leurs griefs, quelle part de revenu prélève chaque impôt, ce que paye et ce que souffre le cultivateur, combien il y a de privilégiés dans la paroisse, quelle est leur fortune, s'ils résident, à combien montent leurs exemptions, et, dans les réponses, le procureur qui tient la plume, nomme et désigne du doigt chaque privilégié, critique son genre de vie, évalue sa fortune, calcule le tort que ses immunités font au village, invective contre les impôts et les commis. — Au sortir de ces assemblées, le villageois rumine longuement ce qu'il vient d'entendre. Il voit ses maux, non plus un à un, comme autrefois, mais tous ensemble et joints à l'immensité des maux dont souffrent ses pareils. Outre cela, il commence à démêler les causes de sa misère. Le roi est bon ; alors, pourquoi ses commis nous prennent-ils tant d'argent ? Tels et tels, chanoines ou seigneurs, ne sont pas méchants ; alors, pourquoi nous font-ils payer à leur place ? — Supposez une bête de somme, à qui tout d'un coup une lueur de raison montrerait l'espèce des chevaux en face de l'espèce des hommes, et imaginez, si vous pouvez, les pensées nouvelles qui lui viendraient, d'abord à l'endroit des postillons et conducteurs qui la brident et qui la fouettent, puis à l'endroit des voyageurs bienveillants et des dames sensibles qui la plaignent, mais qui, au poids de la voiture, ajoutent tout leur attirail et tout leur poids.

Pareillement, chez le paysan, à travers des rêveries troubles, lentement, peu à peu, s'ébauche une idée neuve, celle d'une multitude opprimée dont il fait partie, d'un grand troupeau épars bien loin au delà de l'horizon visible, partout malmené, affamé, écorché. Vers la fin de 1788, à travers les correspondances des intendants et des commandants militaires, on commence à distinguer le grondement universel et sourd d'une colère prochaine. Le caractère des hommes semble changer; ils deviennent ombrageux et rétifs. — Et justement voici que le gouvernement, lâchant les rênes, les appelle à se conduire eux-mêmes[1]. Au mois de novembre 1787, le roi a déclaré qu'il convoquerait les États généraux. Le 5 juillet 1788, il demande à tous les corps et personnes compétentes des mémoires à ce sujet. Le 8 août, il fixe la date de la tenue. Le 5 octobre, il convoque les notables pour en délibérer avec eux. Le 27 décembre, il accorde une double représentation au tiers, parce que « sa cause est liée aux sen- « timents généreux et qu'elle aura toujours pour elle « l'opinion publique. » Le même jour, il introduit dans les assemblées électorales du clergé une majorité de curés, « parce que ces bons et utiles pasteurs s'occupent « de près et journellement de l'indigence et de l'assistance « du peuple, » d'où il suit « qu'ils connaissent plus inti- « mement ses maux » et ses besoins. Le 24 janvier 1789, il règle l'ordre et la forme des convocations. A dater du 7 février, les lettres de convocations partent une à une. Huit jours après, chaque assemblée de paroisse com-

1. Duvergier, *Collection des lois et décrets,* I, 1 à 23, et notamment p. 15.

mence à rédiger le cahier de ses doléances et s'échauffe par le détail et l'énumération de toutes les misères qu'elle couche par écrit. — Tous ces appels et tous ces actes sont autant de coups qui retentissent dans l'imagination populaire. « Sa Majesté, dit le règlement, a désiré, que des « extrémités de son royaume et des habitations les moins « connues, chacun fût assuré de faire parvenir jusqu'à elle « ses vœux et ses réclamations. » Ainsi la chose est bien vraie, tout à fait certaine. On les invite à parler, on les fait venir, on les consulte, on veut les soulager; désormais leur misère sera moindre, des temps meilleurs vont commencer. Ils n'en savent pas davantage; plusieurs mois après, en juillet[1], c'est tout ce que peut répondre une paysanne à Arthur Young : « On lui a dit qu'il y a « des riches qui veulent faire quelque chose pour les « malheureux de sa classe, » mais qui, quoi, et comment, elle l'ignore : cela est trop compliqué, hors de la portée du cerveau engourdi et machinal. — Une seule pensée s'y dégage, l'espérance d'un soulagement soudain, la persuasion qu'on y a droit, la résolution d'y aider par tous les moyens, par suite l'attente anxieuse, l'élan tout prêt, le raidissement de la volonté tendue qui n'attend qu'une occasion pour se débander et pour lancer l'action, comme une flèche irrésistible, vers le but inconnu qui se dévoilera tout d'un coup. Ce but, tout d'un coup, la faim le leur désigne : il faut qu'il y ait du blé sur le marché ; il faut que les fermiers et les propriétaires en apportent ; il ne faut pas que les gros acheteurs, gouvernement ou particuliers, le transportent ailleurs ; il faut qu'il soit à bas prix, qu'on le taxe, que le boulanger le donne à deux sous la livre ; il faut que les grains, la farine, le vin, le sel, les denrées, ne payent plus de droits ; il faut qu'il n'y ait plus de droits, ni redevances seigneuriales, ni dîmes

1. Arthur Young, 12 juillet 1789 (en Champagne).

ecclésiastiques, ni impôts royaux ou municipaux. Et, sur cette idée, de toutes parts, en mars, avril et mai, l'émeute éclate. Les contemporains « ne savent que penser « d'un tel fléau[1] ; ils ne comprennent rien à cette innom- « brable quantité de malfaiteurs qui, sans chefs appa- « rents, semblent être d'intelligence pour se livrer partout « aux mêmes excès, et précisément à l'instant où les États « généraux vont entrer en séance. » C'est que, sous le régime ancien, l'incendie couvait portes closes ; subitement la grande porte s'ouvre, l'air pénètre, et aussitôt la flamme jaillit.

III

Ce ne sont d'abord que des feux intermittents, isolés, que l'on éteint ou qui s'éteignent d'eux-mêmes ; mais, un instant après, au même endroit ou tout près de là, les petillements recommencent, et leur multiplicité, comme leur répétition, montre l'énormité, la profondeur, l'échauffement de la matière combustible qui va faire explosion. Dans les quatre mois qui précèdent la prise de la Bastille, on peut compter plus de trois cents émeutes en France. Il y en a de mois en mois, et de semaine en semaine, en Poitou, Bretagne, Touraine, Orléanais, Normandie, Ile-de-France, Picardie, Champagne, Alsace, Bourgogne, Nivernais, Auvergne, Languedoc, Provence. — Le 28 mai, le parlement de Rouen annonce des pillages de grains, « de « violentes et sanglantes mêlées où beaucoup d'hommes, « des deux côtés, ont péri, » dans toute la province, à Caen, Saint-Lô, Mortain, Granville, Évreux, Bernay, Pont-Audemer, Elbeuf, Louviers, et encore en d'autres endroits. — Le 20 avril, le baron de Bezenval, commandant militaire des provinces du centre, écrit : « Je renouvelle

1. Montjoie, 1re partie, 102.

« à M. Necker un tableau de l'affreuse situation de la Tou-« raine et de l'Orléanais; chaque lettre que je reçois de ces « deux provinces est le détail de trois ou quatre émeutes « à grand peine contenues par les troupes et la maré-« chaussée[1]. » — Et, dans toute l'étendue du royaume, le spectacle est pareil.

D'ordinaire, et comme il est naturel, les femmes sont en tête; ce sont elles qui, à Montlhéry, ont éventré les sacs à coups de ciseaux. Chaque semaine, le jour du marché, en apprenant que la miche de pain est augmentée de trois sous, de quatre sous, de sept sous, elles crient et s'indignent : à ce taux, avec le mince salaire de leurs hommes et quand l'ouvrage manque[2], comment nourrir une famille? On s'attroupe autour des sacs et aux portes des boulangers; au milieu des vociférations et des injures, il se fait une poussée dans la foule; le propriétaire ou marchand est bousculé, renversé, la boutique est envahie, la denrée est aux mains des acheteurs et des affamés; chacun tire à soi, paye ou ne paye pas, et se sauve en emportant son butin. — Parfois, c'est partie liée et d'avance[3]. A Bray-sur-Seine, le 1er mai, les villageois de quatre lieues à la ronde, armés de pierres, de couteaux, de bâtons, et au nombre de quatre mille, forcent les laboureurs et fermiers, qui ont apporté des grains, à les vendre 3 livres au lieu de 4 livres 10 sous le boisseau, et menacent de recommencer au marché suivant : les fermiers ne reviendront pas, la halle sera vide, il faut des soldats, sinon les habitants de Bray seront pillés. A Bagnols, en Languedoc, le 1er et le 2 avril, les paysans, munis de bâtons et assemblés au son du tambour, « par-

1. Floquet, *Histoire du parlement de Normandie*, VII, 508. — Archives nationales, H, 1453.

2. Arthur Young, 29 juin (à Nangis).

3. Archives nationales, H, 1453. Lettre du duc de Mortemart, seigneur de Bray, 4 mai; de M. de Ballainvilliers, intendant du Languedoc, 15 avril.

« courent la ville en menaçant de tout mettre à feu et à « sang, si on ne leur donne du blé et de l'argent ; » ils vont chercher du grain chez les particuliers, ils se le partagent à prix réduit, « avec promesse de le payer à la « récolte prochaine, » ils forcent les Consuls à mettre le pain à 2 sous la livre et à augmenter de 4 sous la journée de travail. — Aussi bien, tel est le procédé le plus fréquent : ce n'est plus le peuple qui obéit aux autorités, ce sont les autorités qui obéissent au peuple. Consuls, échevins, maires, procureurs-syndics, les officiers municipaux se troublent et faiblissent devant la clameur immense; ils sentent qu'ils vont être foulés aux pieds ou jetés par la fenêtre. — D'autres, plus fermes, comprennent qu'une foule ameutée est folle, et se font scrupule de verser le sang; du moins ils cèdent pour cette fois, espérant qu'au prochain marché les soldats seront plus nombreux et les précautions mieux prises. A Amiens, « après une « émeute fort vive[1], » ils se décident à prendre le blé des Jacobins et à le vendre au peuple, dans une enceinte de troupes, à un tiers au-dessous de sa valeur. A Nantes, où l'hôtel de ville est envahi, ils sont contraints de baisser le prix du pain de 1 sou par livre. A Angoulême, pour éviter le recours aux armes, ils demandent au comte d'Artois de renoncer, pendant deux mois, à son droit sur les farines, et taxent le pain en dédommageant les boulangers. A Cette, ils sont tellement maltraités qu'ils lâchent tout : le peuple a saccagé leurs maisons et leur commande; ils font publier à son de trompe que toutes ses demandes lui sont accordées. — D'autres fois, la foule se dispense de leur ministère, agit d'elle-même. Si les grains manquent sur le marché, elle va les chercher

1. Archives nationales, H, 1453. Lettre de l'intendant M. d'Agay, 30 avril; des officiers municipaux de Nantes, 9 janvier; de l'intendant M. Meulan d'Ablois, 22 juin ; de M. de Ballainvilliers, 15 avril.

où ils se trouvent, chez les propriétaires et les fermiers qui ne veulent pas les apporter par crainte du pillage, dans les couvents de religieux qui, par un édit du roi, sont tenus d'avoir toujours en magasin une année de leur récolte, dans les greniers où le gouvernement conserve ses approvisionnements, dans les convois que l'intendant expédie aux villes affamées. Chacun pour soi; tant pis pour le voisin. Les gens de Fougères battent et expulsent ceux d'Ernée qui viennent acheter à leur marché; mêmes violences à Vitré contre les habitants du Maine[1]. A Saint-Léonard, le peuple retient les grains qui partaient pour Limoges, à Bost ceux qui partaient pour Aurillac, à Saint-Didier ceux qui partaient pour Moulins, à Tournus ceux qui partaient pour Mâcon. — En vain on adjoint des escortes aux convois; des troupes d'hommes et de femmes, armées de haches et de fusils, se mettent en embuscade dans les bois de la route et sautent à la bride des chevaux; il faut les sabrer pour avancer. En vain on leur prodigue les raisons, les bonnes paroles, et même « on leur offre du blé pour de l'argent; ils refu-« sent en criant que le convoi ne partira pas. » Ils se sont buttés; leur résolution est celle d'un taureau qui se met en travers du chemin en présentant les cornes. Le blé est à eux, puisqu'il est dans le pays; quiconque l'emmène ou le détient est un voleur; on ne peut leur arracher cette idée fixe. A Chantenay, près du Mans[2], ils empêchent un meunier d'emporter à son moulin celui qu'il vient d'acheter; à Montdragon, en Languedoc, ils

1. Archives nationales, H, 1453. Lettre du comte de Langeron, 4 juillet; de M. de Meulan d'Ablois, 5 juin; procès-verbal de la maréchaussée de Bost, 29 avril. Lettres de M. de Chazerat, 29 mai; de M. de Bezenval, 2 juin; de l'intendant M. Amelot, 25 avril.

2. Archives nationales, H, 1453. Lettre de M. de Bezenval, 27 mai; de M. de Ballainvilliers, 25 avril; de M. de Chazerat, 12 juin; de M. de Foullonde, 19 avril.

lapident un négociant qui expédiait ailleurs sa dernière voiture ; à Thiers, les ouvriers vont en force ramasser du blé dans les campagnes : un propriétaire chez qui on en trouve manque d'être tué; ils boivent dans les caves, puis laissent couler le vin. A Nevers, les boulangers n'ayant point garni leurs étaux pendant quatre jours, la populace force les greniers des particuliers, des négociants, des communautés religieuses. « Les « marchands intimidés donnent leurs grains au prix « qu'on veut ; on en vole même la plus grande partie en « présence des gardes, » et, dans le tumulte de ces visites domiciliaires, nombre de maisons sont saccagées. — En ce temps-là, malheur à tous ceux qui ont part à la garde, à l'acquisition, au commerce, à la manutention des grains ! L'imagination populaire a besoin de personnes vivantes auxquelles elle puisse imputer ses maux et sur lesquelles elle puisse décharger ses ressentiments ; pour elle, tous ces gens-là sont des accapareurs, et, en tout cas, des ennemis publics. Près d'Angers, la maison des Bénédictins est envahie, et leurs enclos, leurs bois sont dévastés[1]. A Amiens, « le peuple se disposait à piller et « peut-être à brûler les maisons de deux commerçants « qui ont fait construire des moulins à mouture écono-« mique ; » contenu par les soldats, il se borne à casser les vitres ; mais d'autres « pelotons viennent tout briser « ou piller chez trois ou quatre particuliers qu'ils soup-« çonnaient d'accaparements. » A Nantes, un sieur Geslin étant député par le peuple pour visiter une maison, où il ne trouve pas de blé, un cri s'élève : C'est un recéleur, un complice ! La foule se jette sur lui, il est blessé, presque écharpé. — Il est manifeste qu'il n'y a plus de sécurité

1. Archives nationales, H, 1453. Lettre de l'intendant M. d'Aine, 12 mars ; de M. d'Agay, 30 avril ; de M. Amelot, 25 avril ; des officiers municipaux de Nantes, 9 janvier, etc.

en France ; les biens, les vies même sont en danger. La première des propriétés, celle des subsistances, est violée en mille endroits, et partout menacée, précaire. Partout les intendants et les subdélégués appellent à l'aide, déclarent la maréchaussée impuissante, réclament des troupes régulières. Et voilà que la force publique, insuffisante, dispersée, chancelante, trouve ameutés contre elle, non-seulement les fureurs aveugles de la faim, mais encore les instincts malfaisants qui profitent de tout désordre, et les convoitises permanentes que tout ébranlement politique délivre de leur frein.

IV

Contrebandiers, faux-sauniers, braconniers, vagabonds, mendiants, repris de justice, on a vu[1] combien ils sont nombreux et ce qu'une seule année de disette ajoute à leur nombre. Ce sont là autant de recrues pour les attroupements, et, dans l'émeute, à côté de l'émeute, chacun d'eux emplit son sac. « Dans le pays de Caux[2] et jus- « qu'aux environs de Rouen, à Roncherolles, Quévrevilly, « Préaux, Saint-Jacques et en tous les lieux d'alentour, « des bandes de brigands armés forcent les maisons, « les presbytères de préférence, et y font main basse sur « tout ce qui leur agrée. » — Au sud de Chartres, « trois « ou quatre cents bûcherons, sortis des forêts de Bel- « lème, hachent tout ce qui leur résiste, et se font donner

1. *L'Ancien régime*, 498 à 509.

2. Floquet, VII, 508 (Rapport du 27 février). — Hippeau, *le Gouvernement de Normandie*, IV, 377. (Lettre de M. Perrot, 23 juin.) — Archives nationales, H, 1453. Lettre de M. de Sainte-Suzanne, 29 avril. — *Ib.*, F7, 3250. Lettre de M. de Rochambeau, 16 mai. — *Ib.*, F7, 3185. Lettre de l'abbé Duplaquet, député du tiers-état de Saint-Quentin, 17 mai. Lettre de trois laboureurs des environs de Saint-Quentin, 14 mai.

« le grain au prix qu'ils veulent. » — Aux environs d'Étampes, quinze bandits entrent la nuit dans les fermes et rançonnent le fermier en le menaçant d'incendie. — Dans le Cambrésis, ils pillent les abbayes de Vauchelles, du Verger et de Guillemans, le château du marquis de Besselard, la terre de M. Doisy, deux fermes, les voitures de blé qui passent sur le chemin de Saint-Quentin, et, outre cela, sept fermes dans la Picardie. « Le foyer de « cette révolte est dans quelques villages limitrophes de « la Picardie et du Cambrésis, accoutumés à la contre-« bande et à la licence de cette profession. » Les paysans se sont laissé racoler par les bandits; l'homme glisse vite sur la pente du vol; tel, demi-honnête, engagé par mégarde ou malgré lui dans une émeute, recommence, alléché par l'impunité ou par le gain. En effet, « ce n'est pas « l'extrême besoin qui les excite. » Ils font « une spécu-« lation de cupidité, un nouveau genre de contrebande. » Un ancien carabinier, le sabre à la main, un garde-bois et « une huitaine de personnes assez aisées se mettent à « la tête de 400 à 500 hommes, se rendent chaque jour « dans trois ou quatre villages, forcent tous ceux qui on « du blé à le donner à 24 livres, » et même à 18 livres le sac. Les gens de la bande qui disent n'avoir pas d'argent emportent leur part sans payer. Les autres, après avoir payé ce qu'il leur plaît, revendent à bénéfice et jusqu'à 45 livres le sac : affaire excellente et dans laquelle l'avidité prend la pauvreté pour complice. A la récolte prochaine, la tentation sera pareille : « Ils nous ont menacés « de venir faire notre moisson, et aussi de piller nos bes-« tiaux et d'en vendre la viande dans les villages à raison « de 2 sous la livre. » — Dans toutes les grosses insurrections il y a des malfaiteurs semblables, gens sans aveu, ennemis de la loi, rôdeurs sauvages et désespérés, qui, comme des loups, accourent partout où ils flairent une proie. Ce sont eux qui servent de guides et d'exécuteurs aux rancunes privées ou publiques. Près d'Uzès, vingt-cinq hommes masqués, avec des fusils et des bâtons, entrent chez un notaire, lui tirent un coup de pistolet, l'assomment de coups, dévastent sa maison, brûlent ses registres, avec les titres et papiers qu'il garde en dépôt pour le comte de Rouvres; sept sont arrêtés, mais le peuple est pour eux, se jette sur la maréchaussée et les délivre[1]. — On les reconnaît à leurs actes, au besoin de détruire pour détruire, à leur accent étranger, à leurs figures sauvages, à leurs guenilles. Il en vient de Paris à Rouen, et, pendant quatre jours, la ville est à leur discrétion[2]; les magasins sont forcés, les voitures de grains déchargées, le blé gaspillé, les couvents et séminaires rançonnés; ils envahissent la maison du procureur général qui a requis contre eux et ils veulent le mettre en pièces; ils brisent ses glaces, ses meubles, sortent chargés de butin, vont dans la ville et la banlieue piller les manufactures, casser ou brûler toutes les machines. — Ce sont là désormais les nouveaux chefs : car, en tout attroupement, c'est le plus audacieux, le moins embarrassé de scrupules, qui marche en tête et donne l'exemple du dégât. L'exemple est contagieux : on était parti pour avoir du pain, on finit par des meurtres et des incendies, et la sauvagerie qui se déchaîne ajoute ses violences illimitées à la révolte limitée du besoin.

1. Archives nationales, H, 1453. Lettre du comte de Périgord, commandant militaire du Languedoc, 22 avril.

2. Floquet, VII, 511 (du 11 au 14 juillet).

V

Telle que la voilà, malgré la disette et les brigands, on en viendrait peut-être à bout; mais ce qui la rend irrésistible, c'est qu'elle se croit autorisée, autorisée par ceux-là mêmes qui ont charge de la réprimer. Çà et là éclatent des paroles et des actions d'une naïveté terrible, et qui, par delà le présent si sombre, dévoilent un avenir plus menaçant. — Dès le 9 janvier 1789, dans la populace qui envahit l'hôtel de ville à Nantes et assiége les boutiques de boulangers[1], « le cri de Vive la Liberté se mêle au « cri de Vive le Roi. » Quelques mois après, autour de Ploërmel, les paysans refusent de payer les dîmes, alléguant que le cahier de leur sénéchaussée en réclame l'abolition. — En Alsace, à partir du mois de mars, « en bien des « endroits, » même refus; quantité de communautés prétendent même ne plus payer d'impôts, jusqu'à ce que leurs députés aux États-Généraux aient fixé au juste le chiffre des contributions publiques. — Dans l'Isère, par délibérations imprimées et publiées, elles décident qu'elles ne payeront plus de « droits personnels, » et les seigneurs lésés n'osent se pourvoir devant les tribunaux. — A Lyon, le peuple s'est persuadé que « toute perception « des droits doit cesser, » et, le 29 juin, à la nouvelle de la réunion des trois ordres, « étonné par les illumina« tions et par les signes de réjouissance publique, » il croit que les temps heureux sont venus, « il forme le « projet de se faire délivrer la viande à 4 sous et le vin « au même prix. Les cabaretiers lui insinuent que les

1. Archives nationales, H, 1453. Lettre des officiers municipaux de Nantes, 9 janvier; du subdélégué de Ploërmel, 4 juillet. — *Ib.*, F^7, 2353. Lettre de la Commission intermédiaire d'Alsace, 8 septembre. — *Ib.*, F^7, 3227. Lettre de l'intendant Caze de la Bove, 16 juin. — *Ib.*, H, 1453. Lettre de Terray, intendant de Lyon, 4 juillet; du prévôt des échevins, 5 et 7 juillet.

« octrois vont être abolis, qu'en attendant, le roi, en « faveur de la réunion des trois ordres, a accordé trois « jours de franchise de tous droits à Paris, qu'on doit « également en jouir à Lyon. » Sur quoi la multitude se porte impétueusement aux barrières, à la porte Saint-Clair, à la porte Perrache, au pont de la Guillotière, brûle ou démolit les bureaux, détruit les registres, saccage les logements des commis, enlève l'argent et pille le vin qui attendait en dépôt. Cependant le bruit s'est répandu dans la campagne que l'entrée est libre, et, pendant les jours qui suivent, les paysans affluent avec des files si prodigieuses de voitures de vin à plusieurs bœufs, que, malgré la garde rétablie, force est de les laisser entrer toute la journée sans payer ; c'est seulement le 7 juillet que les droits peuvent de nouveau être perçus. — Il en est de même dans les provinces du Midi, où les principaux impôts sont assis sur les consommations ; là aussi, c'est au nom de la puissance publique qu'on suspend les perceptions. A Agde [1], « le peuple s'est follement per« suadé qu'il était tout et qu'il pouvait tout, vu la pré« tendue volonté du roi sur l'égalité des rangs ; » c'est ainsi qu'il interprète à sa guise et en son langage la double représentation accordée au Tiers. En conséquence, il menace la ville d'un pillage général, si l'on ne baisse le prix de toutes les provisions et si l'on ne supprime le droit de la province sur le vin, le poisson et la viande ; de plus, « ils veulent nommer des consuls partie de leur « classe, » et l'évêque, seigneur de la ville, le maire, les notables, contre lesquels ils sont allés racoler de force les paysans dans la campagne, sont obligés de proclamer à son de trompe que toutes leurs demandes sont accordées. Trois jours après, ils exigent que le droit de mou-

1. Archives nationales, H, 1453. Lettre du maire et des Consuls d'Agde, 21 avril ; de M. de Périgord, 19 avril et 5 mai.

ture soit diminué de moitié, et vont chercher l'évêque propriétaire des moulins. Le prélat, malade, défaille dans la rue, et s'assied sur une borne; là, séance tenante, on l'oblige à signer un acte de renoncement; par suite, « son moulin, affermé 15 000 livres, est réduit maintenant, à 7 500. » — A Limoux, sous prétexte de rechercher les grains, ils pénètrent chez le contrôleur et chez les fermiers des impôts, emportent leurs registres et les jettent à l'eau avec le mobilier des commis. — En Provence, c'est pis : car, par une injustice énorme et une imprudence inconcevable, tous les impôts des villes pèsent sur la farine; partant, c'est à l'impôt qu'on attribue directement la cherté du pain; c'est pourquoi l'agent du fisc devient l'ennemi visible, et les révoltes de la faim se changent en insurrections contre l'État.

VI

Là aussi, les nouveautés politiques sont l'étincelle qui met le feu à l'amas de poudre; partout, c'est le jour même de l'assemblée électorale que le peuple se soulève; en moins de quinze jours, il y a dans la province quarante à cinquante insurrections. L'imagination populaire est allée droit au but comme un enfant; les réformes étant annoncées, elle les croit venues, et, pour plus de sûreté, elle les exécute à l'instant : puisqu'on doit nous soulager, soulageons-nous. « Ce n'est pas une émeute isolée « comme d'ordinaire, écrit le commandant des troupes[1];

1. Archives nationales, H, 1453. Lettres de M. de Caraman, 23, 26, 27, 28 mars; du sénéchal Missiessy, 24 mars; du maire d'Hyères, 25 mars, etc. — *Ib.*, H, 1274, de M. de Montmayran, 2 avril; de M. de Caraman, 18 mars, 12 avril; de l'intendant M. de la Tour, 2 avril; du procureur général, M. d'Antheman, 17 avril, et rapport du 15 juin; des officiers municipaux de Toulon, 11 avril; du subdélégué de Manosque, 14 mars; de M. de Saint-Tropez, 21 mars. — Procès-verbal signé par 119 témoins sur l'émeute du 5 mars à Aix, etc.

« ici la partie est liée et dirigée par des principes uni-
« formes; les mêmes erreurs sont répandues dans tous
« les esprits.... Les principes donnés au peuple sont que
« le roi veut que tout soit égal, qu'il ne veut plus de sei-
« gneurs et d'évêques, plus de rangs, point de dîmes et
« droits seigneuriaux. Ainsi ces gens égarés croient user
« de leur droit et suivre la volonté du roi. » — Les grands mots ont fait leur effet; on leur a dit que les États Généraux allaient opérer « la régénération du royaume; » ils en ont conclu « que l'époque de la convocation devait
« être celle d'un changement entier et absolu dans les
« conditions et dans les fortunes. » Partant, « l'insurrec-
« tion contre la noblesse et le clergé est aussi vive que
« générale. » « Dans plusieurs lieux on a fait assez con-
« naître que *c'était ici une espèce de guerre déclarée aux*
« *propriétaires et à la propriété;* » et, « dans les villes
« comme dans les campagnes, le peuple continue de dé-
« clarer *qu'il ne veut rien payer, ni impôts, ni droits, ni*
« *dettes.* » — Naturellement, c'est contre le *piquet* ou impôt sur la farine que porte le premier assaut. A Aix, Marseille, Toulon, et dans plus de quarante villes ou bourgades, il est détruit du coup; à Aupt et à Luc, de la maison de pesage il ne reste que les quatre murs; à Marseille, celle du fermier des boucheries, à Brignolles, celle du directeur de la régie des cuirs sont saccagées: on est décidé « à purger le pays des employés de la régie. » — Ceci n'est qu'un commencement, il faut encore que le pain et les autres denrées soient à bon marché et tout de suite. A Arles, la corporation des matelots présidée par M. de Barras, consul, venait d'élire ses représentants, pour clore la séance, ils exigent que, par arrêté, M. de Barras réduise le prix de tous les vivres, et, sur son refus, « ils ouvrent la fenêtre en disant: Nous le tenons, il
« n'y a que le jeter dans la rue, les autres le ramasseront. » Force est de céder; l'arrêté est proclamé par les trom-

pettes de la ville, et, à chaque article taxé, la foule crie : « Vive le roi et M. de Barras ! » — Devant la force brutale il a fallu plier. Seulement l'embarras est grand ; car, par la suppression du piquet, les villes n'ont plus de revenu, et d'autre part, comme elles sont obligées d'indemniser les boulangers et les bouchers, Toulon, par exemple, s'endette de 2500 livres par jour.

Dans ce désordre, malheur à ceux que l'on soupçonne d'avoir contribué de loin ou de près aux maux du peuple. A Toulon, on demande les têtes du maire qui signait les taxes et de l'archiviste qui gardait les rôles ; ils sont foulés aux pieds et leurs maisons dévastées. — A Manosque, l'évêque de Sisteron qui visitait le séminaire est accusé de favoriser un accapareur. Comme il rejoignait à pied son carrosse, il est hué, menacé ; on lui jette de la boue, puis des pierres. Les consuls en chaperon et le subdélégué, qui accourent pour le protéger, sont meurtris, repoussés. Cependant, quelques furieux, sous ses yeux, commencent « à creuser une fosse pour l'enterrer. » Défendu par cinq ou six braves gens, il arrive jusqu'à sa voiture à travers une grêle de cailloux, blessé à la tête, en plusieurs endroits du corps, et il n'est sauvé que parce que ses chevaux, lapidés eux-mêmes, prennent le mors aux dents. Des étrangers, des Italiens, des bandits se sont mêlés aux paysans et aux ouvriers, et l'on entend des paroles, l'on voit des actes qui annoncent une jacquerie. « Les plus échauffés disaient à l'évêque : Nous « sommes pauvres, vous êtes riche, et nous voulons tout « votre bien. » — Ailleurs[1], « les séditieux mettent à « contribution tous les gens aisés. » A Brignolles, treize maisons sont pillées de fond en comble, trente autres à moitié. — A Aupt, M. de Montferrat qui se défend est tué

1. Archives nationales, H, 1274. Lettre de M. de la Tour, 2 avril (avec mémoire détaillé et dépositions).

et « coupé en petits morceaux. » — A la Seyne, la populace, conduite par un paysan, s'assemble au son du tambour; des femmes apportent une bière devant la maison d'un des principaux bourgeois, en lui disant de se préparer à la mort, et « qu'on lui fera l'honneur de l'en« terrer. » Il se sauve, sa maison est pillée, ainsi que celle du piquet, et, le lendemain, le chef de la bande « oblige les principaux habitants à lui donner de l'argent « pour indemniser, à ce qu'il dit, les paysans qui ont « quitté leur travail, » et employé leur journée au bien public. — A Peinier, le président de Peinier, octogénaire, est « assiégé dans son château par une bande de cent « cinquante ouvriers et paysans, » qui ont amené avec eux un consul et un notaire; assistés de ces deux fonctionnaires, ils forcent le président « à passer un acte par « lequel il renonce à ses droits seigneuriaux de toute « espèce. » — A Sollier, ils détruisent les moulins de M. de Forbin-Janson, saccagent la maison de son homme d'affaires, pillent le château, démolissent le toit, la chapelle, l'autel, les grilles et les armoiries, entrent dans les caves, défoncent les tonneaux, emportent tout ce qui peut être emporté: « le transport dura deux jours; » c'est pour le marquis un dommage de cent mille écus. — A Riez, ils entourent le palais épiscopal de fascines en menaçant de l'incendier, « reçoivent l'evêque à composition moyen« nant une promesse de cinquante mille livres, » et veulent qu'il brûle ses archives. — Ils détruisent le château du prévôt de Pignan, ils cherchent l'évêque de Toulon pour le tuer. — Bref, la sédition est *sociale;* car elle s'attaque à tous ceux qui profitent ou commandent dans l'ordre établi.

Aussi bien, à les voir agir, on dirait que la théorie du *Contrat social* leur est infuse. Ils traitent les magistrats en domestiques, édictent des lois, se conduisent en souverains, exercent la puissance publique, et sommairement, arbitrairement, brutalement, établissent ce qu'ils croient conforme au droit naturel. — A Peinier, ils exigent une seconde assemblée électorale et, pour eux, le droit de suffrage. — A Saint-Maximin, ils élisent eux-mêmes de nouveaux consuls et officiers de justice. — A Solliez, ils obligent le lieutenant du juge à donner sa démission, et cassent son bâton de viguier. — A Barjols, « ils font des con« suls et des juges leurs valets de ville, annoncent qu'ils « sont les maîtres et qu'ils rendront la justice » eux-mêmes. — De fait, ils la rendent telle qu'ils la conçoivent, c'est-à-dire à travers beaucoup d'exactions et de vols. Tel a du blé ; il doit partager avec celui qui en manque. Tel a de l'argent ; il doit en donner à celui qui n'en a pas assez pour acheter du pain. Sur ce principe, à Barjols, ils taxent les Ursulines à 1800 livres, enlèvent cinquante charges de blé au Chapitre, dix-huit à un pauvre artisan, quarante à un autre, forcent les chanoines et bénéficiers à donner quittance à leurs fermiers. Puis, de maison en maison, et le gourdin à la main, ils obligent les uns à verser de l'argent, les autres à renoncer à leurs créances, « tel à se départir d'une procédure criminelle, tel à re« noncer à un décret qu'il a obtenu, tel à rembourser les « frais d'un procès gagné depuis plusieurs années, un « père à donner son consentement au mariage de son « fils. » — Tous leurs griefs leur reviennent, et l'on sait combien le paysan a la mémoire tenace. Devenu maître, il redresse les torts, surtout ceux dont il se croit l'objet. Restitution générale, et d'abord des droits féodaux perçus : ils prennent à l'homme d'affaires de M. de Montmeyan tout l'argent qu'il a, en compensation de ce qu'il a touché depuis quinze ans en qualité de notaire. L'ancien consul de Brignolles avait infligé en 1775 pour 1500 ou 1800 francs d'amendes appliquées au profit des pauvres ; on lui reprend cette somme dans sa caisse. — Du reste, si les consuls et gens de loi sont malfaisants, les titres de propriété, les rôles de redevances, tous ces papiers d'après lesquels ils instrumentent, sont pires encore. Au feu les vieilles écritures, non-seulement tous les registres des commis, mais aussi, à Hyères, tous les papiers de l'hôtel de ville et du notaire principal. — En fait de papiers, il n'y a de bons que les nouveaux, ceux qui portent décharge, quittance ou obligation au profit du peuple. A Brignolles, on contraint les propriétaires des moulins à passer un acte de vente par lequel ils cèdent leurs moulins à la commune, moyennant 5000 francs par an, payables dans dix ans, sans intérêts, ce qui les ruine; à la vue du contrat signé, les paysans poussent des acclamations, et ils ont tant de confiance en ce papier timbré que, sur-le-champ, ils font dire une messe d'actions de grâce aux Cordeliers. — Symptômes redoutables et qui indiquent les dispositions intimes, la volonté fixe, l'œuvre future du pouvoir qui surgit. S'il l'emporte, il commencera par détruire les anciens papiers, rôles, titres, contrats, créances qu'il subit par force; par force aussi, il en fera rédiger d'autres à son profit, et les scribes seront ses députés, ses administrateurs qu'il tient sous sa rude poigne.

On ne s'en alarme point en haut lieu; on trouve même que la révolte a du bon, puisqu'elle a forcé les villes à supprimer des taxes injustes[1]. On souffre que les jeunes gens de la nouvelle garde marseillaise aillent à Aubagne « exiger de M. le lieutenant criminel et de M. l'avocat du « roi l'élargissement des prisonniers. » On tolère la déso-

1. Archives nationales, H, 1274. Lettre de M. de Caraman, 22 avril : « Il « est résulté de ce malheur un bien réel.... On a reporté sur la classe aisée ce « qui excédait les forces des malheureux journaliers.... On s'aperçoit encore « d'un peu plus d'attention de la noblesse et des gens aisés pour les pauvres « paysans : on s'est accoutumé à leur parler avec plus de douceur. » — M. de Caraman a été blessé, ainsi que son fils, à Aix, et, si les soldats lapidés ont fini par tirer, c'est sans son ordre. — *Ib.* Lettre de M. d'Antheman, 17 avril; de M. de Barentin, 11 juin.

béissance de Marseille qui refuse de recevoir les magistrats envoyés par lettres patentes pour commencer l'information. Bien mieux, malgré les remontrances du Parlement d'Aix, on proclame une amnistie générale; « on « n'excepte que quelques chefs auxquels encore on laisse « la liberté de sortir du royaume. » La douceur du roi, des chefs militaires est admirable : on admet que le peuple est un enfant, qu'il ne pèche jamais que par erreur, qu'il faut croire à son repentir, et, sitôt qu'il rentre dans l'ordre, le recevoir avec des affections paternelles. — La vérité est que l'enfant est un colosse aveugle, exaspéré par la souffrance : c'est pourquoi il brise tout ce qu'il touche, non-seulement en province les rouages locaux qui, après un dérangement temporaire, peuvent être réparés, mais encore au centre le ressort principal qui imprime le mouvement au reste et dont la destruction va détraquer toute la machine.

CHAPITRE II.

Paris jusqu'au 14 juillet. — I. Recrues d'émeute aux environs. — Entrée des vagabonds. — Nombre des indigents. — II. Excitations de la presse et de l'opinion. — Le peuple prend parti. — III. Affaire Réveillon. — IV. Le Palais-Royal. — V. Les attroupements populaires deviennent un pouvoir politique. — Pression sur l'Assemblée. — Défection des soldats. — VI. Journées des 13 et 14 juillet. — VII. Meurtre de Foulon et de Berthier. — VIII. Paris aux mains du peuple.

I

En effet, c'est au centre que les secousses convulsives sont les plus fortes. Rien n'y manque pour aggraver l'émeute, ni les excitations plus vives pour la provoquer, ni les bandes plus nombreuses pour la faire. Tous les alentours de Paris lui fournissent des recrues; nulle part il n'y a tant de misérables, tant d'affamés et tant de révoltés. Partout des pillages de grains, à Orléans, à Cosne, à Rambouillet, à Jouy, à Pont-Saint-Maxence, à Bray-sur-Seine, à Sens, à Nangis [1]. Le froment est si rare à Meudon qu'on ordonne à toute personne qui en achète d'acheter en même temps une égale quantité d'orge. A Viroflay, trente femmes, avec une arrière-garde d'hommes, arrê-

1. Archives nationales, H, 1453. Lettre de M. Miron, lieutenant de police, 26 avril; de M. Joly de Fleury, procureur général, 29 mai; de MM. Marchais et Berthier, 18 et 27 avril, 23 mars, 5 avril, 5 mai. — Arthur Young, 10 et 29 juin. — Archives nationales, H, 1453. Lettre du subdélégué de Montlhéry, 14 avril.

tent sur la grande route les voitures qu'elles supposent chargées de grains. A Montlhéry, sept brigades de la maréchaussée sont dispersées à coups de pierres et de bâtons : une cohue énorme, huit mille personnes, femmes, hommes, munis de sacs, fondent sur les grains exposés en vente, se font délivrer à 24 francs le blé qui en vaut 40, en pillent la moitié et l'emportent sans rien payer. « La maréchaussée est découragée, écrit le subdélégué; « la résolution du peuple est étonnante; je suis effrayé « de ce que j'ai vu et entendu. » — Depuis le 13 juillet 1788, jour de la grêle, « le désespoir » a pris les paysans; si grande qu'ait été la bonne volonté du propriétaire, on n'a pu les aider; « il n'existe aucun atelier de travaux[1]; « les seigneurs et les bourgeois, obligés de faire la remise « de leurs revenus, ne peuvent donner de l'ouvrage. » Aussi « le peuple affamé n'est pas loin de risquer la vie « pour la vie, » et, publiquement, hardiment, il cherche des vivres où il y en a. — A Conflans-Sainte-Honorine, Eragny, Neuville et Chenevières, à Cergy, Pontoise, l'Isle-Adam, Presle et Beaumont, hommes, femmes, enfants, toute la paroisse, battent la plaine, tendent des collets, détruisent les terriers. « Le bruit s'est répandu que le gouverne-« ment, instruit du tort que le gibier faisait aux cultiva-« teurs, a permis de le détruire.... Et véritablement les « lièvres ravageaient à peu près le cinquième de la ré-« colte. » — On arrête d'abord neuf de ces nouveaux braconniers; mais on les relâche « à cause des circons-« tances, » et là-dessus, pendant deux mois, c'est un massacre sur les terres du prince de Conti, de l'ambassadeur Mercy d'Argenteau : à défaut de pain, ils mangent du gibier. — Par un entraînement naturel, avec les abus

1. Archives nationales, H, 1453. Lettre du subdélégué Gobert, 17 mars; de l'officier de maréchaussée, 15 juin. — « Les 12, 13, 14, 15, 16 mars, les « habitants de Conflans se sont généralement révoltés contre le lapin. »

de la propriété, ils attaquent la propriété elle-même. Près de Saint-Denis, les bois de l'abbaye sont dévastés; « les « fermiers des environs en enlèvent des voitures de quatre « et cinq chevaux; » les villageois de Ville-Parisis, Tremblay, Vert-Galant, Villepinte en font commerce public et menacent les gardes de les assommer : au 15 juin le dégât est déjà estimé plus de 60 000 livres. — Peu importe que le propriétaire ait été bienfaisant, comme M. de Talaru[1] qui, l'hiver précédent, dans sa terre d'Issy, a nourri les pauvres. Les paysans détruisent la digue qui conduisait l'eau à son moulin banal; condamnés par le Parlement à la rétablir, ils déclarent que, non-seulement ils n'obéiront pas, mais que, si M. de Talaru la relève, ils viendront, au nombre de trois cents et bien armés, la démolir une seconde fois.

Pour les plus compromis Paris est le refuge le plus voisin; pour les plus pauvres et les plus exaspérés, la vie nomade s'ouvre toute grande. Des bandes se forment autour de la capitale, comme dans les contrées où la société humaine n'a pas encore commencé ou a cessé d'être. Dans les premières semaines de mai[2], près de Villejuif, il y en a une de cinq ou six cents vagabonds, qui veulent forcer Bicêtre et s'approchent de Saint-Cloud. Il en vient de trente, quarante et soixante lieues, de la Champagne, de la Lorraine, de toute la circonférence du pays ravagé par la grêle. — Tout cela flotte autour de Paris et s'y engouffre comme dans un égout, les malheureux avec les malfaiteurs, les uns pour trou-

1. Montjoie, 2e partie, ch. XXI, p. 14 (1re semaine de juin). Montjoie est homme de parti; mais il date et précise, et son témoignage, quand il est confirmé d'ailleurs, mérite d'être admis.

2. Montjoie, 1re partie, 92, 101. — Archives nationales, H, 1453. Lettre de l'officier de maréchaussée de Saint-Denis. « Il arrive journellement, tant de « la Lorraine que de la Champagne, beaucoup d'ouvriers, » ce qui va augmenter la disette.

ver du travail, les autres pour mendier, pour rôder, sous les suggestions malsaines de la faim et des rumeurs qui s'élèvent dans la rue. Pendant les derniers jours d'avril[1], les commis voient entrer par les barrières « un nombre « effrayant d'hommes mal vêtus et d'une figure sinistre. » Dès les premiers jours de mai, on remarque que l'aspect de la foule est changé ; il s'y mêle « une quantité d'étran- « gers, venus de tous pays, la plupart déguenillés, armés « de grands bâtons, et dont le seul aspect annonce tout « ce qu'on en doit craindre. » — Déjà, avant cet afflux final, la sentine publique était pleine et regorgeait. Songez à l'agrandissement extraordinaire et rapide de Paris, à la multitude d'ouvriers qu'y ont amenés les démolitions et les récentes bâtisses, à tous les gens de métier que la stagnation des industries, l'élévation des octrois, la rigueur de l'hiver, la cherté du pain réduisent à l'extrême détresse. Rappelez-vous qu'en 1786 on y comptait « deux « cent mille individus qui n'avaient pas en propriété ab- « solue la valeur intrinsèque de cinquante écus, » que de temps immémorial, ils sont en guerre avec le guet, qu'en 1789 il y a cent vingt mille indigents dans la capitale, que, pour leur donner du travail, il a fallu établir des ateliers nationaux, « qu'on en tient douze mille inutilement « occupés à creuser la butte Montmartre et payés vingt « sous par jour, que les ports et les quais en sont cou- « verts, que l'Hôtel de ville en est investi, qu'ils semblent « autour du Palais insulter à l'inaction de la justice dé- « sarmée, » que chaque jour ils s'aigrissent et s'exaltent à la porte du boulanger où, après une longue attente, ils ne sont pas sûrs d'obtenir du pain. Vous sentirez d'avance avec quelle fureur et quelle force ils fonceront sur l'obstacle que, du doigt, on leur aura montré.

1. De Bezenval, *Mémoires*, I, 353. Cf. *l'Ancien régime*, p. 509. — Marmontel, II, 252 et suivants. — De Ferrières, I, 407.

II

Cet obstacle, depuis deux ans on le leur montre : c'est le ministère, c'est la cour, c'est le gouvernement, c'est l'ancien régime. Quiconque proteste contre lui en faveur du peuple est sûr d'être suivi aussi loin et plus loin qu'il n'a envie de conduire. — Sitôt que, dans une grande ville, un parlement refuse d'enregistrer les édits fiscaux, il trouve une émeute à son service. Le 7 juin 1788, à Grenoble, les tuiles pleuvent sur les soldats, et la force militaire est impuissante. A Rennes, pour venir à bout de la ville révoltée, il a fallu une armée, puis un camp en permanence, quatre régiments d'infanterie et deux de cavalerie sous le commandement d'un maréchal de France[1]. — L'année suivante, quand les parlements se tournent du côté des privilégiés, l'émeute recommence, mais cette fois contre les parlements. En février 1789, à Besançon et à Aix, les magistrats sont honnis, poursuivis dans la rue, assiégés dans leur palais, contraints de se cacher ou de prendre la fuite. — Si telles sont les dispositions dans les capitales de province, que doivent-elles être dans la capitale du royaume? Pour commencer, au mois d'août 1788, après le renvoi de Brienne et de Lamoignon, la multitude, rassemblée sur la place Dauphine, s'érige en juge, brûle les deux ministres en effigie, disperse le guet, résiste aux troupes : on n'avait pas vu depuis un siècle une sédition aussi sanglante. Deux jours plus tard, l'émeute éclate une seconde fois; le peuple s'ébranle pour aller mettre le feu aux hôtels des deux ministres et à l'hôtel du lieutenant de police Dubois. — Visiblement un ferment nouveau est entré dans la masse ignorante et grossière, et les idées nouvelles font leur effet. Il y a

1. Arthur Young, 1er septembre 1788

longtemps qu'elles ont filtré insensiblement de couche en couche, et qu'après avoir gagné l'aristocratie, toute la partie lettrée du Tiers-État, les gens de loi, les Écoles, toute la jeunesse, elles se sont insinuées, goutte à goutte et par mille fissures, dans la classe qui vit du travail de ses bras. Les grands seigneurs, à leur toilette, ont raillé le christianisme et affirmé les droits de l'homme devant leurs valets, leurs perruquiers, leurs fournisseurs et toute leur antichambre. Les gens de lettres, les avocats, les procureurs ont répété, d'un ton plus âpre, les mêmes diatribes et les mêmes théories aux cafés, aux restaurants, dans les promenades et dans tous les lieux publics. On a parlé devant les gens du peuple comme s'ils n'étaient point là, et, de toute cette éloquence déversée sans précaution, il a jailli des éclaboussures jusque dans le cerveau de l'artisan, du cabaretier, du commissionnaire, de la revendeuse et du soldat.

C'est pourquoi il suffit d'une année pour changer leur mécontentement sourd en passion politique. A partir du 5 juillet 1787, sur l'invitation du roi qui convoque les États généraux et demande à chacun son avis, la parole et la presse changent d'accent[1] : au lieu d'une conversation générale et spéculative, c'est une prédication en vue d'un effet pratique, subit, profond et prochain, vibrante et perçante comme un clairon d'appel. Coup sur coup éclatent les pamphlets révolutionnaires, *Qu'est-ce que le Tiers*, par Sieyès, *Mémoire pour le peuple Français*, par Cerutti, *Considérations sur les intérêts du Tiers État*, par Rabaut Saint-Etienne, *Ma pétition*, par Target, *Les droits des États généraux*, par M. d'Entraigues, un peu plus tard *la France libre*, par Camille Desmoulins, d'autres encore, par centaines et par milliers[2], tous répétés et

1. Barrère, *Mémoires*, I, 234.

2. Voir à la Bibliothèque nationale le catalogue si long de ceux qui ont survécu

amplifiés dans les assemblées électorales où les nouveaux citoyens viennent déclamer et s'échauffer[1]. Le cri unanime, universel et quotidien roule d'écho en écho jusque dans les casernes, les faubourgs, les marchés, les ateliers, les mansardes. Au mois de février 1789, Necker avoue « qu'il n'y a plus d'obéissance nulle part, et qu'on n'est « pas même sûr des troupes. » Au mois de mai, les marchandes de poisson, puis les fruitières de la Halle viennent recommander aux électeurs les intérêts du peuple et chanter des couplets en l'honneur du Tiers-État. Au mois de juin, les pamphlets sont dans toutes les mains; « les laquais eux-mêmes les dévorent à la porte des hô« tels. » Au mois de juillet, comme le roi signait un ordre, un valet patriote s'alarme et lit par-dessus son épaule. — Il ne faut pas se faire illusion; ce n'est pas la bourgeoisie seulement qui prend parti contre les autorités légales et contre le régime établi, c'est le peuple entier, gens de métier, de boutique et de service, manœuvres de toute espèce et de tout degré, au-dessous du peuple la populace, vagabonds, traîneurs de rue, indigents, toute la multitude qui, courbée sous le souci du pain quotidien, n'avait jamais levé les yeux pour regarder le grand ordre social dont elle est la plus basse assise et dont elle porte tout le poids.

III

Tout à coup, elle fait un mouvement, et l'échafaudage superposé chancelle. C'est un mouvement de brute exaspérée par le besoin et affolée par le soupçon. — A-t-elle

1. Malouet, I, 255. Bailly, I, 43 (9 et 19 mai). — D'Hezecques, *Souvenirs d'un page de Louis XVI*, 293. — De Bezenval, I, 368.

été piquée en dessous par des mains soudoyées qui se cachent? Les contemporains en sont persuadés[1], et la chose est probable. Mais le bruit qu'on fait autour de la bête souffrante suffirait pour la rendre ombrageuse et pour expliquer son sursaut. — Le 21 avril, les assemblées électorales ont commencé à Paris; il y en a dans chaque quartier, pour le clergé, pour la noblesse, pour le Tiers-État. Tous les jours, pendant près d'un mois, on voit dans les rues passer des files d'électeurs. Ceux du premier degré continuent à se réunir après avoir nommé ceux du second : il faut bien que la nation surveille ses mandataires et maintienne ses droits imprescriptibles; si elle en a délégué l'usage, elle en a conservé la propriété, et se réserve d'intervenir quand il lui plaira. Une pareille prétention fait vite son chemin, et tout de suite, après le tiers-état des assemblées, elle gagne le tiers-état de la rue. Rien de plus naturel que l'envie de conduire ses conducteurs : au premier mécontentement, on met la main sur ceux qui regimbent, et on les fait marcher à l'œil et au doigt. — Le samedi 25 avril[2], le bruit se répand que Réveillon, électeur, fabricant de papiers peints rue Saint-Antoine, et le commissaire Lerat ont « mal parlé » dans l'assemblée électorale de Sainte-Marguerite. Parler mal, c'est mal parler du peuple. Qu'a dit Réveillon? On l'ignore, mais l'imagination populaire, avec sa terrible puissance d'invention et de précision, fabrique ou accueille sur-le-champ une phrase meurtrière : il a

1. Marmontel, II, 249. — Montjoie, 1re partie, p. 92. — De Bezenval, I, 387 : « Ces espions ajoutaient qu'on voyait des gens exciter le tumulte et « même distribuer de l'argent. »

2. Archives nationales, Y, 11441. Interrogatoire de l'abbé Roy, 5 mai. — Y, 11033. Interrogatoire (28 avril et 4 mai) des vingt-trois blessés portés à l'Hôtel-Dieu. — Ces deux pièces sont capitales pour donner le vrai caractère de l'émeute; il faut y ajouter le récit de M. de Bezenval, qui commandait alors avec M. du Châtelet. Presque tous les autres récits sont amplifiés ou faussés par l'esprit de parti.

dit « qu'un ouvrier, ayant femme et enfants, pouvait « vivre avec quinze sous par jour. » C'est un traître, il faut lui courir sus, « mettre tout à feu et à sang chez « lui. » — Notez que le bruit est faux[1], que Réveillon donne vingt-cinq sous par jour à ses moindres ouvriers, qu'il en fait vivre trois cent cinquante, que l'hiver précédent, malgré le chômage, il les a gardés tous et au même prix, qu'il est lui-même un ancien ouvrier, médaillé pour ses inventions, bienfaisant, respecté de tous les gens respectables. — Il n'importe; les bandes de vagabonds et « d'étrangers » qui viennent d'entrer par les barrières n'y regardent pas de si près, et les manœuvres, charretiers, savetiers, maçons, chaudronniers, débiteurs de marbre, qu'ils vont racoler dans leurs garnis, n'en savent pas davantage. Quand l'irritation s'est accumulée, elle déborde au hasard.

Justement le clergé de Paris vient de déclarer[2] qu'il renonce à ses priviléges en fait d'impôt, et le peuple, prenant ses amis pour ses adversaires, ajoute dans ses invectives le nom du clergé au nom de Réveillon. Pendant toute la journée et tout le loisir du dimanche la fermentation croît, et le lundi 27, autre jour d'oisiveté et d'ivrognerie, les bandes s'ébranlent. Des témoins en rencontrent une rue Saint-Séverin « armée de massues, » si épaisse que le passage est barré. « De toutes parts on « ferme les portes et les boutiques en criant : Voilà la « révolte ! Les séditieux vomissent des imprécations et « des invectives contre le clergé, » et, voyant un abbé, l'appellent « f.... prêtre. » Une autre bande promène un mannequin de Réveillon, décoré du cordon de Saint-Michel, lui fait subir une parodie de jugement, le brûle en place de Grève, et menace sa maison; repoussée par là

1. De Ferrières, t. III, note A (Exposé justificatif, par Réveillon).
2. Bailly, I, 25 (le 26 avril).

garde, elle envahit celle d'un salpêtrier son ami, brise et brûle tous les effets et tous les meubles[1]. C'est seulement vers minuit que l'attroupement est dispersé, et l'on croit en avoir fini avec l'émeute. — Le lendemain, elle recommence plus forte; car, outre les aiguillons ordinaires qui sont la misère[2] et le besoin de licence, ils ont un aiguillon nouveau, l'idée d'une cause à défendre, la persuasion où ils sont qu'ils combattent « pour le Tiers-État. » Dans une pareille cause, chacun doit s'aider et tous doivent s'entr'aider : « On serait perdu, disait l'un d'eux, si l'on « ne se soutenait pas les uns les autres. » Forts de cette croyance, ils députent jusqu'à trois fois dans le faubourg Saint-Marceau pour y faire des recrues, et, sur leur passage, de force ou de gré, le gourdin levé, ils enrôlent tout ce qu'ils rencontrent. D'autres, à la porte Saint-Antoine, arrêtent les gens qui reviennent des courses, leur demandent s'ils sont pour la noblesse ou pour le Tiers, forcent les femmes à descendre de voiture et à crier vive le Tiers-État[3]. Cependant la foule grossit devant la maison Réveillon; les trente hommes de garde ne peuvent résister; la maison est envahie et saccagée de fond en comble; meubles, provisions, linge, registres, voitures, et jusqu'aux volailles de la basse-cour, tout est jeté dans des brasiers allumés en trois endroits différents; cinq cents louis en or, l'argent comp-

1. Hippeau, IV, 377 (Lettre de M. Perrot, 29 avril).

2. *Lettre au roi* par un habitant du faubourg Saint-Antoine : « N'en dou- « tez point, sire; c'est à la cherté du pain qu'on doit attribuer nos derniers « malheurs. »

3. Dammartin, *Événements qui se sont passés sous mes yeux*, etc., I, 25 : « Nous revînmes sur nos pas, et nous fûmes arrêtés par de petites bandes « de mauvais sujets, qui nous proposaient avec insolence de crier : Vive « Necker! vive le Tiers-État! » Ses deux compagnons étaient chevaliers de Saint-Louis, et leur croix semblait un objet de « haine croissante ». « Elle « excita de grossiers murmures, même de la part de gens qui paraissaient « au-dessus des fomentateurs. »

tant, l'argenterie sont volés. Plusieurs se répandent dans les caves, boivent au hasard des liqueurs et des vernis, jusqu'à tomber ivres-morts ou à expirer dans les convulsions. Contre cette cohue hurlante[1], on voit déboucher le guet à pied et à cheval, cent cavaliers de Royal Cravate, les gardes françaises et plus tard les gardes suisses. « Tuiles et cheminées pleuvent sur les soldats, » qui font feu par quatre files. Pendant plusieurs heures, les mutins, ivres de vin et de fureur, se défendent en désespérés; plus de deux cents sont tués, près de trois cents blessés, on n'en vient à bout qu'avec le canon, et les attroupements se prolongent jusque bien avant dans la nuit. — Vers huit heures du soir, rue Vieille-du-Temple, la garde de Paris fait encore des charges pour protéger des portes que veulent forcer les malfaiteurs. A onze heures et demie du soir, ils en forcent deux rue Saintonge et rue de Bretagne, celle d'un charcutier et celle d'un boulanger. Jusque dans ce dernier flot du soulèvement, qui s'apaise, on distingue les éléments qui ont fait l'émeute et qui vont faire la Révolution. — Il y a des affamés : rue de Bretagne, la troupe qui dévalise le boulanger apporte les pains à des femmes arrêtées au coin de la rue Saintonge. — Il y a des bandits : au milieu de la nuit, des espions de M. du Châtelet, s'étant coulés le long d'un fossé, « voient un gros de brigands » assemblés au delà de la barrière du Trône; leur chef, monté sur un tertre, les excite à recommencer, et, les jours suivants, sur les grands chemins, des vagabonds se

1. Dammartin, *Événements qui se sont passés sous mes yeux*, I, 25 : « Je « dînais ce même jour à l'Hôtel d'Ecquevilly, dans la rue Saint-Louis. » — Il sort à pied et assiste à l'émeute. « 1500 à 1600 misérables, excréments « de la nation, dégradés par des vices honteux, couverts de lambeaux, re-« gorgeant d'eau-de-vie, offraient le spectacle le plus dégoûtant et le plus « révoltant. Plus de cent mille personnes de tout sexe, de tout âge, de tout « état, gênaient beaucoup les troupes dans leurs opérations. Bientôt le feu « commença, le sang ruissela ; deux citoyens honnêtes furent blessés près « de moi. »

disent entre eux : « Nous n'avons plus rien à faire à Paris, « les précautions sont trop bien prises, allons à Lyon. » — Il y a enfin des patriotes: le soir de l'émeute, entre le pont au Change et le pont Marie, les va-nu-pieds en chemise et barbouillés de noir qui portent des civières ont conscience de leur cause; ils demandent l'aumône à voix haute, et tendent le chapeau en disant aux passants: « Ayez pitié de ce pauvre Tiers-État. » — Affamés, bandits et patriotes, ils font un corps, et désormais la misère, le crime, l'esprit public s'assemblent pour fournir une insurrection toujours prête aux agitateurs qui voudront la lancer.

IV

Mais déjà les agitateurs sont en permanence. Le Palais-Royal est un club en plein air, où, toute la journée et jusque bien avant dans la nuit, ils s'exaltent les uns les autres et poussent la foule aux coups de main. Dans cette enceinte protégée par les privilèges de la maison d'Orléans, la police n'ose entrer, la parole est libre, et le public qui en use semble choisi exprès pour en abuser. — C'est le public qui convient à un pareil lieu[1]. Centre de la prostitution, du jeu, de l'oisiveté et des brochures, le Palais-Royal attire à lui toute cette population sans racines qui flotte dans une grande ville, et qui, n'ayant ni métier, ni ménage, ne vit que pour la curiosité ou pour le plaisir, habitués des cafés, coureurs de tripots, aventuriers et déclassés, enfants perdus ou surnuméraires de la littérature, de l'art et du barreau, clercs de procureur, étudiants des écoles, badauds, flâneurs, étrangers et habitants

1. De Goncourt, *La société française pendant la Révolution*. On y compte 31 maisons de jeu, et une brochure du temps est intitulée *Pétition des* 2100 *filles du Palais-Royal*.

d'hôtels garnis; on dit que ceux-ci sont quarante mille à Paris. — Ils remplissent le jardin et les galeries; « à peine « y trouverait-on un seul membre de ce qu'on appelait les « Six Corps[1] », un bourgeois établi et occupé, un homme à qui la pratique des affaires et le souci du ménage donnent du sérieux et du poids. Il n'y a point de place ici pour les abeilles industrieuses et rangées; c'est le rendez-vous des frelons politiques et littéraires. Ils s'y abattent des quatre coins de Paris, et leur essaim tumultueux, bourdonnant, couvre le sol comme une ruche répandue. « Toute la journée, écrit Arthur Young[2], il y a eu dix « mille personnes au Palais-Royal, » et la presse est telle qu'une pomme jetée d'un balcon sur le pavé mouvant des têtes ne tomberait pas à terre. — On devine l'état de tous ces cerveaux; ce sont les plus vides de lest qu'il y ait en France, les plus gonflés d'idées spéculatives, les plus excitables et les plus excités. Dans ce pêle-mêle de politiques improvisés, nul ne connaît celui qui parle; nul ne se sent responsable de ce qu'il a dit. Chacun est là comme au théâtre, inconnu parmi des inconnus, avec le besoin d'être ému et transporté, en proie à la contagion des passions environnantes, entraîné dans le tourbillon des grands mots, des nouvelles controuvées, des bruits grossissants, des exagérations par lesquelles les énergumènes vont enchérissant les uns sur les autres. Ce sont des cris, des larmes, des applaudissements, des trépignements comme devant une tragédie; tel s'enflamme et s'égosille jusqu'à mourir sur la place de fièvre et d'épuisement. Arthur Young a beau être habitué au tapage de la liberté politique; il est étourdi de ce qu'il voit. Selon lui[3], « la « fermentation passe toute conception.... Nous nous ima-

1. Montjoie, 2e partie, 144. — Bailly, II, 130.
2. Arthur Young, 24 juin 1789. — Montjoie, 2e partie, 69.
3. Arthur Young, 9, 24, 26 juin. — *La France libre*, passim, par C. Desmoulins.

« ginions que les magasins des libraires Debrett ou Stock-« dale à Londres sont encombrés; mais ce sont des « déserts à côté de celui de Desenne et de quelques autres; « on a peine à se faufiler de la porte jusqu'au comptoir... « Chaque heure produit sa brochure; il en a paru treize « aujourd'hui, seize hier et quatre-vingt-douze la semaine « dernière. Dix-neuf sur vingt sont en faveur de la liberté. » — Et, par liberté, on entend l'abolition des priviléges, la souveraineté du nombre, l'application du *Contrat social*, « la République », bien mieux, le nivellement universel, l'anarchie permanente, et même la Jacquerie. Camille Desmoulins, l'un des orateurs ordinaires, l'annonce et la provoque en termes précis: « Puisque la bête est dans « le piége, qu'on l'assomme... Jamais plus riche proie « n'aura été offerte aux vainqueurs. *Quarante mille pa-« lais, hôtels, châteaux, les deux cinquièmes des biens de « la France, seront le prix de la valeur.* Ceux qui se « prétendent conquérants seront conquis à leur tour. « La nation sera *purgée.* » Voilà d'avance le programme de la Terreur.

Or tout cela est non-seulement lu, mais déclamé, amplifié, converti en motions pratiques. Devant les cafés, « ceux qui ont la voix de Stentor se relayent tous les « soirs[1]. » « Ils montent sur une chaise ou sur une table « et lisent l'écrit du jour le plus fort sur les affaires du « temps.... On ne se figure pas aisément l'avidité avec « laquelle ils sont écoutés, et le tonnerre d'applaudisse-« ments qu'ils reçoivent pour toute expression hardie ou « plus violente que d'ordinaire contre le gouvernement... » « Il y a trois jours, un enfant de quatre ans, mais plein « d'intelligence et bien appris, fit le tour du jardin, en « plein jour, au moins vingt fois, porté sur les épaules « d'un crocheteur. Il criait : Arrêt du peuple français ; la

1. C. Desmoulins, Lettres à son père, et Arthur Young, 9 juin.

« Polignac exilée à cent lieues de Paris, Condé idem, « Conti idem, d'Artois idem, la reine..., je n'ose vous le « répéter. » — Au centre du Palais-Royal, une salle en planches est toujours pleine, surtout de jeunes gens qui délibèrent à la façon d'un parlement; le soir, le président invite les spectateurs à venir signer les motions qu'on a faites dans la journée et dont les originaux sont déposés au café Foy[1]. Ils comptent sur leurs doigts les ennemis de la patrie, « et d'abord deux Altesses Royales « (Monsieur et le comte d'Artois), trois Altesses Sérénis« simes (le prince de Condé, le duc de Bourbon et le « prince de Conti), une favorite (Mme de Polignac), « MM. de Vaudreuil, de la Trémoille, du Châtelet, de Vil« ledeuil, de Barentin, de la Galaisière, Vidaud de la « Tour, Berthier, Foulon et même M. Linguet. » Des placards demandent un carcan sur le pont Neuf pour l'abbé Maury. Un orateur propose « de brûler la maison « de M. d'Esprémenil, sa femme, ses enfants, son mobi« lier et sa personne, ce qui passe à l'unanimité. » — Nulle contradiction n'est tolérée; un assistant ayant témoigné de l'horreur pour les motions meurtrières, « il est saisi « au collet, on l'oblige à se mettre à genoux, à faire « amende honorable, à baiser la terre; on lui inflige le « châtiment des enfants, on l'enfonce plusieurs fois dans « un des bassins, après quoi on le livre à la populace qui « le roule dans la boue. » Le lendemain un ecclésiastique est foulé aux pieds, lancé de main en main. Quelques jours après, le 22 juin, il y a encore deux exécutions semblables. La foule souveraine exerce toutes les fonctions de la puissance souveraine, avec celles de législateur celles de juge, avec celles de juge celles de bourreau. — Ses idoles sont sacrées; si quelqu'un leur manque de res-

1. Montjoie, 2e partie, 69, 77, 124, 144. — C. Desmoulins, Lettres du 24 juin et des jours suivants.

pect, il est coupable de lèse-majesté et châtié sur l'heure. Dans la première semaine de juillet, un abbé qui parle mal de Necker est fouetté; une femme qui dit des injures au buste de Necker est troussée, frappée jusqu'au sang par les poissardes. La guerre est déclarée aux uniformes suspects. « Dès que paraît un hussard, écrit Desmoulins, « on crie : Voilà Polichinelle, et les tailleurs de pierre le « lapident. Hier au soir, deux officiers de hussards, « MM. de Sombreuil et de Polignac sont venus au Palais-« Royal... on leur a jeté des chaises, et ils auraient été « assommés, s'ils n'avaient pris la fuite. » Avant-hier « on a saisi un espion de police, on l'a baigné dans le « bassin, on l'a forcé comme on force un cerf, on l'a « harassé, on lui jetait des pierres, on lui donnait des « coups de canne, on lui a mis un œil hors de l'orbite, « enfin, malgré ses prières et qu'il criait merci, on l'a « jeté une seconde fois dans le bassin. Son supplice a « duré depuis midi jusqu'à cinq heures et demie, et il y « avait bien dix mille bourreaux. » — Considérez l'effet d'un pareil foyer en un pareil moment. A côté des pouvoirs légaux s'est élevé un pouvoir nouveau, une législature de carrefour et de place publique, anonyme, irresponsable, sans frein, précipitée en avant par des théories de café, par des fougues de cervelle, par des excitations de tréteaux; et les bras nus qui viennent de tout briser au faubourg Saint-Antoine sont ses gardes du corps et ses ministres.

V

C'est la dictature de la foule attroupée, et ses procédés, conformes à la nature, sont les voies de fait : sur tout ce qui lui résiste, elle frappe. — Chaque jour, dans les rues et aux portes de l'Assemblée, le peuple de Versailles « vient insulter ceux qu'on appelle *aristocrates*[1]. » Le lundi 22 juin « d'Esprémenil manque d'être assommé; l'abbé « Maury..... ne doit son salut qu'à la vigueur d'un curé « qui le prend par le corps, et le jette dans le carrosse de « l'archevêque d'Arles. » Le 23, l'archevêque de Paris, le « garde des sceaux, sont hués, honnis, conspués, bafoués, « à périr de honte et de rage », et la tempête des vociférations qui les accueille est si formidable que Passeret, secrétaire du roi, qui accompagnait le ministre, en meurt de saisissement, le jour même. Le 24, l'évêque de Beauvais est presque assommé d'une pierre à la tête. Le 25, l'archevêque de Paris n'est sauvé que par la vitesse de ses chevaux; la multitude le suit en le lapidant; son hôtel est assiégé, toutes ses fenêtres sont brisées et, malgré l'intervention des gardes françaises, son péril est si grand, qu'il est contraint de promettre qu'il se réunira aux députés du Tiers. Voilà de quelle façon la rude main populaire opère la réunion des ordres. — Elle pèse aussi impérieusement sur ses représentants que sur ses adversaires. « Quoique notre « salle fût interdite, dit Bailly, il y avait toujours plus de « six cents spectateurs[2]. » non pas respectueux, muets, mais actifs, bruyants, mêlés aux députés, levant la main aux motions, en tout cas prenant part aux délibérations par leurs applaudissements et par leurs huées, assemblée collatérale et qui souvent impose à l'autre sa volonté. Ils notent et prennent par écrit les noms des opposants;

1. Étienne Dumont, *Souvenirs*, p. 72. — C. Desmoulins, lettre du 24 juin. — Arthur Young, 25 juin. — Roux et Buchez, II, 28.

2. Bailly, I, 227 et 179. — Monnier, *Recherches sur les causes*, etc., I, 291; II, 61; I, 289. — Malouet, I, 299; II, 10. — *Actes des Apôtres*, V, 43. (Lettre de M. de Guillermy du 31 juillet 1790.) — Marmontel, I, 28 : « Le « peuple venait jusque dans l'Assemblée encourager ses partisans, choisir et « marquer ses victimes, et rendre effrayante pour les faibles la redoutable « épreuve de l'appel nominal. »

ces noms transmis aux porte-chaises qui se tiennent à l'entrée de la salle, et, de là, jusqu'à la populace qui attend les députés à la sortie[1], sont désormais des noms d'ennemis publics. Des listes en sont dressées, imprimées, et, le soir, au Palais-Royal, deviennent des listes de proscriptions. — C'est sous cette pression grossière que passent plusieurs décrets, entre autres celui par lequel les communes se déclarent Assemblée Nationale, et prennent le pouvoir suprême. La veille, Malouet avait proposé de vérifier au préalable de quel côté était la majorité ; en un instant tous les *Non*, au nombre de plus de trois cents, se rangent autour de lui ; là-dessus, « un homme s'élance « des galeries, fond sur lui et le prend au collet en « criant : « Tais-toi, mauvais citoyen ». On dégagea Malouet, la garde accourut ; « mais la terreur s'était ré « pandue dans la salle, les menaces suivirent les opposants, « et le lendemain nous ne fûmes que quatre-vingt-dix. » Aussi bien, la liste de leurs noms avait couru ; quelques-uns, députés de Paris, vinrent trouver Bailly le soir même : l'un d'eux, « très-honnête homme et bon pa- « triote », avait été averti qu'on devait mettre le feu chez lui ; or sa femme venait d'accoucher, et le moindre tumulte devant la maison eût été mortel pour la malade. De pareils arguments sont décisifs. — En effet, trois jours après, au serment du jeu de Paume, un seul député, Martin d'Auch ose écrire à la suite de son nom « opposant. » Insulté par plusieurs de ses collègues, « dénoncé sur-le- « champ au peuple qui s'est attroupé à l'entrée de la salle, « il est obligé de se sauver par une porte détournée pour « éviter d'être mis en pièces, » et, pendant quelques jours,

1. Lettres manuscrites de M. Boullé, député, aux officiers municipaux de Pontivy, du 1er mai 1789 au 4 septembre 1790 (communiquées par M. Rosenzweig, archiviste à Vannes), 16 juin 1789 : « La foule qui entoure la « salle.... était, ces jours-ci, de deux ou trois mille personnes. »

de ne plus revenir aux séances[1]. — Grâce à cette interven tion des galeries, la minorité radicale, trente membres environ [2] conduisent la majorité, et ne souffrent pas qu'elle se délivre. — Le 28 mai, Malouet ayant demandé le huis clos pour discuter les moyens conciliatoires proposés par le roi, les galeries le huent, et un député, M. Bouche, lui dit ces paroles trop claires : « Apprenez, monsieur, « que nous délibérons ici devant nos maîtres et que nous « leur devons compte de nos opinions. » C'est la doctrine du *Contrat social*, et, par timidité, par crainte de la cour et des privilégiés, par optimisme et confiance en la nature humaine, par entraînement et obligation de soutenir leurs premiers actes, les députés, nouveaux venus, provinciaux et théoriciens, n'osent ni ne savent se soustraire à la tyrannie du dogme régnant. — Dorénavant il fait loi : Constituante, Législative, Convention, toutes les assemblées vont le subir jusqu'au bout. Il est admis que le public des galeries représente le peuple au même titre et à titre plus haut que les députés. Or, ce public est celui du Palais-Royal, étrangers, oisifs, amateurs de nouveautés, nouvellistes de Paris, coryphées des cafés, futurs piliers de clubs, bref les exaltés de la classe bourgeoise, de même que la populace qui menace aux portes et jette des pierres se recrute parmi les exaltés du petit peuple. Ainsi, par un triage involontaire, la faction qui s'érige en pouvoir public ne se compose que des esprits violents et

1. Lettres de M. Boullé, 23 juin. « Quel moment sublime que celui où nous « nous lions, avec enthousiasme, à la patrie par un nouveau serment !... « Pourquoi faut-il qu'un de nos membres ait choisi cet instant pour se déshonorer ? Son nom est maintenant flétri dans toute la France, et le malheu« reux a des enfants ! Couvert à l'instant de tout le mépris public, il sort et « tombe en faiblesse à la porte en s'écriant : « Ah ! j'en mourrai ! » Je ne sais « ce qu'il est devenu depuis. Ce qu'il y a d'étrange, c'est qu'il ne s'était pas « mal montré jusqu'alors, et qu'il avait voté pour la Constitution. »

2. De Ferrières, I, 168. — Malouet, I, 298 (selon lui, la faction ne comptait pas alors plus de dix membres). — Idem. II, 10. — Dumont, 250.

des mains violentes. Spontanément et sans entente préalable, les énergumènes dangereux se trouvent ligués avec les brutes dangereuses, et, dans le désaccord croissant des autorités légales, c'est cette ligue illégale qui va tout renverser.

Quand un général en chef, siégeant avec son état-major et ses conseils, délibère sur un plan de campagne, le premier intérêt public est que la discipline demeure intacte, et que des intrus, soldats ou goujats, ne viennent point jeter le poids de leur turbulence et de leur irréflexion dans la balance que les chefs doivent tenir avec précaution et avec sang-froid. Ç'a été la demande expresse du Gouvernement[1]; elle n'a pas abouti, et, contre l'usurpation persistante de la multitude, il ne lui reste plus à employer que la force. Mais la force elle-même se dérobe sous sa main, et la désobéissance croissante, comme une contagion, après avoir gagné le peuple, se répand dans la troupe. — Dès le 23 juin[2], deux compagnies de gardes françaises avaient refusé le service. Consignés aux casernes, le 27, ils violent la consigne, et désormais, « chaque soir, on les voit entrer au Palais-« Royal en marchant sur deux rangs. » L'endroit leur est connu; c'est le rendez-vous général des filles dont ils sont les amants et les parasites[3]. « Tous les patriotes « s'accrochent à eux : on leur paye des glaces, du vin; on « les débauche à la barbe de leurs officiers. » — Comptez de plus que, depuis longtemps, leur colonel, M. du Cha-

1. Déclaration du 23 juin, article 15.

2. Montjoie, 2e partie, 118. — C. Desmoulins, lettres du 24 juin et jours suivants. — *Récit fidèle* par M. de Sainte-Fère, ancien officier aux gardes françaises, p. 9. — De Bezenval, III, 413. — Roux et Buchez, II, 35. — Souvenirs manuscrits de M. X.

3. Peuchet (*Encyclopédie méthodique*, 1789, citée par Parent Duchâtelet) : « Presque tous les soldats aux gardes appartiennent à cette classe (les sou-« teneurs de filles), et beaucoup même ne s'engagent dans ce corps que pour « vivre aux dépens de ces malheureuses filles. »

telet, leur est odieux, qu'il les a fatigués de manœuvres forcées, qu'il a tracassé et amoindri leurs sergents, qu'il a supprimé l'école où l'on élevait les enfants de leurs musiciens, qu'il emploie le bâton pour châtier les hommes, qu'il chicane sur la tenue, la nourriture et l'entretien. — C'est un régiment perdu pour la discipline : une société secrète s'y est formée, et les soldats se sont engagés devant leurs anciens à ne rien faire contre l'Assemblée nationale. Ainsi, entre eux et le Palais-Royal, la confédération est faite. — Le 30 juin, onze de leurs meneurs conduits à l'Abbaye écrivent pour demander du secours : un jeune homme monte sur une chaise devant le café Foy, et lit tout haut leur lettre ; à l'instant une bande se met en marche, force le guichet à coups de maillet et de barres de fer, ramène les prisonniers en triomphe, leur donne une fête dans le jardin et monte la garde autour d'eux pour qu'on ne vienne pas les reprendre. — Lorsqu'un tel désordre reste impuni, nul ordre ne peut être maintenu ; en effet, le 14 juillet au matin, sur six bataillons cinq avaient fait défection. — Quant aux autres corps, ils ne tiennent pas mieux et sont séduits de même. « Hier, « écrit Desmoulins, le régiment d'artillerie a suivi l'exem-« ple des gardes françaises, il a forcé les sentinelles, et « est venu se mêler aux patriotes dans le Palais-Royal... « On ne voit que des gens du peuple qui s'attellent à tous « les militaires qu'ils rencontrent : *allons ! vive le Tiers « État !* et ils les entraînent au cabaret où l'on boit à la « santé des Communes. » — Des dragons disent à l'officier qui les mène à Versailles : « Nous vous obéissons, « mais, quand nous serons arrivés, annoncez aux minis-« tres que, si l'on nous commande la moindre violence « contre nos concitoyens, le premier coup de feu sera « pour vous. » — Aux Invalides, vingt hommes, commandés pour ôter les chiens et les baguettes aux fusils du magasin menacé, emploient six heures pour mettre vingt fusils hors d'usage : c'est qu'ils veulent les garder intacts pour le pillage et l'armement du peuple. — Bref, la plus grande partie de l'armée a tourné. Si bon que soit un chef, il suffit qu'il soit chef, pour qu'on le traite en ennemi : le gouverneur, M. de Sombreuil, « à qui ces « gens-là n'ont pas un reproche à faire », verra tout à l'heure ses canonniers diriger leurs canons contre son appartement, et manquera d'être pendu de leurs propres mains à la grille. — Ainsi la force qu'on amène pour réprimer l'émeute ne sert qu'à lui fournir des recrues. Bien pis, l'étalage des armes, sur lequel on comptait pour contenir la foule, fournit la provocation qui achève de la révolter.

VI

Le moment fatal est arrivé : ce n'est pas un gouvernement qui tombe pour faire place à un autre, c'est tout gouvernement qui cesse pour faire place au despotisme intermittent des pelotons que l'enthousiasme, la crédulité, la misère et la crainte lanceront à l'aveugle et en avant[1]. Comme un éléphant domestique qui tout d'un coup redeviendrait sauvage, le peuple, d'un geste, jette à bas son cornac ordinaire, et les nouveaux guides qu'il tolère juchés sur son cou ne sont là que pour la montre ; dorénavant, il marche à sa guise, affranchi de leur raison, livré à ses sensations, à ses instincts et à ses appétits. — Visiblement, on n'a voulu que prévenir ses écarts : le roi a interdit toute violence, les commandants défendent aux troupes de tirer[2] ; mais l'animal surexcité, farouche,

1. Gouverneur Morris, *Correspondance avec Washington*, 19 juillet : « La liberté est maintenant le cri général ; l'autorité est un nom et n'a plus « de réalité. »

2. Bailly, I, 302. « Le roi était de très-bonne foi ; il ne comptait prendre « de mesures que pour l'ordre et la paix publique.... La force de la vérité

prend toutes les précautions pour des attentats ; à l'avenir, il entend se conduire lui-même, et, pour commencer, il écrase ses gardiens. — Le 12 juillet, vers midi[1], à la nouvelle du renvoi de Necker, un cri de fureur s'élève au Palais-Royal ; Camille Desmoulins monte sur une table, annonce que la cour médite « une Saint-Barthélemy de patriotes. » On l'embrasse, on prend la cocarde verte qu'il a proposée, on oblige les salles de danse et les théâtres à fermer en signe de deuil, on va chez Curtius prendre les bustes du duc d'Orléans et de Necker, et on les promène en triomphe. — Cependant les dragons du prince de Lambesc, rangés sur la place Louis XV, trouvent à l'entrée des Tuileries une barricade de chaises, et sont accueillis par une pluie de pierres et de bouteilles[2]. Ailleurs, sur le boulevard, devant l'hôtel Montmorency, des gardes françaises, échappées de leurs casernes, font feu sur un détachement fidèle de Royal-Allemand. — De toutes parts, le tocsin sonne, les boutiques d'armuriers sont pillées, l'hôtel de ville est envahi ; quinze ou seize électeurs de bonne volonté qui s'y rencontrent décident que les districts seront convoqués et armés. — Le nouveau souverain s'est montré : c'est le peuple en armes et dans la rue.

« obligea le Châtelet à acquitter M. de Bezenval d'attentat contre le peuple « et la patrie. » — Cf. Marmontel, IV, 183 ; Mounier, II, 40.

1. C. Desmoulins, lettre du 16 juillet. — Roux et Buchez, II, 83.

2. *Procès du prince de Lambesc* (Paris, 1790), avec les quatre-vingt-trois dépositions et la discussion des témoignages. — C'est la foule qui a commencé l'attaque ; les troupes ont tiré en l'air ; un seul homme, le sieur Chauvel, a été blessé, et légèrement, par le prince de Lambesc. (Déposition de M. de Carboire, p. 84, et du capitaine de Reinack, p. 101. « M. le prince de « Lambesc, monté sur un cheval gris, selle grise sans fontes ni pistolet, « était à peine entré dans le jardin, qu'une douzaine de personnes sautèrent « aux crins et à la bride de son cheval et firent tous leurs efforts pour le « démonter ; un petit homme, vêtu de gris, lui tira même de très-près un « coup de pistolet.... Le prince fit tous ses efforts pour se dégager, et y par- « vint en faisant caracoler son cheval et en espadonnant avec son sabre, « sans néanmoins, dans ce moment, avoir blessé personne. Lui déposant « vit le prince donner un coup de plat de sabre sur la tête d'un homme qui

Aussitôt la lie de la société monte à la surface. Dans la nuit du 12 au 13 juillet [1], « toutes les barrières depuis le « faubourg Saint-Antoine jusqu'au faubourg Saint-Ho- « noré, outre celles des faubourgs Saint-Marcel et Saint- « Jacques, sont forcées et incendiées. » Il n'y a plus d'octroi, la ville demeure sans revenu, juste au moment où elle est obligée à des dépenses plus fortes ; mais peu importe à la populace, qui, avant tout, veut le vin à bon marché. « Des brigands, armés de piques et de bâtons, se « portent partout en plusieurs divisions, pour livrer au « pillage les maisons dont les maîtres sont regardés « comme les ennemis du bien public. » « Ils vont de porte « en porte, criant : des armes et du pain ! — Durant cette « nuit effrayante, la bourgeoisie se tenait enfermée, cha- « cun tremblant chez soi, pour soi et pour les siens. » — Le lendemain 13, la capitale semble livrée à la dernière plèbe et aux bandits. Une bande enfonce à coups de hache la porte des Lazaristes, brise la bibliothèque, les armoires, les tableaux, les fenêtres, le cabinet de physique, se précipite dans les caves, défonce les tonneaux et se soûle : vingt-quatre heures après, on y trouva une trentaine de morts et de mourants, noyés dans le vin, hommes et femmes, dont une enceinte de neuf mois. Devant la maison [2],

« s'efforçait de fermer le Pont Tournant, et qui, par ce moyen, aurait fermé « la retraite à sa troupe. La troupe ne fit que chercher à écarter la foule qui « se jetait sur elle, tandis que, du haut des terrasses, on l'assaillait à coups « de pierres et même d'armes à feu. » — L'homme qui s'efforçait de fermer le pont avait saisi d'une main la bride du cheval du prince ; la blessure qu'il a reçue est une égratignure longue de vingt-trois lignes, qui a été pansée et guérie au moyen d'une compresse d'eau-de-vie. Tous les détails de l'affaire prouvent que la patience, l'humanité des officiers, ont été extrêmes. Néanmoins, « le lendemain 13, un particulier affichait à la pointe du car- « refour Bussy un placard manuscrit, portant invitation aux citoyens de se « saisir du prince de Lambesc et de l'*écarteler sur-le-champ* ». (Déposition de M. Cosson, p. 114.)

1. Bailly, I, 336. — Marmontel, IV, 310.

2. Montjoie, 3e partie, 86. « Je causai avec ceux qui gardaient le château

la rue est pleine de débris et de brigands qui tiennent à la main, les uns « des comestibles, les autres un broc, « forcent les passants à boire, et versent à tout venant. Le « vin coule en talus dans le ruisseau, l'odorat en est « frappé ; » c'est une kermesse. Cependant on enlève le grain et les farines que les religieux étaient tenus par édit d'avoir toujours en magasin, et on en conduit cinquante-deux voitures à la Halle. Une autre troupe vient à la Force délivrer les prisonniers pour dettes ; une troisième pénètre dans le Garde-Meuble, y enlève des armes et des armures de prix. Des attroupements s'amassent devant l'hôtel de M. de Breteuil et le Palais-Bourbon qu'on veut dévaster pour punir les propriétaires. M. de Crosne, un des hommes les plus libéraux et les plus respectés de Paris, mais pour son malheur lieutenant de police, est poursuivi, s'échappe à grand'peine, et son hôtel est saccagé. — Pendant la nuit du 13 au 14, on pille des boutiques de boulangers et de marchands de vin ; « des « hommes de la plus vile populace, armés de fusils, de « broches et de piques, se font ouvrir les portes des mai« sons, donner à boire, à manger, de l'argent et des « armes. » Vagabonds, déguenillés, plusieurs « presque nus », « la plupart armés comme des sauvages, d'une « physionomie effrayante », ils sont « de ceux qu'on ne « se souvient pas d'avoir rencontrés au grand jour ; » beaucoup sont des étrangers, venus on ne sait d'où[1]. On

« des Tuileries ; ils n'étaient pas de Paris.... Une physionomie effrayante, un « habillement hideux. » (Montjoie, suspect en beaucoup d'endroits, mérite d'être consulté pour les petits faits dont il a été témoin oculaire.) — Morellet, *Mémoires*, I, 374. — Dussaulx, *L'œuvre des sept jours*, 352. — *Revue historique*, mars 1876. Interrogatoire de Desnot. Emploi de sa journée, le 13 juillet (publié par Guiffrey).

1. Mathieu Dumas, *Mémoires*, I, 531. « Les habitants paisibles fuyaient, à « la vue de ces groupes de vagabonds étrangers et frénétiques. Toutes les « maisons se fermaient.... Lorsque j'arrivai chez moi, dans le quartier Saint-« Denis, plusieurs de ces brigands y répandaient l'épouvante, en tirant des « coups de fusil en l'air. »

dit qu'il y en a 50 000, et ils se sont emparés des principaux postes.

Pendant ces deux jours et ces deux nuits, dit Bailly, « Paris courut risque d'être pillé, et ne fut sauvé des « bandits que par la garde nationale. » Déjà, en pleine rue[1], « des créatures arrachaient aux citoyennes leurs « boucles d'oreilles et de souliers, » et les voleurs commençaient à se donner carrière. — Heureusement la milice s'organise ; les premiers habitants, des gentilshommes s'y font inscrire ; 48 000 hommes se forment en bataillons et en compagnies ; les bourgeois achètent aux vagabonds leur fusil pour 3 livres, leur épée, sabre ou pistolet pour 12 sous. Enfin l'on pend sur place quelques malfaiteurs, on en désarme beaucoup d'autres, et l'insurrection redevient politique. — Mais, quel que soit son objet, elle reste toujours folle, parce qu'elle est populaire. Son panégyriste Dussaulx avoue[2] qu'il « a cru assister à la décom« position totale de la société. » Point de chef, nulle direction. Les électeurs qui se sont improvisés représentants de Paris semblent commander à la foule, et c'est la foule qui leur commande. Pour sauver l'Hôtel de ville, l'un d'eux, Legrand, n'a d'autre ressource que de faire apporter six barils de poudre, et de déclarer aux envahisseurs qu'il va faire tout sauter. Le commandant qu'ils ont choisi, M. de Salles, a, pendant un quart d'heure, vingt baïonnettes sur la poitrine, et, plus d'une fois, tout le comité est près d'être massacré. Figurez-vous, dans l'enceinte où ils parlementent et supplient, « une affluence « de quinze cents hommes pressés par cent mille autres « qui s'efforcent d'entrer, » les boiseries qui craquent, les banquettes qui se renversent les unes sur les autres,

1. Dussaulx, 379.

2. Dussaulx, 359, 360, 361, 288, 336. « Au fond, leurs prières ressem« blaient à des ordres, et plus d'une fois il n'a pas été possible de leur résis« ter. »

l'enceinte du bureau qui est repoussée jusque sur le siége du président, un tumulte à faire croire que c'est « le jour « du jugement dernier », des cris de mort, des chansons, des hurlements, « des gens hors d'eux-mêmes, et, pour la « plupart, ne sachant où ils sont ni ce qu'ils veulent. » — Chaque district est aussi un petit centre, et le Palais-Royal est le plus grand de tous. De l'un à l'autre roulent les motions, les accusations, les députations, avec le torrent humain qui s'engorge ou se précipite, sans autre conduite que sa pente et les accidents du chemin. Un flot s'amasse ici, puis là : leur stratégie consiste à pousser et à être poussés. Encore n'entrent-ils que parce qu'on les introduit. S'ils pénètrent dans les Invalides, c'est grâce à la connivence des soldats. — A la Bastille, de dix heures du matin à cinq heures du soir, ils fusillent des murs hauts de quarante pieds, épais de trente, et c'est par hasard qu'un de leurs coups atteint sur les tours un invalide. On les ménage comme des enfants à qui l'on tâche de faire le moins de mal possible : à la première demande, le gouverneur fait retirer ses canons des embrasures ; il fait jurer à la garnison de ne point tirer, si elle n'est attaquée ; il invite à déjeuner la première députation ; il permet à l'envoyé de l'Hôtel de ville de visiter toute la forteresse ; il subit plusieurs décharges sans riposter, et laisse emporter le premier pont sans brûler une amorce[1]. S'il tire enfin, c'est à la dernière extrémité, pour défendre le second pont, et après avoir prévenu les assaillants qu'on va faire feu. Bref, sa longanimité, sa patience, sont excessives, conformes à l'humanité du temps. — Pour eux, ils sont affolés par la sensation nouvelle de l'attaque et de la résistance, par l'odeur de la poudre, par l'entraînement du combat ; ils ne savent que se ruer contre le mas-

1. Dussaulx, 447 (Déposition des invalides). — *Revue rétrospective*, IV, 282 (Récit du commandant des trente-deux Suisses).

sif de pierres, et leurs expédients sont au niveau de leur tactique. Un brasseur imagine d'incendier ce bloc de maçonnerie, en lançant dessus avec des pompes de l'huile d'aspic et d'œillette injectée de phosphore. Un jeune charpentier, qui a des notions d'archéologie, propose de construire une catapulte. Quelques-uns croient avoir saisi la fille du gouverneur, et veulent la brûler, pour obliger le père à se rendre. D'autres mettent le feu à un avant-corps de bâtiment rempli de paille, et se bouchent ainsi le passage. « La Bastille n'a pas été prise de vive force, disait le brave Élie, l'un des combattants ; elle s'est rendue, « avant même d'être attaquée, » [1] par capitulation, sur la promesse qu'il ne serait fait de mal à personne. La garnison, trop bien garantie, n'avait plus le cœur de tirer sans péril sur des corps vivants [2], et, d'autre part, elle était troublée par la vue de la foule immense. Huit ou neuf cents hommes seulement [3] attaquaient, la plupart ouvriers ou boutiquiers du faubourg, tailleurs, charrons, merciers, marchands de vin, mêlés à des gardes françaises. Mais la place de la Bastille et toutes les rues environnantes étaient combles de curieux qui venaient voir le spectacle ; parmi eux, dit un témoin [4], « nombre de fem-

1. Marmontel, IV, 317.

2. Dussaulx, 454. « Les soldats répondirent qu'ils se résigneraient à tout « plutôt que de faire périr un si grand nombre de leurs concitoyens. »

3. Dussaulx, 447. Le nombre des combattants estropiés, blessés, morts et survivants, est de huit cent vingt-cinq. — Marmontel, IV, 320. « Au nombre « des vainqueurs, qu'on a porté à huit cents, ont été mis des gens qui n'a- « vaient pas approché de la place. »

4. *Souvenirs manuscrits* de M. X., témoin oculaire. Il était appuyé sur la barrière qui fermait le jardin de Beaumarchais, et il regardait, ayant à ses côtés Mlle Contat, l'actrice, qui avait laissé sa voiture place Royale. — Marat, l'*Ami du peuple*, n° 530. « Lorsqu'un concours inouï de circonstances « eut fait tomber les murs mal défendus de la Bastille sous les efforts d'une « poignée de soldats et d'une troupe d'infortunés, la plupart Allemands et « presque tous provinciaux, les Parisiens se présentèrent devant la forteresse : « la curiosité seule les y amena. »

« mes élégantes et de fort bon air, qui avaient laissé leurs « voitures à quelque distance. » Du haut de leurs parapets, il semblait aux cent vingt hommes de la garnison que Paris tout entier débordait contre eux. — Aussi bien ce sont eux qui baissent le pont-levis, qui introduisent l'ennemi : tout le monde a perdu la tête, les assiégés comme les assiégeants, ceux-ci encore davantage, parce qu'ils sont enivrés par la victoire. A peine entrés, ils commencent par tout briser, et les derniers venus fusillent les premiers, au hasard : « chacun tire sans faire attention ni « où ni sur qui les coups portent. » La toute-puissance subite et la licence de tuer sont un vin trop fort pour la nature humaine; le vertige vient, l'homme *voit rouge*, et son délire s'achève par la férocité.

Car le propre d'une insurrection populaire, c'est que, personne n'y obéissant à personne, les passions méchantes y sont libres autant que les passions généreuses, et que les héros n'y peuvent contenir les assassins. Élie, qui est entré le premier, Cholat, Hulin, les braves qui sont en avant, les gardes françaises qui savent les lois de la guerre, tâchent de tenir leur parole; mais la foule qui pousse par derrière ne sait qui frapper, et frappe à l'aventure. Elle épargne les Suisses qui ont tiré sur elle et qui, dans leur sarrau bleu, lui semblent des prisonniers. En revanche, elle s'acharne sur les invalides qui lui ont ouvert la porte; celui qui a empêché le gouverneur de faire sauter la forteresse a le poignet abattu d'un coup de sabre, est percé de deux coups d'épée, pendu, et sa main, qui a sauvé un quartier de Paris, est promenée dans les rues en triomphe. On entraîne les officiers, on en tue cinq, avec trois soldats, en route ou sur place. Pendant les longues heures de la fusillade, l'instinct meurtrier s'est éveillé, et la volonté de tuer, changée en idée fixe, s'est répandue au loin dans la foule qui n'a pas agi. Sa seule clameur suffit à la persuader; à présent, c'est assez pour elle qu'un cri de haro ; dès que l'un frappe, tous veulent frapper. « Ceux « qui n'avaient point d'armes, dit un officier[1], lançaient « des pierres contre moi ; les femmes grinçaient des dents, « et me menaçaient de leurs poings. Déjà deux de mes « soldats avaient été assassinés derrière moi.... J'arrivai « enfin, sous un cri général d'être pendu, jusqu'à quel- « ques centaines de pas de l'Hôtel de ville, lorsqu'on « apporta devant moi une tête perchée sur une pique, « laquelle on me présenta pour la considérer, en me di- « sant que c'était celle de M. de Launay, » le gouverneur. — Celui-ci, en sortant, avait reçu un coup d'épée dans l'épaule droite ; arrivé dans la rue Saint-Antoine, « tout le « monde lui arrachait les cheveux et lui donnait des « coups. » Sous l'arcade Saint-Jean, il était déjà « très- « blessé. » Autour de lui, les uns disaient : « il faut lui « couper le cou, » les autres : « il faut le pendre, » les autres : « il faut l'attacher à la queue d'un cheval. » Alors, désespéré et voulant abréger son supplice, il crie : « qu'on « me donne la mort, » et, en se débattant, lance un coup de pied dans le bas-ventre d'un des hommes qui le tenaient. A l'instant il est percé de baïonnettes, on le traîne dans le ruisseau, on frappe sur son cadavre, en criant : « c'est un galeux et un monstre qui nous a trahis ; *la nation* « demande sa tête pour la montrer au public, » et l'on invite l'homme qui a reçu le coup de pied à la couper lui-même. — Celui-ci, cuisinier sans place, demi-badaud qui est « allé à la Bastille pour voir ce qui s'y passait, » juge que, puisque tel est l'avis général, l'action est « *patrio-* « *tique*, » et croit même « mériter une médaille en détrui- « sant un monstre. » Avec un sabre qu'on lui prête, il frappe sur le col nu ; mais, le sabre mal affilé ne cou-

1. Récit du commandant des trente-deux Suisses. — Récit de Cholat, marchand de vin, l'un des vainqueurs. — Interrogatoire de Desnot (qui coupa la tête de M. de Launay).

pant point, il tire de sa poche un petit couteau à manche noir, et « comme en sa qualité de cuisinier il sait travail- « ler les viandes, » il achève heureusement l'opération. Puis, mettant la tête au bout d'une fourche à trois branches, et accompagné de plus de deux cents personnes armées, « sans compter la populace, » il se met en marche, et, rue Saint-Honoré, il fait attacher à la tête deux inscriptions pour bien indiquer à qui elle était — La gaieté vient : après avoir défilé dans le Palais-Royal, le cortége arrive sur le pont Neuf; devant la statue de Henri IV, on incline trois fois la tête, en lui disant : « Salue ton maître. » — C'est la plaisanterie finale : il y en a dans tout triomphe, et, sous le boucher, on voit apparaître le gamin.

VII

Cependant, au Palais-Royal, d'autres gamins, qui, avec une légéreté de bavards, manient les vies aussi librement que les paroles, ont dressé dans la nuit du 13 au 14 une liste de proscription dont ils colportent les exemplaires; ils prennent soin d'en adresser un à chacune des personnes désignées, le comte d'Artois, le maréchal de Broglie, le prince de Lambesc, le baron de Bezenval, MM. de Breteuil, Foulon, Berthier, Maury, d'Espréménil, Lefèvre d'Amécourt, d'autres encore[1]; une récompense est promise à qui apportera leurs têtes au café du Caveau. Voilà des noms pour la foule lâchée; il suffira maintenant qu'une bande rencontre l'homme dénoncé; il ira jusqu'à la lanterne du coin, mais non au delà. — Toute la journée du 14, le tribunal improvisé siége en permanence, et achève ses arrêtés par ses actes. — M. de Flesselles, prévôt des marchands et président des électeurs à l'Hôtel

1. Montjoie, 3e partie, 85. — Dussaulx, 355, 287, 368.

de ville, s'étant montré tiède[1], le Palais-Royal le déclare traître, et l'envoie prendre; dans le trajet, un jeune homme l'abat d'un coup de pistolet, les autres s'acharnent sur son corps, et sa tête, portée sur une pique, va rejoindre celle de M. de Launay. — Des accusations aussi meurtrières et aussi proches de l'exécution flottent dans l'air et de toutes parts. « Sous le moindre prétexte, dit un électeur, « on nous dénonçait ceux que l'on croyait contraires à la « Révolution, ce qui signifiait déjà ennemis de l'État. Sans « autre examen, on ne parlait de rien moins que de saisir « leurs personnes, d'abîmer leurs maisons, de raser leurs « hôtels. Un jeune homme s'écria : qu'à l'instant on me « suive, et marchons chez Bezenval ! » — Les cerveaux sont si effarouchés et les esprits si défiants qu'à chaque pas dans la rue « il faut décliner son nom, déclarer « sa profession, sa demeure et son vœu.... On ne peut « plus entrer dans Paris ou en sortir, sans être suspect « de trahison. » Le prince de Montbarrey, partisan des nouvelles idées, et sa femme, arrêtés dans leur voiture à la barrière, sont sur le point d'être mis en pièces. Un député de la noblesse, allant à l'Assemblée nationale, est saisi dans son fiacre, conduit à la Grève : on lui montre le cadavre de M. de Launay, en lui annonçant que l'on va le traiter de même. — Toute vie est suspendue à un fil, et, les jours suivants, quand le roi a éloigné ses troupes, renvoyé ses ministres, rappelé Necker, tout accordé, le danger reste aussi grand. Livrée aux révolutionnaires et à elle-même, la multitude a toujours les mêmes soubresauts meurtriers, et les chefs municipaux qu'elle s'est donnés[2], Bailly, maire de Paris, Lafayette, commandant

1. Rien de plus. Nul témoin n'affirme avoir vu son prétendu billet à M. de Launay. D'après Dussaulx, il n'aurait eu ni le temps ni le moyen de l'écrire.

2. Bailly, II, 32, 74, 88, 90, 95, 108, 117, 137, 158, 174. « Je donnais des « ordres qui n'étaient ni suivis, ni entendus.... On me faisait entendre que

de la garde nationale, sont forcés de ruser avec elle, de l'implorer, de se jeter entre elle et les malheureux sur lesquels elle s'abat.

Le 15 juillet, dans la nuit, une femme, déguisée en homme, est arrêtée dans la cour de l'Hôtel de ville, et si maltraitée qu'elle s'évanouit; Bailly, pour la sauver, est obligé de feindre contre elle une grande colère et de l'envoyer sur-le-champ en prison. Du 14 au 22 juillet, Lafayette, au péril de sa vie, sauve, de sa main, dix-sept personnes en divers quartiers[1]. — Le 22 juillet, sur les dénonciations qui se propagent autour de Paris comme des traînées de poudre, deux administrateurs du premier rang, M. Foulon, conseiller d'État, et M. Berthier, son gendre, sont arrêtés, l'un près de Fontainebleau, et l'autre près de Compiègne. M. Foulon[2], maître sévère, mais intelligent et utile, a dépensé soixante mille francs, l'hiver précédent, dans sa terre, pour donner de l'ouvrage aux pauvres. M. Berthier, homme appliqué et capable, a cadastré l'Ile de France pour égaliser la taille, ce qui a réduit d'un huitième, puis d'un quart, les cotes surchargées. Mais tous deux ont réglé les détails du camp contre lequel Paris s'est soulevé; tous deux sont proscrits publiquement, depuis huit jours, par le Palais-Royal, et, dans un peuple effaré par le désordre, exaspéré par la faim, affolé par le soupçon, un accusé est un coupable. — Pour Foulon, comme pour Réveillon, une légende s'est faite

« je n'étais pas en sûreté. » (15 juillet.) — « Dans ces temps malheureux, il « ne fallait qu'un ennemi et une calomnie pour soulever la multitude. Tout « ce qui avait eu pouvoir jadis, tout ce qui avait gêné et contenu les émeu- « tiers, était sûr d'être poursuivi. »

1. M. de Lafayette, *Mémoires*, I, 264, lettre du 16 juillet 1789. « J'ai déjà « sauvé la vie à six personnes qu'on pendait dans les différents quartiers. »

2. Poujoulat, *Histoire de la Révolution française*, p. 100 (avec les documents à l'appui). — Procès-verbaux de l'assemblée provinciale de l'Ile-de France (1787), p. 127.

marquée au même coin, sorte de monnaie courante à l'usage du peuple et que le peuple a fabriquée lui-même en rassemblant dans un mot tragique l'amas de ses souffrances et de ses ressentiments[1] : « Il a dit que nous ne « valions pas mieux que ses chevaux et que, si nous « n'avions pas de pain, nous n'avions qu'à manger de « l'herbe. » — Le vieillard de soixante-quatorze ans est conduit à Paris, une botte de foin sur la tête, un collier de chardons au cou, et la bouche pleine de foin. En vain le bureau des électeurs commande, pour le sauver, qu'il soit mis en prison ; la foule crie : « jugé et pendu, » et, d'autorité, elle nomme des juges. En vain Lafayette supplie et insiste par trois fois pour que le jugement soit régulier et que l'accusé aille à l'Abbaye ; un nouveau flot de peuple arrive, et un homme « bien vêtu » s'écrie : « Qu'est-il besoin « de jugement pour un homme jugé depuis trente ans ? » — Foulon est enlevé, traîné sur la place, accroché à la lanterne ; la corde casse deux fois, et deux fois il tombe sur le pavé ; rependu avec une corde neuve, puis décroché, sa tête est coupée et mise au bout d'une pique[2]. — Pendant ce temps, Berthier, expédié de Compiègne par la municipalité qui n'osait le garder dans sa prison toujours menacée, arrivait en cabriolet sous escorte. Autour de lui, on portait des écriteaux chargés d'épithètes infamantes ; aux relais, on jetait du pain noir et dur dans sa voiture en lui disant : « Tiens, malheureux, voilà le pain que tu « nous faisais manger ! » Arrivé devant l'église de Saint-

1. Par exemple : « Il est sévère avec ses vassaux. » — « Il ne leur donne pas de pain, il veut donc qu'ils mangent de l'herbe ? » — « Il veut qu'ils mangent de l'herbe comme ses chevaux. » — « Il a dit qu'ils pouvaient bien manger du foin, et qu'ils ne valaient pas mieux que ses chevaux. » — On retrouve la même légende dans d'autres Jacqueries contemporaines.

2. Bailly, II, 108. « Le peuple, moins éclairé et aussi impérieux que les « despotes, ne connaît de preuves certaines de la bonne administration que « le succès. »

Merry, une tempête effroyable d'outrages éclate contre lui. « Quoiqu'il n'ait jamais acheté ni vendu un seul grain de de blé, » on l'appelle accapareur; aux yeux de la multitude qui a besoin d'expliquer le mal par un méchant, il est l'auteur de la famine. Conduit à l'Abbaye, son escorte est dispersée; on le pousse vers la lanterne. Alors, se voyant perdu, il arrache un fusil aux meurtriers et se défend en brave. Mais un soldat de Royal Cravate lui fend le ventre d'un coup de sabre; un autre lui arrache le cœur. Par hasard, le cuisinier qui a coupé la tête de M. de Launay se trouvant là, on lui donne le cœur à porter, le soldat prend la tête, et tous deux vont à l'Hôtel de ville pour montrer ces trophées à M. de Lafayette. De retour au Palais-Royal et attablés dans un cabaret, le peuple leur demande ces deux débris; ils les jettent par la fenêtre, et achèvent leur souper, tandis qu'au-dessous d'eux on promène le cœur dans un bouquet d'œillets blanc. — Voilà les spectacles que présente ce jardin où, l'année précédente, « la bonne compagnie en grande parure » venait causer au sortir de l'Opéra, et parfois, jusqu'à deux heures du matin, sous la molle clarté de la lune, écoutait tantôt le violon de Saint-Georges, tantôt la voix délicieuse de Garat.

VIII

Désormais il est clair qu'il n'y a plus de sécurité pour personne : ni la nouvelle milice, ni les nouvelles autorités ne suffisent à faire respecter la loi: « On n'osait « pas, dit Bailly, [1] résister au peuple qui, huit jours au-« paravant, avait pris la Bastille. » — En vain, après les deux derniers meurtres, Bailly et Lafayette indignés menacent de se retirer; on les oblige à demeurer; leur protec-

1. Bailly, II, 108, 95. — Malouet, II, 14.

tion, telle quelle, est la seule qui reste, et, si la garde nationale n'empêche pas tous les meurtres, du moins elle en empêche quelques-uns. On vit ainsi, comme on peut, sous l'attente continuelle de nouveaux coups de mains populaires. « *Pour tout homme impartial*, écrit Malouet, « *la Terreur date du* 14 *juillet*. » — Le 17, avant de partir pour Paris, le roi communie et fait ses dispositions en prévision d'un assassinat. — Du 16 au 18, vingt personnages du premier rang, entre autres la plupart de ceux dont le Palais-Royal a mis la tête à prix, quittent la France, comte d'Artois, maréchal de Broglie, princes de Condé, de Conti, de Lambesc, de Vaudemont, comtesse de Polignac, duchesses de Polignac et de Guiche. — Le lendemain des deux meurtres, M. de Crosne, M. Doumer, M. Sureau, les membres les plus zélés et les plus précieux du comité des subsistances, tous les préposés aux achats et aux magasins se cachent ou s'enfuient. — La veille des deux meurtres, sur une menace d'insurrection, les notaires de Paris ont dû avancer 45000 francs promis aux ouvriers du faubourg Saint-Antoine, et le trésor public, presque vide, se saigne de 30000 livres par jour pour diminuer le prix du pain. — Personnes et biens, grands et petits, particuliers et fonctionnaires, le gouvernement lui-même, tout est sous la main de la multitude. « Dès ce moment, dit un député [1], « il n'y eut plus de liberté, même dans l'Assemblée na- « tionale.... La France.... se tut devant trente factieux. « L'Assemblée devint entre leurs mains un instrument « passif qu'ils firent servir à l'exécution de leurs projets. » — Eux non plus ils ne conduisent pas, quoiqu'ils semblent conduire. La brute énorme qui a pris le mors aux dents le garde, et ses ruades deviennent plus fortes. Car non-seulement les deux aiguillons qui l'ont effarouchée, je veux dire le besoin d'innovation et la disette quoti-

1. De Ferrières, I, 168.

dienne, continuent à la piquer, mais les frelons politiques, multipliés par milliers, bourdonnent à ses oreilles, et la licence dont elle jouit pour la première fois, jointe aux applaudissements dont on la comble, la précipitent chaque jour plus violemment. On glorifie l'insurrection ; pas un assassin n'est recherché ; c'est contre la conspiration des ministres que l'Assemblée institue une enquête. On décerne des récompenses aux vainqueurs de la Bastille ; on déclare qu'ils ont sauvé la France. On célèbre le peuple, son grand sens, sa magnanimité, sa justice. On adore le nouveau souverain ; on lui répète en public, officiellement, dans les journaux, à l'Assemblée, qu'il a toutes les vertus, tous les droits, tous les pouvoirs. S'il a versé le sang, c'est par mégarde, sur provocation, et toujours avec un instinct infaillible. D'ailleurs, dit un député, « ce sang « était-il si pur ? » — La plupart aiment mieux en croire la théorie de leurs livres que l'expérience de leurs yeux ; ils persévèrent dans l'idylle qu'ils se sont forgée. A tout le moins, leur rêve, exclu du présent, se réfugie dans l'avenir : demain, quand la Constitution sera faite, le peuple, devenu heureux, redeviendra sage ; résignons-nous à l'orage qui conduit à un si beau port.

En attendant, par delà le roi inerte et désarmé, par delà l'Assemblée désobéie ou obéissante, on aperçoit le monarque véritable, le peuple, c'est-à-dire l'*attroupement*, cent, mille, dix mille individus rassemblés au hasard, sur une motion, sur une alarme, et tout de suite, irrésistiblement, législateurs, juges et bourreaux. Puissance formidable, destructive et vague, sur laquelle nulle main n'a de prise, et qui, avec sa mère, la Liberté aboyante et monstrueuse, siége au seuil de la Révolution, comme les deux spectres de Milton aux portes de l'Enfer : « L'une « semblait une femme jusqu'à la ceinture, et belle — « mais finissait ignoblement en replis écailleux — volu- « mineux et vastes, serpent armé — d'un mortel aiguillon.

« A sa ceinture — une meute de chiens d'enfer aboyaient « éternellement — de leurs larges gueules cerbéréennes « béantes, et sonnaient — une hideuse volée, et cepen- « dant, quand ils voulaient, ils rentraient rampants, — si « quelque chose troublait leur bruit, dans son ventre — « leur chenil, et de là encore aboyaient et hurlaient — au « dedans, invisibles.... L'autre forme — si l'on peut appe- « ler forme ce qui n'avait point de forme distincte — dans « les membres, les articulations ni la stature, — ou sub- « stance ce qui paraissait une ombre, — était debout, noire « comme la Nuit, farouche comme dix Furies, — terrible « comme l'Enfer, et secouait un dard formidable. — Ce « qui semblait sa tête portait l'apparence d'une couronne « royale, — et, avec d'horribles enjambées, elle avan- « çait. »

CHAPITRE III.

I. L'anarchie du 14 juillet au 6 octobre 1789. — Destruction du gouvernement. — A qui appartient le pouvoir effectif. — II. La province. — Destruction des anciennes autorités. — Insuffisance des autorités nouvelles. — III. Dispositions du peuple. — La famine. — IV. La panique. — L'armement universel. — V. Attentats contre les personnes et les propriétés publiques. — A Strasbourg. — A Cherbourg. — A Maubeuge. — A Rouen. — A Besançon. — A Troyes. — VI. Les impôts ne sont plus payés. — Dévastation des forêts. — Le nouveau droit de chasse. — VII. Attentats contre les personnes et les propriétés privées. — Les aristocrates dénoncés au peuple comme ses ennemis. — Effet des nouvelles de Paris. — Influence des procureurs de village. — Violences isolées. — Jacquerie générale dans l'Est. — Guerre aux châteaux, aux propriétés féodales et à la propriété. — Préparatifs pour d'autres jacqueries.

I

Si mauvais que soit un gouvernement, il y a quelque chose de pire, c'est la suppression du gouvernement. Car c'est grâce à lui que les volontés humaines font un concert, au lieu d'un pêle-mêle. Il sert dans une société, à peu près comme le cerveau dans une créature vivante. Incapable, inconsidéré, dépensier, absorbant, souvent il abuse de sa place, et surmène ou fourvoie le corps qu'il devrait ménager et guider. Mais, à tout prendre, quoi qu'il fasse, il fait encore plus de bien que de mal; car c'est par lui que le corps se tient debout, marche et coordonne ses pas. Sans lui, point d'action réfléchie, agencée et qui soit utile à l'animal entier. En lui seul sont les vues d'ensemble, la connaissance des membres et de leur jeu, la notion du dehors, l'information exacte et complète, la prévoyance à longue portée, bref, la raison supérieure qui conçoit l'intérêt commun et combine les moyens appropriés. S'il défaille et n'est plus obéi, s'il est froissé et faussé du dehors par une pression brutale, la raison cesse de conduire les affaires publiques, et l'organisation sociale rétrograde de plusieurs degrés. Par la dissolution de la société et par l'isolement des individus, chaque homme est retombé dans sa faiblesse originelle, et tout pouvoir appartient aux rassemblements temporaires qui, dans la poussière humaine, se soulèvent comme des tourbillons. — Ce pouvoir que les hommes les plus compétents ont peine à bien appliquer, on devine comment des bandes improvisées vont l'exercer. Il s'agit des subsistances, de leur possession, de leur prix et de leur distribution, de l'impôt, de sa quotité, de sa répartition et de sa perception, de la propriété privée, de ses espèces, de ses droits et de ses limites, de l'autorité publique, de ses attributions et de ses bornes, de tous les rouages engrenés et délicats qui composent la grande machine économique, sociale et politique; sur ceux qui sont à portée, chaque bande dans son canton porte ses mains grossières, les tord ou les casse, au hasard, sous l'impulsion du moment, sans idée ni souci des conséquences, même lorsque le contre-coup doit se retourner contre elle et l'écraser demain sous la ruine qu'elle aura faite aujourd'hui. De même des nègres déchaînés, qui, tirant ou poussant chacun de son côté, entreprennent de conduire le vaisseau dont ils se sont rendus maîtres. — En pareil cas, les blancs ne valent guère mieux que les noirs : car non-seulement la bande, ayant pour objet une action violente, se compose des plus misérables, des plus exaltés, des plus enclins à la destruction et à la licence, mais encore, comme elle exécute tumultueusement une action violente, chaque individu, le plus brut, le plus déraisonnable et le plus perverti, y descend encore au-dessous de lui-même, jusque dans les ténèbres, la démence et la férocité de ses derniers bas-fonds. En effet, pour que l'homme qui a reçu et donné des coups résiste à l'ivresse du meurtre et n'use pas de sa force en sauvage, il lui faut la pratique des armes et du danger, l'habitude du sang-froid, le sentiment de l'honneur, surtout le souvenir présent de ce terrible code militaire, qui, dans toute imagination de soldat, plante en perspective la potence prévôtale et la certitude d'y monter, s'il frappe un coup de trop. Tous ces freins, intérieurs et extérieurs, manquent à l'homme lancé dans l'émeute. Il est novice dans les voies de fait qu'il exécute. Il ne craint plus la loi, puisqu'il l'abolit. L'action commencée l'entraîne au delà de ce qu'il a voulu. Sa colère est exaspérée par le péril et la résistance. La fièvre lui vient au contact des enfiévrés, et il suit des bandits qui sont devenus ses camarades [1]. Ajoutez à cela les clameurs, l'ivrognerie, le spectacle de la destruction, le tressaillement physique de la machine nerveuse tendue au delà de ce qu'elle peut supporter, et vous comprendrez comment, du paysan, de l'ouvrier, du bourgeois, pacifiés et apprivoisés par une civilisation ancienne, on voit tout d'un coup sortir le barbare, bien pis, l'animal primitif, le singe grimaçant, sanguinaire et lubrique, qui tue en ricanant et gambade sur les dégâts qu'il fait. — Tel est le gouvernement effectif auquel la France est livrée, et, après dix-huit mois d'expérience, le plus compétent, le

1. Dussaulx, 374. « J'ai remarqué que, si, parmi le peuple, peu de gens « alors osaient le crime, plusieurs le voulaient, et que tout le monde le souf- « frait. » — Archives nationales, DXXIX, 3 (Lettre des officiers municipaux de Crémieu, Dauphiné, 3 novembre 1789). « L'attention qu'on avait eue de « les faire débuter par les caves et de les enivrer peut seule faire concevoir « les excès de rage inouïs auxquels ils se sont livrés dans le saccagement et « l'incendie des châteaux. »

plus judicieux, le plus profond observateur de la Révolution ne trouvera rien à lui comparer que l'invasion de l'Empire Romain au quatrième siècle : [1] « Les Huns, les « Hérules, les Vandales et les Goths ne viendront ni « du Nord ni de la mer Noire : ils sont au milieu de « nous. »

II

Lorsque, dans un édifice, la maîtresse poutre a fléchi, les craquements se suivent et se multiplient, et les solives secondaires s'abattent une à une, faute de l'appui qui les portait. Pareillement, l'autorité du roi étant brisée, tous les pouvoirs qu'il a délégués tombent à terre [2]. Intendants, parlements, commandants militaires, grands prévôts, officiers d'administration, de justice et de police, dans chaque province et dans chaque emploi, les gardiens de l'ordre et de la propriété, instruits par le meurtre de M. de Launay, par la prison de M. de Bezenval, par la fuite du maréchal de Broglie, par l'assassinat de Foulon et de Berthier, savent ce qu'il en coûte de remplir leur office, et, de peur qu'ils n'en ignorent, les insurrections locales viennent sur place leur mettre la main au collet.

Le commandant de la Bourgogne est prisonnier à Dijon, avec une garde à sa porte et défense de parler à personne sans permission et témoins [3]. Celui de Caen est assiégé

1. *Mercure de France*, 14 janvier 1792 (Revue politique de l'année 1791, par Mallet-Dupan).

2. Albert Babeau, I, 206 (Lettre du député Camuzet de Belombre, 22 août 1789). « Le pouvoir exécutif est absolument nul aujourd'hui. » — Gouverneur Morris, lettre du 31 juillet 1789. « Ce pays est actuellement aussi près « de l'anarchie qu'une société peut en approcher sans se dissoudre. »

3. Archives nationales, H, 1453. Lettres de M. Amelot, 24 juillet ; H, 784, de M. de Langeron, 16 et 18 octobre. — KK, 1105. Correspondance de M. de Thiard, commandant militaire de la Bretagne, 7 et 30 octobre, 4 septembre. — Floquet, VII, 527, 555. — Guadet, *Histoire des Girondins* (29 Juillet 1789).

dans le vieux Palais et capitule. Celui de Bordeaux livre Château-Trompette avec les équipements et les fusils. Celui de Metz, qui se maintient, subit les insultes et les ordres de la populace. Celui de Bretagne erre « en vagabond » dans sa province, pendant qu'à Rennes ses gens, ses meubles et sa vaisselle sont gardés en otages ; sitôt qu'il met le pied en Normandie, il est investi et l'on place une sentinelle à sa porte. — L'intendant de Besançon est en fuite ; celui de Rouen voit sa maison saccagée de fond en comble et se sauve parmi les cris d'une bande qui demande sa tête. — A Rennes, le doyen du Parlement est arrêté, maltraité, gardé à vue dans sa chambre, puis renvoyé de la ville, quoique malade, et sous escorte. — A Strasbourg « trente-six maisons de magistrats sont marquées pour le « pillage[1] ». — A Besançon, le président du Parlement est contraint d'élargir les mutins arrêtés dans une précédente émeute et de brûler publiquement toute la procédure. — En Alsace, dès les premiers troubles, les prévôts ont été forcés de fuir, les baillis et juges seigneuriaux se sont cachés, les inspecteurs des forêts se sont sauvés, on a démoli les habitations des gardes : tel, homme de soixante ans, a été excédé de coups, on l'a promené dans le village en lui arrachant les cheveux ; de sa maison, il ne reste que les murs et une portion de la toiture ; tous ses meubles ou effets ont été brisés, brûlés ou volés ; on l'a forcé à signer avec sa femme un acte par lequel il s'engage à restituer toutes les amendes qu'il a prononcées, et donne quittance de tous les dégâts qu'il vient de subir. — En Franche-Comté, les bailliages n'osent condamner les délinquants,

1. M. de Rochambeau, *Mémoires*, I, 353 (18 juillet). — Sauzay, *Histoire de la persécution révolutionnaire dans le département du Doubs*, I, 128 (19 juillet). — Archives nationales, F7, 3253. (Lettre des députés de la commission provinciale d'Alsace, 8 septembre.) D, XXIX, I, note de M. de la Tour-du-Pin, 28 octobre 1789. — Lettre de M. de Langeron, 3 septembre ; de Breitman, garde-marteau, Val-Saint-Amarin (Haute-Alsace), 26 juillet.

la maréchaussée ne les arrête plus, le commandant militaire écrit « que les crimes en tout genre se multiplient « et qu'il n'a aucun moyen de les faire punir. » — Dans toutes les provinces, l'insubordination est permanente, et une commission provinciale dit tristement : « Quand « tous les pouvoirs sont confondus, anéantis, quand la « force publique est nulle, quand tous les liens sont rom- « pus, quand tout individu se croit affranchi de toute es- « pèce de devoirs, quand l'autorité publique n'ose plus se « montrer et que c'est un crime d'en avoir été revêtu, « quel effet peut-on attendre de nos efforts pour rétablir « l'ordre[1]? ». — De ce grand État démoli il reste quarante mille tas d'hommes, chacun isolé et séparé, villes, bourgades, villages, où des corps municipaux, des comités élus, des gardes nationales improvisées, tâchent de parer aux plus grands excès. — Mais ces chefs locaux sont novices, ils sont humains, ils sont timides; nommés par acclamation, ils croient au droit populaire; entourés d'émeutes, ils se sentent en danger. C'est pourquoi, le plus souvent, ils obéissent à la foule. « Presque jamais, » écrit une commission provinciale[2], « une municipalité ne « requerra ; elle laissera commettre les plus grands « excès plutôt que de faire une dénonciation dont ses con- « citoyens pourraient, tôt ou tard, chercher à la rendre « responsable.... Les municipalités ne sont plus maîtresses « de se refuser à rien. » Dans les campagnes surtout, le

1. Léonce de Lavergne, *les Assemblées provinciales*, 197. (Lettre de la commission intermédiaire du Poitou, derniers mois de 1789.) — Cf. Brissot (le *Patriote français*, août 1789). « Il existe une insubordination générale « dans les provinces, parce qu'elles ne sentent plus le frein du pouvoir exé- « cutif. Quels en étaient naguères les ressorts? Les intendants, les tribu- « naux, les soldats. Les intendants ont disparu, les tribunaux sont muets, « les soldats sont contre le pouvoir exécutif et pour le peuple. La liberté n'est « pas un aliment que tous les estomacs puissent digérer sans préparation. »

2. Archives nationales, F^7, 3253. (Lettre des députés de la commission intermédiaire d'Alsace, 8 septembre 1789.)

maire ou syndic, qui est un laboureur, songe d'abord à ne point se faire d'ennemis, et renoncerait à sa place, si elle devait lui attirer « des désagréments ». Dans les villes et notamment dans les grandes cités, son administration est presque aussi molle et encore plus précaire; car la matière explosible y est plus accumulée, et les officiers municipaux, sur leurs fauteuils à l'hôtel de ville, siégent sur une mine qui, tous les jours, peut sauter. Demain peut-être une motion jetée dans une auberge des faubourgs, un journal incendiaire arrivé de Paris, fournira l'étincelle. — Contre la populace, ils n'ont d'autre défense que les proclamations sentimentales de l'Assemblée nationale, la présence inutile de troupes qui regarderont faire, le secours incertain d'une garde nationale qui arrivera trop tard. Parfois alors, ces bourgeois, devenus souverains, poussent un cri de détresse sous la main du souverain de la rue qui les tient à la gorge. A Puy-en-Vélay[1], dans une ville de vingt mille âmes, le présidial, le comité des vingt-quatre commissaires, les 200 dragons, les 800 hommes de la garde bourgeoise, sont « tous paralysés, tous engourdis « par la plus vile populace. Les voies de douceur n'ont « fait qu'augmenter son insubordination et son inso- « lence. » Elle proscrit qui bon lui semble, et, depuis six jours, une potence, dressée par ses mains, annonce aux nouveaux magistrats la destinée qui les attend. « Que de-

1. Archives nationales, D, XXIX, I. (Lettre des curés, consuls, conseillers au présidial, et principaux négociants de Puy-en-Vélay, 16 septembre 1789.) — H, 1453. (Lettre de l'intendant d'Alençon, 18 juillet.) « Je ne dois pas vous « laisser ignorer les émeutes multipliées que nous éprouvons dans toutes « les parties de ma généralité.... L'impunité dont on se flatte, parce que les « juges craignent d'irriter le peuple par des exemples de sévérité, ne fait « que l'enhardir. Des malfaiteurs, confondus avec des honnêtes gens, sè- « ment des bruits faux contre des particuliers, qu'ils accusent de cacher « des grains ou de n'être pas du Tiers-État, et, sous ce prétexte, fondent sur « les maisons de ces gens, où ils pillent tout ce qu'ils trouvent, et qui n'é- « vitent la mort que par la fuite. »

« viendrons-nous, disent-ils, cet hiver, en un pays pau- « vre, où le pain manque? Nous allons être en proie aux « bêtes féroces. »

III

En effet, elles ont faim, et, depuis la Révolution, leur misère n'a fait que croître. Autour de Puy-en-Vélay, un orage terrible, une grêle affreuse, une pluie diluvienne, ont ravagé le pays, effondré les terres. Dans le Midi, la récolte a été médiocre ou même insuffisante. « Tracer un « tableau de l'état du Languedoc, écrit l'intendant[1], se- « rait donner une relation de tous les genres de calamités. « L'épouvante dont toutes les communautés sont saisies, « plus forte que toutes les lois, arrête la circulation et « ferait éprouver la disette au sein même de l'abondance. « La denrée est à un prix énorme, et le numéraire man- « que. Les communautés sont ruinées par les frais énor- « mes auxquels elles sont exposées, payement des dé- « putés aux sénéchaussées, établissement des gardes « bourgeoises, corps de garde de ces milices, achat des « armes et uniformes, dépenses pour les formations en « communes, en conseils permanents, impressions en « tout genre pour faire connaître les délibérations les « moins essentielles, pertes de temps qu'occasionnent les « mouvements auxquels les circonstances ont donné lieu, « stagnation totale des manufactures et du commerce » : toutes ces causes « ont réduit le Languedoc à la dernière « extrémité. » — Dans le Centre et dans le Nord, où la récolte est bonne, les subsistances ne sont pas moins rares, parce que le blé n'ose plus circuler et se cache. « Depuis

1. Archives nationales, H, 942. (Observations de M. de Ballainvilliers, 30 octobre 1789.)

« cinq mois, écrit l'assemblée municipale de Louviers[1], il « ne s'est point présenté de laboureurs aux marchés de « cette ville. Jamais, quoique de temps à autre il soit « survenu des chertés considérables, l'on n'avait vu arriver « un pareil événement. Au contraire les halles abondaient « toujours, en proportion du haut prix des grains. » En vain la municipalité ordonne aux quarante-sept paroisses environnantes de la fournir de blé ; celles-ci n'en ont cure ; chacun pour soi, chacun chez soi ; l'intendant n'est plus là pour faire fléchir l'intérêt local sous l'intérêt public. « Dans les pays de blé qui nous environnent, » écrit une ville de Bourgogne, « on ne peut se promettre d'achats « libres. Des règlements particuliers, soutenus par les « milices bourgeoises, empêchent la sortie et arrêtent la « circulation. Les marchés circonvoisins sont nuls pour « nous. Depuis huit mois ou environ, il n'a pas été apporté « un sac de grain à la halle de notre ville. » — A Troyes, le pain coûte 4 sous la livre, à Bar-sur-Aube et aux environs 4 sous et demi. Or, aux ateliers de charité, l'artisan sans ouvrage gagne 12 sous par jour, et, en se promenant dans la campagne, il a vu que les blés étaient beaux. Qu'en peut-il conclure, sinon que la disette vient des accapareurs et que, s'il meurt de faim, c'est parce que des scélérats l'affament ? — En vertu de ce raisonnement, quiconque a la main sur les subsistances, propriétaire, fermier, négociant, administrateur, passe pour un traître. Évidemment il y a un complot contre le peuple : le gouvernement, la reine, le clergé, la noblesse, en sont, et aussi les magistrats, la haute bourgeoisie, les riches. Dans l'Ile-de-France, le bruit court qu'on jette des sacs de

1. Archives nationales, D, XXIX, 1. Lettre de l'assemblée municipale de Louviers, fin d'août 1789. — Lettre de l'assemblée communale de Saint-Bris (bailliage d'Auxerre), 25 septembre. — Lettre des officiers municipaux de Ricey-Haut, près de Bar-sur-Seine, 25 août ; du chevalier d'Allonville, 8 septembre.

farine dans la Seine et qu'on fait exprès manger le blé en herbe aux chevaux de la cavalerie. En Bretagne, il est constant qu'on exporte le grain et qu'on l'entasse à l'étranger. En Touraine, on est sûr que tel gros négociant le laisse germer dans ses greniers plutôt que de le vendre. A Troyes, on crie que tel autre, commissionné par les boulangers, a empoisonné ses farines avec de l'alun et de l'arsenic. — Concevez l'effet de pareils soupçons dans la multitude souffrante : un flot de haine monte de l'estomac vide au cerveau malade. Le peuple cherche partout ses ennemis imaginaires, et fonce en avant, les yeux clos, n'importe sur qui ou sur quoi, non-seulement avec tout le poids de sa masse, mais avec toute la force de sa fureur.

IV

Dès les premières semaines, il était déjà effaré. Habitué à être conduit, le troupeau humain s'alarme de son abandon ; ses conducteurs qu'il a foulés aux pieds lui manquent ; en s'affranchissant de leurs entraves, il s'est privé de leur protection. Il se sent esseulé, dans une contrée inconnue, livré à des dangers qu'il ignore et auxquels il ne peut parer. A présent que les pâtres sont tués ou désarmés, si les loups arrivaient à l'improviste ! — Et il y a des loups, je veux dire des vagabonds et des malfaiteurs, qui, tout à l'heure, sont sortis de l'ombre. Ils ont incendié et pillé : dans chaque insurrection on les retrouve. Depuis que la maréchaussée ne les abat plus, au lieu de se cacher, ils se montrent. Ils n'ont plus qu'à s'entendre et à venir en bande : toute propriété, toute vie sera à leur discrétion. — Une anxiété sourde, une crainte vague se répand dans les villes et dans les campagnes : tout d'un coup, vers la fin de juillet, la panique, comme un tourbillon de poussière aveuglante et suffocante, roule sur des centaines de lieues. On annonce que les brigands arrivent; ils mettent le feu aux moissons ; ils sont à six lieues, à deux lieues ; cela est prouvé par les fuyards qui se sauvent à la débandade. — Le 28 juillet, à Angoulême[1], vers trois heures de l'après-midi, le tocsin sonne, la générale bat, on crie aux armes, on monte des canons sur les remparts : il faut mettre la ville en défense contre 15,000 bandits qui approchent, et du haut des murs on découvre avec effroi sur la route un tourbillon de poussière. C'était le courrier qui passait allant à Bordeaux. Là-dessus, le nombre de brigands se réduit à 1500, mais il est avéré qu'ils ravagent la campagne. A 9 heures du soir, il y a 20,000 hommes sous les armes, et ils passent ainsi la nuit, écoutant toujours sans rien entendre. Vers trois heures du matin, nouvelle alarme, tocsin; on se forme en bataille, on est sûr que les brigands ont brûlé Ruffec, Verneuil, Larochefoucauld et autres lieux. Le lendemain, contre les bandits toujours absents, les campagnes arrivent pour prêter main-forte. « A 9 heures, dit un témoin, nous avions dans la ville « 40,000 hommes que nous remerciâmes. » Puisque les bandits ne se montrent pas, c'est qu'ils sont cachés : cent hommes à cheval et quantité à pied vont fouiller la forêt de Braçonne, et, à leur grande surprise, ne trouvent rien. Mais la terreur n'est pas calmée; « pendant les jours « qui suivent, on monte la garde continuellement, on forme « des compagnies parmi les bourgeois, » et Bordeaux averti envoie un courrier pour offrir 20,000 et même 30,000 hommes. « Ce qu'il y a de surprenant », ajoute le narrateur, « c'est qu'à dix lieues aux environs, dans chaque « paroisse, pareille émeute est arrivée, et à peu près à la

1. Archives nationales, D, XXIX, I. Lettre de M. Briand-Delessart (Angoulême), 1er août. — De M. Bret, lieutenant général de la prévôté de Mardogne, 5 septembre. — Du chevalier de Castellas (Auvergne), 15 septembre (sur les événements de la nuit du 2 au 3 août). — Mme Campan, II, 65.

« même heure. » — Il suffit qu'une fille, rentrant le soir au village, rencontre deux hommes qui ne sont pas du pays. C'est le cas en Auvergne : là-dessus, des paroisses entières se sauvent la nuit dans les bois, abandonnant leurs maisons, emportant leurs meubles ; « les fuyards ont « foulé, abîmé leurs propres moissons ; des femmes « enceintes se sont blessées dans le bois, d'autres sont « devenues folles. » L'épouvante leur a donné des ailes ; deux ans plus tard, près du mont Dore, on montrait à Mme Campan une roche à pic où une femme s'était réfugiée et d'où on n'avait pu la descendre qu'avec des cordes. — Enfin, les voilà rentrés chez eux, et leur vie, à ce qu'il semble, reprend son train ordinaire. Mais ce n'est pas impunément que de si grosses masses se sont ébranlées, et un pareil tumulte est par lui-même une source vive d'alarmes : puisqu'on s'est levé, c'est qu'il y avait du péril, et, si le péril ne vient pas des brigands, il vient d'ailleurs. Arthur Young, en Alsace et à Dijon[1], entend dire à table d'hôte que la reine a formé un complot pour creuser une mine sous l'Assemblée nationale et pour massacrer tout Paris ; plus tard, dans un village près de Clermont, il est arrêté, interrogé, parce que, manifestement, il conspire avec la reine et le comte d'Entraigues pour faire sauter la ville et envoyer aux galères les habitants qui auront survécu.

Contre ces fantômes pullulants de l'imagination surexcitée, nul raisonnement, nulle expérience n'est efficace. Désormais chaque commune, chaque homme se pourvoit d'armes et se tient prêt à en faire usage. Le paysan fouille à son magot, et « trouve dix à douze francs pour acheter « un fusil. » « Dans le plus misérable village, on rencontre « une milice nationale. » Dans toutes les villes, des gardes bourgeoises, des compagnies de volontaires font patrouille.

1. Arthur Young, 24 et 31 juillet ; 13 et 19 août.

Sur la réquisition des municipalités, les commandants militaires leur livrent des armes, des munitions, des équipements ; en cas de refus, on pille les arsenaux, et, de gré ou de force, 400,000 fusils passent ainsi, en six mois, aux mains du peuple[1]. Non contents de cela, il leur faut des canons. Brest en ayant exigé deux, chaque ville de Bretagne va faire de même ; l'amour-propre est en jeu et aussi le besoin de se sentir fort. — Rien ne leur manque à présent pour être maîtres. Toute autorité, toute force, tout moyen de contrainte et d'intimidation est entre leurs mains, entre leurs mains seules, et, dans l'interrègne effectif de tous les pouvoirs légaux, ces mains souveraines n'ont pour se guider que les suggestions folles ou meurtrières de la faim ou du soupçon.

V

Il serait trop long de raconter toutes leurs violences, convois arrêtés, blés pillés, meuniers et marchands de grains pendus, décapités, massacrés, fermiers sommés sous menace de mort de livrer jusqu'à leur réserve de semence, propriétaires rançonnés, maisons saccagées[2].

1. De Bouillé, 108. — Archives nationales, KK, 1105. Correspondance de M. de Thiard, 20 septembre 1789 (à propos des cent fusils donnés à la ville de Saint-Brieuc). « Ils ne lui sont d'aucune utilité, mais cet amour des armes « est une épidémie du moment qu'il faut laisser s'atténuer. On veut croire « aux brigands et aux ennemis, et il n'y a ni l'un ni l'autre. » — 25 septembre. « La vanité seule les conduit, et l'orgueil d'avoir du canon est leur « seul motif. »

2. Archives nationales, H, 1453. Lettres de M. Amelot, 17 et 24 juillet. « Plusieurs riches particuliers de la ville (Auxonne) ont été rançonnés par « cette troupe dont la majeure partie se composait de brigands. » — Lettre de neuf cultivateurs de Breteuil (Picardie), 23 juillet. Tous leurs greniers ont été pillés la veille jusqu'au dernier grain. « On menace de piller nos « récoltes et de mettre le feu à nos granges quand elles seront pleines.

Impunis, tolérés, excusés ou mal réprimés, les attentats se répètent et se propagent d'abord contre les personnes et les propriétés publiques. Selon l'usage, la canaille marche en tête et marque à son empreinte toute l'insurrection.

Le 19 juillet, à Strasbourg, sur la nouvelle que Necker revient, elle interprète à sa façon la joie publique dont elle est témoin. Cinq ou six cents va-nu-pieds[1], accrus bientôt par les gens de petit métier, courent à l'hôtel de ville, et les magistrats assemblés n'ont que le temps de fuir par une porte de derrière. De leur côté, les soldats, l'arme au bras, laissent faire, et plusieurs même excitent les assaillants. Les fenêtres volent en éclats sous une grêle de pierres, les portes sont forcées avec des pinces de fer, et la populace entre comme un torrent aux acclamations des spectateurs. Aussitôt, par toutes les ouvertures du palais, sur une façade de quatre-vingts pieds, « c'est une pluie de volets, « de fenêtres, de chaises, de tables, de sofas, de livres, « de papiers, puis une autre de tuiles, de planches, de bal- « cons, de pièces de charpente. » Les archives publiques sont jetées au vent, les rues environnantes en sont jon-

« M. Tassart, notaire, a été visité dans sa maison par la populace et me- « nacé d'être tué. » — Lettre de Moreau, procureur du roi en la sénéchaus- « sée de Bar-le-Duc, 15 septembre 1789, D, XXIX, 1. « Le 27 juillet, le peu- « ple s'est soulevé, a assassiné de la manière la plus cruelle un négociant « qui faisait le commerce des blés. Le 27 et le 28, sa maison et celle d'un « autre ont été saccagées, etc. »

1. Chronique de Dominique Schmutz (*Revue d'Alsace*, t. III, 3e série). Ce sont ses propres expressions : Gesindel, Lumpen-Gesindel. — De Rochambeau, *Mémoires*, I, 353. — Arthur Young (témoin oculaire), 21 juillet. — De Dammartin (témoin oculaire), I, 105.—M. de Rochambeau montra la mollesse et l'indécision ordinaires. Pendant qu'on pillait et jetait tout par les fenêtres, il passait devant ses régiments (8000 hommes) rangés en bataille, et disait : « Mes amis, mes bons amis, vous voyez ce qui se passe. Quelle hor- « reur! Hélas! ce sont vos papiers, vos titres, ceux de vos parents, » — Et les soldats souriaient de ce bavardage sentimental.

chées ; les lettres d'affranchissement, les chartes de priviléges, tous les actes authentiques qui, depuis Louis XIV, garantissaient les libertés de la ville, périssent dans les flammes. Les uns, dans les caves, défoncent les tonneaux de vin précieux ; 15,000 mesures en sont perdues et font un étang de cinq pieds de profondeur où plusieurs se noient. Les autres, chargés de butin, s'en vont sous les yeux des soldats qui ne les arrêtent pas. Pendant trois jours, la dévastation continue : nombre de maisons appartenant à des magistrats « sont saccagées du grenier à la cave. » Quand enfin les bourgeois honnêtes ont obtenu des armes et rétabli l'ordre, on se contente de pendre un des voleurs ; bien mieux, pour donner satisfaction au peuple, on change les magistrats, on abaisse le prix du pain et de la viande. — Après ces ménagements et ces récompenses, rien d'étonnant si l'émeute se répand en long et en large aux environs ; en effet, partie de Strasbourg, elle court l'Alsace, et, à la campagne comme à la ville, il se trouve pour la conduire des ivrognes et des vauriens.

Que la scène soit à l'Est, au Nord ou à l'Ouest, les premiers auteurs sont toujours de la même espèce. A Cherbourg, le 21 juillet[1], les deux chefs d'émeute sont des « voleurs de grands chemins, » qui mènent les femmes du faubourg, des matelots étrangers, la populace du port et nombre de soldats en sarraux d'ouvriers. Ils se font livrer les clefs des magasins de blé, ils dévastent les maisons des trois plus gros négociants et celle du subdélégué, M. de Garantot : « Tous leurs registres et papiers « sont brûlés ; chez M. de Garantot seul, on évalue la perte « à plus de 100,000 écus, au petit pied. » — Partout c'est le même instinct de destruction, une sorte de rage en-

1. Dumouriez (témoin oculaire), liv. III, ch. III. Le procès fut instruit et jugé par douze avocats et un assesseur, que le peuple en armes avait nommés lui-même. — Hippeau, IV, 382.

vieuse contre ceux qui possèdent, commandent ou jouissent. A Maubeuge, le 27 juillet, au moment même où les représentants de la commune venaient de s'assembler[1], le petit peuple intervient directement et à sa façon ordinaire. Une bande d'ouvriers cloutiers et armuriers investit l'hôtel de ville et oblige le maire à baisser le prix du pain. Presque aussitôt une autre bande, avec des cris de mort, se met à sa poursuite et crève les fenêtres, pendant que la garnison, appelée aux armes, contemple tranquillement le dégât. Mort au maire, à toutes les autorités, à tous les employés! Les mutins forcent les prisons, mettent les détenus en liberté, se jettent sur les maisons de l'impôt. Les cabanes de l'octroi sont démolies de fond en comble; le bureau du port est rasé, les balances et poids lancés dans la rivière. Tous les dépôts de la douane et de la régie sont enlevés, et les préposés contraints d'en donner quittance. Les maisons du greffier, d'un échevin, celle du contrôleur des fermes à deux cents pas de la ville, sont saccagées, portes et fenêtres rompues, meubles et linge en lambeaux, argenterie et bijoux jetés dans les puits. Même ravage chez le maire dans sa maison de ville, et, à une lieue de là, dans sa maison de campagne. « Il n'est aucune fenêtre, aucune porte, aucun effet ou « comestible » qui soit préservé; aussi bien, ils ont fait leur œuvre en conscience, sans discontinuer une minute, « depuis 10 heures du soir jusqu'au lendemain 10 heures « du matin. » Et, à la sollicitation de tous les honnêtes gens intimidés, le maire, qui a trente-quatre ans de services, donne sa démission et quitte le pays. — A Rouen, dès le 24 juillet[2], un placard, écrit à la main, indique, par son orthographe et par son style, les intelligences qui l'ont

1. Archives nationales, F^7, 3248. (Lettre du maire, M. Poussiaude de Thierri, 11 septembre.)
2. Floquet, VII, 551.

composé et les actions qui vont suivre : « Nation, vous « avez ici quatre têtes à abattre, celle de Pontcarré (le pre- « mier président), de Maussion (l'intendant), de Godard de « Belbœuf (le procureur général), et de Durand (le procu- « reur du roi de la ville). Sans cela, nous sommes perdus, « et, si vous ne le faites, vous passerez pour une nation « sans cœur. » Rien de plus net ; mais la municipalité, à qui le Parlement dénonce cette liste de proscriptions, répond, avec son optimisme de commande, « qu'aucun « citoyen ne peut se regarder ni être regardé comme « proscrit ; qu'il peut et doit se croire en sûreté dans son « domicile, persuadé qu'il n'est pas d'individu dans la « cité qui ne soit prêt à voler à son secours. » C'est dire à la populace qu'elle est libre de faire ce qui lui plaira. Là-dessus, les chefs d'émeute travaillent en sécurité pendant dix jours : l'un d'eux est Jourdain, avocat de Lisieux, et, comme la plupart de ses confrères, démagogue à principes ; l'autre est un cabotin de Paris, Bordier, célèbre dans le rôle d'Arlequin[1], souteneur d'un tripot, « rouleur « de nuit, ribotteur, qui, devant à Dieu et à Diable, » s'est jeté dans le patriotisme, et vient jouer la tragédie, la tragédie réelle, en province. Dans la nuit du 3 au 4 août, commence le cinquième acte, avec Bordier et Jourdain comme premiers sujets, derrière eux le bas peuple et plusieurs compagnies des nouveaux volontaires. Une clameur monte : « Mort aux accapareurs, mort à Maussion, il nous faut sa tête ! » On pille son hôtel, plusieurs s'enivrent et s'endorment dans la cave. Les bureaux de recette, les barrières de la ville, le bureau des aides, tous les bâtiments où l'on perçoit les droits du roi sont mis en pièces. De grands feux s'allument dans les rues et sur la place du Vieux-Marché ; on y jette pêle-mêle des meubles, des habits, des papiers et des batteries de cuisine ; des

1. De Goncourt, *La société française pendant la Révolution*, 37.

voitures sont traînées et précipitées dans la Seine. C'est seulement lorsque l'hôtel de ville est envahi que la garde nationale, prenant peur, se décide à saisir Bordier et quelques autres. Mais le lendemain, au cri de *Carabo*, et sous la conduite de Jourdain, la Conciergerie est forcée, Bordier est délivré, et l'Intendance avec les bureaux est saccagée une seconde fois. Lorsque enfin les deux coquins sont pris et menés à la potence, la populace est si bien pour eux qu'on est obligé, pour la maintenir, de braquer contre elle des canons chargés. — A Besançon[1], le 13 août, les meneurs sont le domestique d'un montreur de bêtes féroces, deux repris de justice dont l'un a déjà été marqué à la suite d'une émeute, et nombre « d'habitants mal famés » qui, vers le soir, se répandent dans la ville avec les soldats. Les canonniers insultent les officiers qu'ils rencontrent, les prennent au collet, veulent en jeter un dans le Doubs. D'autres vont chez le commandant, M. de Langeron, lui demandent de l'argent, et, sur son refus, arrachent leurs cocardes en criant « qu'eux « aussi ils sont du Tiers État, » en d'autres termes, qu'ils sont les maîtres: en conséquence, ils réclament la tête de l'intendant, M. de Caumartin, envahissent son hôtel et brisent ses meubles. Le lendemain, gens du peuple et soldats entrent dans les cafés, les couvents, les auberges, se font livrer à discrétion le vin et les vivres, puis, échauffés par la boisson, brûlent les bureaux de la régie, forcent plusieurs prisons, délivrent les contrebandiers et les déserteurs. Pour arrêter la saturnale, on imagine un grand banquet en plein air où la garde nationale fraternisera avec toute la garnison ; mais le banquet tourne en kermesse, des compagnies restent ivres-mortes sous les tables ; d'autres emmènent avec elles quatre muids de

1. Archives nationales, D, XXIX, 1. Lettre des officiers du bailliage de Dôle, 24 août. — Sauzay, I, 128.

vin, et les dernières, se trouvant frustrées, se répandent hors des murs pour piller les caves des villages environnants. Le lendemain, alléchés par l'exemple, une partie de la garnison et nombre d'ouvriers recommencent la même expédition dans la campagne. A la fin, après quatre jours d'orgie, pour empêcher Besançon et sa banlieue d'être traités indéfiniment en pays conquis, il faut que la garde bourgeoise, jointe aux soldats fidèles, se révolte contre la révolte, aille ramasser les maraudeurs et en pende deux le soir même. — Telle est l'émeute[1], une irruption de brute, qui, lâchée dans l'habitation humaine, ne sait que s'y gorger, gaspiller, casser, démolir, se blesser elle-même, et, lorsque nous suivons en détail l'histoire locale, nous voyons que, dans ce temps-là, on pouvait tous les jours s'attendre à un soubresaut pareil.

A Troyes[2], le 18 juillet, jour du marché, les paysans refusent d'acquitter les droits d'entrée : puisque l'octroi vient d'être supprimé à Paris, il doit l'être aussi à Troyes. Excitée par ce premier désordre, la populace s'attroupe pour se partager les grains et les armes, et le lendemain l'hôtel de ville est investi par sept ou huit mille hommes munis de pierres et de bâtons. Le surlendemain, une bande recrutée dans les villages voisins, armée de fléaux, de pelles et de fourches, entre sous la conduite d'un menuisier qui marche le sabre au poing; par bonheur, « tout « ce qu'il y a d'honnête dans la bourgeoisie » s'est formé

1. Scène analogue à Strasbourg, quelques jours après le sac de l'hôtel de ville. La municipalité ayant donné vingt sous à chaque homme de la garnison, tous les soldats abandonnent leur poste, délivrent les détenus du Pont-Couvert, font ripaille publiquement dans la rue avec les filles qu'ils ont tirées de leur pénitencier, forcent les cabaretiers et aubergistes à livrer leurs provisions. Toutes les boutiques se ferment, et pendant vingt-quatre heures les officiers ne sont plus obéis. (De Dammartin, I, 105.)

2. Albert Babeau, I, 187-273. — *Moniteur*, II, 379. (Extrait du jugement prévôtal du 27 novembre 1789.)

aussitôt en garde nationale, et ce premier essai de jacquerie est réprimé. Mais l'agitation persiste, et les rumeurs fausses ne cessent de la réveiller. — Le 29 juillet, sur le bruit que cinq cents brigands sont sortis de Paris et viennent tout ravager, le tocsin sonne dans les villages et les paysans sortent en armes. Dorénavant un danger vague semble suspendu sur toutes les têtes ; il est avéré qu'il faut se défier, être en garde contre des ennemis. Par cette prise, les démagogues nouveaux tiennent le peuple et, à l'occasion, vont le tourner contre ses chefs. — Il ne sert de rien de lui montrer que ceux-ci sont patriotes, que tout à l'heure ils ont accueilli Necker avec des cris d'enthousiasme, que les prêtres, les moines, les chanoines eux-mêmes ont pris les premiers la cocarde nationale, que les nobles de la ville et des environs sont les plus libéraux de la France, que, le 20 juillet, la garde bourgeoise a sauvé la ville, que tous les riches donnent pour les ateliers nationaux, que le maire Huez, « magis-« trat intègre et vénérable, » est un bienfaiteur pour les pauvres et pour le public. Tous les conducteurs anciens sont suspects. — Le 8 août, un attroupement exige le renvoi des dragons, des armes pour tous les volontaires, le pain à deux sous, l'élargissement des détenus. Le 19 août, la garde nationale écarte les anciens officiers comme aristocrates, et en élit d'autres. Le 27 août, la foule envahit l'hôtel de ville, et se distribue les armes. Le 5 septembre, deux cents hommes, conduits par Truelle, président du nouveau comité, forcent le grenier de la gabelle et se font délivrer le sel à six sous. — En même temps, dans les bas-fonds de la cité, une légende se forme : puisque le blé manque, c'est que Huez, le maire, M. de Saint-Georges, l'ancien commandant, sont des accapareurs ; et l'on dit de Huez, comme cinq semaines auparavant de Foulon, « qu'il veut faire manger du foin au peuple. »

La bête populaire gronde sourdement et va s'élancer. — Selon la coutume, au lieu de la brider, on la ménage. « Il faut, écrit aux échevins le député de Troyes, il faut, « pour le moment, oublier votre autorité; agissez avec « le peuple comme avec un ami, employez avec lui cette « douceur qu'on doit à ses égaux, et soyez persuadés qu'il « est susceptible de retour. » Ainsi fait Huez, et mieux encore, à travers toutes les menaces, refusant même de pourvoir à sa sûreté et s'offrant presque en sacrifice. « Je n'ai fait de mal à personne, disait-il, comment pour« rait-on m'en vouloir? » Sa seule précaution est d'assurer après lui des secours aux malheureux : par testament, il a légué 18 000 livres aux pauvres, et, la veille de sa mort, il fait porter 100 écus au bureau de charité. Mais de quoi servent l'abnégation et les bienfaits contre la rage aveugle et folle? — Le 9 septembre, trois voitures de farine s'étant trouvées mauvaises, le peuple s'amasse et crie : « A bas les marchands de farines! A bas les méca« niques! A bas le maire! Mort au maire, et que Truelle « prenne sa place! » — Huez, sortant de son tribunal, est renversé, meurtri à coups de pied et de poing, empoigné au collet, ramené à la salle d'audience, frappé à la tête d'un coup de sabot, jeté en bas du grand escalier. Vainement les officiers municipaux veulent le défendre; on lui passe une corde autour du cou et on commence à le traîner. Un prêtre, qui implore la permission de sauver au moins son âme, est repoussé et battu. Une femme se jette sur le vieillard terrassé, lui foule la figure avec les pieds, lui enfonce ses ciseaux dans les yeux à plusieurs reprises. Il est traîné, la corde au cou, jusqu'au pont de la Selle, lancé dans le gué voisin, puis retiré, traîné de nouveau par les rues, dans les ruisseaux, avec une poignée de foin dans la bouche [1]. — Cependant sa maison, celle du

1. *Moniteur, ib.* Picard, le principal meurtrier, avoua « qu'il l'avait fait

lieutenant de la maréchaussée, celle du notaire Guyot, celle de M. de Saint-Georges, sont saccagées ; le pillage et la destruction durent quatre heures ; chez le notaire, six cents bouteilles de vin sont bues ou emportées ; les objets précieux sont partagés ; le reste, jusqu'au balcon de fer, est démoli ou brisé, et les émeutiers crient, en s'en allant, qu'ils ont encore vingt-sept maisons à brûler et vingt-sept têtes à prendre. « Personne, à Troyes, ne se coucha pen« dant cette nuit néfaste. » — Les jours suivants, pendant près de deux semaines, la société semble défaite. Des placards affichés proscrivent les officiers municipaux, les chanoines, plusieurs privilégiés, les principaux négociants et jusqu'aux dames de charité ; celles-ci, effrayées, se démettent ; nombre de personnes émigrent dans la campagne ; d'autres se barricadent chez elles et n'ouvrent leur porte que le sabre à la main. C'est le 26 seulement que les gens d'ordre, ralliés, reprennent l'ascendant et arrêtent les malfaiteurs. — Telle est la vie publique en France à partir du 14 juillet ; dans chaque ville, les magistrats se sentent à la merci d'une bande de sauvages, parfois d'une bande de cannibales. Ceux de Troyes viennent de torturer Huez à la manière des Hurons ; ceux de Caen ont fait pis : le major de Belsunce, non moins innocent et garanti par la foi jurée[1], a été dépecé comme Lapérouse aux îles Fidji, et une femme a mangé son cœur.

« bien souffrir, que ledit sieur Huez n'était mort que vers l'auberge du « Chaudron, que cependant on avait le projet de le faire souffrir davantage, « en lui donnant à chaque coin de rue un coup de couteau au cou, (et) en « se ménageant la faculté de lui en donner davantage tant qu'il vivrait ; « que la journée de la mort de M. Huez lui avait valu 10 francs et la bou« cle du cou de M. Huez, trouvée sur lui, lorsqu'il fut arrêté dans sa fuite. »

1. *Mercure de France*, 26 septembre 1789. Lettres des officiers du régiment de Bourbon, et des membres du comité général de Caen. — Floquet, VII, 545.

VI

En de pareilles circonstances, on devine si les impôts rentrent et si des municipalités qui vacillent à tous les souffles populaires ont la force de soutenir les droits odieux du fisc. — Vers la fin de septembre[1], je trouve une liste de trente-six comités ou corps municipaux qui, dans un rayon de cinquante lieues autour de Paris, refusent de protéger la perception des taxes. L'un tolère la vente du faux sel pour ne pas exciter d'émeutes. L'autre, par précaution, a désarmé les employés de la régie. Dans un troisième, les officiers municipaux ont été les premiers à s'approvisionner de faux sel et de faux tabac. A Péronne et Ham, l'ordre étant venu de rétablir les barrières, le peuple a détruit tous les corps de garde, est allé prendre tous les employés chez eux et leur a commandé de déguerpir, sous peine de mort, dans les vingt-quatre heures. Après vingt mois de résistance, Paris finira par forcer la main à l'Assemblée nationale et par obtenir la suppression définitive de son octroi[2]. — De tous les créanciers dont chacun sentait la main sur son dos, le fisc était le plus âpre, et maintenant il est le plus faible ; c'est pourquoi il est le premier dont on secoue l'étreinte, et il n'y en a point qu'on haïsse ou maltraite plus fort. Surtout contre les gabelous, les douaniers et les rats de cave, l'acharnement est universel. Partout[3] ils sont en danger de

1. Archives nationales, H, 1453. — *Ib.*, D, XXIX, 1. Note de M. de La Tour-du-Pin, 28 octobre.

2. Décret du 1er février 1791, appliqué le 1er mai suivant.

3. Archives nationales, D, XXIX, I. Lettre du comte de Montausier, 8 août, avec notes de M. Paulian, directeur des aides. (Très-belle lettre, modeste, généreuse, et finissant par demander grâce pour un peuple égaré.) — H, 1453. Lettre du procureur de l'élection de Falaise, 17 juillet, etc. — *Moni-*

mort, obligés de fuir. A Falaise, en Normandie, on veut « hacher en morceaux » le directeur des aides. A Baignes, en Saintonge, sa maison est dévastée, ses effets et papiers brûlés. On porte à son fils, un enfant de six ans, le couteau sur la gorge, en lui disant : « Il faut que tu périsses, « afin qu'il n'y ait plus personne de ta race. » Pendant quatre heures, les commis sont à chaque minute sur le point d'être mis en pièces; sauvés, à force de supplications, par le seigneur qui voit les faux et les sabres levés sur sa propre tête, ils ne sont relâchés qu'à condition « d'abjurer leur emploi. » — Aussi bien, pendant les deux mois qui suivent la prise de la Bastille, les insurrections contre l'impôt indirect éclatent par centaines, comme une fusillade. Dès le 23 juillet, l'intendant de Champagne mande que « le soulèvement est général dans presque « toutes les villes de sa généralité. » Le lendemain, l'intendant d'Alençon écrit que dans la province « bientôt « les droits du roi ne seront plus payés nulle part. » Le 7 août, M. Necker déclare à l'Assemblée nationale que, dans les deux généralités de Caen et d'Alençon, force a été de réduire de moitié le prix du sel, que « dans une infi- « nité de lieux » la perception des aides est arrêtée ou suspendue, que la contrebande du sel et du tabac se fait « par convois et à force ouverte » en Picardie, en Lorraine et dans les Trois Évêchés, que d'ailleurs l'impôt direct ne rentre pas, que les receveurs généraux et les receveurs de la taille sont « aux abois », et ne peuvent plus tenir leurs engagements. Chaque mois, le revenu

teur, I, 303, 387, 505 (séances des 7 et 27 août, du 23 septembre). « Les revenus du roi vont toujours en diminuant. » — Roux et Buchez, III, 219 (séance du 24 octobre 1789). — Discours d'une députation de l'Anjou : « Soixante mille hommes sont armés ; les barrières ont été détruites ; les « chevaux des commis ont été vendus à l'encan ; il a été enjoint aux employés « de se retirer de la province sous huit jours. Les habitants ont déclaré qu'ils « ne payeraient pas d'impôts, tant que la gabelle subsisterait. »

public diminue ; dans le corps social, le cœur déjà si faible défaille et, privé du sang qui ne remonte plus jusqu'à lui, il cesse de pousser dans les muscles la vivifiante ondée qui les répare et qui les tend.

« Tout est relâché, dit Necker, tout est en proie aux « passions individuelles. » Où est la force pour les contraindre et pour faire rendre à l'État son dû?—Sans doute, le clergé, la noblesse, les bourgeois aisés, quelques braves artisans et laboureurs payent et même parfois donnent spontanément. Mais, dans une société, ceux qui ont des lumières, de l'aisance et de la conscience, ne sont qu'une petite élite; la grosse masse, égoïste, ignorante, besoigneuse, ne lâche son argent que par contrainte; il n'y a qu'un moyen de le percevoir, c'est de l'extorquer. Depuis un temps immémorial, l'impôt direct ne rentre en France que par garnison et saisies, et cela n'a rien d'étrange, puisqu'il prélève la moitié du revenu net. A présent que dans chaque village les paysans sont armés et font une bande, que le receveur vienne saisir, s'il l'ose ! « —Aussitôt après le décret sur l'égalité d'impôt, écrit la « Commission provinciale d'Alsace [1], le peuple a généralement refusé de rien payer, jusqu'à ce que les exempts et « les privilégiés fussent inscrits sur les rôles du lieu. » En plusieurs endroits, les paysans menacent pour obtenir le remboursement de leurs à-compte ; en d'autres, ils exigent que le décret soit rétroactif et que les nouveaux contribuables payent pour toute l'année écoulée. « Aucun « collecteur n'ose envoyer de contrainte; aucune con« trainte n'ose remplir sa mission. » — « Ce ne sont pas « les bons bourgeois » dont on a peur, « c'est la canaille « qui se fait craindre de ceux-ci » et de tout le monde; la résistance et le désordre viennent partout « des gens qui « n'ont rien à perdre. » — Non-seulement ils secouent

1. Archives nationales, F^7, 3253. (Lettre du 8 septembre 1789.)

les charges, mais ils usurpent les propriétés et disent qu'étant la Nation, tout ce qui est à la Nation leur appartient. Les forêts d'Alsace sont dévastées, les seigneuriales aussi bien que les communales, et dévastées à plaisir, par un gaspillage d'enfants ou d'insensés. « En bien des « endroits, pour s'éviter la peine d'enlever les bois, on les « a brûlés et l'on s'est contenté d'en emporter les cendres. » — Après les décrets du 4 août, et malgré la loi qui ne permet la chasse qu'au propriétaire et sur son bien, l'impulsion est irrésistible. Tout homme qui peut se procurer un fusil [1] entre en campagne ; les moissons encore sur pied sont foulées, les capitaineries envahies, les enclos escaladés ; le roi lui-même est réveillé à Versailles par les coups de fusil tirés dans son parc. Cerfs, biches, daims, sangliers, lièvres, lapins, tués par milliers, sont cuits avec du bois volé et mangés sur place. Pendant deux mois et davantage, c'est une fusillade continue par toute la France, et, comme dans une savane américaine, tout animal vivant appartient à qui l'abat. A Choiseul, en Champagne, non-seulement tous les lièvres et perdrix de la baronnie sont exterminés, mais les étangs sont pêchés ; on vient jusque dans la cour du château tirer sur le colombier et détruire les pigeons, après quoi on offre au propriétaire de lui vendre ses pigeons et son poisson dont on a de trop. — Ce sont « les patriotes » du village, avec « les contrebandiers et les mauvais sujets » des alentours, qui font seuls cette expédition ; on les re-

1. Arthur Young, 30 septembre. « On dirait qu'il n'y a pas un fusil rouillé « en Provence qui ne soit à l'œuvre, détruisant toute espèce d'oiseaux. Les « bourres ont sifflé cinq ou six fois à mes oreilles ou sont tombées dans ma « voiture. » — Beugnot, I, 141. — Archives nationales, D, XXIX, I. Lettre du chevalier d'Allonville, 8 septembre 1789 (environs de Bar-sur-Aube). « Les paysans vont en troupes armées dans les bois de l'abbaye des Trois- « Fontaines, qu'ils coupent. Ils scient des chênes, les transportent sur des « voitures au Pont-Saint-Dizier, où ils les vendent. En d'autres endroits, ils « pêchent les étangs et rompent les chaussées. »

trouve au premier rang dans toutes les violences, et il n'est pas difficile de prévoir que, sous leur conduite, les attentats contre les personnes et les propriétés publiques vont se continuer par des attentats contre les personnes et les propriétés privées.

VII

En effet, il y a déjà une classe proscrite, et on lui a trouvé son nom : ce sont les aristocrates. Appliqué d'abord aux nobles et prélats qui, dans les États Généraux, se refusaient à la réunion des trois ordres, ce nom meurtrier s'est étendu jusqu'à comprendre tous ceux que leurs titres, leurs charges, leurs alliances, leur train de vie, distinguent de la multitude. Ce qui les recommandait au respect les désigne à la malveillance, et le peuple qui, tout en souffrant de leurs droits, n'avait point de haine pour leurs personnes, apprend à les considérer comme des ennemis. Chacun d'eux, dans sa terre, répond des mauvais desseins que l'on prête à ses pareils de Versailles, et, sur le faux bruit d'un complot au centre, les paysans le rangent parmi les conspirateurs[1]. Ainsi se prépare la jacquerie rurale, et les exaltés qui ont soufflé le feu à Paris soufflent aussi le feu en province. « Vous « voulez connaître les auteurs des troubles, » écrit un homme de sens au comité des recherches, « vous « les trouverez parmi les députés du Tiers, » et particu-

1. Archives nationales, D, XXIX, 1. Lettre de l'assesseur de la maréchaussée de Saint-Flour, 3 octobre 1789. Le 31 juillet, le bruit se répand que les brigands arrivent. Le 1er août, les paysans s'arment. « Ils s'amusèrent à « boire, en attendant l'arrivée des brigands ; les cervelles s'échauffèrent, « au point de se persuader que M. le comte d'Espinchal était arrivé la veille « à Massiac déguisé, qu'il était l'auteur des troubles qui agitent en ce mo« ment la province, et qu'il était caché dans son château. » — Là-dessus, coups de fusil dans les vitres, perquisitions, etc.

lièrement « parmi ceux qui sont procureurs et avocats. « Ils écrivent à leurs commettants des lettres incendiai- « res; ces lettres sont reçues par les municipalités, les- « quelles sont aussi composées de procureurs et d'avo- « cats.... On les lit tout haut sur la place principale, et « des copies en sont envoyées dans tous les villages. « Dans ces villages, si quelqu'un sait lire outre le curé et « le seigneur, c'est un praticien, ennemi-né du sei- « gneur, » dont il veut prendre la place, fier de sa faconde, aigri par sa pauvreté, et qui ne manque pas de tout noircir[1]. Très-probablement, c'est lui qui rédige et fait circuler les placards par lesquels, au nom du roi, on appelle le peuple aux voies de fait. — A Secondigny, en Poitou, le 23 juillet[2], les ouvriers de la forêt ont une lettre « qui leur enjoint de courir sus à tous les gentils- « hommes de la campagne, et de massacrer sans merci « tous ceux qui refuseront d'abdiquer leurs priviléges..., « avec promesse que, non-seulement il ne leur sera rien « fait pour ces crimes, mais encore qu'ils en seront ré- « compensés. » M. Despretz-Montpezat, correspondant des députés de la noblesse, est saisi; on l'entraîne avec son fils chez le procureur fiscal, pour le faire signer; défense aux habitants de lui porter secours, « sous peine « de la vie et du feu. » « Signez, lui dit-on, ou nous « allons vous arracher le cœur et mettre le feu à cette « maison. » A ce moment le notaire voisin, qui sans

1. Archives nationales, D, XXIX, I, Lettre d'Étienne Fermier, Naveinne, 18 septembre. (Il est possible que, par précaution, l'auteur ait pris un pseudonyme.) — La correspondance manuscrite de M. Boullé, député de Pontivy, à ses commettants, est un type de ces correspondances déclamatoires et incendiaires. — Lettre des curés, consuls, négociants, etc., de Puy-en-Vélay, 16 septembre. — *L'Ancien régime*, p. 520.

2. Archives nationales, D, XXIX, 1. Lettre de M. Despretz-Montpezat, ancien officier d'artillerie, 24 juillet (avec plusieurs autres signatures). — Le même jour, tocsin dans cinquante villages, bruit que sept mille brigands, Anglais et Bretons, envahissent le pays.

doute est complice, survient avec un papier timbré et lui dit : « Monsieur, j'arrive de Niort : le Tiers État en a fait « autant à tous les gentilshommes de la ville; un seul, « pour l'avoir refusé, a été mis en pièces à nos yeux. — — « Il fallut signer notre renoncement à nos privilèges « et notre consentement à un seul et même impôt, comme « si la noblesse ne l'avait pas déjà fait. » La bande annonce qu'elle va travailler de même dans les châteaux du voisinage, et la terreur l'y précède ou l'y suit. « Personne « n'ose écrire, mande M. Despretz, je l'entreprends au « péril de ma vie. » — Partout les nobles et les prélats sont devenus suspects; les comités de villages décachètent leurs lettres ; ils subissent des visites domiciliaires[1]; on leur impose la nouvelle cocarde : être seigneur et ne pas la porter, c'est mériter d'être pendu. A Mamers, dans le Maine, M. de Beauvoir qui la refuse est sur le point d'être mis au carcan et assommé sur la place. Près de La Flèche, M. de Brissac est arrêté et l'on envoie demander à Paris s'il faut l'y conduire, « ou le décoller provi« soirement. » Deux députés de la noblesse, MM. de Montesson et de Vassé, qui venaient demander à leurs commettants la permission de se réunir au Tiers État, sont reconnus auprès du Mans; peu importe leur scrupule honorable, leur mandat impératif, la démarche qu'ils font en ce moment même pour s'en délivrer; il suffit qu'à Versailles ils aient voté contre le Tiers; la populace les poursuit, met en pièces leurs voitures et pille leurs malles. — Malheur aux nobles, surtout s'ils ont eu part au pouvoir local, et s'ils s'opposent aux paniques populaires! M. Cureau, lieutenant au maire

1. Archives nationales, D, XXIX, I. Lettre de Briand-Delessart, 1er août (visites domiciliaires chez les carmélites d'Angoulême, où l'on prétend que Mme de Polignac vient d'arriver). — Beugnot, I, 140. — Arthur Young, 26 juillet, etc. — Roux et Buchez, IV, 166. Lettre de Mamers, 24 juillet; du Mans, 26 juillet.

du Mans[1], avait donné des ordres pendant la disette, et, retiré dans son château de Nouay, disait aux paysans que l'annonce des brigands était une fausse alarme : selon lui, il ne fallait pas sonner le tocsin, et il n'y avait qu'à se tenir tranquille. Donc il s'entend avec les brigands; de plus c'est un accapareur, et il achète les récoltes sur pied. Les paysans l'emmènent, avec un autre M. de Montesson, son gendre, jusqu'au village voisin où il y a des juges. Pendant le chemin, « on les traî« nait par terre, on se les jetait de main en main, on les « foulait aux pieds, on leur crachait à la figure, on les « souillait d'ordures. » M. de Montesson est tué à coups de fusil; M. Cureau est massacré en détail. Avec une bisaiguë, un charpentier tranche les deux têtes, et des enfants les portent au son du tambour et des violons. Cependant les juges du lieu, amenés par force, dressent procès-verbal de trente louis et de plusieurs billets de la Banque d'Escompte, qui sont dans les poches de M. Cureau; sur cette découverte, part un cri de triomphe : voilà la preuve qu'il voulait acheter les blés sur pied! — Ainsi procède la justice populaire; maintenant que le Tiers est la nation, chaque attroupement se croit en droit de rendre des sentences et il les exécute lui-même sur les vies et sur les biens.

Dans les provinces de l'Ouest, du Centre et du Midi, ces explosions sont isolées; mais du côté de l'Est, sur une bande large de trente à cinquante lieues, et depuis l'extrême nord jusqu'à la Provence, la conflagration est universelle. Alsace, Franche-Comté, Bourgogne, Mâconnais, Beaujolais, Auvergne, Viennois, Dauphiné, tout le territoire ressemble à une longue mine continue qui saute à

1. Montjoie, ch. LXXII, p. 93 (d'après les actes de la procédure légale). Dans la bande était un soldat qui avait servi sous M. de Montesson et voulait se venger des punitions qu'il avait subies au régiment.

la fois. La première colonne de flammes jaillit sur la frontière de l'Alsace et de la Franche-Comté, aux environs de Belfort et de Vesoul, pays féodal où le paysan surchargé de redevances, porte plus impatiemment un joug plus lourd. Un raisonnement instinctif fermente en lui sans qu'il le sache. « La bonne Assemblée et le bon « Roi veulent que nous soyons heureux : si nous les ai« dions ! Déjà on dit que le roi nous a déchargés des con« tributions : si nous nous déchargions des redevances ! « A bas les seigneurs ! ils ne valent pas mieux que les « commis ! » — Dès le 16 juillet, le château de Sancy, à la princesse de Beaufremont, est saccagé, puis, le 18, ceux de Lure, de Bithaine et de Molans[1]. Le 29, dans une fête populaire chez M. de Memmay, un accident qui survient parmi les pièces d'artifice persuade aux gens du peuple que l'invitation était un piége et qu'on a voulu se défaire d'eux par trahison[2]. Saisis de fureur, ils incendient le château, et, dans la semaine qui suit[3], trois abbayes sont détruites, onze châteaux ruinés, d'autres pillés, « toutes « les archives enfoncées, les registres et les terriers en« levés, les dépôts violés. » — Parti de là, « l'ouragan « d'insurrection » s'étale sur toute l'Alsace, depuis Huningue jusqu'à Landau[4]. Les révoltés montrent des placards signés Louis, portant que « pendant tel laps de « temps il leur est permis de se faire justice à eux« mêmes, » et, dans le Sundgau, un tisserand bien vêtu,

1. *Mercure de France*, 20 août. (Lettre de Vesoul, 13 août.)

2. M. de Memmay prouva plus tard son innocence, et fut réhabilité par sentence publique, après deux ans de procédure (séance du 4 juin 1791, *Mercure* du 11 juin).

3. *Journal des débats et décrets*, I, 258. (Lettre de la municipalité de Vesoul, 22 juillet. — Discours de M. de Toulongeon, 29 juillet.)

4. De Rochambeau, *Mémoires*, I, 353. — Archives nationales, F⁷, 3253. (Lettre de M. de Rochambeau, 4 août.) — Chronique de Schmutz (*ib.*), p. 284. — Archives nationales, D, XXIX, I. (Lettre de Mme Ferrette, secrète de Remiremont, 9 août.)

décoré d'une ceinture bleue, passe pour un prince, second fils du roi. Pour commencer, ils tombent sur les Juifs, leurs sangsues héréditaires, mettent à sac leurs maisons se partagent leur argent, et leur donnent la chasse comme à des bêtes fauves. Rien qu'à Bâle, on vit arriver, dit-on, douze cents de ces malheureux fugitifs avec leurs familles. — Du Juif créancier au chrétien propriétaire la distance n'est pas grande, et tout de suite elle est franchie. Remiremont n'est sauvé que par un détachement de dragons. Huit cents hommes attaquent le château d'Uberbrünn. L'abbaye de Neubourg est emportée. A Guebwiller, le 31 juillet, cinq cents paysans, sujets de l'abbaye de Murbach, fondent sur le palais de l'abbé et sur la maison des chanoines. Buffets, coffres, lits, fenêtres, miroirs, encadrements, jusqu'aux tuiles du toit et jusqu'aux gonds des croisées, tout est haché ; « sur les « beaux parquets des appartements, on allume des feux « et on y brûle la bibliothèque et les titres. » Le superbe carrosse de l'abbé est rompu de façon à ce que pas une roue ne demeure entière. « Le vin est répandu dans les « caves; un tonneau de 1600 mesures en laisse échapper « la moitié; l'argenterie et le linge sont emportés. » — Il est clair que la société se renverse, et qu'avec le pouvoir la propriété change de main.

Ce sont là leurs propres paroles : en Franche-Comté[1], les habitants de huit communes viennent déclarer aux Bernardins de la Grâce-Dieu et de Lieu-Croissant « qu'é- « tant du Tiers État, il est temps qu'ils dominent sur les « abbés et les religieux, attendu que la domination de « ceux-ci a duré trop longtemps; » et là-dessus ils enlèvent tous les titres des propriétés ou des rentes que l'abbaye possède sur leur commune. Dans le Haut-Dauphiné, pendant la dévastation du château de M. de Murat, un

1. Sauzay, I, 180. (Lettres des religieux, 22 et 26 juillet.)

nommé Ferréol frappait avec un gros bâton sur les meubles en disant : « Tiens, voilà pour toi, Murat; il y a « longtemps que tu es le maître, c'est notre tour [1]. » Ceux-là mêmes qui dévalisent les maisons et volent à la manière des bandits de grand chemin croient défendre une cause, et répondent au qui-vive : « Nous sommes « pour le Tiers État brigand. » — Partout ils se croient autorisés et se conduisent comme une troupe conquérante sous les ordres d'un général absent. A Remiremont et à Luxeuil, ils montrent un édit portant que « tout ce « brigandage, pillage, destruction », est licite. En Dauphiné, les chefs des bandes se disent munis d'ordres du roi. En Auvergne, « ils suivent des ordres impératifs, ils « ont des avis que Sa Majesté le veut ainsi. » Nulle part on ne voit que le village insurgé exerce contre son seigneur une vengeance personnelle. S'il tire sur les nobles qu'il rencontre, ce n'est point par rancune. Il détruit une classe, il ne poursuit pas des individus. Il déteste les droits féodaux, les chartriers, les parchemins maudits en vertu desquels il paye, mais non le seigneur qui, lorsqu'il réside, est volontiers humain, compatissant, et souvent même bienfaisant. A Luxeuil, l'abbé, qu'on force, la hache levée, à signer l'abandon de tous ses droits seigneuriaux sur vingt-trois terres, réside depuis quarante-six ans et n'a rendu que des services [2]. Dans le canton de

1. Archives nationales, D, XXIX, I. (Lettre de M. Bergeron, procureur au présidial de Valence, 28 août, avec l'arrêt motivé.) — Procès-verbal de la milice bourgeoise de Lyon, remis au président de l'Assemblée nationale, le 10 août. (Expédition à Serrière, en Dauphiné, le 31 juillet.)

2. Lettre du comte de Courtivron, député suppléant (témoin oculaire). — Archives nationales, D, XXIX, I. Lettre des officiers municipaux de Crémieu (Dauphiné), 3 novembre. — Lettre du vicomte de Carbonnière (Auvergne), 3 août. — Arthur Young, 30 juillet (Dijon), dit à propos d'une famille noble qui s'est échappée presque nue de son château en flammes : « Ces malheureux « étaient estimés de leurs voisins; leur bonté aurait dû leur gagner l'amour « des pauvres, dont le ressentiment n'était motivé par rien. »

Crémieux, « où les dégâts sont immenses, » tous nos nobles, écrivent les officiers municipaux, étaient « patriotes « et bienfaisants. » En Dauphiné, les seigneurs, magistrats, prélats, dont on saccage les châteaux, ont été les premiers à prendre en main contre les ministres la cause du peuple et des libertés publiques. En Auvergne, les paysans eux-mêmes « montrent beaucoup de répu« gnance d'agir ainsi contre d'aussi bons seigneurs; » mais il le faut : tout ce qu'ils peuvent accorder au souvenir de la bienveillance qu'on leur a témoignée, c'est de ne pas incendier le château des dames de Vanes, si charitables; mais ils brûlent tous les titres; à trois reprises différentes, ils mettent l'homme d'affaires sur le feu, pour le contraindre à livrer une pièce qu'il n'a pas; ils ne l'en retirent qu'à demi grillé et parce que les dames, à genoux, implorent sa grâce. De même des soldats en campagne, exécuteurs dociles d'une consigne à laquelle la nécessité sert d'excuse, et qui, sans se croire des brigands, font des actions de brigands.

Mais ici la situation est plus tragique; car c'est la guerre en pleine paix, la guerre de la multitude brutale et ensauvagée contre l'élite cultivée, aimable, confiante, qui ne s'attendait à rien de pareil, qui ne songe pas même à se défendre et à qui manque toute protection. — Le comte de Courtivron, avec sa famille, était aux eaux de Luxeuil, chez son oncle, l'abbé de Clermont-Tonnerre, vieillard de soixante-dix ans, lorsque, le 19 juillet, cinquante paysans de Fougerolle font irruption et démolissent tout chez un huissier et chez un receveur des aides. Là-dessus, le maire de l'endroit signifie aux nobles et magistrats, qui prennent les eaux, d'évacuer la ville dans les vingt-quatre heures; car « il a reçu avis qu'on mettrait le feu aux « maisons qu'ils habitent, » et il ne veut pas que leur présence expose Luxeuil à ce danger. Le lendemain, la garde, aussi complaisante que le maire, laisse entrer la bande et forcer l'abbaye : renoncements extorqués, archives et caves pillées, vaisselle et effets volés, tout s'y passe à l'ordinaire. La nuit, M. de Courtivron ayant pu fuir avec son oncle, le tocsin sonne, on les poursuit, et, à grand-peine, ils se réfugient à Plombières. Mais, par crainte de se compromettre, les bourgeois de Plombières les obligent à repartir; sur la route, deux cents insurgés menacent de tuer leurs chevaux et de briser leur voiture; ils ne trouvent de sûreté que hors de France, à Porentruy. Au retour, M. de Courtivron reçoit les coups de fusil de la bande qui vient de piller l'abbaye de Lure; on crie sur son passage : « Massacrons la noblesse ! » Cependant, le château de Vauvillers, où sa femme malade a été portée, est dévasté de fond en comble; on la cherche partout; elle n'échappe qu'en se cachant dans un grenier à foin. Tous deux veulent fuir en Bourgogne, mais on leur mande qu'à Dijon « la noblesse est bloquée par le peuple, » et que, dans la campagne, on menace de mettre le feu chez eux. — Nul refuge ni chez soi, ni chez autrui, ni sur les routes : dans les petites villes et les bourgs, on retient les fugitifs. En Dauphiné[1], « Mme l'abbesse de Saint-Pierre « de Lyon, une autre religieuse, M. de Perrotin, M. de « Bellegarde, M. le marquis de la Tour-du-Pin, et le che- « valier de Moidieu, ont été arrêtés à Champier par le « peuple armé, conduits à la Côte Saint-André, enfer- « més à l'hôtel de ville, d'où ils réclament des secours à « Grenoble, » et, pour les délivrer, le comité de Grenoble est obligé d'envoyer des commissaires. Leur seul asile est dans les grandes villes où subsiste quelque semblant d'ordre précaire, et dans les rangs des gardes urbaines, qui, de Lyon, de Dijon, de Grenoble, marchent pour contenir l'inondation. — Dans toute la campagne, les châteaux

1. Archives nationales, D, XXIX, I. (Lettre de la commission des États du Dauphiné, 31 juillet.)

isolés sont engloutis par la marée populaire, et, comme les droits féodaux sont souvent en des mains roturières, elle monte par degrés au delà de son premier débordement. Une insurrection contre la propriété n'a pas de limites. Des abbayes et des châteaux celle-ci s'étend aux « maisons « bourgeoises[1]. » On n'en voulait d'abord qu'aux chartriers; on en veut maintenant à tout ce qui possède. De riches laboureurs, des curés abandonnent leur paroisse et se sauvent à la ville. Des voyageurs sont rançonnés. En tête des bandes, des voleurs, des contrebandiers, des repris de justice se garnissent les mains. Sur cet exemple, les convoitises s'allument; dans les domaines bouleversés et désertés, où rien n'indique plus la présence d'un maître, tout semble dévolu au premier occupant. Tel, métayer du voisinage, a emporté du vin et revient le lendemain chercher du foin. Tel château du Dauphiné est démeublé, jusqu'aux gonds des portes, à grand renfort de charrettes. — « C'est la guerre des pauvres contre les « riches, » dit un député, et, le 3 août, le comité des Rapports déclare à l'Assemblée nationale que « nulle pro« priété, quelle qu'en soit l'espèce, n'a été épargnée. »

Dans la Franche-Comté, « près de quarante châteaux « et maisons seigneuriales pillés » ou brûlés[2]; de Langres

1. *Désastres du Mâconnais*, par Puthod de la Maison-Rouge (août 1789). — *Ravages du Mâconnais*. — Arthur Young, 27 juillet. — Roux et Buchez, IV, 211, 214. — *Mercure de France*, 12 septembre 1789. (Lettre d'un volontaire d'Orléans). « Le 15 août, quatre-vingt-huit brigands, se disant mois« sonneurs, se présentent à Bascon, en Beauce, et, le lendemain, à un châ« teau voisin, où ils demandent, sous une heure, la tête du fils du seigneur, « M. Tassin, qui ne se racheta que par une contribution de 1200 livres et le « pillage de ses caves. »

2. Lettre du comte de Courtivron. — Arthur Young, 31 juillet. — Roux t Buchez, II, 243. — *Mercure de France*, 15 août 1789 (séance du 8, discours d'un député du Dauphiné).) — Mermet, *Histoire de la ville de Vienne*, 445. — Archives nationales, *ib.* (Lettre de la commission des États du Dauphiné, 31 uillet.) « La liste des châteaux incendiés ou dévastés est immense. » La commission en cite déjà seize. — Puthod de la Maison-Rouge, *ib.* « Pour

à Gray, en moyenne trois châteaux saccagés sur cinq; dans le Dauphiné, vingt-sept incendiés ou dévastés; cinq dans le petit pays du Viennois, et, outre cela, tous les monastères: neuf au moins en Auvergne; soixante-douze, dit-on, dans le Mâconnais et le Beaujolais, sans compter ceux de l'Alsace. Le 31 juillet, Lally-Tollendal, montant à la tribune, avait déjà les mains pleines de lettres désolées, la liste de trente-six châteaux brûlés, démolis, ou pillés dans une seule province, et le détail d'attentats pires encore contre les personnes[1] : « dans le Languedoc, « M. de Barras coupé en morceaux devant sa femme prête « d'accoucher et qui en est morte; en Normandie, ce « gentilhomme paralytique abandonné sur un bûcher et « qu'on en a retiré les mains brûlées; dans la Franche-« Comté, Mme de Bathilly forcée, la hache sur la tête, de « donner ses titres et même sa terre; Mme de Listenay « forcée au même abandon, ayant la fourche au col et ses « deux filles évanouies à ses pieds...; le comte de Mont-« justin et sa femme ayant pendant trois heures le pis-« tolet sur la gorge, tirés de leur voiture pour être jetés « dans un étang, lorsqu'un régiment qui passait les « sauva...; le baron de Montjustin, l'un des vingt-deux « gentilshommes populaires, suspendu pendant une « heure dans un puits, et entendant délibérer si on le « laisserait tomber, ou si on le ferait périr d'une autre « mort...; le chevalier d'Ambly arraché de son château, « traîné nu dans son village, mis dans du fumier, après « avoir eu les sourcils et tous les cheveux arrachés, pen-« dant qu'on dansait autour de lui. » — Au milieu de la société dissoute, et sous un simulacre de gouvernement, il est manifeste qu'une invasion s'accomplit, invasion

« parler de tous les lieux dévastés, il faudrait citer la province entière. »— (Lettre de Mâcon.) « Ils n'en ont pas moins détruit la plupart des châteaux « et des maisons bourgeoises, tantôt en les brûlant, tantôt en les démolissant.»

1. Lally-Tollendal, 2ᵉ *Lettre à mes commettants*, 104.

barbare, qui achèvera par la terreur ce qu'elle a commencé par la violence, et qui, comme celles de Normands aux dixième et onzième siècles, aboutit par la conquête à l'expropriation de toute une classe. Vainement la garde nationale et le reste des troupes fidèles finissent par arrêter son premier flot; vainement l'Assemblée lui creuse un lit et tâche de l'endiguer dans des limites fixes. Les décrets du 4 août et les règlements qui suivent ne sont que des toiles d'araignée mises en travers d'un torrent. — Bien mieux, les paysans, interprétant les décrets à leur guise, s'autorisent de la loi nouvelle pour continuer ou recommencer. Plus de redevances, même légitimes, même légales. « Hier[1], écrit un gentilhomme d'Auvergne, on « nous a signifié qu'on ne voulait plus payer les percières, et qu'on ne faisait que suivre l'exemple des autres « provinces, qui ne payent plus même la dîme, par ordre « du roi. » En Franche-Comté, « nombre de communautés « sont convaincues qu'elles ne doivent plus rien ni au roi « ni à leurs seigneurs... Les villages se partagent les prés « et les bois des seigneurs. » — Remarquez que les chartriers et les titres féodaux sont encore intacts dans les trois quarts de la France, que le paysan a besoin de

1. Doniol, *La Révolution et la féodalité*, p. 60. (Quelques jours après le 4 août.) — Archives nationales, H, 784. Lettres de M. de Langeron, commandant militaire à Besançon, 16 et 18 octobre. — *Ib.*, D, XXIX, I. Lettre du même, 3 septembre. — Arthur Young (en Provence, chez le baron de la Tour-d'Aigues). «Le baron a beaucoup souffert de la Révolution. Une grande « quantité de terres, qui jadis appartenaient absolument à ses ancêtres, « avaient été données à cens ou pour de semblables redevances fiscales, « en sorte qu'il n'y a pas de comparaison entre les terres ainsi concédées et « celles demeurées immédiates dans la famille.... Les redevances matérielles que l'Assemblée avait déclarées rachetables se réduisent à rien, « sans l'ombre d'une indemnité.... La situation de la noblesse est terrible « en ce pays; elle craint qu'on ne lui laisse rien que des chaumières épargnées par l'incendie; que les métayers ne s'emparent des fermes sans « s'acquitter de la moitié du produit, et qu'en cas de refus il n'y ait plus ni « lois, ni autorité pour les contraindre.... Ce château est, avec la fortune et « la vie même des maîtres, à la merci d'une populace armée. »

les voir disparaître, et qu'il est toujours armé. Pour que de nouvelles jacqueries éclatent, il suffit que le frein central, déjà détraqué, se casse tout à fait. — C'est l'affaire de Versailles et de Paris, et là-bas, à Paris comme à Versailles, les uns par imprévoyance et entraînement, les autres par aveuglement et indécision, ceux-ci par mollesse, ceux-là par violence, tous y travaillent.

CHAPITRE IV.

Paris. — Impuissance et discorde des autorités. — Le peuple-roi. — II. Sa détresse. — Disette et manque de travail. — Comment se recrutent les hommes d'exécution. — III. Les nouveaux chefs populaires. — Leur ascendant. — Leur éducation. — Leurs sentiments. — Leur situation. — Leurs conseils. — Leurs dénonciations. — IV. Leur intervention dans le gouvernement. — Leur pression sur l'Assemblée. – V. Journées des 5 et 6 octobre. — VI. Le gouvernement et la nation aux mains du parti révolutionnaire.

I

En effet, l'impuissance des chefs et l'indiscipline des subordonnés sont encore plus grandes dans la capitale que dans les provinces. — Il y a un maire à Paris, Bailly; mais « dès le premier jour, et le plus aisément du mon- « de[1], » son conseil municipal, c'est-à-dire « l'assemblée « des représentants de la commune, s'est accoutumé à « administrer tout seul et à l'oublier le plus parfaite- « ment. » — Il y a un pouvoir central, le conseil municipal présidé par le maire; mais, « en ce temps-là, l'au- « torité est partout, excepté où l'autorité prépondérante « doit être; les districts l'ont déléguée et en même temps « retenue; » chacun d'eux agit comme s'il était seul et souverain. — Il y a des pouvoirs secondaires, les comités de district, chacun avec son président, son greffier, son

1. Bailly, *Mémoires*, II, 195, 242.

bureau, ses commissaires; mais les attroupements de la rue marchent sans attendre leur ordre, et le peuple, qui crie sous leurs fenêtres, leur impose ses volontés. — Bref, dit encore Bailly, tout le monde « savait comman- « der et personne obéir. »

« Qu'on imagine, écrit Loustalot lui-même, un homme « dont chaque pied, chaque main, chaque membre aurait « une intelligence et une volonté, dont une jambe vou- « drait marcher tandis que l'autre voudrait se reposer, « dont le gosier se fermerait quand l'estomac demande- « rait des aliments, dont la bouche chanterait quand les « yeux seraient appesantis par le sommeil, et l'on aura « une image frappante de l'état de la capitale. » Il y a « soixante républiques[1] » dans Paris; car chaque district est un pouvoir indépendant, isolé, qui ne reçoit aucun ordre sans le contrôler, et qui est toujours en désaccord, souvent en conflit, avec les autorités du centre ou avec les autres districts. Il reçoit les dénonciations, commande les visites domiciliaires, députe à l'Assemblée nationale, prend des arrêtés, placarde ses affiches, non-seulement dans son quartier, mais dans toute la ville, et parfois même étend sa juridiction au delà de Paris. Tout est de son ressort, et notamment ce qui ne devrait pas en être.— Le 18 juillet, celui des Petits-Augustins[2] « arrête à lui tout « seul qu'il sera établi des juges de paix » sous le nom de tribuns, procède sur-le-champ à l'élection des siens, et nomme l'acteur Molé. Le 30, celui de l'Oratoire annule l'amnistie accordée dans l'Hôtel de ville par les représentants de la commune, et charge deux de ses membres d'aller à trente lieues de là prendre M. de Bezenval. Le 19 août, celui de Nazareth donne des commissions pour saisir et conduire à Paris les armes déposées dans plusieurs

1. Montjoie, ch. LXX, p. 65.
2. Bailly, II, 74, 174, 242, 261, 282, 345, 392.

places fortes. Dès le commencement, tous, en leur nom privé, envoient à l'Arsenal, et « se font délivrer à volonté « des cartouches et de la poudre. » D'autres s'arrogent le droit de surveiller l'Hôtel de ville ou de gourmander l'Assemblée nationale. L'Oratoire arrête que les représentants de la commune seront invités à délibérer publiquement. Saint-Nicolas-des-Champs délibère sur le veto et fait prier l'Assemblee de suspendre son vote. — C'est un spectacle étrange que celui de tous ces pouvoirs qui se contredisent et se détruisent l'un par l'autre. Aujourd'hui, l'Hôtel de ville s'approprie cinq voitures de draps expédiées par le gouvernement, et le district Saint-Gervais s'oppose à la décision de l'Hôtel de ville. Demain Versailles intercepte des grains destinés à Paris, et Paris menace, si on ne les lui restitue, de marcher sur Versailles. J'omets les incidents ridicules[1] : par essence, l'anarchie est à la fois grotesque et tragique, et, dans cette dislocation universelle, la capitale, comme le royaume, ressemble à une pétaudière, quand elle ne ressemble pas à une Babel.

Mais, sous ces autorités discordantes, le véritable souverain, qui est la foule, apparait tout de suite. — Le 15 juillet, d'elle-même, elle a commencé la démolition de la Bastille, et l'on sanctionne cet acte populaire; car il faut bien conserver les apparences, ordonner même après coup, et suivre lorsqu'on ne peut pas conduire[2]. Un peu après on a commandé de rétablir la perception aux barrières ; mais quarante particuliers armés viennent avertir leur district que, si l'on met des gardes à l'octroi, « ils repousseront

1. Par exemple, les visites domiciliaires, et arrestations, qui semblent faites par des fous. (*Archives de la préfecture de police de Paris.*) — Et Montjoie, ch. LXX, p. 67. Expédition de la garde nationale contre les brigands imaginaires qui fauchent les moissons à Montmorency, et fusillade dans le vide. — Conquête de l'Ile-Adam et de Chantilly.

2. Bailly, II, 46, 95, 232, 287, 296.

« la force par la force et feront même usage de leurs « canons. » — Sur le faux bruit qu'il y a des armes cachées dans l'abbaye de Montmartre, l'abbesse, Mme de Montmorency, est accusée de trahison, et vingt mille personnes envahissent le monastère. — Tous les jours, le commandant de la garde nationale et le maire s'attendent à une émeute; c'est à peine s'ils osent s'absenter une journée, aller à Versailles pour la fête du roi. Dès que la multitude peut stationner dans la rue, une explosion est proche; « les jours de pluie, dit Bailly, j'étais bien à mon « aise. » — C'est sous cette pression continue qu'on administre, et les élus du peuple, les magistrats les plus aimés, les mieux famés, sont à la discrétion de la cohue qui heurte à leurs portes. Au district de Saint-Roch[1], après plusieurs refus inutiles, l'assemblée générale, malgré les réclamations de sa conscience et les résistances de sa raison, est obligée de décacheter les lettres adressées à Monsieur, au duc d'Orléans, aux ministres de la guerre, des affaires étrangères et de la marine. — Au comité des subsistances, M. Sureau, indispensable et justifié par une proclamation publique, est dénoncé, menacé, contraint de quitter Paris. — Pour avoir signé[2] l'ordre d'un transport de poudres, M. de la Salle, l'un des plus patriotes entre les nobles, est sur le point d'être massacré; la multitude, lancée contre lui, attache une corde au prochain réverbère, fouille l'Hôtel de ville, force toutes les portes, monte dans le beffroi, cherche le traître jusque sous le tapis du bureau, entre les jambes des électeurs, et n'est arrêtée que par l'arrivée de la garde nationale. — Non-

1. *Archives de la préfecture de police*, procès-verbal de la section de la Butte-des-Moulins, 5 octobre 1789.

2. Bailly, II, 224. — Dussaulx, 418, 202, 257, 174, 158. La poudre transportée s'appelait *poudre de traite*. Le peuple entendit *poudre de traître*. Par cette addition d'un *r*, M. de la Salle faillit périr; c'est lui qui, le 13 juillet, avait pris le commandement de la garde nationale.

seulement le peuple condamne, mais il exécute, et, comme toujours, en aveugle. A Saint-Denis, Chatel, lieutenant du maire, chargé de distribuer les farines, avait, à ses frais et de sa poche, diminué le prix du pain; le 3 août, à deux heures du matin, sa maison est forcée, il se réfugie dans un clocher, on l'y suit, on l'y égorge, et sa tête est traînée dans les rues. — Non-seulement le peuple exécute, mais il fait grâce, et toujours avec le même discernement. Le 11 août, à Versailles, comme on allait rouer un parricide, la foule crie grâce, se précipite sur le bourreau et délivre l'homme[1]. Véritablement elle agit en souverain, et en souverain d'Orient qui, arbitrairement, sauve ou tue; une femme, ayant protesté contre ce scandaleux pardon, est saisie, manque d'être pendue; car le nouveau roi traite en crime toute offense à sa majesté nouvelle. — Aussi bien, on la salue publiquement et humblement. A l'Hôtel de ville, devant tous les électeurs et devant tout le public, le premier ministre, demandant la grâce de M. de Bezenval, a dit en propres termes : « C'est devant le plus « inconnu, le plus obscur des citoyens de Paris que je me « prosterne, que je me mets à genoux. » Quelques jours auparavant, à Saint-Germain-en-Laye et à Poissy, les députés de l'Assemblée nationale se sont mis à genoux, non pas seulement en paroles, mais effectivement, longtemps, dans la rue, sur le pavé, tendant les mains, pleurant, pour sauver deux vies dont ils n'ont obtenu qu'une. — A ces signes éclatants, reconnaissez le monarque; déjà les enfants, imitateurs empressés des actions qui ont la vogue, le singent en miniature, et, dans le mois qui suit le meurtre de Berthier et de Foulon, on rapporte à Bailly

1. Floquet, VII, 54. Même scène à Granville, en Normandie, 16 octobre. Une femme avait assassiné son mari, de complicité avec son amant, un soldat, et l'on allait pendre la femme, rouer l'homme, lorsque la populace crie : « La nation a le droit de faire grâce », renverse l'échafaud et sauve les deux assassins.

que des gamins paradent dans la rue avec deux têtes de chats au bout d'une pique[1].

II

Pauvre monarque, et que sa souveraineté reconnue laisse plus misérable qu'auparavant. Le pain est toujours rare, et, aux portes des boulangers, la queue ne diminue pas. En vain Bailly et son comité d'approvisionnement passent les nuits; ils sont toujours dans les transes. — Pendant deux mois, chaque matin, il n'y a de farines que pour un jour ou deux; quelquefois, le soir, on n'en a pas pour le lendemain[2]. La vie de la capitale dépend d'un convoi qui est à dix, quinze, vingt lieues, et qui peut-être n'arrivera pas : l'un, de vingt voitures, est pillé, le 18 juillet, sur la route de Rouen; un autre, le 4 août, aux environs de Louviers. Sans le régiment suisse de Salis qui, depuis le 14 juillet jusqu'à la fin de septembre, marche nuit et jour pour faire escorte, aucun bateau de grains n'arriverait de Rouen à Paris[3]. — Il y a danger de mort pour les commissaires chargés de faire les achats ou de surveiller les expéditions. Ceux qu'on envoie à Provins sont saisis, et il faut, pour les délivrer, mettre en marche une colonne de quatre cents hommes avec du canon. Celui qu'on dépêche à Rouen apprend qu'il sera pendu, s'il ose entrer; à Mantes, un attroupement entoure son cabriolet; aux yeux du peuple, quiconque vient enlever des grains est une peste publique ; il se sauve à grand'-peine, par une porte de derrière, et revient à pied à Paris. — Dès le commencement, selon une règle universelle, la

1. Bailly, II, 274 (17 août).
2. Bailly, II, 83, 202, 230, 235, 283, 299.
3. *Mercure de France*, n° du 26 septembre. — De Goncourt, p. 111.

crainte de manquer accroît la disette; chacun se pourvoit pour plusieurs jours ; une fois, dans le galetas d'une vieille femme, on trouva seize pains de quatre livres. Par suite, les fournées, calculées sur les besoins d'un seul jour, deviennent insuffisantes, et les derniers de la queue rentrent chez eux les mains vides. — D'autre part, les subventions que la ville et l'État fournissent pour diminuer le prix du pain ne font qu'allonger la queue; les campagnards y affluent et retournent chargés dans leurs villages; à Saint-Denis, le pain ayant été mis à deux sous la livre, il n'y en a plus pour les habitants. — A cette anxiété permanente, joignez celle du chômage. Non-seulement on n'est pas sûr qu'il y ait du pain chez le boulanger la semaine prochaine, mais nombre de gens sont sûrs que, la semaine prochaine, ils n'auront pas d'argent pour aller chez le boulanger. Depuis que la sécurité a disparu et que la propriété est ébranlée, le travail manque. Privés de leurs droits féodaux et, par surcroît, de leurs fermages, les riches ont restreint leurs dépenses; menacés par le Comité des recherches, exposés aux visites domiciliaires des districts, livrés aux délations de leurs domestiques, beaucoup d'entre eux ont émigré. Au mois de septembre, M. Necker se plaint de six mille passe-ports délivrés en quinze jours aux plus riches habitants. Au mois d'octobre, de grandes dames, réfugiées à Rome, écrivent pour qu'on renvoie leurs domestiques et qu'on mette leurs filles au couvent. Avant la fin de 1789, il y a tant de fugitifs qu'en Suisse, dit-on, une maison rapporte en loyers ce qu'elle vaut en capital. Avec cette première émigration qui est celle des grands dépensiers, du comte d'Artois, du prince de Conti, du duc de Bourbon, et de tant d'autres, les étrangers opulents sont partis, en tête la duchesse de l'Infantado qui dépensait par an 800,000 livres ; on ne compte plus que trois Anglais à Paris.

C'était une ville de luxe et comme une serre européenne de tous les plaisirs fins et coûteux : une fois le vitrage brisé, les amateurs s'en vont, les délicates plantes périssent; il n'y a plus d'emploi pour les innombrables mains qui les cultivaient. Trop heureuses, quand aux ateliers de charité elles peuvent, à vil prix, manier la pioche! « J'ai vu, dit Bailly, des merciers, des mar- « chands, des orfévres implorer la faveur d'y être em- « ployés à vingt sous par jour. » Comptez, si vous pouvez, dans un ou deux corps d'état, toutes ces mains qui chôment[1]. Douze cents perruquiers occupent à peu près six mille garçons; deux mille chambrelans font en chambre le même métier; six mille laquais n'ont guère que cet emploi. Le corps des tailleurs est composé de deux mille huit cents maîtres qui ont sous eux cinq mille ouvriers. « Ajoutez-y les chambrelans, les réfugiés dans les « endroits privilégiés comme les abbayes de Saint-Ger- « main et de Saint-Marcel, le vaste enclos du Temple, « celui de Saint-Jean de Latran, le faubourg Saint-An- « toine : vous trouverez au moins douze mille individus « coupant, ajustant et cousant. » Combien d'oisifs à présent dans ces deux groupes ! Combien d'autres sur le pavé parmi les tapissiers, passementiers, brodeurs, éventaillistes, doreurs, carrossiers, relieurs, graveurs, et tous les fabricants d'élégances parisiennes! Pour ceux qui travaillent encore, combien de journées perdues à la porte du boulanger et aux patrouilles de la garde nationale! — Ils s'attroupent, malgré les défenses de l'Hôtel de ville[2], et délibèrent en public sur leur condition misérable, trois mille garçons tailleurs près de la Colonnade, autant de garçons cordonniers sur la place Louis XV, les garçons per-

1. Mercier, *Tableau de Paris*, I, 58; X, 151.

2. De Ferrières, I, 178. — Roux et Buchez, II, 311, 316. — Bailly, II, 104, 174, 207, 246, 257, 282.

ruquiers aux Champs-Elysées, quatre mille domestiques sans place aux abords du Louvre, et leurs motions sont à la hauteur de leur intelligence. Les domestiques demandent qu'on renvoie de Paris les Savoyards qui leur font concurrence. Les garçons tailleurs veulent qu'on leur paye leur journée quarante sous et qu'on défende aux fripiers de faire des habits neufs. Les garçons cordonniers prononcent que ceux qui feront des souliers au-dessous du prix fixé seront chassés du royaume. — Chacune de ces foules irritées et agitées contient une émeute en germe, et, à vrai dire, sur tous les pavés de Paris, il y a de ces germes, aux ateliers de charité qui, à Montmartre, rassemblent dix-sept mille indigents, à la Halle où les boulangers veulent lanterner le commissaire des farines, aux portes des boulangers dont deux, le 14 septembre et le 5 octobre, sont conduits au réverbère et sauvés tout juste. — Dans cette foule souffrante et mendiante, les hommes d'exécution deviennent chaque jour plus nombreux; ce sont les déserteurs, et, de chaque régiment, ils arrivent à Paris par bandes, parfois deux cent cinquante en un seul jour; là, « caressés, fêtés à l'envi[1], ayant reçu de l'Assemblée nationale cinquante livres par homme, maintenus par le roi dans la jouissance de leur prêt, régalés par les districts dont un seul doit 14000 livres pour le vin et les cervelas qu'il leur a fournis, « ils se sont « accoutumés à plus de dépense, » à plus de licence, et leurs camarades les suivent. « Dans la nuit du 31 juillet, « les gardes françaises de service à Versailles abandon- « nent la garde du roi, et se rendent à Paris, sans offi-

1. *Mercure de France,* 5 septembre 1789. — Horace Walpole's Letters, 5 septembre 1789. — M. de Lafayette, *Mémoires,* I, 272. Dans la semaine qui suit le 14 juillet, 6000 soldats ont déserté et passé au peuple, outre 400 à 500 gardes suisses et six bataillons des gardes françaises qui restent sans officiers et font ce qu'ils veulent; les vagabonds des villages voisins affluent; il y a dans Paris plus de « 30000 étrangers ou gens sans aveu. »

« ciers, mais avec armes et bagages, » afin « d'avoir part « au traitement que la ville de Paris fait à leur régiment. » Au commencement de septembre, on comptait seize mille déserteurs de cette espèce[1]. Or, parmi les gens qui tuent, ceux-ci sont au premier rang, et cela n'étonne point, pour peu qu'on se rappelle leur provenance, leur éducation et leurs mœurs. C'est un soldat de Royal-Cravate qui a arraché le cœur de Berthier. Ce sont trois soldats du régiment de Provence qui, à Saint-Denis, ont forcé la maison de Chatel et traîné sa tête dans les rues. Ce sont des soldats suisses qui, à Passy, viennent d'abattre à coups de fusil le commissaire de la maréchaussée. — Leur quartier général est le Palais-Royal, parmi les filles dont ils sont les suppôts, et parmi les agitateurs qui leur donnent le mot d'ordre. Désormais tout dépend de ce mot, il n'y a qu'à regarder les nouveaux chefs populaires pour savoir ce qu'il sera.

III

Administrateurs et membres des assemblées de districts, motionnaires de corps de garde, de cafés, de cercles et de place publique, faiseurs de brochures et de gazettes, ils ont pullulé comme des insectes bourdonnants éclos en une nuit d'orage. Depuis le 14 juillet, des milliers de places se sont offertes aux ambitions lâchées ; « procureurs, clercs de notaire, artistes, marchands, cour- « tauds de boutique, comédiens, » avocats surtout[2], cha-

1. Bailly, II, 282. La foule des déserteurs était si grande que Lafayette fut obligé de mettre des postes aux barrières pour les empêcher d'entrer. « Sans « cette précaution, toute l'armée y eût passé. »

2. De Ferrières, I, 103. — De Lavalette, I, 39. — Bailly, I, 53. (Sur les avocats.) « On peut dire que l'on doit à cet ordre le succès de la Révolution. » — Marmontel, II, 243. Dès les élections primaires de Paris, en 1789, « j'observai, dit-il, cette espèce d'hommes remuants et intrigants, qui se

cun a voulu être officier, administrateur, conseiller ou ministre du nouveau règne, et les journaux, qui se fondent par dizaines[1], sont une tribune permanente, où les déclamateurs viennent courtiser le peuple à leur profit. — Tombée en de pareilles mains, la philosophie semble une parodie d'elle même, et rien n'en égale le vide, si ce n'est la malfaisance et le succès. Dans les soixante assemblées de district, les avocats font rouler les dogmes ronflants du catéchisme révolutionnaire. Tel, passant du mur mitoyen à la constitution des empires, s'improvise législateur, d'autant plus intarissable et plus applaudi que sa faconde, déversée sur les assistants, leur prouve qu'ils ont natu-

« disputaient la parole, impatients de se produire.... On sait quel intérêt avait « ce corps (les avocats) à changer la réforme en révolution, la Monarchie en « République; c'était pour lui une aristocratie perpétuelle qu'il s'agissait « d'organiser. » — Roux et Buchez, II, 358 (article de C. Desmoulins). « Dans « les districts, tout le monde use ses poumons et son temps pour parvenir « à être président, vice-président, secrétaire, vice-secrétaire. »

1. Eugène Hatin, *Histoire de la presse*, t. V, p. 113. *Le Patriote français*, par Brissot, 28 juillet 1789. — *L'Ami du peuple*, par Marat, 12 septembre 1789. — *Annales patriotiques et littéraires*, par Carra et Mercier, 5 octobre 1789. — *Les Révolutions de Paris*, principal rédacteur Loustalot, 17 juillet 1789. — *Le Tribun du peuple*, lettres par Fauchet (milieu de 1789). — *Révolutions de France et de Brabant*, par C. Desmoulins, 28 novembre 1789. (Sa *France libre* est, je crois, du mois d'août, et son *Discours de la Lanterne* du mois de septembre.) — Le *Moniteur* ne commence à paraître que le 24 novembre 1789. Dans les 70 numéros suivants, jusqu'au 3 février 1790, les débats de l'Assemblée ont été rédigés ultérieurement, amplifiés et mis sous forme dramatique. Tous les numéros antérieurs au 3 février 1790 sont le produit d'une compilation exécutée en l'an IV. Pour les six premiers mois de la Révolution, la partie narrative est sans valeur. Le compte rendu des séances de l'Assemblée est plus exact, mais devra être refait, séance par séance et discours par discours, lorsqu'on entreprendra une histoire détaillée de l'Assemblée nationale. Les principales sources véritablement contemporaines sont le *Mercure de France*, le *Journal de Paris*, le *Point du jour*, par Barrère, le *Courrier de Versailles*, par Gorsas; le *Courrier de Provence*, de Mirabeau; le *Journal des débats et décrets*, les *Procès-verbaux de l'Assemblée nationale*, le *Bulletin de l'Assemblée nationale*, par Maret; outre les gazettes citées ci-dessus pour la période qui suit le 14 juillet, et les discours imprimés à part.

rellement toutes les capacités et légitimement tous les droits. « Quand cet homme ouvrait la bouche, dit un té- « moin de sang-froid, nous étions sûrs d'être inondés « d'un déluge de citations et de sentences, souvent à pro- « pos de lanternes ou de l'échoppe d'une marchande « d'herbes. Sa voix de Stentor ébranlait les voûtes, et, « quand il avait parlé pendant deux heures et que le jeu « de ses poumons était épuisé, c'étaient des cris, une ad- « miration, une ivresse qui allait jusqu'à la fureur. L'ora- « teur se croyait alors Mirabeau, et les spectateurs se « figuraient être l'Assemblée constituante décidant du « sort de la France. » — Même style dans les journaux et dans les brochures. Une fumée d'orgueil et de grands mots s'est répandue dans les cervelles; celui qui délire le plus haut est le coryphée de la multitude, et il conduit l'exaltation qu'il accroît.

Considérez les principaux, les plus populaires : ce sont les fruits secs ou les fruits verts de la littérature et du barreau. Tous les matins, la gazette est l'étal qui les expose en vente, et, s'ils conviennent au public surexcité, c'est justement par leur goût acide ou aigri. Nulle idée politique dans leurs têtes novices ou creuses ; nulle compétence, nulle expérience pratique. Desmoulins a vingt-neuf ans, Loustalot vingt-sept ans, et leur lest d'instruction consiste en réminiscences du collége, en souvenirs de l'École de droit, en lieux communs ramassés chez Raynal et consorts. Quant à Brissot et Marat, humanitaires emphatiques, ils n'ont vu la France et l'étranger que par la lucarne de leur mansarde, à travers les lunettes de leur utopie. De tels esprits, dégarnis ou dévoyés, ne peuvent manquer de prendre le *Contrat social* pour Évangile : car il réduit la science politique à l'application stricte d'un axiome élémentaire, ce qui les dispense de toute étude, et il livre la société à l'arbitraire du peuple, ce qui la remet entre leurs mains. — C'est pourquoi ils démolissent ce qui en reste et poussent au nivellement, jusqu'à ce que tout soit de plain-pied. « A mes principes, écrit Desmoulins,[1] « s'est joint le plaisir de me mettre à ma place, de montrer « ma force à ceux qui m'avaient méprisé, de rabaisser à « mon niveau ceux que la fortune avait placés au-dessus de « moi. Ma devise est celle des honnêtes gens : point de su- « périeur. » Sous le grand nom de liberté, c'est ainsi que chaque vanité cherche sa vengeance et sa pâture. Rien de plus naturel et de plus doux que de justifier ses passions par sa théorie, d'être factieux en se croyant patriote, et d'envelopper les intérêts de son ambition dans les intérêts du genre humain. — Qu'on se représente ces directeurs de l'opinion, tels qu'ils étaient il y a trois mois : Desmoulins avocat sans causes, en chambre garnie, vivant de dettes criardes, et de quelques louis arrachés à sa famille ; Loustalot encore plus inconnu, reçu l'année précédente au Parlement de Bordeaux, et débarqué à Paris pour trouver carrière ; Danton, autre avocat du second ordre, sorti d'une bicoque de Champagne, ayant emprunté pour payer sa charge, et dont le ménage gêné ne se soutient qu'au moyen d'un louis donné chaque semaine par le beau-père limonadier ; Brissot, bohème ambulant, ancien employé des forbans littéraires, qui roule depuis quinze ans, sans avoir rapporté d'Angleterre ou d'Amérique autre chose que des coudes percés et des idées fausses ; Marat enfin, écrivain sifflé, savant manqué, philosophe avorté, falsificateur de ses propres expériences, pris par le physicien Charles en flagrant délit de tricherie scientifique, retombé du haut de ses ambitions demesurées au poste subalterne de médecin dans les écuries du comte

1. C. Desmoulins, lettres du 20 septembre et suivantes. (Il cite un vers de Lucain, qui a le sens indiqué.) — Brissot, *Mémoires*, passim. — Biographie de Danton, par Robinet. (Témoignages de Mme Roland, et de Rousselin de Saint-Albin.)

d'Artois. A présent, Danton, président des Cordeliers, peut dans son district faire arrêter qui bon lui semble, et la violence de ses motions, le tonnerre de sa voix, lui donnent, en attendant mieux, le gouvernement de son quartier. Un mot de Marat vient de faire massacrer à Caen le major de Belsunce. Desmoulins annonce, avec un sourire de triomphe, « qu'une grande partie de la capitale le nomme « parmi les principaux auteurs de la Révolution, et que « beaucoup même vont jusqu'à dire qu'il en est l'auteur. » Portés si haut et par un si brusque coup de bascule, croyez-vous qu'ils veuillent enrayer, redescendre, et n'est-il pas visible qu'ils vont aider de toutes leurs forces au soulèvement qui les guinde vers les premiers sommets? — D'ailleurs, à cette hauteur la tête tourne; lancés en l'air à l'improviste et sentant qu'autour d'eux tout se renverse, ils s'exclament d'indignation et de terreur, ils voient partout des machinations, ils imaginent des cordes invisibles qui tirent en arrière, ils crient au peuple de les couper. De tout le poids de leur inexpérience, de leur incapacité, de leur imprévoyance, de leur peur, de leur crédulité, de leur entêtement dogmatique, ils poussent aux attentats populaires, et tous leurs articles ou discours peuvent se résumer en cette phrase : « Peuple, c'est-à-dire vous, les « gens de la rue qui m'écoutez, vous avez des ennemis, « la cour et les aristocrates ; et vous avez des commis, l'Hô- « tel de ville et l'Assemblée nationale. Mettez la main, une « main rude, sur vos ennemis pour les pendre, et sur vos « commis pour les faire marcher. »

Desmoulins s'intitule « procureur général de la lanterne »[1], et, s'il regrette le meurtre de Foulon et Berthier, c'est parce que « cette justice trop expéditive a laissé dé- « périr les preuves de la conspiration, » ce qui a sauvé nombre de traîtres ; lui-même, il en nomme une vingtaine

1. *Discours de la Lanterne*, épigraphe de l'estampe.

au hasard, et peu lui importe s'il se trompe. « Nous sommes « dans les ténèbres ; il est bon que les chiens fidèles aboient « même les passants, pour que les voleurs ne soient pas « à craindre. » — Dès à présent[1], Marat dénonce le roi, les ministres, l'administration, la robe, le barreau, la finance, les académies ; tout cela est « suspect ; » en tout cas, le peuple ne souffre que par leur faute. « C'est le gouverne-« ment qui accapare les grains, pour nous faire acheter « au poids de l'or un pain qui nous empoisonne. » C'est encore le gouvernement qui, par une conjuration nouvelle, va bloquer Paris pour l'affamer plus aisément. — De pareils propos en pareil temps sont des brandons d'incendie lancés sur la peur et sur la faim pour y allumer la fureur et la cruauté. A cette foule effarée et à jeun, les motionnaires et les journalistes répètent qu'il faut agir, agir à côté des autorités, et, au besoin, contre elles. En d'autres termes, faisons ce qu'il nous plaira ; nous sommes les seuls maîtres légitimes ; « *dans un gouvernement bien « constitué, le peuple en corps est le véritable souverain :* » nos délégués ne sont là que pour exécuter nos ordres ; « de quel droit l'argile oserait-elle se révolter contre le « potier ? »

Là-dessus, le club tumultueux qui remplit le Palais-Royal se substitue à l'Assemblée de Versailles ; n'a-t-il pas tous les titres pour cet emploi ? C'est le Palais-Royal qui, le 12 et le 13 juillet, « a sauvé la nation. » C'est « lui qui, par ses harangueurs et ses brochures, » a rendu tout le monde, et le soldat lui-même, « philosophe. » Il est le foyer du patriotisme, « le rendez-vous de l'élite

1. Roux et Buchez, III, 55, article de Marat, 1er octobre. « Balayer de l'Hô-« tel de ville tous les hommes suspects.... Réduire les députés des communes « à cinquante, ne les laisser en place qu'un mois ou six semaines, les forcer « à ne rien transiger qu'en public. » — Et II, 412, autre article de Marat. — *Ib.*, III, 21. Article de Loustalot. — C. Desmoulins, *Discours de la Lanterne*, passim. — Bailly, II, 326.

« des patriotes, » provinciaux ou parisiens, qui ont tous le droit de suffrage, et ne peuvent ou ne veulent pas l'exercer dans leur district. « Il est plus court de venir au Palais-« Royal. On n'a pas besoin d'y demander la parole à un « président, d'attendre son tour pendant deux heures. On « propose sa motion : si elle trouve des partisans, on fait « monter l'orateur sur une chaise. S'il est applaudi, il la « rédige. S'il est sifflé, il s'en va. Ainsi faisaient les « Romains, » et voilà la véritable assemblée nationale. Elle vaut mieux que l'autre à demi féodale, encombrée « par six cents députés du clergé et de la noblesse » qui sont des intrus, et « qu'il faudrait renvoyer dans les ga-« leries. » — C'est pourquoi l'assemblée pure régente l'assemblée impure, et « le café Foy prétend gouverner la « France. »

IV

Le 30 juillet, l'Arlequin qui à Rouen conduisait l'insurrection ayant été arrêté, « on parle ouvertement au Palais-« Royal[1] d'aller le redemander en nombre. » — Le 1er août, Thouret, que le parti modéré de l'Assemblée vient d'élever à la présidence, est obligé de se démettre; le Palais-Royal a menacé d'envoyer une bande pour le tuer avec ceux qui ont voté pour lui, et des listes de proscription, où sont inscrits plusieurs députés, commencent à courir. — A partir de ce moment, dans toutes les grandes délibérations, abolition du régime féodal, suppression des dîmes, déclaration des Droits de l'homme, question des deux Chambres, veto du roi[2], la pression du dehors fait pencher

1. Mounier, *Des causes qui ont empêché les Français d'être libres*, I, 59. — Lally-Tollendal, 2e lettre, 104. — Bailly, II, 203.

2. De Bouillé, 207. — Lally-Tollendal, *ib.*, 141, 146. — Mounier, *ib.*, 41, 60.

la balance : c'est ainsi que la Déclaration des Droits, repoussée en séance secrète par vingt-huit bureaux sur trente, est imposée par les tribunes en séance publique, et passe à la majorité des voix. — Comme avant le 14 juillet et encore davantage, deux sortes de contraintes infléchissent les votes, et c'est toujours la faction régnante qui, par ses deux mains réunies, serre à la gorge les opposants. D'une part, elle siége dans les galeries par des bandes presque toujours les mêmes, « cinq ou six cents acteurs perma« nents, » qui crient d'après des signes convenus et sur un mot d'ordre[1]. Beaucoup sont des gardes françaises en habit bourgeois, qui se relayent : au préalable, ils ont demandé à leur député favori « à quelle heure il faut « venir, si tout va bien, et si l'on est content des calotins « et des aristocrates. » D'autres sont des femmes de la rue commandées par Théroigne de Méricourt, une virago courtisane, qui distribue les places et donne le signal des huées ou des battements de mains. Publiquement et en pleine séance, dans la délibération sur le veto, « les dé« putés sont applaudis ou insultés par les galeries, selon « qu'ils prononcent le mot *suspensif* ou le mot *indéfini*. « Les menaces circulaient, dit l'un deux ; j'en ai entendu « retentir autour de moi. » — Et ces menaces recommencent à la sortie : « Des valets chassés de chez leurs maîtres, des « déserteurs, des femmes en haillons », promettent aux ré-

1. *Mercure de France*, 2 octobre 1790. (Article de Mallet-Dupan : « J'en ai été témoin. ») — Procédure criminelle du Châtelet sur les événements des 5 et 6 octobre. Déposition de M. Faydel, député, n° 148. — De Montlosier, I, 259. — Desmoulins (*la Lanterne*). « Petit à petit, quelques membres des « communes se laissent gagner par des pensions, des projets de fortune, des « caresses. Heureusement, il y a les galeries incorruptibles, toujours du côté « des patriotes. *Elles représentent les tribuns du peuple qui assistaient « sur un banc aux délibérations du sénat et qui avaient le veto*. Elles re« présentent la capitale, et, heureusement, *c'est sous les batteries de la « capitale que se fait la Constitution*. » (C. Desmoulins, politique naïf, laisse toujours le chat s'échapper hors du sac.)

calcitrants la lanterne, « et leur portent le poing sous le « nez. Dans la salle même », encore plus exactement qu'avant le 14 juillet, « on écrit leurs noms, et les listes, re-« mises à la populace, » vont au Palais-Royal d'où les lettres et les gazettes les expédient en province[1]. Voilà la seconde contrainte : chaque député répond de son vote, à Paris sur sa vie, en province sur celle de sa famille. Des membres de l'ancien Tiers avouent qu'ils renoncent aux deux Chambres, parce qu'ils « ne veulent pas faire égor-« ger leurs femmes et leurs enfants. » — Le 30 août, pour achever la conversion de l'Assemblée, Saint-Hurugue, le plus bruyant aboyeur du Palais-Royal, marche avec quinze cents hommes sur Versailles. En effet, du haut de son savoir, de son intégrité, de sa réputation immaculée, le club du jardin a décidé « qu'on doit renvoyer les « députés ignorants, corrompus et suspects. » Qu'ils soient tels, on n'en peut douter, puisqu'ils défendent la sanction royale ; il y en a six cents et davantage, dont cent vingt députés des communes, qu'il faut chasser au préalable, puis mettre en jugement[2]. En attendant, on les avertit, ainsi que l'évêque de Langres, président de l'Assemblée nationale : « Quinze mille hommes sont prêts à *éclairer* « leurs châteaux, et le vôtre particulièrement, Monsieur. » Pour préciser, on informe par écrit les secrétaires de l'Assemblée que « deux mille lettres » vont partir pour les provinces et dénoncer au peuple la conduite des députés pervers : « Vos maisons répondront de vos opinions ; « songez-y et sauvez-vous ! » — Enfin, le lendemain

1. Procédure du Châtelet. *Ib.* Déposition de M. Malouet (n° 111). « Je re-« cevais chaque jour, ainsi que MM. Lally et Mounier, des lettres anonymes « et des listes de proscriptions où nous étions inscrits. Ces lettres annon-« çaient toutes une mort prompte et violente à tout député qui défendrait « l'autorité royale. »

2. Roux et Buchez, I, 368-376. — Bailly, II, 326, 341. — Mounier, *ib.*, 62, 75.

1er août, cinq députations du Palais-Royal, l'une conduite par Loustalot, viennent tour à tour à l'Hôtel de Ville, pour demander que l'on batte la caisse et que l'on convoque les citoyens, à l'effet de renouveler les députés ou leur mandat, et d'arrêter que l'Assemblée nationale suspendra ses délibérations sur le veto jusqu'à ce que les districts et les provinces aient prononcé : en effet, seul souverain, seul compétent, le peuple a toujours le droit de chasser ou d'instruire à nouveau les députés, ses domestiques. — Le surlendemain, 2 août, pour plus de clarté, de nouveaux délégués du même Palais-Royal joignent le geste aux paroles; introduits devant les représentants de la Commune, ils leur indiquent, en portant les deux doigts au cou, que, s'ils n'obéissent pas, ils seront pendus.

Après cela, l'Assemblée nationale a beau s'indigner, déclarer qu'elle méprise les menaces, protester de son indépendance; l'impression est faite. « Plus de trois cents membres des communes, dit Mounier, étaient décidés à soutenir le veto absolu. » Au bout de dix jours, la plupart ont tourné, plusieurs par attachement pour le roi, parce qu'ils craignent « un soulèvement général, » et ne « veulent pas mettre en péril les jours de la famille royale. » — Mais de semblables concessions ne font que provoquer des extorsions nouvelles. Les politiques de la rue savent maintenant par expérience ce que peut la violence brutale sur l'autorité légale. Enhardis par le succès et l'impunité, ils mesurent leur force et sa faiblesse. Encore un coup de main, ils seront les maîtres et sans conteste. — Aussi bien, pour les hommes clairvoyants, l'issue est déjà certaine. Quand les motionnaires de carrefour et les portefaix du coin, convaincus de leur sagesse supérieure, imposent des décrets par la force de leurs poumons, de leurs poings et de leurs piques, à l'instant l'expérience, le savoir, le bon sens, le sang-froid, le génie, la raison, sont expulsés des affaires humaines, et l'on va aux abîmes. Mirabeau, partisan du veto à vie, a vu la foule en larmes l'implorer pour qu'il change d'avis : « Monsieur « le comte, si le roi a le veto, il n'y a plus besoin d'As« semblée nationale, nous voilà esclaves[1]. » Un pareil emportement ne se laisse pas conduire: tout est perdu. Déjà, vers la fin de septembre, c'est le mot que Mirabeau répète au comte de la Marck : « Oui, tout est perdu; le « roi et la reine y périront, et, vous le verrez, la populace « battra leurs cadavres. » Huit jours après, contre le roi et la reine, contre l'Assemblée nationale et le gouvernement, contre tout gouvernement présent et futur, éclatent les journées des 5 et 6 octobre; le parti violent qui règne à Paris s'empare des chefs de la France pour les détenir à demeure sous sa surveillance, et pour consacrer ses attentats intermittents par un attentat permanent.

V

Cette fois encore, deux courants distincts se réunissent en un seul torrent, et précipitent la foule vers le même but. — D'un côté, ce sont les passions de l'estomac et les femmes ameutées par la disette : puisqu'il n'y a pas de pain à Paris, allons en demander à Versailles ; une fois le roi, la reine et le dauphin parmi nous, ils seront bien obligés de nous nourrir ; nous ramènerons « le boulanger, « la boulangère et le petit mitron. » — De l'autre côté, ce sont les passions de la cervelle et les hommes poussés par le besoin de domination : puisque nos chefs nous désobéissent là-bas, allons-y et faisons-nous obéir, séance tenante; le roi chicane sur la Constitution et les Droits de l'homme, qu'il les sanctionne; ses gardes refusent

1. Étienne Dumont, 145. — Correspondance entre le comte de Mirabeau et le comte de la Marck, I, 112.

notre cocarde, qu'ils la prennent; on veut l'emmener à Metz, qu'il vienne à Paris; là, sous nos yeux et sous nos mains, avec l'Assemblée qui se traîne en boiteuse, il ira droit et vite, elle aussi, de gré ou de force, et toujours dans le bon chemin. — Sous ce confluent d'idées, l'expédition se prépare [1]. Dix jours auparavant, on en parlait publiquement à Versailles. Le 4 octobre, à Paris, une femme la propose au Palais-Royal; Danton mugit aux Cordeliers; Marat « fait à lui seul autant de bruit que les « quatre trompettes du jugement dernier; » « il faut, écrit Loustalot, un second accès de Révolution. » « La journée « se passe, dit Desmoulins, à tenir conseil au Palais-« Royal, au faubourg Saint-Antoine, au bout des ponts, « sur les quais.... à faire main basse sur les cocardes d'une « seule couleur.... Elles sont arrachées, foulées aux pieds, « avec menace de la lanterne en cas de récidive : un « militaire essayant de rattacher la sienne, cent cannes « levées lui en font perdre l'envie » [2]. — Ce sont tous les

1. Procédure criminelle du Châtelet. Déposition 148. — Roux et Buchez, III, 67, 65. (Récit de Desmoulins, article de Loustalot.) — *Mercure de France*, n° du 5 septembre 1789. « Dimanche soir, 30 août, au Palais-Royal, on de-« manda l'expulsion de plusieurs députés de tout ordre, spécialement d'une « partie de ceux du Dauphiné.... On parlait d'amener le Roi à Paris, ainsi « que M. le Dauphin. On exhortait tous les citoyens vertueux, tous les pa-« triotes incorruptibles à se transporter sur-le-champ à Versailles. »

2. Ces voies de fait n'étaient pas des représailles; rien de semblable n'avait eu lieu au repas des gardes du corps (1er octobre). « Au milieu de la « joie générale, dit un témoin oculaire, je n'entendis aucune insulte adressée « à l'Assemblée nationale, ni au parti populaire, ni à qui que ce fût. On cria « seulement : Vive le roi! vive la reine! nous les défendrons jusqu'à la mort. » (Mme de la Rochejaquelein, p. 40. — *Id.*, Mme Campan, autre témoin oculaire.) — Il paraît certain seulement que des jeunes gens de la garde nationale de Versailles retournèrent leurs cocardes pour être comme tout le monde, et peut-être aussi que des dames distribuèrent des cocardes blanches. Le reste est une légende fabriquée avant et après coup, pour provoquer et justifier l'insurrection. — Cf. Leroi, *Histoire de Versailles*, II, 20 à 107. — Id., p. 41. « Quant à la proscription de la cocarde nationale, tous « les témoins nient positivement le fait. » Gorsas, rédacteur au *Courrier de Versailles*, est le premier auteur de la calomnie.

symptômes avant-coureurs d'une crise; dans ce grand corps fiévreux et douloureux, un abcès énorme s'est formé et va percer.

Mais, comme d'ordinaire, il a pour centre un foyer purulent, composé des passions les plus vénéneuses et des motifs les plus sales. Des femmes et des hommes immondes ont été embauchés. De l'argent a été distribué. — Est-ce par les intrigants subalternes qui exploitent les velléités du duc d'Orléans, et lui soutirent des millions sous prétexte de le faire lieutenant général du royaume? Est-ce par les fanatiques qui, depuis la fin d'avril, se cotisent pour débaucher les soldats, lancer les brigands, tout niveler et tout détruire? Toujours est-il que des Machiavels de place publique et de mauvais lieu ont remué les hommes du ruisseau et les femmes du trottoir[1]. — Du premier jour où le régiment de Flandre est venu tenir garnison à Versailles, on l'a travaillé par les filles et par l'argent. Soixante drôlesses ont été expédiées à cet effet, et des gardes françaises viennent payer à boire à leurs nouveaux camarades. Ceux-ci ont été régalés au Palais-Royal, et trois d'entre eux, à Versailles, disent en montrant des écus de six livres : « C'est un plaisir d'aller à Paris; on en revient toujours « avec de l'argent. » De cette façon et d'avance, la résistance a été dissoute. — Quant à l'attaque, les femmes seront l'avant-garde, parce qu'on se fait scrupule de tirer sur elles; mais, pour les renforcer, nombre d'hommes déguisés en femmes sont dans leurs rangs; en les regardant de près, on les reconnaît, sous leur rouge, à leur

1. Procédure criminelle du Châtelet. Dépositions 88, 110, 120, 126, 127, 140, 146, 148. — Marmontel, *Mémoires*, conversation avec Chamfort, en mai 1789. — Morellet, *Mémoires*, I, 398. (Au témoignage de Garat, Chamfort donna toutes ses économies, 3000 livres, pour défrayer des manœuvres de cette sorte.) — Malouet (II, 2) connaît quatre députés « qui ont eu une « part immédiate à cet attentat. »

barbe mal rasée, à leur voix, à leur démarche[1]. — Hommes et femmes, on n'a pas eu de peine à les trouver parmi les filles du Palais-Royal et les soldats transfuges qui leur servent de souteneurs; probablement celles-ci ont prêté à leurs amants leur défroque de rechange; et elles se retrouveront avec eux, la nuit, au rendez-vous commun, sur les bancs de l'Assemblée nationale, où elles seront aussi à l'aise que chez elles[2].—En tout cas, le premier peloton qui se met en marche est de cette espèce, avec le linge et la gaieté de l'emploi, « la plupart jeunes, « vêtues de blanc, coiffées et poudrées, ayant l'air enjoué, » plusieurs « riant, chantant et dansant, » comme elles font au début d'une partie de campagne. Trois ou quatre sont connues par leur nom, l'une qui brandit une épée, l'autre qui est la fameuse Théroigne ; Madeleine Chabry, dite Louison, qu'elles choisissent pour parler au roi, est une jolie grisette qui vend des bouquets, et sans doute autre chose, au Palais-Royal. Quelques-unes semblent être des premières dans leur métier, avoir du tact et l'habitude du monde : supposez, si vous voulez, que Chamfort et Laclos ont envoyé leurs maîtresses. Ajoutez-y des blanchisseuses, des mendiantes, des femmes sans souliers, des poissardes racolées depuis plusieurs jours à prix d'argent. — Tel est le premier noyau, et il va grossissant; car, de force ou de gré, la troupe s'incorpore les femmes qu'elle rencontre, portières, couturières,

1. Procédure criminelle, etc. 1° Sur les soldats de Flandre. Dépositions 17, 20, 24, 35, 87, 89, 98. — 2° Sur les hommes déguisés en femmes. Dépositions 5, 10, 14, 44, 49, 59, 60, 110, 120, 139, 145, 146, 148. Le réquisitoire en désigne six précisément, pour être appréhendés au corps. — 3° Sur la condition des femmes de l'expédition. Dépositions 35, 83, 91, 98, 146 et 24. — 4° Sur l'argent distribué. Dépositions 49, 56, 71, 82, 110, 126.

2. Procédure criminelle du Châtelet. Déposition 61. « Pendant cette nuit, « il se passa entre ces gens des scènes peu décentes, que le témoin croit « inutile de raconter. »

femmes de ménage, et même des bourgeoises chez lesquelles on monte avec menace de leur couper les cheveux, si elles ne suivent pas. — Joignez à cela des gens sans aveu, des rôdeurs de rue, des bandits, des voleurs, toute cette lie qui s'est entassée à Paris et qui surnage à chaque secousse : il y en a déjà à la première heure, derrière la troupe des femmes à l'Hôtel de ville. D'autres partiront après elles, le soir et dans la nuit. D'autres attendent à Versailles. A Paris et à Versailles, beaucoup sont soudoyés : tel, en sale veste blanchâtre, fait sauter des pièces d'or et d'argent dans sa main. — Voilà la fange qui, en arrière, en avant, roule avec le fleuve populaire ; quoi qu'on fasse pour la refouler, elle s'étale, et laissera sa tache à tous les degrés du débordement.

Tout d'abord, à l'Hôtel de ville, la première troupe, quatre ou cinq cents femmes ont forcé la garde qui n'a pas voulu faire usage de ses baïonnettes. Elles se répandent dans les salles et veulent brûler les écritures, disant qu'on n'a rien fait, sinon des paperasses, depuis la Révolution[1]. Un flot d'hommes les suit, enfonce les portes, pille le magasin d'armes. Deux cent mille francs en billets de caisse sont volés ou disparaissent ; plusieurs bandits mettent le feu, d'autres pendent un abbé. L'abbé est décroché, le feu est arrêté, mais juste à temps : ce sont là les intermèdes de tout drame populaire. — Cependant, sur la place de Grève, la foule des femmes augmente, et toujours avec le même cri continu : « Du pain et à Versailles ! » — Un des vainqueurs de la Bastille, l'huissier Maillard, se propose pour chef ; il est accepté, bat le tambour ; au sortir

1. Procédure criminelle du Châtelet. Dépositions 35, 44, 81. — Roux et Buchez, III, 120. (Procès-verbal de la commune, 5 octobre.) — *Journal de Paris*, n° du 12 octobre. Quelques jours après, M. Pic, clerc de procureur, rapporta « un paquet de 100,000 francs, qu'il avait sauvé des mains enne- « mies », et l'on retrouva un autre paquet de billets que la bagarre avait jeté dans une case à quittances.

de Paris, il a sept ou huit mille femmes avec lui, de plus quelques centaines d'hommes, et, jusqu'à Versailles, il parvient, à force de remontrances, à maintenir un peu d'ordre dans cette cohue. — Mais c'est une cohue, partant une force brute, à la fois anarchique et despotique. D'une part, chacun, et le pire de tous, y fait ce qui lui plaît : on s'en apercevra le soir même. D'autre part, sa pesanteur massive accable toute autorité et fait fléchir toute règle : arrivée à Versailles, à l'instant même on s'en aperçoit. — Admises dans l'Assemblée et d'abord en petit nombre, les femmes poussent à la porte, entrent en foule, remplissent les galeries, puis la salle, les hommes avec elles, armés de bâtons, de hallebardes et de piques, tout cela pêle-mêle, côte à côte avec les députés, sur leurs bancs, votant avec eux, autour du président investi, menacé, insulté, qui, à la fin, quitte la place et dont une femme prend le fauteuil [1]. Une poissarde commande dans une galerie, et, autour d'elle, une centaine de femmes crient ou se taisent à son signal, tandis qu'elle interpelle les députés et les gourmande : « Qui est-ce qui « parle là-bas? Faites taire ce bavard. Il ne s'agit pas de « cela, il s'agit d'avoir du pain. Qu'on fasse parler notre « petite mère Mirabeau; nous voulons l'entendre. » — Un décret sur les subsistances ayant été rendu, les meneurs demandent davantage; il faut encore qu'on leur accorde d'entrer partout où ils soupçonneront des accaparements; il faut aussi « qu'on taxe le pain à six sous les quatre li- « vres, et la viande à six sous la livre. » « N'imaginez pas « que nous sommes des enfants qu'on joue : nous avons « le bras levé, faites ce qu'on vous demande. » — De cette idée centrale partent toutes leurs injonctions politiques.

1. Procédure criminelle du Châtelet. Dépositions 61, 77, 81, 148, 154. — Dumont, 181. — Mounier. *Exposé justificatif* et notamment *Faits relatif à la dernière insurrection*

Qu'on renvoie le régiment de Flandre ; ce sont mille hommes de plus à nourrir et qui nous ôtent le pain de la bouche. Punissez les aristocrates qui empêchent les boulangers de cuire. « A bas la calotte ! c'est tout le clergé « qui fait notre mal. » « Monsieur Mounier, pourquoi avez-« vous défendu ce vilain veto ? Prenez bien garde à la lan-« terne. » — Sous cette pression, une députation de l'Assemblée, conduite par le président, se met en marche à pied, dans la boue, par la pluie, surveillée par une escorte hurlante de femmes et d'hommes à piques ; après cinq heures d'instances ou d'attente, elle arrache au roi, outre le décret sur les subsistances pour lequel il n'y avait pas de difficulté, l'acceptation pure et simple de la Déclaration des Droits et la sanction des articles constitutionnels. — Telle est l'indépendance de l'Assemblée et du roi[1]. C'est ainsi que s'établissent les principes du droit nouveau, les grandes lignes de la Constitution, les axiomes abstraits de la vérité politique, sous la dictature d'une foule qui les extorque, non-seulement en aveugle, mais encore avec une demi-conscience de son aveuglement : « Monsieur le « président, disaient des femmes à Mounier qui leur rap-« portait la sanction royale, cela sera-t-il bien avanta-« geux ? Cela fera-t-il avoir du pain aux pauvres gens de « Paris ? »

Pendant ce temps, autour du château, l'écume a bouillonné, et les filles embauchées à Paris font leur métier[2] ; elles se faufilent, malgré la consigne, dans les rangs du régiment qui est en bataille sur la place. Théroigne, en veste rouge d'amazone, distribue de l'argent. Quelques-

1. Procédure criminelle du Châtelet. Déposition 168. Le témoin a vu sortir de la chambre du roi « plusieurs femmes habillées en poissardes, dont « une, d'une jolie figure, qui tenait un papier à la main, et disait, en le mon-« trant : « Ha ! f..., nous avons forcé le bougre à sanctionner. »

2. Procédure criminelle du Châtelet. Dépositions 89, 91, 98. « Leur pro-» mettant tout, jusqu'à lever leurs jupes devant eux. »

unes disent aux soldats : « Mettez-vous avec nous ; tout à « l'heure nous battrons les gardes du roi ; nous aurons leurs « beaux habits, et nous les vendrons. » Les autres s'étalent, agaçant les soldats, s'offrant à eux, tellement que ceux-ci disent : « Nous allons avoir un plaisir de mâtin. » Avant la fin de la journée, le régiment est séduit ; elles ont opéré en conscience, pour le bon motif. Quand une idée politique pénètre en de tels cerveaux, au lieu de les ennoblir, elle s'y dégrade ; tout ce qu'elle y apporte, c'est le déchaînement des vices qu'un reste de pudeur y comprimait encore, et l'instinct de luxure ou de férocité se donne carrière sous le couvert de l'intérêt public. — D'ailleurs les passions s'exaltent par leur contagion mutuelle, et l'attroupement, les clameurs, le désordre, l'attente, le jeûne, finissent par composer une ivresse de laquelle rien ne peut sortir que le vertige et la fureur. — L'ivresse a commencé sur la route ; déjà, au départ, une femme disait : « Nous apporterons la tête de la reine au bout d'une pi- « que[1]. » Au pont de Sèvres, d'autres ajoutent : « Il faut « qu'elle soit égorgée et qu'on fasse des cocardes avec ses « boyaux. » Il pleut, on a froid, on est las, on a faim, on n'obtient, pour se soutenir, qu'un morceau de pain distribué tard et à grand'peine sur la Place d'Armes. Une bande dépèce un cheval abattu, le fait rôtir, et le mange à demi cru, à la façon des sauvages. Rien d'étonnant, si, sous le nom de patriotisme et de « justice », il leur vient des pensées de sauvages contre « les membres de l'Assemblée na- « tionale qui ne sont pas dans les principes du peuple, » contre « l'évêque de Langres, Mounier et autres ». Un homme, vêtu d'une souquenille rouge, dit « qu'il lui faut « la tête de l'abbé Maury pour jouer aux quilles. » Mais c'est surtout la reine, qui est femme et en vue, sur qui

1. Procédure criminelle du Châtelet. Dépositions 9, 20, 24, 30, 49, 61, 82, 115, 149, 155.

s'acharne l'imagination féminine. « Elle seule est la cause « de tous les maux que nous souffrons... Il faut la « massacrer, l'écarteler. » — La nuit avance, il y a eu des voies de fait, et la violence engendre la violence. « Que « j'aurais de plaisir, dit un homme, si je mettais la main « sur cette bougresse-là, à lui couper le cou sur la pre- « mière borne ! » Vers le matin, des gens crient : « Où « est cette sacrée coquine ? Il faut lui manger le cœur... « Nous voulons lui couper sa tête, son cœur, et fricasser « ses foies. » — Avec les premiers meurtres, l'appétit sanguinaire s'est éveillé ; des femmes, venues de Paris, disent « qu'elles ont apporté des baquets pour emporter « les tronches des gardes du roi, » et, sur ce mot, les autres battent des mains. Dans la cour de l'Assemblée nationale, des gens du peuple, examinant la corde de la lanterne et jugeant qu'elle est trop faible, veulent en mettre une autre « pour pendre l'archevêque de Paris, « Maury, d'Espréménil. » — La fureur meurtrière et carnassière pénètre jusque parmi les défenseurs attitrés de l'ordre, et l'on entend un garde national dire « qu'il « faut tuer les gardes du corps jusqu'au dernier, leur « arracher le cœur et déjeuner avec. »

A la fin, vers minuit, la garde nationale de Paris est arrivée ; mais elle apporte une émeute par-dessus l'émeute ; car, elle aussi, elle a violenté ses chefs [1]. « Si « M. de Lafayette ne veut pas venir avec nous, dit un « grenadier, nous prendrons un ancien grenadier pour « nous commander. » Ceci arrêté, on est allé trouver le général à l'Hôtel de ville, et les délégués de six compagnies lui ont intimé leurs ordres : « Mon général, nous « ne vous croyons pas traître ; mais nous croyons que le « gouvernement nous trahit... Le comité des subsistances

1. Procédure criminelle du Châtelet. Dépositions 7, 30, 35, 40. — Cf. Lafayette, *Mémoires*, et Mme Campan, *Mémoires*.

« nous trompe, il faut le renvoyer. Nous voulons aller à « Versailles exterminer les gardes du corps et le régi- « ment de Flandre, qui ont foulé aux pieds la cocarde « nationale. Si le roi de France est trop faible pour porter « sa couronne, qu'il la dépose ; nous couronnerons son « fils, et tout ira mieux. » En vain Lafayette refuse, et vient haranguer sur la place de Grève ; en vain, pendant plusieurs heures, il résiste, tantôt parlant, tantôt imposant silence. Des bandes armées, parties des faubourgs Saint-Antoine et Saint-Marceau, grossissent la foule ; on le couche en joue ; on prépare la lanterne. Alors, descendant de cheval, il veut rentrer à l'Hôtel de ville ; mais ses grenadiers lui barrent le passage : « Morbleu ! général, « vous resterez avec nous ; vous ne nous abandonnerez « pas. » Étant leur chef, il faut bien qu'il les suive ; c'est aussi le sentiment des représentants de la Commune à l'Hôtel de ville ; ils envoient l'autorisation et même l'ordre de partir, « vu qu'il est impossible de s'y refuser. » — Quinze mille hommes arrivent ainsi à Versailles, et, devant eux, avec eux, protégés par la nuit, des milliers de bandits. De son côté, la garde nationale de Versailles, qui entoure le château, et le peuple de Versailles, qui barre le passage aux voitures[1], ont fermé toute issue. Le roi est prisonnier dans son palais, lui, les siens, ses ministres, sa cour, et sans défense. Car, avec son optimisme ordinaire, il a confié les postes extérieurs du château aux soldats de Lafayette, et, par une obstination d'humanité dans laquelle il persévérera jusqu'à la fin[2], il a défendu à ses propres

1. Procédure criminelle du Châtelet. Déposition 24. Nombre de garçons bouchers courent après les voitures qui sortaient de la Petite-Écurie, en criant : « Il faut empêcher le mâtin de partir. »

2. Procédure criminelle du Châtelet. Dépositions 101, 91, 89 et 17. Aux bandits qui montaient l'escalier du roi, M. de Miomandre, garde du corps, dit doucement : « Mes amis, vous aimez votre roi, et vous venez l'inquiéter « jusque dans son palais. »

gardes de tirer, en sorte qu'ils ne sont là que pour la montre. Ayant pour lui le droit commun, la loi et le serment que Lafayette vient de faire renouveler à ses troupes, que pourrait-il craindre? Rien de plus efficace auprès du peuple que la confiance et la prudence, et, à force d'agir en mouton, on est sûr d'apprivoiser des bêtes féroces.

Dès cinq heures du matin, avant le jour, elles rôdent autour des grilles. Lafayette, épuisé de fatigue, s'est reposé une heure[1], et cette heure leur suffit[2]. Une populace armée de piques et de bâtons, hommes et femmes, entoure un peloton de quatre-vingts gardes nationaux, les force à tirer sur les gardes du roi, enfonce une porte, saisit deux gardes, leur tranche la tête. Le coupe-tête, qui est un modèle d'atelier, homme à grande barbe, montre ses mains rouges en se glorifiant de ce qu'il vient de faire, et l'effet est si grand sur les gardes nationaux que, par sensibilité, ils s'écartent pour ne pas être témoins de pareils spectacles : voilà la résistance. — Pendant ce temps la foule envahit les escaliers, assomme et foule aux pieds les gardes qu'elle rencontre, fait sauter les portes avec des imprécations contre la reine. La reine se sauve, à temps et tout juste, en jupon. Refugiée auprès du roi avec toute la famille royale, et vainement barricadés dans l'Œil de Bœuf dont une porte éclate, ils n'attendaient que la mort, lorsque Lafayette arrive avec ses grenadiers, et sauve ce qui peut encore être sauvé, les vies, rien de plus. Car, de la foule entassée dans la cour de Marbre part une clameur : « Le roi à Paris! », et le roi se soumet à

1. Malouet, II, 2. « J'étais sans défiance, » disait Lafayette en 1798. « Le « peuple m'avait promis de rester tranquille. »

2. Procédure criminelle du Châtelet. Dépositions 9, 16, 60, 128, 129, 130, 139, 158, 168, 170. — Dès deux heures du matin, M. du Repaire, garde du corps, étant en faction à la grille, un homme passe sa pique à travers les barreaux, en disant : J.... f.... de galonné, ton tour viendra avant qu'il soit « longtemps. » M. du Repaire « se retire dans la guérite sans rien dire à cet « homme, attendu les ordres qui leur étaient donnés de ne point agir. »

cet ordre. — A présent qu'ils ont dans leurs mains le grand otage, daigneront-ils accepter le second? Cela est douteux. La reine s'étant approchée du balcon avec son fils et sa fille, un hurlement monte : « Point d'enfants ! »; on veut l'avoir seule au bout des fusils, et elle le comprend. A cet instant, M. de Lafayette, la couvrant de sa popularité, paraît avec elle sur le balcon, et lui baise respectueusement la main. — Dans la foule surexcitée, le revirement est subit; en cet état de tension nerveuse, l'homme et surtout la femme sautent brusquement d'un extrême à l'autre, et la fureur confine aux larmes. Une portière, compagne de Maillard[1], entend en imagination Lafayette promettre, au nom de la reine, « qu'elle aimera son peuple « et lui sera attachée comme Jésus-Christ à son Eglise. » On s'attendrit, on s'embrasse; les grenadiers coiffent de leurs bonnets les gardes du corps. Tout ira bien ; « le « peuple a reconquis son roi. » — Il n'y a plus qu'à se réjouir, et le cortége se met en marche : au centre la famille royale et cent députés dans des voitures, puis l'artillerie avec des femmes à califourchon sur les canons, puis un convoi de farines; alentour les gardes du roi ayant chacun en croupe un garde national, puis la garde nationale de Paris, puis les hommes à piques, les femmes à pied, à cheval, en fiacre, sur des charrettes; en tête une bande qui porte au bout de deux perches des têtes coupées et s'arrête à Sèvres chez un perruquier pour les faire poudrer et friser[2]; on les incline pour saluer, on les barbouille de crème; il y a des rires et des quolibets; on

1. Procédure criminelle du Châtelet. Dépositions 82, 170. — Mme Campan, II, 87. — De Lavalette, I, 33. — Cf. Bertrand de Molleville, *Mémoires*.

2. Duval, *Souvenirs de la Terreur*, I, 78. (Douteux presque partout ailleurs, ici témoin oculaire : il dînait en face du perruquier, près de la grille du parc de Saint-Cloud.)—*Seconde lettre de M. de Lally-Tollendal à un ami.* « Au moment où le roi entrait dans sa capitale avec deux évêques de son con- « seil dans sa voiture, » on entendit « le cri : Tous les évêques à la lanterne ! »

mange et on boit en route, on oblige les gardes du corps à trinquer ; on crie et on tire des salves de mousqueterie : hommes et femmes, se tenant par la main, chantent et dansent dans la boue. — Telle est la fraternité nouvelle : un convoi funèbre de toutes les autorités légales et légitimes, un triomphe de la brutalité sur l'intelligence, un Mardi-gras meurtrier et politique, une formidable descente de la Courtille, qui, précédée par ses insignes de mort, traîne avec elle les chefs de la France, roi, ministres et députés, pour les contraindre à gouverner selon ses folies et pour les tenir sous ses piques, jusqu'au moment où il lui plaira de les égorger.

VI

Cette fois, on n'en peut plus douter : la Terreur est établie, et à demeure. — Le jour même, la foule arrête une voiture où elle croit trouver M. de Virieu, et déclare, en la fouillant, « qu'on cherche ce député pour le massacrer, « ainsi que d'autres dont on a la liste[1]. » — Deux jours après, l'abbé Grégoire annonce à l'Assemblée nationale « qu'il n'y a pas de jour où des ecclésiastiques ne soient « insultés à Paris, » et poursuivis « de menaces effrayan- « tes. » — On avertit Malouet que, « sitôt qu'on aura dis- « tribué des fusils à la milice, le premier usage qu'elle « en fera sera pour se débarrasser des députés mauvais « citoyens, » entre autres de l'abbé Maury. — « Quand je « sortais, écrit Mounier, j'étais publiquement suivi ; c'était « un crime de se montrer avec moi. Partout où j'allais « avec deux ou trois personnes, on disait qu'il se formait

1. De Montlosier, I, 303. — *Moniteur*, séances des 8, 9 et 10 octobre. — Malouet, II, 9, 10, 20. — Mounier. *Recherches sur les causes*, etc., et Adresse aux Dauphinois.

« une assemblée d'aristocrates. J'étais devenu un tel ob-« jet de terreur, qu'on avait menacé de mettre le feu dans « une maison de campagne où j'avais passé vingt-quatre « heures, et que, pour calmer les esprits, il avait fallu « promettre qu'on ne recevrait ni mes amis ni moi. » — En une semaine[1], cinq ou six cents députés font signer leurs passe-ports, et se tiennent prêts à partir. Pendant le mois suivant, cent vingt donnent leur démission ou ne reparaissent plus à l'Assemblée. Mounier, Lally-Tollendal, l'évêque de Langres, d'autres encore quittent Paris, puis la France. « — C'est le fer à la main, écrit Mallet-Dupan, « que l'opinion dicte aujourd'hui ses arrêts. *Crois ou meurs*, « voilà l'anathème que prononcent les esprits ardents, et ils « le prononcent au nom de la liberté. La modération est « devenue un crime. » — Dès le 7 octobre, Mirabeau vient dire au comte de la Marck : « Si vous avez quelque moyen « de vous faire entendre du roi et de la reine, persuadez-« leur que la France et eux sont perdus, si la famille « royale ne sort pas de Paris ; je m'occupe d'un plan pour « les en faire sortir. » A la situation présente il préfère tout, même la guerre civile ; » car au moins « la guerre « retrempe les âmes, » et ici, sous la dictature des démagogues, on se noie dans la boue. « Dans trois mois », Paris, livré à lui-même, sera « un hôpital certainement, et peut-« être un théâtre d'horreurs. » Contre la populace et ses meneurs, il faut « que le roi se coalitionne à l'instant « avec ses peuples, » qu'il aille à Rouen, qu'il fasse appel aux provinces, qu'il fournisse un centre à l'opinion publique, et, s'il le faut, à la résistance armée. De son côté, Malouet déclare que « la Révolution, depuis le 5 octobre, « fait horreur à tous les gens sensés de tous les partis,

1. De Ferrières, I, 346. (Le 9 octobre, trois cents membres avaient déjà pris des passe-ports.) — *Mercure de France*, n° du 17 octobre. — Correspondance de Mirabeau et de M. de la Marck, I, 116, 126, 364.

« mais qu'elle est consommée, irrésistible. » — Ainsi les trois meilleurs esprits de la Révolution, ceux dont les prévisions justifiées attestent le génie ou le bon sens, les seuls qui, pendant deux ans, trois ans, et de semaine en semaine, aient toujours prédit juste et par raison démonstrative, tous les trois, Mallet-Dupan, Mirabeau, Malouet, sont d'accord pour qualifier l'événement et pour en mesurer les conséquences. On roule sur une pente à pic, et personne n'a la force ou les moyens d'enrayer. Ce n'est pas le roi : « indécis et faible au delà de tout ce qu'on « peut dire, son caractère ressemble à ces boules d'ivoire « huilées qu'on s'efforcerait vainement de retenir ensem- « ble[1]. Et, quant à l'Assemblée, aveuglée, violentée, poussée en avant par la théorie qu'elle proclame et par la faction qui la soutient, chacun de ses grands décrets précipite la chute.

1. Correspondance de Mirabeau et de M. de la Marck, I, 125. (Paroles de Monsieur au comte de la Marck.)

LIVRE DEUXIÈME

L'ASSEMBLÉE CONSTITUANTE ET SON ŒUVRE

LIVRE DEUXIÈME.

L'ASSEMBLÉE CONSTITUANTE ET SON ŒUVRE.

CHAPITRE I.

L'Assemblée constituante. — Conditions requises pour faire de bonnes lois. — I. Ces conditions manquent dans l'Assemblée. — Causes de désordre et de déraison. — La salle. — Multitude des députés. — Intervention des galeries. — Règlement nul, mauvais ou violé. — Point de chefs parlementaires. — Sensibilité et surexcitation de l'Assemblée. — Ses accès d'enthousiasme. — Son goût pour les émotions. — Elle encourage les exhibitions théâtrales. — Altérations que ces parades introduisent dans son bon sens. — II. Insuffisance de ses lumières. — Sa composition. — Condition sociale et préparation intellectuelle du plus grand nombre. — Leur incapacité. — Leur présomption. — Conseils inutiles des hommes compétents. — Adoption de la politique déductive. — Les partis. — La minorité. — Ses fautes. — La majorité. — Son dogmatisme. — III. Ascendant du parti révolutionnaire. — La théorie est pour lui. — Contrainte qu'elle exerce sur les esprits. — Appel qu'elle fait aux passions. — La force brutale est pour lui. — Il l'organise à son profit. — Oppression de la minorité. — IV. Refus de fournir le ministère. — Conséquences de cette faute. — Méconnaissance de la situation. — Comité des recherches. — Alarmes perpétuelles. — Effets de l'ignorance et de la peur sur l'œuvre de l'Assemblée constituante.

S'il est au monde une œuvre difficile à faire, c'est une constitution, surtout une constitution complète. Remplacer les vieux cadres dans lesquels vivait une grande nation par des cadres différents, appropriés et durables, appliquer un moule de cent mille compartiments sur la vie de vingt-six millions d'hommes, le construire si harmonieusement, l'adapter si bien, si à propos, avec une si exacte appréciation de leurs besoins et de leurs facultés qu'ils y entrent d'eux-mêmes pour s'y mouvoir sans heurts et que tout de suite leur action improvisée ait l'aisance d'une routine ancienne, une pareille entreprise est prodigieuse et probablement au-dessus de l'esprit humain. A tout le moins, pour l'exécuter, celui-ci n'a pas trop de toutes ses forces et ne peut trop soigneusement se mettre à l'abri de toutes les causes de trouble et d'erreur. Il faut à une Assemblée, surtout à une Constituante, au dehors de la sécurité et de l'indépendance, au dedans du silence et de l'ordre, en tout cas du sang-froid, du bon sens, de l'esprit pratique, de la discipline, sous des conducteurs compétents et acceptés. Y a-t-il quelque chose de tout cela dans l'Assemblée constituante?

I

Rien qu'à regarder ses dehors, on en peut douter. A Versailles, puis à Paris [1], ils siégent dans une salle immense, capable de tenir deux mille personnes, où, pour se faire entendre, la plus forte voix doit se forcer. Point de place ici pour le ton mesuré qui convient à la discussion des affaires; il faut crier, et la tension de l'organe se communique à l'âme : le lieu porte à la déclamation. — D'autant plus qu'ils sont près de douze cents, c'est-à-dire une foule et presque une cohue; encore aujourd'hui, dans nos Chambres de cinq à six cents députés, les interruptions sont incessantes et le bourdonnement con-

1. Arthur Young, 15 juin 1789. — Bailly, I, *passim*. — *Moniteur*, IV, 522 (2 juin 1790). — *Mercure de France*, 11 février 1792.

tinu; rien de plus rare que l'empire de soi et la ferme résolution de subir pendant une heure un discours contraire à l'opinion qu'on a. — Comment faire ici pour imposer le silence et la patience? Arthur Young voit à plusieurs reprises « une centaine de membres tous debout à la fois, » gesticulant et interpellant. « Vous me tuez, messieurs, » leur dit un jour Bailly qui défaille. Un autre président s'écrie avec désespoir : « Deux cents personnes qui par« lent à la fois ne peuvent être entendues : sera-t-il donc « impossible de ramener l'Assemblée à l'ordre? » — La rumeur grondante et discordante s'enfle encore du tapage des tribunes. « Au parlement britannique, écrit Mallet« Dupan, j'ai vu faire vider sur-le-champ les galeries à « la suite d'un éclat de rire involontairement échappé à « la duchesse de Gordon. » Ici la foule pressée des spectateurs, nouvellistes de carrefour, délégués du Palais-Royal, soldats déguisés en bourgeois, filles de la rue racolées et commandées, applaudit, bat des mains, trépigne et hue en toute liberté. — Cela va si loin que M. de Montlosier propose ironiquement de « donner voix « délibérative aux tribunes[1]. » Un autre demande si les représentants sont des comédiens envoyés par la nation pour subir les sifflets du public parisien. Le fait est qu'on les interrompt comme au théâtre, et que parfois, s'ils déplaisent, on les fait taire. — D'autre part, devant ce public actif et consulté, les députés populaires sont des acteurs en scène; involontairement, ils subissent son influence, et leur pensée, comme leur parole, s'exagère pour être à son unisson. — En de pareilles circonstances, le tumulte et la violence deviennent choses d'usage, et une Assemblée perd la moitié de ses chances de sagesse : car, en

1. *Moniteur*, V, 631 (12 septembre 1790), et 8 septembre (paroles de l'abbé Maury). — Marmontel, liv. XIII, 237. — Malouet, I, 261. — Bailly, I, 227.

devenant un club de motionnaires, elle cesse d'être un conclave de législateurs.

Entrons plus avant, et voyons comment celle-ci procède. Ainsi encombrée, entourée, agitée, prend-elle au moins les précautions sans lesquelles nulle réunion d'hommes ne peut se gouverner elle-même? — Visiblement, quand plusieurs centaines de personnes délibèrent ensemble, il leur faut au préalable une sorte de police intérieure, un code d'usages consacrés ou de précédents écrits, pour préparer, diviser, limiter, accorder et conduire leurs propres actes. Le meilleur de ces codes est tout fait, à portée : sur la demande de Mirabeau[1], Romilly leur a envoyé le règlement de la Chambre des Communes anglaises. Mais, dans leur présomption de novices, ils n'y font point attention, ils croient pouvoir s'en passer, ils ne veulent rien emprunter aux étrangers, ils n'accordent aucune autorité à l'expérience, et, non contents de rejeter les formes qu'elle prescrit, « c'est à peine s'ils suivent une « règle quelconque. » Ils laissent le champ libre à l'élan spontané des individus; toute influence, même celle d'un député, même celle de leur élu, leur est suspecte; c'est pourquoi, tous les quinze jours, ils choisissent un président nouveau. — Rien ne les contient ou ne les dirige, ni l'autorité légale d'un code parlementaire, ni l'autorité morale de chefs parlementaires. Ils n'en ont point, ils ne sont pas organisés en partis; ni d'un côté ni d'un autre on ne trouve de *leader* reconnu qui choisisse le moment, prépare le débat, rédige la motion, distribue les rôles, lance ou retienne sa troupe. Mirabeau seul serait capable d'obtenir cet ascendant, mais, au début, il est discrédité par la célébrité de ses vices, et, à la fin, il est compromis par ses liaisons avec la cour. Nul autre n'est assez émi-

1. Sir Samuel Romilly, *Memoirs*, I, 102, 354. — Dumont, 158. (Le règlement officiel est du 29 juillet 1789.)

nent pour s'imposer; il y a trop de talents moyens et trop peu de talents supérieurs. — D'ailleurs les amours-propres sont encore trop entiers pour se subordonner. Chacun de ces législateurs improvisés est arrivé convaincu de son système; pour le plier sous un chef auquel il remettrait sa conscience politique, pour faire de lui ce que devraient être trois députés sur quatre, c'est-à-dire une machine à votes, il faudrait un sentiment du danger, une expérience triste, une résignation forcée qu'il est loin d'avoir[1]. — C'est pourquoi, sauf dans le parti violent, chacun agit de son chef, d'après l'impulsion du moment, et l'on devine le pêle-mêle. Les étrangers qui en sont témoins lèvent les bras au ciel, de surprise et de pitié : « Ile ne discutent rien dans leur assemblée, écrit Gouver- « neur Morris[2]; plus de la moitié du temps s'y dépense « en acclamations et clabauderies. Chaque membre vient « débiter le résultat de ses élucubrations, » au milieu du bruit, à son tour d'inscription, sans répondre au précédent, sans que le suivant lui réponde, sans que jamais un argument vienne choquer un autre argument, de telle façon que la fusillade « est interminable, et que mille « fois contre une tous les coups portent dans le vide. » Avant de transcrire « ce bavardage épouvantable, » les journaux du temps ont dû y pratiquer des amputations de toute sorte, élaguer « les sottises, » dégonfler « le style hydropique et boursouflé. » — Verbiage et clameurs, à cela se réduisent la plupart de ces séances fameuses. « On y entendait, dit un journaliste, des cris « beaucoup plutôt que des discours; elles paraissaient « devoir se terminer par des combats plutôt que par des « décrets.... Vingt fois, en sortant, je me suis avoué que,

1. Cf. Ferrières, I, 3. Son repentir est touchant.

2. Morris à Washington, 24 janvier 1790. — Dumont, 125. — Garat, lettre à Condorcet.

« si quelque chose pouvait arrêter et faire rétrograder « la révolution, c'était le tableau de ces séances, retracé « sans précaution et sans ménagement ... Tous mes soins « se portaient donc à représenter la vérité, mais sans la « rendre effrayante. De ce qui n'avait été qu'un tumulte « je faisais un tableau.... Je rendais tous les sentiments, « mais non pas toujours avec les mêmes expressions. De « leurs cris, je faisais des mots; de leurs gestes furieux, « des attitudes; et, lorsque je ne pouvais inspirer de l'es- « time, je tâchais de donner des émotions. »

A ce mal, point de remède; car, outre le manque de discipline, il y a une cause de désordre intime et profonde. Tous ces gens-là sont *trop sensibles*. Ce sont des Français, et des Français du dix-huitième siècle, élevés dans les aménités de la plus exquise politesse, accoutumés aux procédés obligeants, aux prévenances continues, aux complaisances mutuelles, si pénétrés par le sentiment du savoir-vivre que leur conversation semblait presque fade à des étrangers[1]. — Et tout d'un coup les voilà transportés sur le terrain épineux des affaires, parmi les débats injurieux, les contradictions à bout portant, les dénonciations haineuses, les diffamations prolongées, les invectives ouvertes, dans ce combat à toutes armes qui compose la vie parlementaire et où des vétérans endurcis ont peine à garder leur sang-froid. Jugez de l'effet sur des nerfs novices et délicats, sur des gens du monde, habitués aux ménagements et aux douceurs de l'urbanité universelle. Ils sont tout de suite hors d'eux-mêmes. — D'autant plus qu'ils ne s'attendaient point

1. Arthur Young, I, 46. « Châtiée, élégante, polie, insignifiante, la masse « des idées échangées n'a le pouvoir ni d'offenser ni d'instruire. Toute vi- « gueur de pensée doit s'effacer dans l'expression.... Là où le caractère est « si effacé, il y a peu de place pour la discussion. » — *Cabinet des Estampes*, Estampes du temps par Moreau, Prieur, Monet, représentant l'ouverture des États Généraux. Toutes les figures sont gracieuses, élégantes et gentilles.

à une bataille, mais à une fête, à quelque idylle grandiose et délicieuse, où tous, la main dans la main, s'attendriraient autour du trône et sauveraient la patrie en s'embrassant. C'est Necker lui-même qui a arrangé la salle de leurs séances en manière de théâtre[1] : « il ne « voulait se figurer les assemblées des États que comme « un spectacle paisible, imposant, solennel, auguste, « dont le peuple aurait à jouir; » et, quand tout de suite la pastorale tourne au drame, il est si alarmé qu'il pense à supposer un éboulement, à faire crouler pendant la nuit la charpente de l'édifice. — Au moment où se réunissent les États Généraux, tous sont ravis : ils croient entrer dans la terre promise. Pendant la procession du 4 mai, « des larmes de joie, dit le marquis de Ferrières, « coulaient de mes yeux.... Plongé dans la plus douce « extase.... je voyais la France appuyée sur la religion » nous exhorter à la concorde. « Ces cérémonies saintes, « ces chants, ces prêtres revêtus de l'habit du sacrifice, « ces parfums, ce dais, ce soleil rayonnant de pierreries.... « Je me rappelais les paroles du prophète..... Mon Dieu, « ma patrie, mes concitoyens étaient devenus moi-même. » — Vingt fois, dans le cours des séances, cette sensibilité fait explosion et emporte un décret auquel on ne songeait pas. « Parfois, écrit l'ambassadeur américain[2], au milieu « d'une délibération, un orateur se lève, fait un beau « discours sur un sujet différent, et conclut par une bonne « petite motion qui passe avec des hourras. Par exem- « ple, pendant qu'ils discutaient un projet de banque « nationale présenté par M. Necker, un député se mit « dans la cervelle de proposer que chaque membre don-

1. Marmontel, liv. XIII, 237. — Malouet, I, 261. — Ferrières, I, 19.

2. Gouverneur Morris, 24 janvier 1790. — De même (Ferrières, I, 71) le décret sur l'abolition de la noblesse. Il n'était pas sur l'ordre du jour et fut emporté par surprise.

« nât ses boucles d'argent, ce qui fut adopté d'un seul « coup, l'honorable député déposant les siennes sur la « table, après quoi l'on revint aux affaires. » — Ainsi surexcités, ils ne savent pas le matin ce qu'ils feront le soir et sont à la merci de toutes les surprises. Quand l'enthousiasme les saisit, un vertige court sur les bancs : toute prudence est déconcertée, toute prévision disparaît, toute objection est étouffée. Dans la nuit du 4 août[1], « personne n'est plus maître de soi.... l'Assemblée offre « le spectacle d'une troupe de gens ivres qui, dans un « magasin de meubles précieux, cassent et brisent à « l'envi tout ce qui se trouve sous leurs mains. » « Ce « qui aurait demandé une année de soins et de médita- « tions, » dit un étranger compétent, « fut proposé, déli- « béré et voté par acclamation générale. L'abolition des « droits féodaux, de la dîme, des priviléges des provinces, « trois articles qui, à eux seuls, embrassaient tout un sys- « tème de jurisprudence et de politique, furent décidés, « avec dix ou douze autres, en moins de temps qu'il n'en « faut au parlement d'Angleterre pour la première lecture « d'un bill de quelque importance. » — « Voilà bien nos « Français, disait encore Mirabeau, ils sont un mois en- « tier à discuter sur des syllabes, et, dans une nuit, ils « renversent tout l'ancien ordre de la monarchie[2]. » — A dire vrai, ce sont des femmes nerveuses, et, d'un bout à l'autre de la Révolution, leur surexcitation ira croissant.

Non-seulement ils sont exaltés, mais encore ils ont besoin d'exaltation, et, comme un buveur qui, une fois échauffé, recherche les liqueurs fortes, on dirait qu'ils prennent à tâche d'expulser de leurs cervelles les derniers

1. Ferrières, I, 189. — Dumont, 146.

2. Lettre de Mirabeau à Sieyès, 11 juin 1790. « Notre nation de singes à « larynx de perroquets. » — Dumont, 146. « Sieyès et Mirabeau eurent tou- « jours une bien chétive opinion de l'Assemblée constituante. »

restes de sang-froid et de bon sens. Ils aiment l'emphase, la rhétorique à grand orchestre, les pièces d'éloquence déclamatoire et sentimentale : tel est le style de presque tous leurs discours, et en cela leur goût est si vif que leurs propres harangues ne leur suffisent pas. Lally et Necker ayant débité à l'Hôtel de ville des discours « at-« tendrissants et sublimes[1], » l'Assemblée veut qu'on les lui répète : elle est le cœur de la France, et il convient qu'elle ressente les grandes émotions de tous les Français. Que ce cœur batte toujours et le plus fort possible, voilà son office, et, jour par jour, on lui fournit des secousses. Presque toutes les séances commencent par la lecture publique d'adresses admiratives, ou de dénonciations menaçantes. Souvent les pétitionnaires viennent en personne lire leurs effusions enthousiastes, leurs conseils impérieux, leurs doctrines dissolvantes. Aujourd'hui c'est Danton, au nom de Paris, avec sa face de taureau et sa voix qui semble un tocsin d'émeute; demain ce sont les vainqueurs de la Bastille ou telle autre troupe avec un corps de musique qui joue de ses instruments jusque dans la salle. La séance n'est plus une conférence d'affaires, mais un opéra patriotique, où l'églogue, le mélodrame, et parfois la mascarade, se mêlent parmi les claquements de mains et les bravos[2]. —

1. *Moniteur*, I, 256, 431 (16 et 31 juillet 1789). — *Journal des débats et décrets*, I, 185, 16 juillet. Un membre demande que M. de Lally rédige son discours. « Toute l'Assemblée a répété cette demande. »

2. *Moniteur*, 11 mars 1790. « Une religieuse de Saint-Mandé, présente à « la barre, remercie l'Assemblée du décret par lequel les cloîtres sont ouverts, « dénonce les ruses, les intrigues et même les violences qu'on emploie dans « les couvents pour empêcher l'exécution du décret. » — *Ib.*, 29 mars 1790. Lecture de différentes adresses. « A Lagnon, une mère de famille a rassem-« blé ses dix enfants, et a juré devant Dieu avec eux et pour eux d'être fi-« dèle à la nation, à la loi et au roi. » — *Ib.*, 5 juin 1790. « M. Chabroud « fait lecture de la lettre du receveur des traites de Lannion en Bretagne à « un curé, membre de l'Assemblée nationale. Il implore son suffrage pour

On présente à l'Assemblée un serf du Jura âgé de cent vingt ans, et l'un des membres du cortége, « M. Bourdon « de la Crosnière, directeur d'une école patriotique, de- « mande de s'emparer de l'auguste vieillard, pour le faire « servir par des jeunes gens de tous les rangs, surtout « par les enfants dont les pères ont été tués à l'attaque « de la Bastille[1]. » Enthousiasme et brouhaha : la scène semble copiée de Berquin, et, de plus, compliquée d'une réclame commerciale; mais on n'y regarde pas de si près, et l'Assemblée, sous la pression des tribunes, condescend à subir des parades de foire. Soixante vagabonds payés douze francs par tête, habillés en Espagnols, Hollandais, Turcs, Arabes, Tripolitains, Persans, Indous, Mongols, Chinois, et conduits par le prussien Anacharsis Clootz, viennent, sous le nom d'ambassadeurs du genre humain, déclamer contre les tyrans, et on les admet aux honneurs de la séance. — Cette fois du moins, la mascarade est un coup monté pour brusquer et extorquer l'abolition de la noblesse[2]. D'autres fois, elle est presque gratuite, et le ridicule en est incomparable, car la farce s'y joue, comme dans une distribution de prix au village, avec conviction et avec sérieux. Pendant trois jours les enfants qui viennent de faire leur première communion devant l'évêque constitutionnel ont été promenés dans Paris; ils ont récité aux Jacobins l'amphigouri dont on a chargé leur mémoire, et, le quatrième jour, admis à la barre de l'Assemblée, leur orateur, un pauvret de douze ans, recom-

« faire agréer son serment civique et celui de *toute sa famille, prête à ma-* « *nier également l'encensoir, la charrue, la balance, l'épée et la plume.* » — Quand on a lu un certain nombre de ces adresses, il semble que l'Assemblée soit une succursale des *Petites Affiches*.

. *Moniteur*, 23 octobre 1789.

2. Ferrières, II, 65 (10 juin 1790). — De Montlosier, I, 402. « L'un de ces figurants vint le lendemain chercher sa paye chez le comte de Billancourt, qu'il prenait pour le duc de Liancourt. « Monsieur, lui dit-il, c'est moi hier « qui faisais le Chaldéen. »

mence sa tirade de perroquet sifflé. Il finit par le serment d'usage, et là-dessus tous les autres crient de leurs voix aiguës : « Nous le jurons ! » Pour comble, le président, un jurisconsulte grave, Treilhard, répond à ces gamins sans rire, en style pareil, avec métaphores, prosopopées et tout l'apparat d'un pédant qui trône sur son estrade : « Vous méritez de partager la gloire des fondateurs de la « liberté, puisque vous êtes prêts à répandre votre sang « pour elle. » Applaudissements de la gauche et des galeries, décret pour ordonner l'impression des discours du président et des enfants; probablement ils voudraient bien aller jouer, mais bon gré, mal gré, on leur accorde ou on leur fait subir les honneurs de la séance[1]. — Voilà les ficelles d'impresario et de cuistre par lesquelles on remue ici les pantins politiques; c'est ainsi que la sensibilité, une fois reconnue comme une puissance légitime, devient un instrument d'intrigue et de contrainte. Pour avoir accepté les exhibitions théâtrales, lorsqu'elles étaient sincères et sérieuses, l'Assemblée les subit, lorsqu'elles sont factices et bouffonnes. Dans ce grand banquet national qu'elle croyait conduire, et auquel, portes ouvertes, elle appelait toute la France, elle s'est d'abord enivrée d'un vin noble ; mais elle a trinqué avec la populace, et, par degrés, sous la pression de ses convives, elle est descendue jusqu'aux boissons frelatées et brûlantes, jusqu'à l'ivresse malsaine et grotesque, d'autant plus grotesque et malsaine qu'elle persiste à se prendre pour la raison.

1. Roux et Buchez, X, 118 (16 juin 1791).

II

Si du moins, dans les intervalles lucides, la raison reprenait son empire ! Mais, pour qu'elle gouverne, il faut d'abord qu'elle existe, et dans aucune Assemblée française, sauf dans les deux suivantes, il n'y a eu moins de têtes politiques. — Sans doute, à la rigueur et en cherchant bien, on pouvait en 1789 trouver dans la France cinq ou six cents hommes d'expérience : d'abord les intendants et les commandants militaires de chaque province ; ensuite les prélats administrateurs de grands diocèses, les parlementaires qui, dans le ressort de leurs cours, avaient, outre le pouvoir judiciaire, une portion du pouvoir administratif; enfin les principaux membres des assemblées provinciales, tous gens de sens et de poids, ayant manié les hommes et les affaires, presque tous humains, libéraux, modérés, capables de comprendre la difficulté aussi bien que la nécessité d'une grande réforme : en effet, comparée au bavardage doctrinal de l'Assemblée, leur correspondance pleine de faits, prévoyante et précise, fait le plus étrange contraste. — Mais la plupart de ces lumières restent sous le boisseau ; quelques-unes seulement arrivent à l'Assemblée ; elles y brûlent sans éclairer et bientôt elles sont soufflées par un vent d'orage. Le vieux Machault n'est point ici, ni Malesherbes; point d'anciens ministres, ni de maréchaux de France. Pas un intendant, sauf Malouet, et, par la supériorité de celui-ci, l'homme le plus judicieux de l'Assemblée, on peut juger des services qu'auraient rendus ses collègues. Sur 291 membres du clergé[1], il y a bien

1. Voir la liste imprimée des députés, avec indication de leur bailliage ou sénéchaussée, qualité, condition et profession.

48 évêques ou archevêques, et 35 abbés ou chanoines; mais, à titre de prélats largement rentés, ils excitent l'envie de leur ordre et sont des généraux sans soldats. Même spectacle dans la noblesse : la plupart, gentilshommes de province, ont été élus en opposition aux grands de la cour. D'ailleurs ni les grands de la cour, occupés par la vie mondaine, ni les gentilshommes de province, confinés dans la vie privée, n'ont la pratique des affaires publiques. Parmi eux, une petite bande, 28 magistrats et une trentaine d'officiers supérieurs, ayant commandé ou administré, ont probablement la notion du péril social; mais c'est justement pour cela qu'ils semblent arriérés et restent sans influence. — Dans le Tiers État, sur 577 membres, dix seulement ont exercé de grandes fonctions, celles d'intendant, de conseiller d'État, de receveur général, de lieutenant de police, de directeur de la monnaie, et d'autres analogues. La grosse majorité se compose d'avocats inconnus et de gens de loi d'ordre subalterne, notaires, procureurs du roi, commissaires de terrier, juges et assesseurs de présidial, baillis et lieutenants de bailliage, simple praticiens enfermés depuis leur jeunesse dans le cercle étroit d'une médiocre juridiction ou d'une routine paperassière, sans autre échappée que des promenades philosophiques à travers les espaces imaginaires sous la conduite de Rousseau et de Raynal. De cette espèce, il y en a 373, auxquels on peut ajouter 38 cultivateurs et laboureurs, 15 médecins, et, parmi les industriels, négociants, rentiers, cinquante ou soixante autres à peu près leurs égaux en préparation et en capacité politique. Il n'y a là que de la moyenne bourgeoisie, à peine cent cinquante propriétaires[1]. A ces 450 députés que leur

1. De Bouillé, 75.—Le roi disait en lisant pour la première fois la liste des députés : « Qu'aurait dit la nation, si j'eusse ainsi composé les Notables ou « mon conseil? » (Buchez et Roux, IV, 39.)

condition, leur éducation, leur instruction et leur portée d'esprit destinaient à faire de bons commis, des notables de commune, d'honorables pères de famille, et tout au plus des académiciens de province, joignez les 208 curés, leurs pareils; sur 1118 députés, cela fait 650, une majorité certaine, que viennent grossir encore une cinquantaine de nobles philosophes, sans compter les faibles qui suivent le courant et les ambitieux qui se rallient au succès. — Ainsi composée, on devine ce qu'une Chambre peut faire, et les gens du métier l'annoncent par avance[1]. « Il y a dans « l'Assemblée nationale, écrit le ministre américain, quel- « ques hommes capables : mais les meilleures têtes ne « souffrent pas que l'expérience vienne gâter leurs concep- « tions, et, par malheur, il en est un grand nombre qui, « avec beaucoup d'imagination, ont peu de connaissances, « peu de sens et de réflexion. » — Autant vaudrait prendre onze cents notables dans une province de terre ferme pour leur confier la réparation d'une vieille frégate; ils la démoliront en conscience, et celle qu'ils construiront à la place sombrera avant de sortir du port.

Si du moins ils consultaient les pilotes et les constructeurs de profession! — Il y en a plusieurs autour d'eux, et qui ne peuvent pas leur être suspects; car, pour la plupart, ils sont étrangers, nés en pays libre, impartiaux, bienveillants et de plus unanimes. Le ministre des États-Unis[2] écrit deux mois avant la convocation des États-Généraux : « Moi, un républicain, et sorti pour ainsi dire « hier de cette Assemblée qui a formé l'une des plus ré- « publicaines entre toutes les Constitutions républicaines, « je ne cesse de prêcher le respect pour le prince, la « considération pour les droits de la noblesse, la modé-

1. Morris, 31 juillet 1789.

2. Morris, 25 février 1789. — Lafayette, *Mémoires*, V, 492. Lettre de Jefferson, 14 février 1815. — Arthur Young, 27 et 29 juin 1789.

« ration, non-seulement dans le choix, mais encore dans « la poursuite du but. » — Jefferson, démocrate et radical, ne parle pas autrement. A l'époque du Serment du Jeu de Paume, il redouble d'instances pour engager Lafayette et les autres patriotes « à entrer en arrangement « avec le roi, à assurer la liberté de la presse, la liberté « religieuse, le jugement par jury, l'*habeas corpus* et une « législature nationale, *choses qu'on était certain de lui « faire adopter*, à se retirer ensuite chez eux, et à laisser « agir ces institutions sur la condition du peuple, jusqu'à « ce qu'elles le rendent capable de plus grands progrès, « avec la certitude que les occasions ne leur manqueront « pas pour lui faire obtenir davantage. » « C'était là, » dit-il, « tout ce que je croyais vos compatriotes capables de « supporter avec modération et avec utilité pour eux-« mêmes. » — Arthur Young, observateur si consciencieux de la vie rurale et peintre si sévère des anciens abus, ne peut concevoir la conduite des Communes : « Ré-« cuser la pratique, se livrer à la théorie pour établir « l'équilibre des intérêts et les garanties de la liberté « dans un royaume de vingt-cinq millions d'hommes, « me paraît être le comble de l'imprudence, la quintes-« sence de l'égarement. » Sans doute, à présent que l'Assemblée est toute-puissante, il faut espérer qu'elle sera raisonnable. « Je ne me permettrais pas un instant « de croire que les représentants puissent jamais assez « oublier leurs devoirs envers la nation française, l'hu-« manité, leur propre honneur, pour que des vues im-« praticables, des systèmes chimériques, de folles idées « d'une perfection imaginaire... détournent leurs efforts « de la voie sûre, et engagent dans les hasards des trou-« bles les bienfaits certains qu'ils ont en leur pouvoir. « Je ne concevrai jamais que des hommes, ayant sous la « main une renommée éternelle, jouent ce riche héritage « sur un coup de dés, *au risque d'être maudits comme les*

« *aventuriers les plus effrénés qui aient jamais fait honte à* « *l'humanité.* » — A mesure que leur plan se précise, les remontrances deviennent plus nettes, et tous les juges experts leur signalent l'importance des rouages qu'ils cassent de parti pris. « Comme jusqu'ici[1] ils ont toujours « durement senti l'autorité exercée sur eux au nom de « leurs princes, toute limitation de cette autorité leur « paraît désirable. Comme jusqu'ici ils n'ont jamais senti « les inconvénients d'un pouvoir exécutif trop faible, les « désordres qu'on peut craindre de l'anarchie ne leur « font encore aucune impression. » — « Ils veulent une « constitution américaine avec un roi au lieu d'un prési- « dent[2], sans réfléchir qu'ils n'ont pas de citoyens améri- « cains pour porter cette constitution.... S'ils ont le bon « sens de donner aux nobles, en tant que nobles, quelque « portion de l'autorité nationale, cette constitution libre « durera probablement. Mais autrement, elle dégéné- « rera soit en une monarchie pure, soit en une vaste « république, une démocratie. Celle-ci peut-elle durer ? « Je ne crois pas ; je suis sûr que non, à moins que la « nation entière ne soit changée. » — Un peu plus tard, lorsqu'ils renoncent à la monarchie parlementaire pour y substituer « une démocratie royale, » tout de suite on leur explique qu'une pareille institution appliquée à la France ne peut produire que l'anarchie et aboutir qu'au despotisme. « Nulle part[3] la liberté n'a été stable sans « le sacrifice de ses excès, sans une barrière à sa toute- « puissance.... Sous ce misérable gouvernement.... le peu- « ple, bientôt las des orages et livré sans défense légale à « ses séducteurs ou à ses oppresseurs, brisera le timon « ou le placera lui-même dans la main assez hardie pour

1. Morris, 1er juillet 1789.
2. Idem, 4 juillet 1789.
3. Mallet-Dupan, *Mercure*, 26 septembre 1789.

« s'en emparer. » — De mois en mois, les événements viennent accomplir les prédictions, et les prédictions s'assombrissent. « C'est un vol d'oiseaux effarés[1]; il est « difficile de dire où ils se poseront, tant ils vont à la « débandade.... Ce malheureux pays, égaré à la poursuite « de chimères métaphysiques, ne présente plus aux yeux « de l'esprit qu'une vaste ruine.... L'Assemblée, à la fois « maîtresse et esclave, extravagante dans la théorie et « novice dans la pratique, accaparant toutes les fonc- « tions et incapable d'en exercer une seule, a délivré ce « peuple farouche et féroce de tous les freins de la reli- « gion et du respect.... Un tel état de choses ne peut du- « rer.... La glorieuse occasion est perdue, et, pour cette « fois du moins, *la Révolution est manquée.* » — Par les réponses de Washington, on voit que son impression est pareille. De l'autre côté du détroit, Pitt, le plus habile praticien, Burke, le plus profond théoricien de la liberté politique, portent le même jugement. Dès la fin de 1789 Pitt prononce que « les Français ont traversé la liberté. » Dès 1790, Burke, dans un livre qui est une prophétie en même temps qu'un chef-d'œuvre, montre du doigt, au terme de la Révolution, la dictature militaire, et « le plus « absolu despotisme qui ait jamais paru sous le ciel. »

Rien n'y fait. Sauf dans le petit groupe impuissant qui entoure Malouet et Mounier, les avertissements de Morris, de Jefferson, de Romilly, de Dumont, de Mallet-Dupan, d'Arthur Young, de Pitt, de Burke, de tous les hommes qui ont l'expérience des institutions libres, sont accueillis avec indifférence ou repoussés avec dédain. — Non-seulement nos politiques nouveaux sont incapables, mais ils se croient capables, et leur insuffisance est aggravée par leur infatuation. « Je disais souvent, » écrit

1. Morris, 24 janvier 1790; 22 novembre 1790.

Dumont[1], » que, si l'on eût arrêté au hasard cent person- « nes dans les rues de Londres et cent dans les rues « de Paris, et qu'on leur eût proposé de se charger du « gouvernement, il y en aurait eu quatre-vingt-dix-neuf « qui auraient accepté à Paris et quatre-vingt-dix-neuf « qui auraient refusé à Londres.... Un Français se croit « en état de faire tête à toutes les difficultés avec un « peu d'esprit; Mirabeau se faisait rapporteur du Comité « des mines, sans avoir la plus légère teinture de cette « science. » Bref, la plupart abordent la politique à peu près « comme ce gentilhomme à qui l'on demandait « s'il savait jouer du clavecin et qui répondait : Je ne « saurais vous dire, je n'ai jamais essayé, mais je vais « voir. » « L'Assemblée avait une si haute opinion d'elle- « même, *surtout le côté gauche*, qu'elle se serait volon- « tiers chargée de faire le Code de toutes les nations.... « On n'avait jamais vu tant d'hommes s'imaginer qu'ils « étaient tous législateurs et qu'ils étaient là pour répa- « rer toutes les fautes du passé, remédier à toutes les « erreurs de l'esprit humain et assurer le bonheur des « siècles futurs. Le doute n'avait point de place en leur « esprit, et l'infaillibilité présidait toujours à leurs dé- « crets contradictoires. » — C'est qu'ils ont une théorie, et qu'à leur avis cette théorie dispense des connaissances spéciales. En cela ils sont de très-bonne foi, et c'est de parti-pris qu'ils renversent le procédé ordinaire. Jusqu'ici on construisait ou l'on réparait une Constitution comme un navire. On procédait par tâtonnements ou sur le modèle des vaisseaux voisins; on souhaitait avant tout que le bâtiment pût naviguer; on subordonnait sa structure à son service; on le faisait tel ou tel selon les matériaux dont on disposait; on commençait par examiner les matériaux; on tâchait d'estimer leur rigidité, leur

1. Dumont, 33, 58, 62.

pesanteur et leur résistance. — Tout cela est arriéré; le siècle de la raison est venu, et l'Assemblée est trop éclairée pour se traîner dans la routine. Conformément aux habitudes du temps, elle opère *par déduction*, à la manière de Rousseau, d'après une notion abstraite du droit, de l'État et du Contrat social[1]. De cette façon, et par la seule vertu de la géométrie politique, on aura le navire idéal; puisqu'il est idéal, il est sûr qu'il naviguera, et bien mieux que tous les navires empiriques. — Sur ce principe ils légifèrent, et l'on devine ce que peuvent être leurs discussions. Point de faits probants, ni d'arguments précis; on n'imaginerait jamais que les gens qui parlent sont là pour régler des affaires réelles. De discours en discours, les enfilades d'abstractions creuses se prolongent et se renouvellent à l'infini, comme dans une conférence d'écoliers de rhétorique qui s'exercent, ou dans une société de vieux lettrés qui s'amusent. Sur la question du veto, « chaque orateur vient tour à tour armé de « son cahier, lit une dissertation qui n'a aucun rapport » avec la précédente, et cela fait « une espèce de séance « académique[2], » un défilé de brochures qui recommence tous les jours pendant plusieurs jours. Sur la question des Droits de l'homme, cinquante-quatre orateurs sont inscrits : « Je me rappelle, dit Dumont, cette « longue discussion, qui dura des semaines, comme un

1. S. Romilly, *Memoirs*, I, 102. « Leur procédé constant était de *décréter d'abord le principe*, et de réserver *la rédaction de la loi* à une opé« ration subséquente. L'influence de cette méthode a été étonnante sur leurs « débats et sur leurs actes. » — *Ib.*, I, 354. Lettre de Dumont, 2 juin 1789. « Ils aiment mieux les sottises de leur choix que tous les résultats de l'ex« périence britannique. » Ils se révoltent à l'idée « d'emprunter quelque « chose à votre gouvernement, qui est ici conspué comme un des opprobres « de la raison humaine, quoique l'on convienne que vous avez deux ou « trois bonnes lois; mais il est insoutenable que vous ayez la présomption « d'avoir une Constitution. »

2. Dumont, 138, 151.

« temps d'ennui mortel : vaines disputes de mots, fatras « métaphysique, bavardage assommant; l'Assemblée « s'était convertie en école de Sorbonne, » et cela pendant que les châteaux brûlaient, que les hôtels de ville étaient saccagés, que les tribunaux n'osaient plus siéger, que le blé ne circulait plus, que la société se décomposait : de même les théologiens du Bas-Empire avec leurs disputes sur la lumière incréée du Mont-Thabor, pendant que Mahomet II battait à coups de canon les murs de Constantinople. — Sans doute les nôtres sont d'autres hommes, jeunes de cœur, sincères, enthousiastes, généreux même, et de plus appliqués, laborieux, parfois doués de talents rares. Mais ni le zèle, ni le travail, ni le talent, ne sont utiles quand ils ne sont point employés par une idée vraie : et, si on les met au service d'une idée fausse, ils font d'autant plus de mal qu'ils sont plus grands.

Vers la fin de 1789, on ne peut plus en douter, et les partis qui se sont formés ont donné la mesure de leur présomption, de leur imprévoyance, de leur incapacité e-de leur roideur. « Il y en a trois dans l'Assemblée, » écrit l'ambassadeur américain[1]. — « Le premier, celui des aris-« tocrates, comprend le haut clergé, les parlementaires « et cette portion des nobles qui voudraient former un « ordre à part. » C'est lui qui résiste aux fautes et aux folies, mais par des fautes et des folies presque égales. A l'origine, les prélats, au lieu de se concilier les curés, « les ont tenus à une distance humiliante, affectant des « distinctions, exigeant des respects, » et, dans leur propre chambre, « se cantonnant sur des bancs séparés. » D'autre part, les nobles, afin de se mieux aliéner les communes, ont débuté par les accuser « de révolte, de trahi-« son, de lèse-majesté, » et par réclamer contre elles

1. Morris, 24 janvier 1790.
2. Marmontel, XII, 265. — Ferrières, I, 48 ; II, 50, 58, 126. — Dumont, 74.

l'emploi de la force militaire. A présent que le Tiers victorieux les a reconquis et les accable de son nombre, ils redoublent de maladresse et conduisent la défense encore plus mal que l'attaque. « Dans l'Assemblée, dit l'un d'entre eux, ils n'écoutent pas, ils rient, ils parlent haut, » ils prennent à tâche d'aigrir par leur impertinence leurs adversaires et les galeries. « Ils sortent de la salle, lors« que le président pose la question, et invitent les dépu« tés de leur parti à les suivre, ou leur crient de ne point « délibérer : par cet abandon, les clubistes, devenus la « majorité, décrètent tout ce qu'ils veulent ; » c'est ainsi que la nomination des juges et des évêques est retirée au roi et attribuée au peuple. Bien mieux, après le retour de Varennes, lorsque l'Assemblée, comprenant que son œuvre n'est pas viable, voudra la rendre moins démocratique, tout le côté droit refusera de prendre part aux délibérations, et, ce qui est pis, il votera avec les révolutionnaires, pour exclure les Constituants de la Législative. Ainsi, non-seulement il s'abandonne, mais il se tue, et sa désertion finit par un suicide. — Reste un second parti, « le parti moyen[1], composé d'hommes de toute classe, « ayant des intentions droites, et partisans sincères d'un « bon gouvernement. Par malheur, ils ont pris dans les « livres l'idée qu'ils s'en font, et sont des gens admira« bles sur le papier. Mais, comme, par un fâcheux acci« dent, les hommes réels qui vivent dans le monde dif« fèrent beaucoup des hommes imaginaires qui habitent « la cervelle des philosophes, on ne doit pas s'étonner si « les systèmes politiques puisés dans un livre ne sont « bons qu'à être reversés dans un autre livre. » De tels esprits sont la proie naturelle des utopistes ; faute de lest expérimental, ils sont emportés par la pure logique

1. Morris, 24 janvier 1790. — Selon Ferrières, ce parti comprend environ trois cents membres.

et vont grossir le troupeau des théoriciens. — Ceux-ci font le troisième parti qu'on nomme « les enragés, » et qui, au bout de six mois, se trouve « le plus nom- « breux de tous. » « Il se compose, dit Morris, de ces « individus qu'en Amérique on appelle gens de chicane, « outre une foule de curés, et de beaucoup de ces hom- « mes qui, dans toutes les révolutions, affluent autour « de la bannière de l'innovation, parce qu'ils se trouvent « mal où ils sont. Ce dernier parti est en alliance étroite « avec la populace, ce qui lui donne une grande auto- « rité, et il a déjà disloqué tout. » De son côté sont toutes les passions fortes, non-seulement l'irritation du peuple tourmenté par la misère et par le soupçon, non-seulement l'amour-propre et l'ambition du bourgeois révolté contre l'ancien régime, mais encore les rancunes invétérées et les convictions méditées de tant de consciences souffrantes et de tant de raisons factieuses, protestants, jansénistes, économistes, philosophes qui, comme Fréteau, Rabaut Saint-Étienne, Volney, Sieyès, couvent un long amas de ressentiments ou d'espérances, et n'attendent qu'une occasion pour imposer leur système avec toute l'intolérance du dogmatisme ou de la foi. Pour de tels esprits, le passé est non avenu; l'exemple n'a point d'autorité; les choses réelles ne comptent pas; ils vivent dans leur utopie. Sieyès, le plus considéré de tous, juge que « toute la Constitution de l'Angleterre est un charla- « tanisme fait pour en imposer au peuple[1]; il regarde « les Anglais comme des enfants en matière de constitu- « tion, et se croit en état d'en donner une beaucoup « meilleure à la France. » Dumont, qui voit les premiers comités chez Brissot et chez Clavières, en sort avec autant d'inquiétude que de « dégoût. » « Impossible, dit-il, « de peindre la confusion des idées, le déréglement des

1. Dumont, 62, 33, 58.

« imaginations, le burlesque des notions populaires : on « aurait cru voir le monde au lendemain de la création. » En effet, ils supposent que la société humaine n'existe pas et qu'ils sont chargés de la faire : de même les ambassadeurs « de peuplades ennemies et divisées d'inté« rêts, qui voudraient se mettre à régler leur sort comme « si rien d'antérieur n'avait existé. « — Nulle hésitation : ils sont persuadés que la chose est facile et qu'avec deux ou trois axiomes de philosophie politique le premier venu peut en venir à bout. Dans une assemblée de gens expérimentés, une pareille outrecuidance serait ridicule ; dans cette assemblée de novices, elle est une force. Un troupeau désorienté suit ceux qui se mettent en avant ; ce sont les plus déraisonnables, mais ce sont les plus affirmatifs, et, dans la Chambre comme dans la nation, les casse-cou deviennent les conducteurs.

III

Deux avantages leur donnent l'ascendant, et ces avantages sont si grands que désormais ceux qui les auront seront toujours les maîtres. — En premier lieu, le parti révolutionnaire a pour lui la théorie régnante, et seul il est décidé à l'appliquer jusqu'au bout. Il est donc seul conséquent et populaire, en face d'adversaires impopulaires et inconséquents. En effet, presque tous ceux-ci, défenseurs de l'ancien régime ou partisans de la monarchie limitée, sont imbus comme lui de principes abstraits et de politique spéculative. Les nobles les plus récalcitrants ont revendiqué dans leurs cahiers les droits de l'homme, et Mounier, le principal adversaire des démagogues, conduisait les communes lorsqu'elles se sont déclarées Assemblée nationale[1]. Cela suffit, ils sont engagés dans le défilé étroit qui aboutit aux précipices. Au commencement, ils ne s'en doutaient pas; mais un pas entraîne l'autre; bon gré, mal gré, ils avancent ou sont poussés. Quand ils voient l'abîme, il est trop tard; ils y sont acculés par leurs propres concessions et par la logique; ils ne peuvent que s'exclamer, s'indigner; ayant lâché leur point d'appui, ils ne trouvent plus de point d'arrêt. — Il y a dans les idées générales une puissance terrible, surtout lorsqu'elles sont simples et font appel à la passion. Rien de plus simple que celles-ci, puisqu'elles se réduisent à l'axiome qui pose les droits de l'homme et y subordonne toutes les institutions anciennes ou nouvelles. Rien de plus propre à enflammer les cœurs, puisque la doctrine enrôle tout l'orgueil humain à son service, et consacre, sous le nom de justice, tous les besoins d'indépendance et de domination. Considérez les trois quarts des députés, esprits neufs et prévenus, sans autre information que quelques formules de la philosophie courante, sans autre fil conducteur que la logique pure, livrés aux déclamations des avocats, aux vociférations des gazettes, aux suggestions de leur amour-propre, aux cent mille voix qui de tous côtés, à la barre de l'Assemblée, à la tribune, dans les clubs, dans la rue, dans leur propre cœur, leur répètent unanimement et tous les jours la même flatterie : « Vous « êtes souverains et tout-puissants. En vous seul réside « le droit. Le Roi n'est là que pour exécuter vos volon- « tés. Tout ordre, corporation, pouvoir, association ci- « vile ou ecclésiastique, est illégitime et nulle, dès que « vous l'avez déclarée telle ; vous pourriez même changer

1. De Lavergne, *Les assemblées provinciales*, 384. Délibération des États du Dauphiné, rédigée par Mounier et signée par deux cents gentilshommes (juillet 1788) : « Les droits des hommes dérivent de la nature seule et sont « indépendants de leurs conventions. »

« la religion. Vous êtes les pères de la patrie. Vous avez « sauvé la France, vous régénérez l'espèce humaine. Le « monde entier vous admire ; achevez votre glorieux ou- « vrage, allez plus loin et tous les jours plus loin. » Contre ce flot de séductions et de sollicitations, un bon sens supérieur et des convictions enracinées peuvent seuls tenir ferme; mais les hommes ordinaires et indécis sont entraînés. Dans le concert des acclamations qui s'élèvent, ils n'entendent pas le fracas des ruines qu'ils font. A tout le moins, ils se bouchent les oreilles, ils se dérobent aux cris des opprimés ; ils refusent d'admettre que leur œuvre ait pu être malfaisante, ils acceptent les sophismes et les mensonges qui la justifient ; ils souffrent que, pour excuser les assassins, on calomnie les assassinés ; ils écoutent Merlin de Douai qui, après trois ou quatre jacqueries, lorsque dans toutes les provinces on pille, on incendie et on tue, vient déclarer, au nom du comité de féodalité[1], « qu'il faut présenter au peuple une « loi dont la justice force au silence l'égoïste feudataire « qui, depuis six mois, crie si indécemment à la spolia- « tion, et dont la sagesse puisse ramener à son devoir le « colon que le ressentiment d'une longue oppression a pu « égarer un moment. » — Et si un jour, à la fin de leur session, le patriarche survivant du parti philosophique, Raynal, porte par surprise la vérité jusqu'à leur tribune, ils s'indignent de sa sincérité comme d'un attentat, ils ne l'excusent qu'à titre d'imbécile. Un législateur om nipotent ne peut pas se déjuger ; il est condamné, comme un roi, à l'admiration publique de soi-même. « Il n'y avait « point parmi nous, dit un témoin, trente députés qui « pensassent autrement que Raynal, » mais, « en présence « les uns des autres, l'honneur de la Révolution, la per- « spective de ses avantages était un point de dogme au-

1. Rapport de Merlin de Douai, 8 février 1790, p. 2. — Malouet, II, 51.

« quel il fallait croire; » et, contre leur raison, contre leur conscience, les modérés, captifs dans le réseau de leurs propres actes, se joignent aux révolutionnaires pour achever la Révolution.

S'ils refusaient, ils seraient contraints. Car, pour s'emparer du pouvoir, l'Assemblée a dès l'abord toléré ou sollicité les coups de main de la rue. Mais, en prenant les émeutiers pour alliés, elle se les est donnés pour maîtres, et désormais, à Paris comme en province, la force illégale et brutale est le principal pouvoir de l'État. « On avait « triomphé par le peuple; il n'y avait pas moyen de se « montrer sévère avec lui[1]; » c'est pourquoi, « quand il « s'agissait de réprimer les insurrections, l'Assemblée « était sans cœur et sans force. » — « On blâme par dé- « cence, on ménage par politique, » et, par un juste retour, on subit soi-même la pression que l'on autorise contre autrui. Trois ou quatre fois seulement, quand la sédition devient trop insolente, après le meurtre du boulanger François, dans l'insurrection des Suisses à Nancy, dans l'émeute du Champ de Mars, la majorité, qui se sent elle-même menacée, vote ou applique la loi martiale, et repousse la force par la force. Mais ordinairement, quand le despotisme populaire ne s'exerce que sur la minorité royaliste, elle laisse opprimer ses adversaires et ne se croit pas atteinte par les violences qui assaillent le côté droit : ce sont des ennemis, on peut les livrer aux bêtes. Là-dessus, le côté gauche a pris ses dispositions; son fanatisme n'a pas de scrupules; il s'agit des principes, de la vérité absolue; à tout prix, il faut qu'elle triomphe. D'ailleurs peut-on hésiter à recourir au peuple dans la cause du peuple? Un peu de contrainte aidera le bon droit; c'est pourquoi, tous les jours, le siége de l'Assemblée recommence. Déjà, avant le 6 octobre, on le faisait à

1. Dumont, 133. — De Montlosier, I, 355, 361.

Versailles ; à présent, à Paris, il continue plus vif et moins déguisé.

Au commencement de 1790[1], la bande soudoyée comprend 750 hommes effectifs, déserteurs pour la plupart ou soldats chassés de leur régiment, payés d'abord cinq francs, puis quarante sous par jour. Leur office est de faire ou soutenir des motions dans les cafés et dans les rues, de se mêler aux spectateurs dans les séances des sections, dans les groupes du Palais-Royal, surtout dans les galeries de l'Assemblée nationale, et d'y huer ou applaudir sur un signal. Leur chef est un chevalier de Saint-Louis auquel ils jurent obéissance et qui prend les ordres du comité des Jacobins. A l'Assemblée, son principal lieutenant est un M. Saule, « gros petit vieux « tout rabougri, jadis tapissier, puis colporteur-charla« tan de boîtes de quatre sous garnies de graisse de pendu, « pour guérir les maux de reins, toute sa vie ivrogne... « qui, par le moyen d'une voix assez perçante et toujours « bien humectée, s'est acquis quelque réputation dans les « tribunes de l'Assemblée. » A la vérité, il a friponné sur les billets d'entrée ; on l'a chassé ; il a dû reprendre « la « boîte d'onguents et voyager un ou deux mois en pro« vince avec un compagnon, homme de lettres. » Mais au

1. Bertrand de Molleville, II, 221. (D'après un rapport de police judiciaire.) — Schmidt, *Tableaux de la Révolution*, I, 215. (Rapport de l'agent Dutard, 13 mai 1793.) — Lacretelle, *Dix ans d'épreuves*, p. 35. « C'était vers minuit, « et sous les pluies, les frimas, les neiges et un froid piquant, que nous « allions près de l'église des Feuillants retenir des places pour les tribunes « de l'Assemblée que nous ne devions occuper qu'à midi le jour suivant. « Il fallait de plus les disputer à une foule qu'animaient des passions et « même des intérêts fort différents des nôtres. Car nous ne tardâmes pas à « nous apercevoir qu'une grande partie des tribunes était salariée et que les « scènes cruelles qui faisaient notre désolation faisaient leur joie. Je ne puis « dire quelle était mon horreur, lorsque j'entendais ces femmes, que depuis « l'on a appelées *tricoteuses*, savourer les doctrines déjà homicides de Ro« bespierre, se délecter de sa voix aigre, et couver des yeux sa laide figure, « type vivant de l'envie. » (Premiers mois de 1790.)

retour, « par la protection d'un palefrenier de la Cour, il « a obtenu un emplacement pour établir un café contre « le mur du jardin des Tuileries, presque à côté de l'As- « semblée nationale, » et maintenant, c'est chez lui, dans son café, à son bureau, que les gagistes des tribunes « viennent apprendre ce qu'ils ont à dire et quel est l'or- « dre du jour pour les applaudissements. » D'ailleurs il donne de sa personne; « c'est lui qui pendant trois ans « réglera l'esprit public dans la tribune confiée à ses « soins, et, pour ses bons et agréables services, l'Assem- « blée constituante lui décernera une récompense, » à laquelle l'Assemblée législative ajoutera « six cents livres « de pension, outre un logement dans l'appartement des « Feuillants. »

Ainsi payés, on devine comment des gens de cette espèce font leur besogne. Du haut des tribunes[1], ils étouffent par la force de leurs poumons les réclamations de la droite : tel décret, par exemple, l'abolition des titres de noblesse, est emporté « non par des cris, mais par « d'horribles hurlements[2]. » A la nouvelle que l'hôtel de Castries vient d'être saccagé par la populace, ils applaudissent. Lorsqu'il s'agit de décider si la religion catholique sera dominante, ils « crient qu'il faut pendre tous « les aristocrates et qu'alors tout ira bien. » Tous leurs attentats, non-seulement restent impunis, mais encore sont encouragés : tel noble qui se plaint de leurs huées

1. *Moniteur*, V, 237 (26 juillet 1790); V, 594 (8 septembre 1790); V, 631 (12 septembre 1790). — VI, 310 (6 octobre 1790). (Lettre de l'abbé Peretti.)

2. De Ferrières, II, 75. — *Moniteur*, VI, 373, 374 (6 septembre 1790). — M. de Virieu. « Il faut réprimer ceux qui par des applaudissements ou par « des huées insultent quelques-uns de vos membres et gênent la liberté des « débats. Sont-ce trois cents spectateurs qui doivent être nos juges, ou bien « la nation? » — M. Chasset, président : « Monsieur l'opinant, je vous rap- « pelle à l'ordre. Vous parlez de gêne des suffrages; il n'y en a jamais eu « dans cette Assemblée. »

est rappelé à l'ordre, et leur intervention, leurs vociférations, leurs insultes, leurs menaces, sont désormais introduites comme un rouage régulier dans l'opération législative.—Aux abords de la salle, leur pression est encore pire[1]. A plusieurs reprises, l'Assemblée est obligée de doubler sa garde. Le 27 septembre 1790, il y a quarante mille hommes autour d'elle pour lui extorquer le renvoi des ministres, et, sous ses fenêtres, on fait « des motions « d'assassinat. » Le 4 janvier 1791, pendant que, sur l'appel nominal, les députés ecclésiastiques montent tour à tour à la tribune pour prêter ou refuser le serment à la Constitution civile du clergé, une clameur furieuse s'élève dans les Tuileries et perce jusque dans la salle : « A la lanterne ceux qui refuseront ! » Le 27 septembre 1790, M. Dupont, économiste, ayant fait un discours contre les assignats, est entouré au sortir de la séance, hué, bousculé, poussé contre le bassin des Tuileries : on l'y jetait, quand la garde le délivra. Le 21 juin 1790, M. de Cazalès manque « d'être déchiré et mis en pièces par le « peuple[2]. » A vingt reprises, dans les rues, au café, les députés du côté droit sont menacés du geste ; on expose en public des figures qui les représentent la corde au cou. Plusieurs fois l'abbé Maury est sur le point d'être pendu ; une fois, il se sauve en présentant des pistolets ; une au-

1. Sauzay, I, 140. Lettre de M. Lompré, député libéral, à M. Séguin, chanoine (vers le 2 novembre 1789) : « Le service devient tous les jours plus « difficile ; nous sommes devenus l'objet des fureurs du peuple, et, lorsqu'il « n'y a plus eu d'autre ressource pour éviter la tempête que de nous défaire « des possessions du clergé, nous avons cédé à la force. La nécessité était « devenue pressante, et j'aurais été fâché que vous fussiez encore ici et « exposé conséquemment aux outrages et aux violences dont j'ai été plu- « sieurs fois menacé. »

2. *Mercure de France*, nos du 15 janvier 1791, du 2 octobre 1790, du 14 mai 1791. — Roux et Buchez, V, 343 (13 avril 1790) ; VII, 76 (2 septembre 1790) ; X, 225 (21 juin 1791). — De Montlosier, I, 357. — *Moniteur*, IV, 427.

tre fois, le vicomte de Mirabeau est obligé de mettre l'épée à la main. M. de Clermont-Tonnerre, ayant voté contre la réunion du Comtat à la France, est assailli dans le Palais-Royal à coups de chaises et de bâtons, poursuivi jusque chez le suisse, puis jusque dans son hôtel : la foule hurlante en brise les portes et n'est repoussée qu'à grand'peine. — Impossible aux membres du côté droit de s'assembler entre eux : ils sont « lapidés » dans l'église des Capucins, puis dans le salon Français de la rue Royale; pour comble, un arrêt des nouveaux juges ferme leur salle et les punit des violences qu'ils subissent[1]. Bref, ils sont à la discrétion de la foule, et l'homme le plus modéré, le plus libéral, le plus ferme de cœur et d'esprit, Malouet, déclare qu'en « allant à l'Assemblée il « oubliait rarement d'emporter ses pistolets[2]. » « Depuis « deux ans, dit-il, après l'évasion du roi, nous n'avions pas « joui d'un instant de liberté et de sécurité. » — « Quand « vous allez dans un établissement de boucherie, » écrit un autre député, « vous pouvez trouver à l'entrée une « provision d'animaux qu'on laisse vivre encore quelque « temps, jusqu'à ce que l'heure soit venue de les dé- « truire. Telle était, chaque fois que j'entrais à l'Assem- « blée nationale, l'impression que me faisait cet ensem- « ble de nobles, d'évêques et de parlementaires qui rem- « plissaient le côté droit, et que les exécuteurs du côté « gauche laissaient respirer encore quelque temps. » Outragés et violentés jusque sur leurs bancs, « placés « entre les périls du dedans et ceux du dehors[3], entre les « hostilités des galeries » et celle des aboyeurs de l'entrée, « entre les insultes personnelles et l'abbaye de Saint-

1. Archives de la Préfecture de police, exposé par le Comité du district de Saint-Roch, et jugement du Tribunal de police, 15 mai 1790.

2. Malouet, II, 68. — De Montlosier, II, 257, 217 (Discours de M. Lavie, 18 septembre 1791).

3. *Mercure*, 1er octobre 1791 (Article de Mallet-Dupan).

« Germain, entre les éclats de rire qui célèbrent l'incen- « die de leurs châteaux et les clameurs qui, trente fois « dans le quart d'heure, brisent leur opinion, » livrés et dénoncés « aux dix mille cerbères » du journalisme et de la rue qui les poursuivent de leurs hurlements et qui « les couvrent de leur bave, » tout moyen est bon pour terrasser leur résistance, et, à la fin de la session, en pleine Assemblée, on leur promet de « les recommander « aux départements, » c'est-à-dire d'ameuter à leur retour, chez eux et contre eux, la jacquerie permanente de la province. — De tels procédés parlementaires, employés sans interruption et pendant vingt-neuf mois, finissent par faire leur effet. Beaucoup de faibles sont entraînés[1] : même sur des caractères bien trempés, la crainte a des prises ; tel qui marcherait au feu le front haut frémit à l'idée d'être traîné dans le ruisseau par la canaille ; toujours, sur des nerfs un peu délicats, la brutalité populaire exerce un ascendant physique. Le 12 juillet 1791[2], l'appel nominal décrété contre les absents montre que cent trente-deux députés ne siégent plus. Onze jours auparavant, parmi ceux qui siégent encore, deux cent soixante-dix ont déclaré qu'ils ne prendraient plus part aux délibérations. Ainsi, avant l'achèvement de la Constitution, toute l'opposition, plus de quatre cents membres, plus d'un tiers de l'Assemblée est réduit à la fuite ou au silence. A force d'oppression, le parti révolutionnaire s'est débarrassé de toute résistance, et la violence, qui lui a donné l'empire dans la rue, lui donne l'empire dans le Parlement.

1. Malouet, II, 66. « Il n'y avait que ceu qui ne s'effrayaient ni des injures, « ni des menaces, ni des voies de fait, qui pouvaient se montrer opposants. »
2. Roux et Buchez, X, 432, 465.

IV

Ordinairement, dans une assemblée toute-puissante, quand un parti prend l'ascendant et groupe autour de lui la majorité, il fournit le ministère, et cela suffit pour lui donner ou lui rendre quelque lueur de bon sens. Car ses conducteurs, ayant en main le gouvernement, en deviennent responsables, et, lorsqu'ils proposent ou acceptent une loi, ils sont obligés d'en prévoir l'effet. Rarement un ministre de la guerre ou de la marine acceptera un code militaire qui établira la désobéissance permanente dans l'armée ou dans la flotte. Rarement un ministre des finances proposera des dépenses auxquelles les recettes ne peuvent suffire, ou un système de perception par lequel l'impôt ne rentrera pas. Placés au centre des informations, avertis jour par jour et en détail, entourés de conseillers experts et de commis spéciaux, les chefs de la majorité, qui deviennent ainsi les chefs de l'administration, passent tout de suite de la théorie à la pratique, et il faut que les fumées de la politique spéculative soient bien épaisses dans leur cervelle, pour en exclure les lumières multipliées que l'expérience y darde à chaque instant. Mettez le théoricien le plus décidé à la barre d'un navire : quelle que soit la roideur de ses principes ou de ses préjugés, jamais, s'il n'est aveugle ou contraint par des aveugles, il ne s'obstinera à gouverner toujours à gauche ou toujours à droite. Effectivement, après le voyage de Varennes, lorsque l'Assemblée, maîtresse du pouvoir exécutif, commandera directement aux ministres, elle reconnaîtra elle-même que sa machine constitutionnelle ne fonctionne que pour détruire, et ce sont les principaux révolutionnaires, Barnave, Duport, les Lameth,

Chapelier, Thouret[1], qui entreprendront d'en corriger le mécanisme pour en modérer les chocs. Mais cette source d'instruction et de raison à laquelle ils viendront puiser un instant, malgré eux et trop tard, ils se la sont fermée dès l'origine. Le 6 novembre 1789, par respect des principes et par crainte de la corruption, l'Assemblée a déclaré qu'aucun de ses membres ne pourrait devenir ministre. La voilà privée de tous les enseignements que fournit le maniement direct des choses, livrée sans contrepoids à tous les entraînements de la théorie, réduite par son propre arrêt à n'être qu'une académie de législation.

Bien pis, et par un autre effet de la même faute, elle s'est condamnée aux transes perpétuelles. Car, ayant laissé entre des mains tièdes ou suspectes ce pouvoir qu'elle n'a pas voulu prendre, elle est toujours inquiète, et ses décrets portent l'empreinte uniforme, non-seulement de l'ignorance volontaire où elle se confine, mais encore des craintes exagérées ou chimériques dans lesquelles elle vit. — Imaginez dans un navire une société d'avocats, littérateurs et autres passagers, qui, soutenus par une insurrection de l'équipage mal nourri, se sont arrogé l'autorité suprême, mais refusent de choisir parmi eux le pilote et l'officier de quart. L'ancien capitaine continue à les désigner; par pudeur et comme il est bon homme, on lui a laissé son titre, et on le garde pour transmettre les ordres. Tant pis pour lui quand ces ordres sont absurdes; s'il y résiste, une nouvelle émeute lui arrache son consentement, et, même quand ils sont inexécutables, il répond de leur exécution. Cependant, dans une chambre de l'entrepont, loin du gouvernail et de la boussole, notre club d'amateurs disserte sur l'équilibre des corps flottants, décrète un système nouveau de navi-

1. Malouet, II, 153.

gation, fait jeter tout le lest, déployer toutes les voiles, et s'étonne de voir le navire tomber sur le flanc. Évidemment l'officier de quart et le pilote ont mal fait la manœuvre. On les renvoie, d'autres les remplacent, et le navire, qui penche toujours davantage, commence à faire eau de toutes parts. Pour le coup, c'est la faute du capitaine et de l'ancien état-major; à tout le moins ils manquent de bonne volonté ; un si beau système de navigation devait réussir tout seul ; s'il échoue, c'est qu'on y met obstacle. Bien certainement, parmi ces gens de l'ancien régime, il y a des traîtres qui aiment mieux tout abîmer que se soumettre ; ce sont des ennemis publics et des monstres; il faut les désarmer, les surveiller, les saisir et les punir. — Tel est le raisonnement de l'Assemblée. Évidemment, pour la rassurer, il eût suffi que le ministre de l'intérieur désigné par elle fît venir tous les matins à son hôtel le lieutenant de police nommé par lui. Mais, par son propre décret, elle s'est privée de cette ressource si simple, et n'a d'autre expédient que d'instituer un comité de recherches, pour découvrir les crimes « de lèse-nation[1] ; » rien de plus vague qu'un tel mot, rien de plus malfaisant qu'une institution pareille. — Renouvelé tous les mois, dépourvu d'agents spéciaux, composé de députés crédules et novices, ce comité, qui doit faire l'office d'un Lenoir ou d'un Fouché, supplée à son incapacité par sa violence, et ses procédés sont déjà ceux de l'inquisition jacobine[2]. Alarmiste et soupçonneux, il provoque à la délation, et, faute de trouver des complots, il en invente. Pour lui les velléités sont des actes, et les projets flottants deviennent

1. Décrets des 23 et 28 juillet 1789. — Archives Nationales, Papiers du Comité des recherches, passim. — Entre autres affaires, voir celle de Mme de Persan (*Moniteur*, V, 611, séance du 9 septembre 1790), et celle de Malouet (*Mémoires*, II, 12).

2. Roux et Buchez, IV, 56 (Rapport de Garan de Coulon); IV, 49 (Arrêté du Comité des recherches, 28 décembre 1789).

des attentats commis. Sur la dénonciation d'un domestique qui a écouté aux portes, sur les commérages d'une blanchisseuse qui a ramassé un papier dans la poche d'un peignoir, sur une lettre interprétée à faux, sur des indices vagues qu'il complète et relie à force d'imagination, il forge un coup d'État, il fait des interrogatoires, des visites domiciliaires, des descentes nocturnes, des arrestations[1], il exagère, noircit, et vient en séance publique dénoncer le tout à l'Assemblée nationale. C'est d'abord le complot de la noblesse bretonne pour livrer Brest aux Anglais[2], puis le complot des brigands soldés pour détruire les moissons, puis le complot du 14 juillet pour brûler Paris, puis le complot de Favras pour tuer Lafayette, Necker et Bailly, puis le complot d'Augeard pour enlever le roi, puis d'autres, de semaine en semaine, sans compter ceux qui pullulent dans la cervelle des journalistes et que Desmoulins, Fréron, Marat, révèlent à coups de trompette dans chacun de leurs numéros. « Toutes ces alar« mes se crient tous les jours dans les rues, comme les « choux et les navets, et le bon peuple de Paris les res« pire avec l'air méphitique de nos boues. [3] » Or, par ce côté comme par beaucoup d'autres, l'Assemblée est peuple ; persuadée qu'elle est en danger, elle fait ses lois

1. Arrestations de M. de Riolles, de M. de Bussy, etc., de Mme de Jumilhac, de deux autres dames, l'une à Bar-le-Duc, l'autre à Nancy, etc.

2. Séance du 28 juillet 1789, discours de Duport et Rewbell, etc. — *Mercure*, n° du 1er janvier 1791 (Article de Mallet-Dupan). — Roux et Buchez, V, 146. « Voilà cinq ou six conspirations successives, celle des sacs de farine, celle des sacs d'argent, etc. » (Article de Camille Desmoulins.)

3. *Archives de la préfecture de police.* Extrait des registres des délibérations du comité général du district de Saint-Roch, 10 octobre 1789. — « Arrêté de prier MM. de la commune de s'occuper avec toute la prudence, « toute l'activité et toute la force dont ils sont capables, à découvrir, à « dévoiler, à publier les complots horribles et les trahisons infernales « qu'on ne cesse de méditer contre les habitants de la capitale, de dé« noncer au public tous les auteurs, fauteurs et adhérents de sembla« bles complots, de quelque rang qu'ils puissent être, de s'assurer de leurs

comme il fait ses insurrections, et se garantit à coups de décrets, comme il se garantit à coups de piques[1]. Faute d'avoir mis la main sur le ressort moteur qui lui permettrait de diriger la machine, elle se défie de tous les rouages anciens et de tous les rouages nouveaux. Les anciens lui semblent un obstacle, et, au lieu de les utiliser, elle les brise un à un, parlements, états provinciaux, ordres religieux, église, noblesse et royauté. Les nouveaux lui sont suspects, et, au lieu de les accorder, elle les déconcerte d'avance, pouvoir exécutif, pouvoirs administratifs, pouvoirs judiciaires, police, gendarmerie, armée[2]. Grâce à ces précautions, aucun d'eux ne pourra être retourné contre elle ; mais aussi, grâce à ces précautions, aucun d'eux ne pourra faire son office. — Pour bâtir comme pour détruire, elle a eu deux mauvaises conseillères, d'une part la peur, d'autre part la théorie ; et, sur les ruines de la vieille machine qu'elle a démolie sans discernement, la machine nouvelle qu'elle a construite sans prévoyance ne marchera que pour s'effondrer.

« personnes, de poursuivre leur punition avec toute la rigueur que méri- « tent de semblables attentats. » — Tous les jours le commandant du bataillon et les capitaines du district viendront au comité pour se concerter avec lui. — « Tant que dureront les alarmes, le premier étage de chaque « maison sera éclairé par des lampions pendant la nuit, et tous les ci- « toyens du district seront invités à être rentrés chez eux au plus tard à « 10 heures du soir, à moins qu'ils ne soient de service.... Tous les citoyens « seront invités à faire part de tout ce qu'ils pourront apprendre ou décou- « vrir relativement aux complots abominables qui se trament sourdement « dans la capitale. »

1. Lettre de M. de Guillermy, 31 juillet 1790 (*Actes des Apôtres*, V, 56). « Pendant ces deux nuits (13 et 14 juillet 1789) que nous demeurâmes assem- « blés, j'ai entendu un député essayer de faire accroire que le corps d'artil- « lerie avait reçu ordre de pointer ses canons contre notre salle ; un autre, « qu'elle était minée et qu'on allait la faire sauter ; un autre fut jusqu'à pré- « tendre qu'il avait senti l'odeur de la poudre ; à quoi M. le comte de Virieu « répondit que la poudre n'avait d'odeur que lorsqu'elle était brûlée. »

2. Dumont, 351. « Chaque loi constitutionnelle était un triomphe de « parti. »

CHAPITRE II.

Les destructions. — I. Deux vices principaux dans l'ancien régime. — Deux réformes principales. — Elles sont proposées par le roi et par les privilégiés. — Elles suffisent aux besoins réels. — Plus étendues, elles cesseraient d'être praticables. — II. Nature des sociétés et principe des constitutions viables. — III. Les ordres dans un État. — Aptitude politique de l'aristocratie. — Ses dispositions en 1789. — Service spécial qu'elle pouvait rendre. — Principe de l'Assemblée sur l'égalité originelle. — Rejet d'une Chambre haute. — Droits féodaux de l'aristocratie. — Jusqu'à quel point et pourquoi ils étaient respectables. — Comment on devait les transformer. — Principe de l'Assemblée sur la liberté originelle. — Distinction qu'elle établit dans la créance féodale. — Comment son principe est interprété. — Lacunes de sa loi. — Difficultés du rachat. — Abolition effective de toute la créance féodale. — Abolition des titres et noms de terre. — Préjugé croissant contre l'aristocratie. — Persécutions qu'elle subit. — L'émigration. — IV. Les corps dans un État. — Abus et tiédeur en 1789 dans les corps ecclésiastiques. — Comment l'État y exerçait son droit de surveillance et de réforme. — Utilité sociale des corps. — Portion saine dans l'institut monastique. — Zèle et services des religieuses. — Comment on devait employer les biens ecclésiastiques. — Principe de l'Assemblée sur les sociétés particulières et la mainmorte. — Abolition et expropriation de tous les corps. — Suppression gratuite de la dîme. — Confiscation des biens ecclésiastiques. — Conséquences pour le Trésor et pour les services expropriés. — La constitution civile du clergé. — Droits de l'Église en face de l'État. — Certitude et conséquences d'un conflit. — Les prêtres considérés comme des fonctionnaires de l'État. — Principales dispositions de la loi. — Obligation du serment. — La majorité des prêtres le refuse. — La majorité des fidèles est pour eux. — Persécution des prêtres et des fidèles.

I

Il y avait, dans la structure de l'ancienne société, deux vices fondamentaux qui appelaient deux réformes principales[1]. En premier lieu, les privilégiés ayant cessé de rendre les services dont leurs avantages étaient le salaire, leur privilége n'était plus qu'une charge gratuite mise sur une partie de la nation au profit de l'autre : il fallait donc le supprimer. En second lieu, le gouvernement, étant absolu, usait de la chose publique comme de sa chose privée, avec arbitraire et gaspillage : il fallait donc lui imposer un contrôle efficace et régulier. Rendre tous les citoyens égaux devant l'impôt, remettre la bourse des contribuables aux mains de leurs représentants, telle était la double opération qu'il fallait exécuter en 1789, et les privilégiés comme le roi s'y prêtaient sans résistance. — Non-seulement, là-dessus, les cahiers de la noblesse et du clergé étaient unanimes, mais encore, par sa déclaration du 23 juin 1789, le monarque lui-même décrétait les deux articles. — Désormais tout impôt ou emprunt subordonné au consentement des États Généraux ; ce consentement renouvelé à chaque tenue nouvelle des États ; le budget publié chaque année, discuté, fixé, distribué, voté et vérifié par les États ; nul arbitraire dans sa répartition ni dans son emploi ; des allocations distinctes pour tous les services distincts, y compris la maison du roi ; dans chaque province ou généralité, une assemblée provinciale élue, composée pour la moitié d'ecclésiastiques et de nobles et pour l'autre moitié de membres du Tiers, répartissant les taxes générales, gérant les affaires locales, décrétant et dirigeant les travaux publics, administrant les hôpitaux, les prisons, les dépôts de mendicité, et se prolongeant, dans l'intervalle de ses sessions, par une commission intermédiaire qu'elle choisira elle-même : voilà, outre le contrôle principal au centre, trente contrôles secondaires aux extrémités. — Plus d'exemption ni de distinction en fait d'impôt ; aboli-

1. Cf. *L'Aneicn régime*, liv. I et V.

tion de la corvée pour les chemins ; abolition du droit de franc-fief imposé aux roturiers ; abolition, moyennant indemnité, des droits de mainmorte ; abolition des douanes intérieures ; réduction des capitaineries ; adoucissement de la gabelle et des aides ; transformation de la justice civile trop coûteuse pour les pauvres, et de la justice criminelle trop dure pour les petits : voilà, outre la réforme principale qui est le nivellement de l'impôt, le commencement et l'amorce de l'opération plus complète qui supprimera les dernières entraves féodales. D'ailleurs, six semaines plus tard, le 4 août, les privilégiés, dans un élan de générosité, viendront eux-mêmes les rompre ou les dénouer toutes. — Ainsi la double réforme ne rencontrait point d'obstacles, et, comme Arthur Young le disait à ses amis, « il suffisait, pour l'adopter, « d'un tour de scrutin[1]. »

C'était assez, car, par là, tous les besoins réels étaient satisfaits. — D'un côté, par l'abolition des priviléges en fait d'impôt, la charge du paysan et en général du petit contribuable était diminuée de moitié et peut-être des deux tiers ; au lieu de payer 53 francs sur 100 francs de revenu net, il n'en payait plus que 25 ou même 16[2] : allégement énorme, qui, avec le remaniement proposé des aides et des gabelles, changeait sa condition du tout

1. Arthur Young, I, 209, 223. « Si les communes refusent obstinément ce « qui leur est proposé, elles exposent d'immenses bienfaits assurés aux ha- « sards de la fortune qui peut-être les fera maudire par la postérité, au lieu « de faire bénir leur mémoire comme celle de vrais patriotes qui n'avaient « en vue que le bonheur de leur pays. »

2. D'après les évaluations de l'Assemblée constituante, la contribution foncière devait produire 240 millions, et prélever 1/5e du revenu net, estimé 1200 millions pour toute la France. En outre la contribution mobilière, qui remplaçait la capitation, devait produire 60 millions. Total pour l'impôt direct, 300 millions, ou 1/4, c'est-à-dire 25 pour 100, du revenu net. — Si l'on eût maintenu l'impôt direct au chiffre de l'ancien régime (190 millions, d'après le rapport de Necker au mois de mai 1789), cet impôt n'eût prélevé que 1/6e du revenu net, ou 16 pour 100.

au tout. Ajoutez-y le rachat graduel des droits ecclésiastiques et féodaux : au bout de vingt ans, le paysan, déjà propriétaire d'un cinquième du sol, arrivait, sans les violences de la Révolution, au degré d'indépendance et de bien-être qu'à travers la Révolution il a conquis. — De l'autre côté, par le vote annuel de l'impôt, non-seulement, dans l'emploi de l'argent public, le gaspillage et l'arbitraire étaient réprimés, mais encore le gouvernement parlementaire était fondé : qui tient la bourse est ou devient maître du reste ; pour le maintien ou l'établissement de tout service, il fallait désormais l'assentiment des États. Or, dans les trois Chambres que formaient dorénavant les trois ordres, il y en avait deux où les roturiers prédominaient. De plus, l'opinion publique était pour eux, et le roi, vrai monarque constitutionnel, bien loin d'avoir la raideur impérieuse d'un despote, n'avait pas même l'initiative d'un homme ordinaire. Ainsi la prépondérance passait aux communes, et légalement, sans secousses, elles pouvaient exécuter, multiplier, achever, d'accord avec le prince et par ses mains, toutes les réformes utiles[1]. — C'était assez ; car une société humaine, comme un corps vivant, tombe en convulsions quand on pratique sur elle des opérations trop grandes ; et celles-ci, quoique limitées, étaient probablement tout ce que la France, en 1789, pouvait supporter. Répartir équitablement et à nouveau tout l'impôt direct ou indirect, remanier, refondre et reporter aux frontières tous les tarifs de douanes, supprimer, par des transactions et avec indemnité, les droits féodaux et ecclésiastiques, l'opération était immense, aussi complexe que délicate. On

1. Dumont, 267. (Paroles de Mirabeau, trois mois avant sa mort :) « Ah ! « mon ami, que nous avions raison quand nous avons voulu, dès le com- « mencement, empêcher les communes de se déclarer Assemblée nationale ! « C'est là l'origine du mal. Ils ont voulu gouverner le roi, au lieu de gou- « verner par lui. »

ne pouvait la mener à bien qu'à force d'enquêtes minutieuses, de calculs vérifiés, de tâtonnements prolongés et de concessions mutuelles : de nos jours, en Angleterre, il a fallu un quart de siècle pour en accomplir une moindre, la transformation des dîmes et des droits de manoir, et c'est aussi le temps qu'il fallait à nos assemblées pour faire leur éducation politique[1], pour se désabuser de la théorie, pour apprendre, au contact des affaires et par l'étude des détails, la distance qui sépare la spéculation de la pratique, pour découvrir qu'un système nouveau d'institutions ne fonctionne que par un système nouveau d'habitudes, et que décréter un système nouveau d'habitudes, c'est vouloir *bâtir une vieille maison*. — Telle est pourtant l'œuvre qu'ils entreprennent. Ils rejettent les propositions du roi, les réformes limitées, les transformations graduelles. Selon eux, leur droit et leur devoir sont de refaire la société de fond en comble. Ainsi l'ordonne la raison pure qui a découvert les droits de l'homme et les conditions du *Contrat social*.

II

Appliquez le *Contrat social*, si bon vous semble, mais ne l'appliquez qu'aux hommes pour lesquels on l'a fabriqué. Ce sont des hommes abstraits, qui ne sont d'aucun siècle et d'aucun pays, pures entités écloses sous la baguette métaphysique. En effet, on les a formés[2] en retranchant expressément toutes les différences qui séparent un homme d'un autre, un Français d'un Papou, un Anglais moderne d'un Breton contemporain de César,

1. Morris, 29 avril 1789 (Sur les principes de la Constitution future) : « Il faudra au moins une génération pour en rendre la pratique familière. »
2. Cf. *L'Ancien régime*, liv. II, ch. III.

et l'on n'a gardé que la portion commune. On a obtenu ainsi un résidu prodigieusement mince, un extrait infiniment écourté de la nature humaine, c'est-à-dire, suivant la définition du temps, « un être qui a le désir du bon-« heur et la faculté de raisonner, » rien de plus et rien d'autre. On a taillé sur ce patron plusieurs millions d'êtres absolument semblables entre eux ; puis, par une seconde simplification aussi énorme que la première, on les a supposés tous indépendants, tous égaux, sans passé, sans parents, sans engagements, sans traditions, sans habitudes, comme autant d'unités arithmétiques, toutes séparables, toutes équivalentes, et l'on a imaginé que, rassemblés pour la première fois, ils traitaient ensemble pour la première fois. De la nature qu'on leur a supposée et de la situation qu'on leur a faite, on n'a pas eu de peine à déduire leurs intérêts, leurs volontés et leur contrat. Mais, de ce que le contrat leur convient, il ne s'ensuit pas qu'il convienne à d'autres. Au contraire, il s'ensuit qu'il ne convient pas à d'autres, et la disconvenance sera extrême, si on l'impose à un peuple vivant; car elle aura pour mesure l'immensité de la distance qui sépare une abstraction creuse, un fantôme philosophique, un simulacre vide et sans substance, de l'homme réel et complet.

En tout cas il ne s'agit pas aujourd'hui d'une entité, de l'homme réduit et mutilé jusqu'à n'être plus qu'un minimum de l'homme, mais des Français de 1789. C'est pour eux seuls qu'on constitue; c'est donc eux seuls qu'il faut considérer, et, manifestement, ils sont des hommes d'une espèce particulière, ayant leur tempérament propre, leurs aptitudes, leurs inclinations, leur religion, leur histoire, toute une structure mentale et morale, structure héréditaire et profonde, léguée par la race primitive, et dans laquelle chaque grand événement, chaque période politique ou littéraire, est venue, depuis vingt siècles, apporter un accroissement, une métamorphose ou un pli. Tel un arbre d'espèce unique, dont le tronc, épaissi par l'âge, garde dans ses couches superposées, dans ses nœuds, dans ses courbures, dans son branchage, tous les dépôts de sa séve et l'empreinte des innombrables saisons qu'il a traversées. Appliquée à un tel organisme, la définition philosophique, si banale et si vague, n'est qu'une étiquette puérile et ne nous apprend rien. — D'autant plus que, sur ce fond tellement compliqué et élaboré, se dessinent des diversités et des inégalités extrêmes, toutes celles d'âge, d'éducation, de croyance, de classe, de fortune; et il faut en tenir compte, car elles contribuent à faire les intérêts, les passions et les volontés. Pour ne prendre que les plus grosses, il est clair, d'après la durée moyenne de la vie[1], que la moitié de la population se compose d'enfants; en outre une moitié des adultes se compose de femmes. Sur vingt habitants, dix-huit sont catholiques, dont seize sont croyants, au moins par habitude et tradition. Sur les vingt-six millions de Français, vingt-cinq millions ne lisent pas; c'est tout au plus si un million lisent; et, en matière politique, cinq ou six cents sont compétents. Quant à la situation de chaque classe, à ses idées, à ses sentiments, à l'espèce et au degré de sa culture, il nous a fallu pour l'esquisser un gros volume. — Encore un trait, et le plus important de tous. Ces hommes si différents entre eux sont bien loin d'être indépendants et de contracter entre eux pour la première fois. Depuis huit cents ans, eux et leurs ancêtres font un corps de nation, et c'est grâce à cette communauté qu'ils ont pu vivre, se propager, travailler, acquérir, s'instruire, se policer, accumuler tout l'héritage de bien-être et de lumières dont ils jouissent aujourd'hui. Chacun d'eux est

1. Selon Voltaire (*L'Homme aux quarante écus*), la durée moyenne de la vie n'était que de vingt-trois ans.

dans cette communauté comme une cellule dans un corps organisé. Sans doute le corps n'est que l'ensemble des cellules; mais la cellule ne naît, ne subsiste, ne se développe et n'atteint ses fins personnelles que par la santé du corps entier. Son premier intérêt est donc la prospérité de l'organisme, et toutes les petites vies partielles, qu'elles le sachent ou qu'elles l'ignorent, ont pour besoin fondamental la conservation de la grande vie totale dans laquelle elles sont comprises comme des notes dans un concert. — Non-seulement pour elles c'est là un besoin, mais encore c'est là un devoir. Chaque individu naît endetté envers l'État, et, jusqu'à l'âge adulte, sa dette ne cesse de croître; car c'est avec la collaboration de l'État, sous la sauvegarde des lois, grâce à la protection des pouvoirs publics, que ses ancêtres, puis ses parents, lui ont transmis la vie, les biens, l'éducation. Ses facultés, ses idées, ses sentiments, tout son être moral et physique sont des produits auxquels la communauté à contribué de près ou de loin, au moins comme tutrice et gardienne. A ce titre elle est sa créancière, comme un père nécessiteux l'est de son fils valide; elle a droit à des aliments, à des services, et, dans toutes les forces ou ressources dont il dispose, elle revendique justement une part. — Il le sait, il le sent; l'idée de la patrie s'est déposée en lui à de grandes profondeurs, et jaillira à l'occasion en passions ardentes, en sacrifices prolongés, en volontés héroïques. — Voilà les vrais Français, et l'on voit tout de suite combien ils diffèrent des monades simples, indiscernables, détachées, que les philosophes s'obstinent à leur substituer. Ils n'ont pas à créer leur association : elle existe; depuis huit siècles, il y a chez eux *une chose publique*. Le salut et la prospérité de cette chose, tel est leur intérêt, leur besoin, leur devoir et même leur volonté intime. Si l'on peut ici parler d'un contrat, leur quasi-contrat est fait, conclu d'avance. A tout le moins, un premier article y est stipulé et domine tous les autres. Il faut que l'État ne se dissolve pas. Partant il faut qu'il y ait des pouvoirs publics. Il faut qu'ils soient obéis. Il faut, s'ils sont plusieurs, qu'ils soient définis et pondérés de manière à s'entr'aider par leur concert, au lieu de s'annuler par leur opposition. Il faut que le régime adopté remette les affaires aux mains les plus capables de les bien conduire. Il faut que la loi n'ait pas pour objet l'avantage de la minorité, ni de la majorité, mais de la communauté tout entière. — A ce premier article, nul ne peut déroger, ni la minorité, ni la majorité, ni l'assemblée nommée par la nation, ni la nation, même unanime. Elle n'a pas le droit de disposer arbitrairement de la chose commune, de la risquer à sa fantaisie, de la subordonner à l'application d'une théorie ou à l'intérêt d'une classe, cette classe fût-elle la plus nombreuse. Car la chose commune n'est pas à elle, mais à toute la communauté passée, présente et future. Chaque génération n'est que la gérante temporaire et la dépositaire responsable d'un patrimoine précieux et glorieux qu'elle a reçu de la précédente à charge de le transmettre à la suivante. Dans *cette fondation à perpétuité* où tous les Français, depuis le premier jour de la France, ont apporté leur offrande, l'intention des innombrables bienfaiteurs n'est pas douteuse : ils ont donné sous condition, à condition que la fondation resterait intacte, et que chaque usufruitier successif n'en serait que l'administrateur. Si l'un de ces usufruitiers, par présomption et légèreté, par précipitation ou partialité, compromet le dépôt qui lui a été commis, il fait tort à tous ses prédécesseurs dont il frustre les sacrifices, et à tous ses successeurs dont il fraude les espérances. — Ainsi donc, qu'avant de constituer il considère la communauté dans toute son étendue, non-seulement dans le présent, mais encore dans l'avenir, aussi loin que le regard peut porter. L'intérêt public saisi par cette longue vue, tel est le but auquel il doit subordonner tout le reste, et il ne doit constituer qu'en conséquence. Oligarchique, monarchique ou aristocratique, la constitution n'est qu'une machine, bonne, si elle atteint ce but, mauvaise, si elle ne l'atteint pas, et qui, pour l'atteindre, doit, comme toute machine, varier selon le terrain, les matériaux et les circonstances. La plus savante est illégitime, là où elle dissout l'État. La plus grossière est légitime, là où elle maintient l'État. Il n'y en a pas qui soit de droit antérieur, universel et absolu. Selon le peuple, l'époque et le degré de civilisation, selon la situation intérieure et extérieure, toutes les égalités ou inégalités civiles ou politiques peuvent tour à tour être ou cesser d'être utiles ou nuisibles, partant mériter que le législateur les détruise ou les conserve, et c'est d'après cette règle supérieure et salutaire, non d'après un contrat imaginaire et impossible, qu'il doit instituer, limiter, distribuer, au centre et aux extrémités, par l'hérédité ou par l'élection, par le nivellement ou par le privilége, les droits du citoyen et les pouvoirs publics.

III

Fallait-il au préalable faire place nette, et convenait-il d'abolir ou seulement de réformer les ordres et les corps? — Deux ordres prééminents, le clergé et la noblesse, accrus de tous les roturiers anoblis, enrichis et acquéreurs de terres nobles, formaient une aristocratie privilégiée auprès du gouvernement dont elle avait toutes les faveurs, à condition de les demander avec assiduité et avec grâce, privilégiée dans ses domaines où elle percevait les droits de l'ancien chef féodal sans en remplir les fonctions. Évidemment l'abus était énorme et devait cesser. Mais, de ce que dans leurs domaines et auprès du gouvernement la place des privilégiés était abusive, il ne s'ensuivait pas qu'il fallût leur ôter dans leurs domaines toute sécurité et toute propriété, ou dans le gouvernement toute influence et tout emploi. — Sans doute c'est un grand mal qu'une aristocratie favorite, lorsqu'elle est oisive, et que, sans rendre les services que comporte son rang, elle accapare les honneurs, les charges, l'avancement, les préférences, les pensions[1], au détriment d'autres non moins capables, aussi besoigneux et plus méritants. Mais c'est un grand bien qu'une aristocratie soumise au droit commun, lorsqu'elle est occupée, surtout lorsqu'on l'emploie conformément à ses aptitudes et notamment pour fournir une chambre haute élective ou une pairie héréditaire. — En tout cas, on ne peut la supprimer sans retour; car, supprimée par la loi, elle se reconstitue par le fait, et le législateur ne peut jamais que choisir entre deux systèmes, celui qui la laisse en friche ou celui qui lui fait porter des récoltes, celui qui l'écarte du service public ou celui qui la rallie au service public. Dans toute société qui a vécu, il y a toujours un noyau de familles dont la fortune et la considération sont anciennes; même lorsque ce groupe semble fermé comme en France avant 1789, chaque demi-siècle y introduit des familles nouvelles, parlementaires, intendants, financiers élevés au sommet de l'échelle sociale par la richesse qu'ils ont acquise ou par les hauts emplois qu'ils ont exercés; et c'est dans le milieu ainsi formé que pousse le plus naturellement l'homme d'État, le bon conseiller du peuple, le politique indépendant et compétent. — En effet, d'une part, grâce à sa fortune et à son rang, l'homme de cette classe est au-dessus des besoins et des tentations vul-

1. *Mercure*, n° du 6 juillet 1790. D'après le rapport de Camus (séance du 2), le total officiel des pensions était de 32 millions; mais, si on y ajoute les gratifications et allocations sur différentes caisses, le total réel était de 56 millions.

gaires. Il peut servir gratuitement; il n'a pas à se préoccuper d'argent, à pourvoir sa famille, à faire son chemin. Un mandat politique n'interrompt pas sa carrière ; il n'est pas obligé, comme un ingénieur, un négociant ou un médecin, de sacrifier son avancement, ses affaires ou sa clientèle. Il peut donner sa démission sans dommage pour lui ni pour les siens, suivre ses convictions, résister à l'opinion bruyante et malsaine, être le serviteur loyal, et non le bas flatteur du public. Par suite, tandis que dans les conditions moyennes ou inférieures le principal ressort est l'intérêt, chez lui le grand moteur est l'orgueil : or, parmi les sentiments profonds de l'homme, il n'en est pas qui soit plus propre à se transformer en probité, patriotisme et conscience; car l'homme fier a besoin de son propre respect, et, pour l'obtenir, il est tenté de le mériter. A tous ces points de vue comparez la *gentry* et la noblesse anglaise aux *politicians* des États-Unis. — D'autre part, à talent égal, un homme de ce monde a plus de chance qu'un plébéien pauvre de bien entendre les affaires publiques. Car le savoir dont il a besoin n'est point cette érudition que l'on acquiert aux bibliothèques et par l'étude solitaire; ce qu'il doit connaître, ce sont des hommes vivants, bien plus des agglomérations d'hommes, bien mieux encore des organismes humains, des États, des gouvernements, des partis, des administrations, chez soi et à l'étranger, en exercice et sur place. Pour y parvenir, il n'y a qu'un moyen, c'est de les voir soi-même et par ses yeux, à la fois de haut et en détail, par la fréquentation des chefs de service, des hommes éminents et spéciaux en qui se concentrent les informations et les vues de tout un groupe. Or, si l'on est jeune, on ne fréquente ces gens-là, chez soi et à l'étranger, qu'à condition d'avoir un nom, une famille, de la fortune, l'éducation et les façons du monde. Il faut tout cela pour trouver à vingt ans les portes ouvertes, pour entrer de plain-pied dans tous les salons, pour être en état de parler et d'écrire trois ou quatre langues vivantes, de prolonger à l'étranger des séjours dispendieux et instructifs, de choisir et varier son stage dans les divers départements des affaires, gratuitement ou à peu près, sans autre intérêt que celui de sa culture politique. Ainsi élevé, un homme, même ordinaire, vaut la peine d'être consulté. S'il est supérieur et si on l'emploie, il peut avant trente ans être homme d'État, acquérir la capacité complète, devenir le ministre dirigeant, le pilote unique, seul capable, comme Pitt, Canning et Peel, de trouver la passe entre les récifs ou de donner juste à temps le coup de barre qui sauvera le navire. — Tel est le service auquel la haute classe est appropriée; il n'y a que ce haras spécial pour fournir une recrue régulière de chevaux de course et, de temps en temps, le coureur admirable qui, dans la lice européenne, gagnera le prix sur tous ses rivaux.

Mais pour qu'ils se préparent et *s'entraînent*, il faut qu'on leur montre la carrière ouverte et qu'on ne les oblige pas à passer par des chemins trop répugnants. Si le rang, la fortune ancienne, la dignité du caractère et des façons, sont des causes de défaveur auprès du peuple, si, pour gagner son suffrage, il faut vivre de pair à compagnon avec des courtiers électoraux de trop sale espèce, si le charlatanisme impudent, la déclamation vulgaire et la flatterie servile sont les seuls moyens d'obtenir les voix, alors, comme aujourd'hui dans les États-Unis et jadis dans Athènes, l'aristocratie se retire dans la vie privée et bientôt tombe dans la vie oisive. Car un homme bien élevé et né avec cent mille livres de rente n'est pas tenté de se faire industriel, avocat ou médecin. Faute d'occupation, il se promène, il reçoit, il cause, il se donne un goût ou une manie d'amateur, il s'amuse ou il s'ennuie, et voilà l'une des plus grandes forces de l'État perdue pour l'État. De cette façon, le meilleur et le plus large acquis du passé, les plus grosses accumulations de capital matériel et moral restent improductives. Dans la démocratie pure, les hautes branches de l'arbre social, non pas seulement les vieilles, mais encore les jeunes, restent stériles. Sitôt qu'un rameau vigoureux dépasse les autres et atteint la cime, il cesse de porter fruit. Ainsi l'élite de la nation est condamnée à l'avortement incessant et irremédiable, faute de rencontrer le débouché qui lui convient. Il ne lui faut que celui-là; car, dans toutes les autres directions, ses rivaux, nés au-dessous d'elle, peuvent servir aussi utilement et aussi bien qu'elle-même. Mais il lui faut celui-là ; car de ce côté ses aptitudes sont supérieures, naturelles, spéciales, et l'État qui lui refuse l'air ressemble à un jardinier niveleur qui, par amour des surfaces planes, étiolerait ses plus belles pousses. — C'est pourquoi, dans les constitutions qui veulent utiliser les forces permanentes de la société et néanmoins maintenir l'égalité civile, on appelle l'aristocratie aux affaires par la durée et la gratuité du mandat, par l'institution d'une chambre héréditaire, par l'application de divers mécanismes, tous combinés de façon à développer dans la haute classe l'ambition, l'éducation, la capacité politiques, et à lui remettre le pouvoir ou le contrôle du pouvoir, à condition qu'elle se montre digne de l'exercer. — Or, en 1789, la haute classe n'en était pas indigne. Parlementaires, grands seigneurs, évêques, financiers, c'est chez eux et par eux que la philosophie du dix-huitième siècle s'était propagée; jamais l'aristocratie ne fut plus libérale, plus humaine, plus convertie aux réformes utiles[1]; plusieurs resteront tels jusque sous le couteau de la guillotine. En particulier, les magistrats des cours souveraines

1. *L'Ancien régime*, p. 388 et suivantes. — *Le Duc de Broglie*, par M. Guizot, p. 11. (Dernières paroles du prince Victor de Broglie, et opinions de M. d'Argenson.)

se trouvaient, par institution et par tradition, ennemis des grosses dépenses et critiques des actes arbitraires. Quant aux gentilshommes de province, « on était, dit l'un d'eux[1], « si las de la Cour et des ministres que la plupart étaient « démocrates. » Depuis plusieurs années, aux assemblées provinciales, la haute classe tout entière, clergé, noblesse et Tiers État, faisait preuve de bonne volonté, d'application, de capacité, de générosité même, et sa façon d'étudier, de discuter, de distribuer un budget local, indique ce qu'elle aurait fait du budget général, s'il lui eût été remis. Évidemment, elle aurait défendu le contribuable français avec autant de zèle que le contribuable de sa province, et surveillé la bourse publique aussi attentivement à Paris qu'à Bourges ou à Montauban. — Ainsi les matériaux d'une bonne chambre haute étaient tout prêts ; on n'avait plus qu'à les assembler. Au contact des faits, ses membres passaient sans difficulté de la théorie hasardeuse à la pratique raisonnable, et l'aristocratie qui, dans ses salons, avait lancé la réforme avec enthousiasme, allait, selon toute vraisemblance, la conduire avec efficacité et avec mesure dans le Parlement.

Par malheur, l'Assemblée ne constitue pas pour les Français contemporains, mais pour des êtres abstraits. Au lieu de classes superposées, elle ne voit dans la société que des individus juxtaposés, et ce qui fixe ses regards, ce n'est point l'avantage de la nation, mais les droits imaginaires des hommes. Tous étant égaux, il faut que chacun ait une part égale au gouvernement. Point d'ordres dans un État; point de priviléges politiques avoués ou déguisés; point de complications constitutionnelles ou de combinaisons électorales, pour donner à l'aristocratie, même capable et libérale, quelque portion des pouvoirs publics. — Au contraire, parce qu'elle était privilégiée pour

1. De Ferrières, I, p. 2.

jouir, elle est suspecte pour servir, et l'on repousse tous les projets qui, directement ou indirectement, lui réservaient ou lui ménageaient une place : d'abord la Déclaration du Roi, qui, conformément aux précédents historiques, maintenait les trois ordres en trois chambres distinctes et ne les appelait à délibérer ensemble que « sur « les affaires d'utilité générale ; » ensuite le plan du Comité de constitution qui proposait une seconde chambre nommée à vie par le Roi sur la présentation des assemblées provinciales ; enfin le projet de Mounier, qui remettait à ces mêmes assemblées l'élection d'un Sénat nommé pour six ans, renouvelé par tiers tous les deux ans, composé d'hommes âgés au moins de trente-cinq ans et ayant en biens fonds dix mille livres de rente. L'instinct égalitaire est trop fort. On ne veut pas de seconde chambre, même accessible aux roturiers. Par elle[1], « le petit nom« bre commanderait au grand ; » « on retomberait dans « les distinctions humiliantes » de l'ancien régime ; « on « réveillerait le germe d'aristocratie qu'il faut anéantir. » « D'ailleurs tout ce qui rappelle ou ranime le gouverne« ment féodal est mauvais, et la Chambre haute n'en est « qu'un reste. » « Si les Anglais en ont une, c'est qu'ils « ont été obligés de composer avec les préjugés. » — Souveraine et philosophe, l'Assemblée nationale plane audessus de leurs erreurs, de leurs entraves et de leur exemple. Dépositaire de la vérité, son affaire n'est point de recevoir les leçons des autres, mais de donner des leçons aux autres, et d'offrir à l'admiration du monde le premier modèle d'une Constitution conforme aux principes, parfaite, la plus efficace de toutes pour empêcher la

1. *Moniteur*, séance du 7 septembre 1789, I, 431-437. Discours de MM. de Sillery, Lanjuinais, Thouret, de Lameth, Rabaut-Saint-Étienne. — Barnave écrivait en 1791 : « Il fallait passer par une Chambre unique ; l'instinct de « l'égalité l'exigeait. Une seconde Chambre eût été le refuge de l'aristo« cratie. »

formation d'une classe dirigeante, pour fermer le chemin des affaires publiques, non-seulement à la noblesse ancienne, mais encore à l'aristocratie future, pour continuer et aggraver l'œuvre de la monarchie absolue, pour préparer une société de fonctionnaires et d'administrés, pour abaisser le niveau humain, pour désœuvrer, abêtir ou gâter l'élite de toutes les familles qui se maintiennent ou qui s'élèvent, pour faire sécher sur pied la plus précieuse des pépinières, celle où l'État trouve sa recrue d'hommes d'État.

Exclue du gouvernement, l'aristocratie va rentrer dans la vie privée : suivons-la dans ses terres. — Certes, c'est une grande gêne dans un État moderne que des droits féodaux institués pour un État barbare. Appropriés à une époque où la propriété et la souveraineté étaient confondues, où le gouvernement était local, où la vie était militante, ils font disparate en un temps où la souveraineté et la propriété sont séparées, où le gouvernement est central, où le régime est pacifique, et les sujétions nécessaires qui, au dixième siècle, ont rétabli la sécurité et l'agriculture, sont, au dix-huitième siècle, des sujétions gratuites qui appauvrissent le sol et enchaînent le paysan. Mais, de ce que ces antiques créances sont aujourd'hui abusives et nuisibles, il ne s'ensuit pas qu'elles n'aient jamais pu être utiles et légitimes, ni qu'il soit permis de les abolir sans indemnité. Au contraire, pendant plusieurs siècles et, en somme, tant que le seigneur a résidé, le contrat primitif est resté avantageux aux deux parties, et il l'était si bien qu'il a conduit au contrat moderne ; c'est grâce à la pression de ce bandage étroit que la société brisée a pu se ressouder, recouvrer sa solidité, sa force et son jeu. — En tout cas, que l'institution, comme toutes les institutions humaines, ait débuté par la violence et dégénéré par des abus, peu importe : depuis huit cents ans, l'État reconnaît les créances féodales ; de son consentement et avec le concours de ses tribunaux, elles ont été transmises, léguées, vendues, hypothéquées, échangées comme les autres biens. Deux ou trois cents au plus sont restées dans les familles des premiers propriétaires. « La plus grande partie des terres titrées, » dit un contemporain[1], « sont devenues l'apanage des financiers, des négociants et de leurs descendants; les fiefs, « pour la plupart, sont entre les mains des bourgeois des « villes, » et tous les fiefs qui, depuis deux siècles, ont été achetés par des hommes nouveaux, représentent maintenant l'épargne et le travail de leurs acquéreurs. — D'ailleurs, quels que soient les détenteurs actuels, hommes nouveaux ou hommes anciens, l'État est engagé envers eux, non-seulement à titre général et parce que, dès l'origine, il est par institution le gardien de toutes les propriétés, mais encore à titre spécial, et parce qu'il a lui-même autorisé cette propriété particulière. Les acheteurs d'hier ne l'ont payée que sous sa garantie; il a signé au contrat et s'est obligé à les faire jouir. S'il les en empêche, qu'il les dédommage; à défaut de la chose promise, il en doit la valeur. Telle est la règle en cas d'expropriation pour cause d'utilité publique; en 1834, pour abolir légitimement l'esclavage, les Anglais ont donné 500 millions à leurs planteurs. — Mais cela ne suffit pas, et, dans la suppression des droits féodaux, quand le législateur s'est préoccupé des créanciers, il n'a fait encore que la moitié de sa tâche; l'opération a deux faces: il faut aussi qu'il songe aux débiteurs. S'il n'est pas un simple amateur d'abstractions et de belles phrases, si ce qui l'intéresse, ce sont les hommes et non les mots, s'il a pour but l'affranchissement effectif du cultivateur et de la terre, il ne se contentera pas de proclamer un principe, de permettre

1. De Bouillé, p. 50 : « Toutes les vieilles familles nobles, sauf deux ou « tois cents, étaient ruinées. »

le remboursement des redevances, de fixer le taux du rachat, et, en cas de contestation, d'envoyer les parties devant les tribunaux. Il réfléchira que des paysans, solidaires d'une même dette, auront de la peine à s'entendre, qu'un procès leur fera peur, qu'étant ignorants ils ne sauront comment s'y prendre, qu'étant pauvres ils ne pourront payer, que, sous le poids de leur discorde, de leur défiance, de leur indigence, de leur inertie, la nouvelle loi restera lettre morte, et ne fera qu'exaspérer leurs convoitises ou allumer leurs ressentiments. Pour prévenir le désordre, il leur viendra en aide ; il interposera entre eux et le seigneur des commissions arbitrales ; il substituera au remboursement subit et total une échelle d'annuités ; il leur prêtera le capital qu'ils ne pourraient emprunter ailleurs ; il établira à cet effet une banque, des titres, une procédure. Bref, comme la Savoie en 1771, comme l'Angleterre en 1845[1], comme la Russie en 1861, il soulagera les pauvres sans dépouiller les riches ; il fondera la liberté sans violer la propriété ; il conciliera les intérêts et les classes ; il ne lâchera pas la jacquerie brutale pour exécuter la confiscation injuste, et terminera le conflit social, non par la guerre, mais par la paix.

Tout au rebours en 1789. Conformément aux doctrines du contrat social, on pose en principe que tout homme naît libre et que sa liberté a toujours été inaliénable. Si jadis il s'est soumis à l'esclavage ou au servage, c'est le couteau sur la gorge ; un tel contrat est nul par essence. Tant pis pour ceux qui jouissent aujourd'hui ; ils sont les détenteurs d'un bien volé, et doivent le restituer au propriétaire légitime. — N'objectez pas qu'ils ont requis à deniers comptants et de bonne foi : ils devaient se dire auparavant que l'homme et sa liberté ne sont pas des

1. Cf. Doniol, *La Révolution et la féodalité.*

choses de commerce, et c'est justement que leur injuste propriété périra entre leurs mains[1]. Que l'Etat qui est intervenu au marché en soit le garant responsable, personne n'y songe. L'Assemblée n'a qu'un scrupule; ses légistes et Merlin son rapporteur ont dû se rendre à l'évidence : ils ont manié des milliers de titres anciens et nouveaux; par la pratique courante, ils savent qu'en beaucoup de cas le seigneur n'est qu'un bailleur ordinaire. Dans tous ces cas, s'il perçoit, c'est en qualité de simple particulier, en vertu d'un contrat d'échange, parce qu'il a donné à bail perpétuel telle portion de sa terre; et il ne l'a donnée que moyennant telle redevance annuelle en argent, fruits et services, moyennant telle autre redevance éventuelle payable par le fermier à chaque transmission du bail. Impossible d'abolir sans rachat ces deux redevances; si on le faisait, il faudrait exproprier, au profit des fermiers, tous les propriétaires de France. C'est pourquoi l'Assemblée distingue dans les droits féodaux. — D'une part, elle abolit sans indemnité tous ceux que le seigneur percevait à titre de souverain local, ancien propriétaire des personnes, détenteur des pouvoirs publics, tous ceux que le censitaire payait à titre de serf, mainmortable, ancien vassal ou sujet. D'autre part, elle maintient et déclare rachetables à tel ou tel taux tous ceux que le seigneur perçoit à titre de propriétaire foncier et de bailleur simple, tous

1. *Moniteur*, séance du 6 août 1789, discours de Duport : « Tout ce qui « est injuste ne peut subsister. Tout remplacement à ces droits injustes ne « peut également subsister. » — Séance du 27 février 1790. M. Populus : « Comme l'esclavage ne pouvait résulter d'un contrat légitime, parce que « la liberté ne peut être aliénée, vous avez aboli sans indemnité la main- « morte personnelle. » — Instruction et décret des 15-19 juin 1791 : « L'As- « semblée nationale a reconnu avec le plus grand éclat qu'un homme n'avait « jamais pu devenir propriétaire d'un autre homme, et qu'en conséquence « les droits que l'un s'était arrogés sur la personne de l'autre n'avaient ja- « mais pu devenir une propriété du premier. » — Cf. les divers rapports de Merlin au Comité de féodalité et à l'Assemblée nationale.

ceux que le censitaire paye à titre de contractant libre, d'ancien acheteur, locataire, fermier ou concessionnaire de fonds. — Par cette division, elle croit avoir respecté la propriété légitime en renversant la propriété illégitime, et, dans la créance féodale, séparé l'ivraie du grain[1].

Mais, par le principe, la rédaction et les lacunes de sa loi, elle les condamne à une destruction commune, et l'incendie auquel elle jette l'ivraie va forcément dévorer le grain. — En effet l'un et l'autre sont dans la même gerbe. Si c'est par l'épée que le seigneur s'est jadis assujetti les hommes, c'est aussi par l'épée qu'il s'est jadis approprié la terre. Si l'assujettissement des personnes est nul comme entaché originellement de violence, l'usurpation du sol est nulle comme entachée originellement de violence. Si la prescription et la garantie de l'État n'ont pu légitimer le premier brigandage, elles n'ont pu légitimer le second, et, puisque les droits dérivés de la souveraineté injuste ont été abolis sans indemnité, les droits dérivés de la propriété injuste doivent être supprimés sans dédommagement. — Par une imprudence énorme, en tête de sa loi, l'Assemblée a déclaré « qu'elle abolissait entière- « ment le régime féodal, » et, quelles que soient ses réserves ultérieures, la phrase décisive est prononcée. Les quarante mille municipalités souveraines, qui se font lire le texte, ne prêtent d'attention qu'au premier article, et le procureur de village, imbu des droits de l'homme, prouve aisément à ces assemblées de débiteurs qu'elles ne doivent rien à leur créancier. Point d'exceptions, ni de distinctions : plus de redevances annuelles, champart, agrier, percières, ni de redevances éventuelles, lods et ventes, quint et requint. Si l'Assemblée les a maintenues, c'est par méprise, timidité, inconséquence, et de toutes

1. Duvergier, *Collection des lois et décrets*. Lois des 4-11 août 1789, des 15-28 mars 1790, des 3-9 mai 1790, des 15-19 juin 1791.

parts, dans les campagnes, on entend le grondement de l'avidité déçue ou du besoin mal satisfait[1]. « Vous avez « cru anéantir la féodalité, et vos lois de rachat ont fait « tout le contraire.... Ignorez-vous que ce que l'on ap- « pelait un seigneur n'était qu'un usurpateur impuni?.... « Cet abominable décret de 1790 est la ruine de tous les « propriétaires censitaires. Il a jeté la consternation dans « tous les villages. Il n'est qu'à l'avantage des seigneurs.... « On ne pourra jamais se racheter. Et se racheter de ce « qu'on ne doit pas! se racheter de droits odieux! » — En vain l'Assemblée insiste, précise, explique par des exemples et par des instructions détaillées la procédure et les conditions du rachat. Ni cette procédure, ni ces conditions, ne sont pratiques. Elle n'a rien institué pour faciliter l'accord des parties et le remboursement de la créance féodale, ni arbitres spéciaux, ni banque d'emprunt, ni système d'annuités. Bien pis, au lieu de frayer la route, elle l'a barrée par des dispositions de légiste. Défense au censitaire de racheter sa redevance annuelle sans racheter en même temps sa redevance éventuelle. Défense au censitaire qui doit solidairement et avec d'autres de se racheter divisément et pour sa quote-part. Tant pis pour lui, si son magot est trop petit. Faute de pouvoir se libérer du tout, il ne pourra se libérer de la partie. Faute d'argent pour s'exempter à la fois du champart et des lods, il ne pourra s'exempter du champart. Faute d'argent pour solder la dette de ses coobligés avec la sienne, il ne pourra solder la sienne, et il demeure captif dans sa condition ancienne en vertu de la loi nouvelle qui l'appelle à la liberté.

Devant ces entraves imprévues, le paysan devient furieux. Depuis les premiers jours de la Révolution, son

1. Doniol (Nouveaux cahiers de 1790), Plaintes des censitaires du Rouergue et du Quercy, p. 97-105.

idée fixe est qu'il ne doit plus rien, et, parmi tant de discours, décrets, proclamations, instructions dont la rumeur vient rouler jusqu'à ses oreilles, il n'a compris et voulu comprendre qu'une seule phrase, c'est qu'il a désormais quittance générale. Il n'en démord pas, et, puisque maintenant la loi le gêne au lieu de l'aider, il violera la loi. — De fait, à partir du 4 août 1789, la créance féodale cesse d'être perçue. Les droits maintenus ne sont pas plus acquittés que les droits supprimés. Des communautés entières viennent signifier au seigneur qu'on ne lui payera plus aucune redevance. D'autres, le sabre à la main, l'obligent à leur donner décharge. D'autres, pour plus de sûreté, envahissent son chartrier, et jettent ses titres au feu[1]. Nulle part la force publique ne protége son droit légal. Les huissiers n'osent instrumenter, les tribunaux n'osent juger, les corps administratifs n'osent décréter en sa faveur. Il est dépouillé par la connivence, par l'insouciance, par l'impuissance de toutes les autorités qui devraient le défendre. Il est livré aux paysans qui abattent ses bois sous prétexte que jadis ils appartenaient à la commune, qui s'emparent de son moulin, de son pressoir et de son four sous prétexte que les banalités sont supprimées[2]. La plupart des gentilshommes de province sont ruinés sans ressource, et n'ont plus même le pain quotidien; car tout leur revenu consistait en droits seigneuriaux et en redevances perçues sur les fonds qu'ils avaient loués à bail perpétuel; or, de par la loi, la moitié de ce revenu cesse d'être payée, et l'autre moitié cesse d'être payée en dépit de la loi. Cent vingt-trois millions de revenu, deux milliards et demi de capi-

1. V. plus loin, Livre III, ch. II, § 4, et ch. III.

2. *Moniteur*, séance du 2 mars 1790, Discours de Merlin : « On a fait « croire aux paysans que la destruction des banalités emporte pour le sei- « gneur la perte des moulins, pressoirs et fours banaux : les paysans s'en « croient propriétaires. »

tal en monnaie du temps, le double au moins en monnaie d'aujourd'hui, passent ainsi, par un cadeau ou par une tolérance de l'Assemblée nationale, de la main des créanciers dans la main des débiteurs; ajoutez-y une somme égale pour le revenu et pour le capital de la dîme supprimée gratuitement et du même coup. — C'est le commencement de la grande opération révolutionnaire, je veux dire de la banqueroute universelle qui, directement ou indirectement, va détruire en France tous les contrats et abolir toutes les dettes. On ne tranche pas impunément dans la propriété, surtout dans la propriété privée. L'Assemblée n'a voulu couper que la branche féodale; mais, en admettant que l'État peut annuler sans compensation des obligations qu'il a garanties, elle a porté la hache au tronc de l'arbre, et d'autres mains plus grossières l'y enfoncent déjà de toute la longueur du fer.

Il ne reste plus au noble que son titre, son nom de terre et ses armoiries, distinctions bien innocentes, puisqu'elles ne lui confèrent aucune juridiction ni prééminence, et que, la loi cessant de les protéger, le premier venu peut s'en parer impunément. D'ailleurs, non-seulement elles ne sont pas nuisibles, mais encore elles sont respectables. Pour beaucoup de nobles, le nom de terre a recouvert le nom de famille, et le premier est seul en usage. Si on lui substitue le second, on gêne le public qui a de la peine à retrouver M. de Mirabeau, M. de Lafayette, M. de Montmorency sous les noms nouveaux de M. Riquetti, M. Mottié, M. Bouchard; et, de plus, on nuit au porteur lui-même pour qui le nom aboli est une propriété toujours légitime, souvent précieuse, un certificat de qualité et de provenance, une étiquette authentique et personnelle, qu'on ne peut lui arracher, sans lui ôter, dans la grande exposition humaine, sa place, son rang et sa valeur. — Mais, quand il s'agit d'un principe populaire, l'Assemblée ne tient compte ni de l'utilité publique, ni des droits des particuliers. Puisque le régime féodal est aboli, il faut en détruire les derniers restes. On déclare[1] que « la noblesse « héréditaire choque la raison et blesse la véritable « liberté, » que, là où elle subsiste, « il n'est point d'éga- « lité politique. » Défense à tout citoyen français de prendre ou garder les titres de prince, duc, comte, marquis, chevalier et autres semblables, de porter un autre nom que « son vrai nom de famille ; » de faire porter des livrées à ses gens, d'avoir des armoiries sur sa maison ou sur sa voiture. En cas de contravention, il sera puni d'une amende égale à six fois le montant de sa contribution mobilière, rayé du tableau civique, déclaré incapable d'occuper aucun emploi civil ou militaire. Même punition, si, dans un contrat ou une quittance, il signe à son ordinaire, si, par habitude et distraction, il joint son nom de terre à son nom de famille, si, par précaution de notoriété et pour rendre son identité certaine, il mentionne seulement que jadis il portait le premier nom. Tout notaire ou officier public qui dans un acte écrira ou laissera écrire le mot *ci-devant* sera interdit de ses fonctions. Ainsi, non-seulement on abolit les anciens noms, mais encore on veut en effacer le souvenir. Encore un peu de temps, la loi puérile deviendra meurtrière. Encore un peu de temps, aux termes de ce même décret, tel vieux militaire de soixante-sept ans, serviteur loyal de la République, général de brigade sous la Convention, sera arrêté en rentrant dans son village, parce que machinalement, sur le registre du comité révolutionnaire, il aura signé Montperreux au lieu de Vannod, et, pour cette infraction, il sera guillotiné avec son frère et sa belle-sœur[2].

1. *Moniteur*, séance du 19 juin 1790, Discours de M. Charles de Lameth. — Duvergier, lois des 19-23 juin 1790, des 27 septembre-16 octobre 1791.
2. Sauzay, V, 400-410.

C'est que dans cette voie on ne peut s'arrêter; car les principes proclamés vont beaucoup au delà des décrets rendus, et une mauvaise loi en amène une pire. — L'Assemblée constituante [1] avait présumé que les redevances annuelles, telles que le champart, et les redevances éventuelles, telles que les lods et ventes, étaient le prix d'une ancienne concession de fonds; par suite, elle avait mis la preuve du contraire à la charge du tenancier. L'Assemblée législative va présumer que ces mêmes redevances sont l'effet d'une vieille usurpation féodale; par suite, elle va mettre la preuve du contraire à la charge du propriétaire. Ni la possession immémoriale, ni les quittances multipliées et régulières ne pourront établir son droit; il faudra qu'il produise l'acte d'inféodation vieux de plusieurs siècles, le bail à cens qui peut-être n'a jamais été écrit, le titre primitif déjà rare en 1720 [2], volé depuis ou brûlé dans les récentes jacqueries; sinon, il est dépouillé sans indemnité. De ce coup, sans exception ni compensation, toute la créance féodale est anéantie. — Pareillement, dans les successions *ab intestat*, l'Assemblée constituante, abrogeant la coutume, avait retiré tout avantage aux aînés et aux mâles [3]. La Convention, supprimant la liberté testamentaire, va défendre au père de disposer de plus d'un dixième de son bien; de plus, remontant en arrière, elle assujettit le passé à ses décrets : tout testament ouvert depuis le 14 juillet 1789 est annulé, s'il y est contraire;

1. Duvergier, lois des 15-19 juin 1791, des 18 juin-6 juillet 1792, des 25-28 août 1792.

2. *Institution au Droit français*, par Argou, I, 103. (Il écrivait sous la Régence) : « L'origine de la plupart des fiefs est si ancienne que, si l'on « obligeait les seigneurs à rapporter les titres des premières concessions « pour se faire payer de leurs rentes, il n'y en a presque point qui fussent « en état de les représenter. Les coutumes ont suppléé à ce défaut. »

3. Duvergier, lois des 8-15 avril 1791, des 7-11 mars 1793, du 26 octobre 1793, des 6-10 janvier 1794. — Mirabeau avait déjà proposé de réduire la quotité disponible au dixième.

toute succession ouverte depuis le 14 juillet 1789 est repartagée, si le partage n'a pas été égal; toute donation faite entre vifs depuis le 14 juillet 1789 est cassée. De cette façon, non-seulement la famille féodale est détruite, mais jamais elle ne pourra se reformer. Une fois posé que l'aristocratie est une plante vénéneuse, il ne suffit pas de l'élaguer, il faut l'extirper, et non-seulement couper toutes ses racines, mais écraser toutes ses semences. — Un préjugé haineux s'est élevé contre elle, et, de jour en jour, il grandit. Des piqûres d'amour-propre, des mécomptes d'ambition, des sentiments d'envie l'ont préparé. L'idée abstraite d'égalité en a fourni le noyau sec et dur. Alentour, l'échauffement révolutionnaire a fait affluer le sang, aigri les humeurs, avivé la sensibilité, formé un abcès douloureux que les froissements quotidiens rendent plus douloureux encore. Par un travail sourd et continu, la pure préférence spéculative est devenue une idée fixe et devient une idée meurtrière. C'est une passion étrange, toute de cervelle, nourrie de phrases et d'emphase, mais d'autant plus destructive qu'avec des mots elle se crée des fantômes, et que, contre des fantômes, nul raisonnement, nul fait visible ne prévaut. Tel boutiquier ou petit bourgeois, qui jusqu'ici se représentait les nobles d'après les parlementaires de sa ville ou les gentilshommes de son canton, les conçoit maintenant d'après les déclamations du club et les invectives des gazettes. Peu à peu, dans son esprit, la figure imaginaire recouvre la figure vivante; il ne voit plus un visage avenant et paisible, mais un masque grimaçant et convulsé. De la bienveillance ou de l'indifférence il passe à l'animosité et à la méfiance : ce sont des tyrans dépossédés, d'anciens malfaiteurs, des ennemis publics; d'avance et sans examen, il est prouvé pour lui qu'ils ourdissent des trames. S'ils évitent de donner prise, c'est par habileté et perfidie; ils sont d'autant plus dangereux qu'ils ont l'air plus inoffensifs. Leur soumission n'est que feinte, leur résignation n'est qu'hypocrisie, leur bonne volonté n'est que trahison. Contre ces conspirateurs insaisissables, la loi n'est pas suffisante; aggravons-la par la pratique, et, puisqu'ils regimbent contre le niveau, tâchons de les courber sous le joug.

En effet, la persécution illégale précède la persécution légale, et le privilégié qui, par les nouveaux décrets, semble seulement ramené sous le droit commun, se trouve en fait relégué hors du droit commun. Le roi désarmé ne peut plus le protéger; l'Assemblée partiale rebute ses plaintes ; le Comité des recherches voit en lui un coupable, lorsqu'il n'est qu'un opprimé. Son revenu, ses biens, son repos, sa liberté, son toit domestique, sa vie, la vie de sa femme et de ses enfants, sont aux mains d'administrations élues par la foule, dirigées par les clubs, intimidées ou violentées par l'émeute. Il est chassé des élections; les journaux le dénoncent; il subit des visites domiciliaires. En cent endroits, son château est saccagé ; les assassins et les incendiaires, qui en sortent les bras sanglants ou les mains pleines, ne sont pas recherchés ou sont couverts par les amnisties[1] ; des précédents multipliés établissent qu'on peut impunément lui courir sus. Pour l'empêcher de se défendre, la garde nationale en corps vient saisir ses armes : il faut qu'il soit une proie, une proie facile, et comme un gibier réservé dans son enclos pour le prochain jour de chasse. — En vain il s'abstient de toute provocation et se réduit au rôle de particulier paisible. En vain il supporte avec patience nombre de provocations, et ne résiste qu'aux dernières violences. J'ai lu en original plusieurs centaines d'enquêtes manuscrites ; presque toujours j'y ai admiré l'humanité des nobles, leur longanimité, leur horreur du

1. Voir plus loin, liv. III, ch. III.

sang. Non-seulement beaucoup d'entre eux ont du cœur et tous ont de l'honneur, mais encore, élevés dans la philosophie du dix-huitième siècle, ils sont doux, sensibles; ils répugnent aux voies de fait. Surtout les officiers sont exemplaires; leur seul défaut est la faiblesse; plutôt que de tirer sur l'émeute, ils rendent les forts qu'ils commandent, ils se laissent insulter, lapider par le peuple. Pendant deux ans[1], « en butte à mille outrages, à la diffa« mation, au danger de chaque jour, poursuivis par les « clubs et par des soldats égarés, » désobéis, menacés, mis aux arrêts par leurs hommes, ils restent à leur poste pour empêcher la débandade; « avec une stoïque persé« vérance, ils dévorent le mépris de leur autorité pour « en préserver le simulacre, » et leur courage est de l'espèce la plus rare, puisqu'il consiste à rester en faction, impassible, sous les affronts et sous les coups. — Par une injustice énorme, une classe entière qui n'avait point de part aux faveurs de la cour et qui subissait autant de passe-droits que les roturiers ordinaires, la noblesse provinciale, est confondue avec les parasites titrés qui assiégeaient les antichambres de Versailles. Vingt-cinq mille familles, « la pépinière des armées et des flottes, » l'élite des propriétaires-agriculteurs, tant de gentilshommes qui font valoir sous leurs yeux la petite terre où ils résident, « et n'ont pas un an en leur vie abandonné « leurs foyers domestiques, » deviennent les parias de leur canton. Dès 1789, ils commencent à sentir que pour eux la place n'est plus tenable[2]. — « Il est absolument contraire

1. *Mercure*, n° du 10 septembre 1791. Article de Mallet-Dupan. — *Ib.*, n° du 15 octobre 1791.

2. Archives nationales, II, 784. Lettres de M. de Langeron, 16 et 18 octobre 1789. — Albert Babeau, *Histoire de Troyes*, lettres adressées au chevalier de Poterat, juillet 1790. — Archives nationales, Papiers du Comité des Rapports, liasse 4, lettre de M. Le Belin-Chatellenot au président de l'Assemblée nationale, 1er juillet 1791. — *Mercure*, n° du 15 octobre 1791, Article

« aux droits de l'homme, dit une lettre de Franche-Comté, « de se voir perpétuellement dans le cas d'être égorgé « par des scélérats qui confondent toute la journée « la liberté avec la licence. » — « Je ne connais rien « d'aussi fatigant, dit une lettre de Champagne, que l'in- « quiétude sur la propriété et la sûreté ; jamais elle ne « fut mieux fondée ; car il ne faut qu'un moment pour « mettre en mouvement une populace indocile qui se « croit tout permis et qu'on entretient soigneusement dans « cette erreur. » — « Après les sacrifices que nous avons « faits, dit une lettre de Bourgogne, nous ne devions pas « nous attendre à de pareils traitements ; je pensais au « contraire que nos propriétés seraient les dernières vio- « lées, parce que le peuple nous saurait quelque gré de « rester dans notre patrie pour y répandre le peu d'aisance « qui nous reste... (A présent), je supplie l'Assemblée de « lever le décret contre les émigrations ; autrement, on « dira que c'est retenir les gens pour les mettre sous « le fer des assassins... Dans le cas où elle nous refuse- « rait cette justice, j'aimerais autant qu'il lui plût de ren- « dre un décret de proscription contre nous ; car alors « nous ne dormirions pas sous la garde de lois très-sa- « ges, sans doute, mais respectées nulle part. » — « Ce ne « sont point nos priviléges, disent plusieurs autres, ce « n'est point notre noblesse que nous regrettons ; mais « comment supporter l'oppression à laquelle nous som- « mes abandonnés ? Plus de sûreté pour nous, pour nos « biens, pour nos familles ; chaque jour, des scélérats,

de Mallet-Dupan : « Tel est le langage littéral que m'ont tenu ces émigrants, je n'y ajoute pas une ligne. » — *Ib.*, n° du 15 mai 1790, Lettre du baron de Bois-d'Aizy, du 29 avril 1790, demandant un décret de protection pour les nobles : « Nous saurons (alors) si nous sommes proscrits, ou si nous sommes « pour quelque chose dans les droits de l'homme écrits avec tant de sang, et « s'il ne nous reste enfin d'autre ressource que celle d'aller porter sous un » autre ciel le reste de nos propriétés et de notre malheureuse existence. »

« nos débiteurs, de petits fermiers qui volent nos revenus, « nous menacent de la torche ou de la lanterne. Pas un « jour de tranquillité, pas une nuit qui nous laisse la « certitude de l'achever sans trouble. Nos personnes sont « livrées aux outrages les plus atroces, nos maisons « à l'inquisition d'une foule de tyrans armés; impuné- « ment nos rentes foncières sont volées, nos propriétés « attaquées ouvertement. Seuls à payer les impositions, « on nous taxe avec iniquité; en divers lieux, nos reve- « nus entiers ne suffiraient pas à la cote qui nous écrase. « Nous ne pouvons nous plaindre sans courir le risque « d'être massacrés. Les administrations, les tribunaux, « instruments de la multitude, nous sacrifient journelle- « ment à ses attentats. Le gouvernement lui-même sem- « ble craindre de se compromettre en réclamant pour « nous la protection des lois. Il suffit d'être désigné comme « aristocrate pour n'avoir plus de sûreté. Si nos paysans, « en général, ont conservé plus de probité, d'égards et « d'attachement pour nous, chaque bourgeois important, « des clubistes effrénés, les plus vils des hommes qui « souillent l'uniforme, s'arrogent le privilége de nous « insulter; ces misérables sont impunis, protégés. Notre « religion même n'est pas libre, et l'un de nous a vu sa « maison saccagée pour avoir donné l'hospitalité à un curé « octogénaire de sa paroisse, qui a refusé de prêter le « serment. Voilà notre destinée; nous ne serons pas as- « sez infâmes pour la supporter. C'est de la loi naturelle « et non des décrets de l'Assemblée nationale que nous « tenons le droit de résister à l'oppression. Nous partons, « nous mourrons, s'il le faut. Mais vivre sous une anar- « chie aussi atroce! Si elle n'est pas détruite, nous ne re- « mettrons jamais les pieds en France. »

L'opération a réussi. Par ses décrets et par ses institutions, par les lois qu'elle édicte et par les violences qu'elle tolère, l'Assemblée a déraciné l'aristocratie et la jette hors du territoire. Privilégiés à rebours, les nobles ne peuvent rester dans un pays où, en respectant la loi, ils sont effectivement hors la loi. — Les premiers qui ont émigré, le 15 juillet 1789, avec le prince de Condé, avaient reçu la veille à domicile une liste de proscription où ils étaient inscrits, et où l'on promettait récompense à qui apporterait leurs têtes au caveau du Palais-Royal. — D'autres, plus nombreux, sont partis après les attentats du 6 octobre. — Dans les derniers mois de la Constituante[1], « l'émigration se fait par troupes et se compose d'hommes de tout état.... Douze cents gentilshommes sont « sortis du Poitou seul; l'Auvergne, le Limousin, dix autres provinces, viennent également d'être dépeuplées de « leurs propriétaires. Il est des villes où il ne reste plus « que des artisans de basse profession, un club, et cette « nuée de fonctionnaires dévorants créés par la Constitution. La noblesse de Bretagne est entièrement sortie ; « l'émigration commence en Normandie; elle s'achève « dans les provinces frontières. » — « Plus des deux tiers « de l'armée vont se trouver sans officiers. » En présence du nouveau serment qui omet exprès le nom du roi, « six « mille ont donné leur démission. » — Peu à peu, l'exemple est devenu contagieux : ce sont des gens d'épée, et le point d'honneur les pousse; beaucoup vont rejoindre les princes à Coblentz, et combattront contre la France, en croyant ne combattre que contre ses bourreaux. — L'Assemblée a traité les nobles comme Louis XIV a traité les protestants[2]. Dans les deux cas, les opprimés étaient une élite. Dans les deux cas, on leur a rendu la France inhabitable. Dans les deux cas, on les a réduits à l'exil et on

1. *Mercure*, n^{os} du 15 octobre 1791 et du 10 septembre 1791. Lire la très-belle lettre du chevalier de Mesgrigny, nommé colonel pendant la suspension du roi, et refusant son nouveau grade.

2. Cf. les *Mémoires* de M. de Bostaquet, gentilhomme normand.

les a punis de s'exiler. Dans les deux cas, on a fini par confisquer leurs biens, et par punir de mort tous ceux qui leur donnaient asile. Dans les deux cas, à force de persécutions, on les a précipités dans la révolte. A l'insurrection des Cévennes correspond l'insurrection de la Vendée, et l'on trouvera les émigrés, comme jadis les réfugiés, sous les drapeaux de la Prusse et de l'Angleterre. Cent mille Français chassés à la fin du dix-septième siècle, cent vingt mille Français chassés à la fin du dix-huitième siècle, voilà comment la démocratie intolérante achève l'œuvre de la monarchie intolérante. L'aristocratie morale a été fauchée au nom de l'uniformité. L'aristocratie sociale est fauchée au nom de l'égalité. Pour la seconde fois, et avec le même effet, un principe absolu enfonce son tranchant dans la société vivante.— Le succès est complet, et, dès les premiers mois de la Législative, un député, apprenant le redoublement des émigrations, peut dire avec joie : « Tant mieux! la France se purge. » En effet, elle se vide de la moitié de son meilleur sang.

IV

Restaient les corps propriétaires, ecclésiastiques ou laïques, et notamment le plus vieux, le plus opulent, le plus considérable, je veux dire le clergé régulier et séculier. — Là aussi les abus étaient graves ; car l'institution, fondée pour des besoins anciens, ne s'était pas raccordée aux besoins nouveaux [1]. Des siéges épiscopaux trop nombreux et répartis d'après la distribution de la population chrétienne au quatrième siècle ; un revenu encore plus mal partagé ; des évêques et des abbés ayant 100 000 livres de rente pour vivre en oisifs aimables, et des curés surchar-

1. Cf. *l'Ancien régime*, liv. I et II.

gés de besogne avec 700 francs par an ; dans tel couvent 19 moines au lieu de 80, dans tel autre 4 au lieu de 50 [1] ; nombre de monastères réduits à trois ou deux habitants et même à un seul; presque toutes les congrégations d'hommes en voie de dépérissement; plusieurs finissant faute de novices [2] ; parmi les religieux, une tiédeur générale ; en beaucoup de maisons, du relâchement; dans quelques-unes, des scandales; un tiers à peine des religieux attachés à leur état, les deux autres tiers souhaitant rentrer dans le monde [3] : il est évident que le souffle primitif a dévié ou s'est ralenti, que la fondation n'atteint plus qu'imparfaitement son objet, que la moitié de ses ressources sont employées à rebours ou restent stériles, bref, que le corps a besoin d'une réforme. — Que cette réforme doive se faire avec la coopération ou même sous la direction de l'État, cela n'est pas moins certain. Car un corps n'est

2. Boivin-Champeaux, *Notice historique sur la Révolution dans le département de l'Eure*, Doléances des cahiers. En 1788, à Rouen, pas une seule profession d'hommes. Au couvent des Deux-Amants, le chapitre convoqué en 1789 se composait de deux moines. — Archives nationales, Papiers du comité ecclésiastique, *passim*.

2. *Apologie de l'état religieux* (1775) avec chiffres. Depuis 1768, le dépérissement est « effrayant ; » « il est aisé de prévoir que, dans douze ou « quinze ans, la plupart des corps réguliers seront absolument éteints, ou « réduits à un état de défaillance peu différent de la mort. »

3. Sauzay, I, 224 (novembre 1790). A Besançon, sur 266 religieux « 79 seu« lement témoignèrent quelque fidélité à leurs engagements ou quelque « affection pour leur état. » Les autres préfèrent sortir, notamment tous les Dominicains, moins cinq; tous les Carmes déchaussés, moins un; tous les Grands-Carmes. Dans le reste du département, mêmes dispositions : par exemple, tous les Bénédictins de Cluny, sauf un, tous les Minimes, sauf trois, tous les Capucins, sauf cinq, tous les Bernardins, tous les Dominicains et tous les Augustins préfèrent sortir. — Montalembert, *les Moines d'Occident*, Introduction, 105-164. Lettre d'un Bénédictin de Saint-Germain-des-Prés à un Bénédictin de Vannes. « De tous les religieux de votre congrégation qui « viennent ici loger, je n'en ai presque pas vu qui nous aient édifiés. Vous « en direz sans doute autant des nôtres qui vont chez vous » — Cf., dans les *Mémoires* de Merlin de Thionville, la description de la Chartreuse du Val Saint-Pierre.

pas un individu comme les autres, et, pour qu'il acquière ou possède les priviléges d'un citoyen ordinaire, il faut un supplément, une fiction, un parti pris de la loi. Si volontairement elle oublie qu'il n'est pas une personne naturelle, si elle l'érige en personne civile, si elle le déclare capable d'hériter, d'acquérir et de vendre, s'il devient un propriétaire protégé et respecté, c'est par un bienfait de l'État qui lui prête ses tribunaux et ses gendarmes, et qui, en échange de ce service, peut justement lui imposer des conditions, entre autres l'obligation d'être utile, de rester utile, ou tout au moins de ne pas devenir nuisible. Telle était la règle sous l'ancien régime, et, surtout depuis un quart de siècle, graduellement, efficacement, le gouvernement opérait la réforme. Non-seulement, en 1749, il avait interdit à l'Église de recevoir aucun immeuble, soit par donation, soit par testament, soit par échange, sans lettres patentes du roi enregistrées au Parlement; non-seulement, en 1764, il avait aboli l'ordre des Jésuites, fermé leurs colléges et vendu leurs biens, mais encore, depuis 1766, une commission permanente, instituée par son ordre et dirigée par ses instructions, élaguait toutes les branches mortes ou mourantes de l'arbre ecclésiastique[1]. Remaniement des constitutions primitives; défense à tout institut d'avoir plus de deux couvents à Paris et plus d'un dans les autres villes; recul des vœux qui ne sont plus permis à l'âge de seize ans, mais sont reportés jusqu'à vingt et un ans pour les hommes et à dix-huit ans pour les filles; un minimum de religieux obligatoire pour chaque maison; ce minimum variable de quinze à neuf

1. Ch. Guérin, *Revue des Questions historiques* (1er juillet 1875, 1er avril 1876). — L'abbé Guettée, *Histoire de l'Église de France*, XII, 128 (Procès-verbal de l'assemblée du clergé en 1780.) — Archives nationales, Procès-verbaux et cahiers des États Généraux en 1789. Ce qui fait le plus de peine aux chefs d'ordre, c'est le recul de l'âge des vœux; selon eux, cette mesure est la ruine de leurs instituts. — *L'Ancien régime*, p. 529.

selon les cas; s'il n'est pas atteint, suppression de la maison, ou défense d'y recevoir des novices : grâce à ces mesures rigoureusement exécutées, au bout de douze ans, « les Grammontins, les Servites, les Célestins, l'ancien « ordre de saint Benoît, celui du Saint-Esprit de Mont « pellier, ceux de sainte Brigitte, de Sainte-Croix-de-la-Bre- « tonnerie, de saint Ruff, de saint Antoine, » bref, neuf congrégations entières avaient disparu. Au bout de vingt ans, 386 maisons avaient été supprimées; le nombre des religieux avait diminué d'un tiers; la plus grande partie des biens tombés en déshérence avait reçu un emploi utile; les congrégations d'hommes manquaient de novices et se plaignaient de ne pouvoir combler leurs vides. — Si l'on trouvait les moines encore trop nombreux, trop riches et trop oisifs, il n'y avait qu'à continuer : avant la fin du siècle, par la simple application de l'édit, sans injustice ni brutalité, on ramenait l'institut aux limites de développement, à la mesure de fortune, au genre de fonctions que peut souhaiter un État moderne.

Mais, de ce que les corps ecclésiastiques avaient besoin d'être réformés, il ne s'ensuivait pas qu'il fallût les détruire, ni qu'en général les corps propriétaires soient mauvais dans une nation. Affectés par fondation à un service public et possédant, sous la surveillance lointaine ou prochaine de l'État, la faculté de s'administrer eux-mêmes, ces corps sont des organes précieux et non des excroissances maladives. — En premier lieu, par leur institution, un grand service public, le culte, la recherche scientifique, l'enseignement supérieur ou primaire, l'assistance des pauvres, le soin des malades, est assuré sans charge pour le budget, mis à part et à l'abri des retranchements que pourrait suggérer l'embarras des finances publiques, défrayé par la générosité privée qui, trouvant un réservoir prêt, vient, de siècle en siècle, y rassembler ses milles sources éparses : là-dessus, voyez la richesse, la stabilité, l'utilité des universités allemandes et anglaises. — En second lieu, par leur institution, l'omnipotence de l'État trouve un obstacle ; leur enceinte est une protection contre le niveau de la monarchie absolue ou de la démocratie pure. Un homme peut s'y développer avec indépendance sans endosser la livrée du courtisan ou du démagogue, acquérir la richesse, la considération, l'autorité, sans rien devoir aux caprices de la faveur royale ou populaire, se maintenir debout contre le pouvoir établi ou contre l'opinion régnante en leur montrant autour de lui tout un corps rallié par l'esprit de corps. Tel aujourd'hui un professeur à Oxford, à Gœttingue, à Harvard. Tel, sous l'ancien régime, un évêque, un parlementaire, et même un simple procureur. Rien de pis que la bureaucratie universelle, puisqu'elle produit la servilité uniforme et mécanique. Il ne faut pas que les serviteurs du public soient tous des commis du gouvernement, et, dans un pays où l'aristocratie a péri, les corps sont le dernier asile. — En troisième lieu, par leur institution, il se forme, au milieu du grand monde banal, de petits mondes originaux et distincts, où beaucoup d'âmes trouvent la seule vie qui leur convienne. S'ils sont religieux et laborieux, non-seulement ils offrent un débouché à des besoins profonds de conscience, d'imagination, d'activité et de discipline, mais encore ils les endiguent et les dirigent dans un canal dont la structure est un chef-d'œuvre et dont les bienfaits sont infinis. De cette façon, avec le moins de dépense possible et avec le plus d'effet possible, cent mille personnes, hommes et femmes, exécutent volontairement et gratuitement les moins attrayantes ou les plus rebutantes des besognes sociales, et sont, dans la société humaine, ce que les neutres sont parmi les fourmis.

Ainsi, dans son fond, l'institution était bonne, et, si l'on y portait le fer, il fallait au moins, en retranchant la portion inerte ou gâtée, conserver la portion vivante et saine. Or, pour ne prendre que les ordres monastiques, il y en avait alors plus de la moitié qui étaient dignes de tous les respects. — Et j'omets ici les moines, dont le tiers est demeuré régulier et zélé, les Bénédictins qui continuent la *Gallia christiana* et, à soixante ans, travaillent l'hiver dans une chambre sans feu, les Trappistes qui cultivent la terre de leurs mains, tant de monastères qui sont des séminaires d'éducation, des bureaux de charité, des hospices de passage, et dont tous les villages voisins demandent la conservation à l'Assemblée nationale[1]. — Je ne parle que des religieuses, 37 000 filles en 1500 maisons. Ici, sauf dans les vingt-cinq chapitres de chanoinesses qui sont des rendez-vous demi-mondains de filles nobles et pauvres, presque partout la ferveur, la sobriété, l'utilité, sont incontestables. Un membre du comité ecclésiastique avoue à la tribune que, par toutes leurs lettres et adresses, les religieuses demandent à rester dans leurs cloîtres; de fait, leurs suppliques sont aussi vives que touchantes[2]. — « Nous « préférerions, écrit une communauté, le sacrifice de nos « vies à celui de notre état... Ce langage n'est pas celui « de quelques-unes de nos sœurs, mais de toutes absolu- « ment. L'Assemblée nationale a assuré les droits de la « liberté : voudrait-elle en interdire l'usage aux seules « âmes généreuses qui, brûlant du désir d'être utiles, ne

1. *L'Ancien régime*, p. 44. — Ch. Guérin, *ib.* Le monastère des Trois-Rois, au nord de la Franche-Comté, a fondé quatre villages, attiré des colons de l'étranger. Il est le seul centre de bienfaisance et de civilisation dans un rayon de trois lieues. Il a soigné deux cents malades dans une épidémie récente; il héberge les troupes qui passent d'Alsace en Franche-Comté; dans la dernière grêle, il a nourri tout le voisinage.

2. *Moniteur*, séance du 13 février 1790. (Discours de l'abbé de Montesquiou.) — Archives nationales, Papiers du comité ecclésiastique, DXIX, 6, Visitation de Limoges; DXIX, 25, Annonciades de Saint-Denis; *id.*, Annonciades de Saint-Amour; Ursulines d'Auch, de Beaulieu, d'Eymoutier, de la Ciotat, de Pont-Saint-Esprit; Hospitalières d'Ernée, de Laval; Sainte-Claire de Laval, de Marseille, etc.

« renoncent au monde que pour rendre plus de services « à la société? » — « Le peu de commerce que nous avons « avec le monde, écrit une autre communauté, fait que « notre bonheur est inconnu. Mais il n'en est pas moins « vrai ou moins solide. Nous ne connaissons parmi nous « ni distinctions, ni privilége ; nos biens et nos maux sont « communs. N'ayant qu'un seul cœur et qu'une seule « âme,.... nous protestons devant la nation, en face du « ciel et de la terre, qu'il n'est donné à aucun pouvoir de « nous arracher l'amour de nos engagements, et que nous « les renouvelons, ces engagements, avec encore plus « d'ardeur que nous ne les fîmes à notre profession[1]. » — Beaucoup de communautés n'ont pour subsister que le travail de leurs doigts et le revenu des petites dots qu'on apporte en y entrant ; mais la sobriété et l'économie y sont telles que la dépense totale de chaque religieuse ne dépasse pas 250 livres par an. « Avec 4400 livres de revenu « net, disent les Annonciades de Saint Amour, nous vi- « vons trente-trois religieuses, tant choristes que du voile « blanc, sans être à charge au public ni à nos familles... Si « nous vivions dans le monde, notre dépense y triplerait « au moins, » et, non contentes de se suffire, elles font des aumônes. — Parmi ces communautés, plusieurs centaines sont des maisons d'éducation ; un très-grand nombre donnent gratuitement l'enseignement primaire. Or, en 1789, il n'y a pas d'autres écoles pour les filles, et, si on les supprime, on bouche à l'un des deux sexes, à la moitié de la population française, toute source de culture et d'instruction. — Quatorze mille hospitalières, réparties en quatre cent vingt maisons, veillent dans les hôpitaux, soi-

1. Sauzay, I, 247. Sur 377 religieuses du Doubs, 358 préfèrent rester dans leur état, notamment à Pontarlier toutes les Bernardines, Annonciades et Ursulines, à Besançon toutes les Carmélites, Visitandines, Annonciades, Clarisses, sœurs du Refuge, religieuses du Saint-Esprit, et, sauf une, toutes les Bénédictines.

gnent les malades, servent les infirmes, élèvent les enfants trouvés, recueillent les orphelins, les femmes en couches, les filles repenties. — La Visitation est un asile pour les filles « disgraciées de la nature, » et dans ce temps il y en a bien plus de défigurées qu'aujourd'hui, puisque, sur huit morts, la petite vérole en cause une. On y reçoit aussi des veuves, des filles sans fortune et sans protection, des personnes « fatiguées par les agitations du monde, » celles qui sont trop faibles pour livrer la bataille de la vie, celles qui s'en retirent invalides ou blessées; et « la règle, « très peu pénible, n'est pas au-dessus des forces de la « santé la plus délicate et même la plus débile. » Sur chaque plaie sociale ou morale, une charité ingénieuse applique ainsi, avec ménagement et avec souplesse, le pansement approprié et proportionné. — Enfin, bien loin de se faner, presque toutes ces communautés florissent, et, tandis qu'en moyenne il n'y a que 9 religieux par maison d'hommes, on trouve en moyenne 24 religieuses par maison de femmes. Telle, à Saint-Flour, élève cinquante pensionnaires; une autre, à Beaulieu, instruit cent externes; une autre, en Franche-Comté, dirige huit cents enfants abandonnés[1]. — Devant de tels instituts, évidemment, pour peu qu'on ait souci de l'intérêt public et de la justice, il faut s'arrêter. D'autant plus qu'il est inutile de sévir; en vain la main rude du législateur essaiera de les écraser; ils repousseront d'eux-mêmes, parce qu'ils sont dans le sang de toute nation catholique. Au lieu de 37 000 religieuses, il y en a maintenant en France 86 000, c'est-à-dire, sur 100 000 femmes, 45 au lieu de 28.

En tout cas, si l'État les exproprie, eux et les autres corps ecclésiastiques, ce n'est pas lui qui peut revendiquer leur dépouille. Il n'est pas leur héritier, et leurs im-

1. Archives nationales, Papiers du comité ecclésiastique, *passim*. — Sauzay, I, 51. — Statistique de la France pour 1866.

meubles, leur mobilier, leurs rentes, ont, par nature, sinon un propriétaire désigné, du moins un emploi obligé. Accumulé depuis quatorze siècles, ce trésor n'a été formé, accru, conservé qu'en vue d'un objet. Les millions d'âmes généreuses, repentantes ou dévouées, qui l'ont donné ou administré, avaient toutes une intention précise. C'est une œuvre d'éducation, de bienfaisance, de religion, et non une autre œuvre, qu'elles voulaient faire. Il n'est pas permis de frustrer leur volonté légitime. Les morts ont des droits dans la société, comme les vivants; car, cette société dont jouissent les vivants, ce sont les morts qui l'ont faite, et nous ne recevons leur héritage qu'à condition d'exécuter leur testament. — Sans doute, quand ce testament est très-ancien, il faut l'interpréter largement, suppléer à ses prévisions trop courtes, tenir compte des circonstances nouvelles. Parfois les besoins auxquels il pourvoyait ont disparu : il n'y avait plus de chrétiens à racheter, après la destruction des corsaires barbaresques, et une fondation ne se perpétue qu'en se transformant. — Mais si, dans l'institution primitive, plusieurs clauses accessoires et particulières deviennent forcément caduques, il est une intention générale et principale qui, manifestement, reste impérative et permanente, celle de pourvoir un service distinct, charité, culte, instruction. Changez, si cela est nécessaire, les administrateurs et la répartition du bien légué, mais n'en détournez rien pour des services d'une espèce étrangère; il n'est affecté qu'à celui-là ou à d'autres très-semblables. Les quatre milliards de fonds, les deux cents millions de revenus ecclésiastiques en sont la dotation expresse et spéciale. Ils ne sont pas un tas d'or abandonné sur la grande route et que le fisc puisse s'attribuer ou attribuer aux riverains. Sur ce tas d'or sont des titres authentiques, qui, en constatant sa provenance, fixent sa destination, et votre seule affaire est de veiller pour qu'il soit remis à son adresse. — Tel était le principe sous l'ancien régime, à travers des abus graves et sous les exactions de la commende. Quand la commission ecclésiastique supprimait un ordre, ce n'était pas pour adjuger ses biens au trésor public, mais pour les appliquer à des séminaires, à des écoles, à des hospices. En 1789, les revenus de Saint-Denis défrayaient Saint-Cyr; ceux de Saint-Germain allaient aux Économats; et le gouvernement, même absolu et besoigneux, gardait assez de probité pour comprendre que la confiscation est un vol. Plus on est puissant, plus on est tenu d'être juste, et l'honnêteté finit toujours par devenir la meilleure politique. — Il est donc juste et utile que l'Église, comme en Angleterre et en Amérique, que l'enseignement supérieur, comme en Angleterre et en Allemagne, que l'enseignement spécial, comme en Amérique, que les diverses fondations d'assistance et d'utilité publique soient maintenues indéfiniment en possession de leur héritage. Exécuteur testamentaire de la succession, l'État abuse étrangement de son mandat, lorsqu'il la met dans sa poche pour combler le déficit de ses propres caisses, pour la risquer dans de mauvaises spéculations, pour l'engloutir dans sa propre banqueroute, jusqu'à ce qu'enfin, de ce trésor énorme amassé pendant quarante générations pour les enfants, pour les infirmes, pour les malades, pour les pauvres, pour les fidèles, il ne reste plus de quoi payer une maîtresse dans une école, un desservant dans une paroisse, une tasse de bouillon dans un hôpital[1].

A toutes ces raisons l'Assemblée reste sourde, et ce qui lui bouche les oreilles, ce n'est pas la détresse du trésor. Au nom du clergé, l'archevêque d'Aix, M. de Boisgelin, a offert de solder à l'instant les trois cent soixante millions de dette exigible, au moyen d'un emprunt hypothé-

1. Félix Rocquain, *La France après le* 18 *brumaire* (Rapports des conseillers d'État envoyés en mission), passim.

caire de quatre cents millions sur les biens ecclésiastiques; et l'expédient est très-bon ; car, en ce temps-là, le crédit du clergé est le seul solide : d'ordinaire, il emprunte à moins de 5 pour 100, et on lui a toujours apporté plus d'argent qu'il n'en demandait, tandis que l'État emprunte à 10 pour 100, et, en ce moment même, ne trouve plus de prêteurs. — Mais, pour nos politiques nouveaux, il s'agit bien moins de combler le déficit que d'appliquer un principe. Conformément au Contrat social, ils établissent en maxime que, dans l'État, il ne faut pas de corps; rien que l'État, dépositaire de tous les pouvoirs publics, et une poussière d'individus désagrégés; nulle société particulière, nul groupement partiel, nulle corporation collatérale, même pour remplir un office que l'État ne remplit pas. « Dès qu'on entre dans une corporation, » dit un orateur [1], « il faut l'aimer comme une famille ; » or l'État doit garder le monopole de toutes les affections et de toutes les obéissances. D'ailleurs, sitôt qu'on fait partie d'un ordre, on reçoit de lui un appui distinct, et toute distinction est contraire à l'égalité civile. C'est pourquoi, si l'on veut que les hommes restent égaux et deviennent citoyens, il faut leur ôter tout centre de ralliement qui ferait concurrence à l'État, et donnerait aux uns quelque avantage sur les autres. — En conséquence, on a tranché toutes les attaches naturelles ou acquises par lesquelles la géographie, le climat, l'histoire, la profession, le métier, les unissaient. On a supprimé les anciennes provinces, les anciens états provinciaux, les anciennes administrations municipales, les parlements, les jurandes et les maîtrises. On a dispersé les groupes les plus spontanés, ceux que forme la communauté d'état, et l'on a pourvu,

1. *Moniteur*, séance du 24 octobre 1789 (Discours de Dupont de Nemours). — Tous ces discours se trouvent, parfois avec plus de développement et de variantes de rédaction, dans les *Archives parlementaires*, 1re série, tomes VIII et IX.

par les interdictions les plus expresses, les plus étendues et les plus précises, à ce que jamais, sous aucun prétexte, ils ne puissent se refaire[1]. On a découpé la France géométriquement comme un damier, et, dans ces cadres improvisés qui seront longtemps factices, on n'a laissé subsister que des individus isolés et juxtaposés. Ce n'est pas pour épargner les corps organisés où la cohésion est étroite, et notamment le clergé.

« Des sociétés particulières, dit Mirabeau[2], placées dans « la société générale, rompent l'unité de ses principes et « l'équilibre de ses forces. Les grands corps politiques « sont dangereux dans un État par la force qui résulte « de leur coalition, par la résistance qui naît de leurs in- « térêts. » — Et celui-ci, de plus, est mauvais par essence; car[3] « son régime est continuellement en opposition avec « les droits de l'homme. » Un institut où l'on fait vœu d'obéissance est « incompatible » avec la constitution. « Soumises à des chefs indépendants, » les congrégations « sont hors de la société, contraires à l'esprit public. » — Quant au droit de la société sur elles et sur l'Église, il n'est pas douteux. « Les corps n'existent que par la « société; en les détruisant, elle ne fait que retirer la vie « qu'elle leur a prêtée. » « Ils ne sont que des instru-

1. Duvergier, décret des 14-17 juin 1791. « L'anéantissement de toutes les « espèces de corporations des citoyens de même état et profession *étant une « des bases de la Constitution française*, il est défendu de les rétablir de « fait, sous quelque prétexte et quelque forme que ce soit. Les citoyens d'un « même état ou profession, les entrepreneurs, ceux qui ont boutique ou- « verte, les ouvriers et compagnons d'un art quelconque, ne pourront, lors- « qu'ils se trouveront ensemble, nommer ni président, ni secrétaires, ni « syndics, prendre des arrêtés ou délibérations, former des règlements sur « *leurs prétendus intérêts communs*. »

2. *Moniteur*, séance du 2 novembre 1789.

3. *Moniteur*, séance du 12 février 1790, Discours de Dally-d'Agier et de Barnave.

« ments fabriqués par la loi[1]. Que fait l'ouvrier quand « son instrument ne lui convient plus? Il le brise ou le « modifie. » — Ce premier sophisme admis, la conclusion est claire. Puisque les corps sont abolis, ils n'existent plus. Puisqu'ils n'existent plus, ils ne peuvent être encore propriétaires. « Vous avez voulu détruire les ordres[2], parce « que leur destruction était nécessaire au salut de l'État. « Si le clergé conserve ses biens, l'ordre du clergé n'est pas « détruit; vous lui laissez nécessairement la faculté de « s'assembler; vous consacrez son indépendance. » En aucun cas, les ecclésiastiques ne doivent posséder. « S'ils « sont propriétaires, ils peuvent être indépendants; s'ils « sont indépendants, ils attacheront cette indépendance « à l'exercice de leurs fonctions. » A tout prix, il faut qu'ils soient dans la main de l'État, simples fonctionnaires, nourris de ses subsides. Il serait trop dangereux pour une nation « d'admettre dans son sein, comme propriétaire, « un grand corps à qui tant de sources de crédit donnent « déjà tant de puissance. La religion appartenant à tous, « il faut, par cela seul, que ses ministres soient à la « solde de la nation. » Ils ne sont par essence que « des « officiers de morale et d'instruction, » des « salariés, » comme les professeurs et les juges. Ramenons-les à cette condition qui est la seule conforme aux droits de l'homme et prononçons que « le clergé, ainsi que tous les « corps et établissements de mainmorte, sont dès à pré- « sent et seront perpétuellement incapables d'avoir la « propriété d'aucuns biens fonds ou autres immeubles[3]. » — De tous ces biens vacants, qui est maintenant l'héri-

1. *Moniteur*, séance du 10 août 1789, Discours de Garat; du 12 février 1790, Discours de Pétion; du 30 octobre 1789, Discours de Thouret.

2. *Moniteur*, séance du 2 novembre 1789, Discours de Chapelier; du 24 octobre 1789, Discours de Garat; du 30 octobre 1789, Discours de Mirabeau, et séance du 10 août 1789.

3. *Moniteur*, séance du 23 octobre 1789, Discours de Thouret.

tier légitime? Par un second sophisme, l'État, juge et partie, les attribue à l'État. « Les fondateurs ont donné à « l'Église, c'est-à-dire à la nation[1]. » « Puisque la nation « a permis que le clergé possédât, elle peut revendiquer « ce qu'il ne possède que par son autorisation. » « Il doit « être de principe que toute nation est seule et véritable « propriétaire des biens de son clergé. » — Notez que le principe, tel qu'il est posé, entraîne la destruction de tous les corps ecclésiastiques et laïques avec la confiscation de tous leurs biens, et vous verrez apparaître à l'horizon le décret final et complet[2] par lequel l'Assemblée législative, « considérant qu'un État vraiment libre ne doit souffrir « dans son sein aucune corporation, pas même celles « qui, vouées à l'enseignement public, ont bien mérité de « la patrie, » pas mêmes celles « qui sont vouées uni- « quement au service des hôpitaux et au soulagement des « malades, » supprime toutes les congrégations, confréries, associations d'hommes ou de femmes, laïques ou ecclésiastiques, toutes les fondations de piété, de charité, d'éducation, de conversion, séminaires, colléges, missions, Sorbonne, Navarre. Ajoutez-y le dernier coup de balai : sous la Législative, le partage de tous les biens communaux, excepté les bois; sous la Convention, l'abolition de toutes les sociétés littéraires, de toutes les académies scientifiques ou littéraires, la confiscation de tous leurs biens, bibliothèques, muséums, jardins botaniques, la confiscation de tous les biens communaux non encore partagés, la confiscation de tous les biens des hôpitaux et autres établissements de bienfai-

1. *Moniteur*, séance du 23 octobre 1789, Discours de Treilhard; du 24 octobre, Discours de Garat; du 30 octobre, Discours de Mirabeau. — Dès le 8 août 1789, Al. de Lameth disait à la tribune : « Lorsqu'on a fait une fon- « dation, c'est la nation qu'on a dotée. »

2. Duvergier, lois du 18 août 1792, des 8-14 août 1793, du 11 juillet 1794, du 14 juillet 1792, du 24 août 1793.

sance[1]. — Proclamé par l'Assemblée constituante, le principe abstrait a révélé par degrés sa vertu exterminatrice. Grâce à lui, il n'y a plus en France que des individus dispersés, impuissants, éphémères, en face d'eux le corps unique et permanent qui a dévoré tous les autres, l'État, véritable colosse, seul debout au milieu de tous ces nains chétifs.

Substitué aux autres, c'est lui qui désormais se charge de leur office, et va bien employer l'argent qu'ils employaient mal. — En premier lieu il abolit la dîme, non point graduellement et moyennant rachat, comme en Angleterre, mais tout d'un coup et sans indemnité, à titre d'impôt illégitime et abusif, à titre de taxe privée perçue par des particuliers en froc ou en soutane sur des particuliers en blouse, à titre d'usurpation vexatoire et pareille aux droits féodaux. L'opération est radicale et conforme aux principes. — Par malheur, elle est si grossièrement enfantine qu'elle va contre son propre objet. En effet, depuis Charlemagne, toutes les terres, incessamment vendues et revendues, ont toujours payé la dîme, et n'ont jamais été achetées que sous cette charge, qui est environ un septième du revenu net. Otez cette charge, vous ajoutez un septième au revenu de propriétaire, par conséquent un septième à son capital. Vous lui donnez 100 francs, si sa terre en vaut 700, 1000, si elle en vaut 7000, 10000, si elle en vaut 70 000, 100 000, si elle en vaut 700 000. Tel y gagne 600 000 francs, 30 000 livres de rente[2]. Par ce cadeau gra-

1. *Moniteur*, séance du 31 juillet 1792, Discours de M. Boistard; les biens des hôpitaux étaient à cette date estimés 800 millions. — Déjà en 1791 (séance du 30 janvier), M. de la Rochefoucauld-Liancourt disait à l'Assemblée : « Rien ne peut mieux rassurer les pauvres que de voir la nation s'em- « parer du droit de leur donner des secours. » En conséquence, il propose de déclarer à la disposition de la nation les biens de tous les hôpitaux et de tous les instituts de bienfaisance. (*Mercure*, n° du 12 février 1791.)

2. *Moniteur*, séance du 10 août 1789, Discours de Sieyès. — Les chiffres donnés ici sont déduits des chiffres donnés déjà dans *l'Ancien régime*.

tuit et inattendu, 123 millions de revenu, 2 milliards et demi de capital sont partagés entre tous les propriétaires fonciers de France, et d'une façon si ingénieuse que, plus on est riche, plus on reçoit. Tel est l'effet des principes abstraits; pour soulager de 30 millions par an les paysans en sabots, une assemblée démocratique accroît de 30 millions par an le revenu des bourgeois aisés, et de 30 millions par an le revenu des nobles opulents. De plus, cette première partie de l'œuvre n'est qu'onéreuse pour l'État; car, pour dégrever les propriétaires fonciers, il s'est grevé lui-même, et désormais, sans embourser un sou, c'est lui qui paye à leur place les frais du culte. — Quant à la seconde partie de l'opération, je veux dire la confiscation de quatre milliards d'immeubles, en fin de compte elle se trouve ruineuse, après avoir semblé lucrative. Car elle fait sur nos politiques la même impression qu'une grosse succession immobilière sur un parvenu besoigneux et chimérique. A ses yeux, c'est un puits d'or sans fond; il y puise à pleines mains et entreprend d'exécuter tous ses rêves : puisqu'il peut tout payer, il est libre de tout casser. C'est ainsi que l'Assemblée supprime et rembourse les offices de magistrature, 450 millions, les charges et cautionnements de finance, 321 millions, les charges de la maison du roi, de la reine et des princes, 52 millions, les charges et emplois militaires, 35 millions, les dîmes inféodées, 100 millions, et le reste[1]. « Au mois de mai 1789, » dit Necker, « le rétablissement de l'ordre dans les finances « n'était qu'un jeu d'enfant. » Au bout d'un an, à force de s'obérer, d'exagérer ses dépenses, d'abolir ou d'abandonner ses recettes, l'État ne vit plus que du papier qu'il émet, mange son capital nouveau, et marche à grands pas vers la banqueroute. Jamais succession si large n'a été si vite réduite à rien et à moins que rien.

1. *Moniteur*, V, 571, séance du 4 septembre 1790, Rapport du comité des finances. — V, 675, séance du 17 septembre 1790, Rapport de Necker.

En attendant, dès les premiers mois, on peut constater l'usage que les administrateurs sauront en faire et la façon dont ils vont doter le service auquel elle les astreint. — De tout le bien confisqué, aucune portion n'est réservée à l'entretien du culte, aux hôpitaux, aux asiles, aux écoles. Non-seulement tous les contrats et tous les immeubles productifs tombent dans le grand creuset national pour s'y convertir en assignats, mais nombre de bâtiments spéciaux, tout le mobilier monastique, une portion du mobilier ecclésiastique, détournés de leur emploi naturel, viennent s'engloutir dans le même gouffre : à Besançon[1], trois églises sur huit, avec leurs biens-fonds et leur trésor, le trésor du chapitre, le trésor de toutes les églises conventuelles, vases sacrés, châsses, croix, reliquaires, ex-voto, ivoires, statues, tableaux, tapisseries, habits et ornements sacerdotaux, argenterie, orfévrerie, meubles antiques et précieux, bibliothèques, grilles, cloches, chefs-d'œuvre d'art et de piété, tout cela brisé et fondu à la Monnaie, ou vendu à l'encan et à vil prix ; c'est ainsi qu'on exécute les intentions des fondateurs et donateurs. — Privées de leurs rentes, comment tant de communautés vont-elles soutenir leurs écoles, leurs hospices et leurs asiles ? Même après le décret[2] qui, par exception et provisoirement, ordonne qu'on leur tienne compte de tout leur revenu, toucheront-elles ce revenu, maintenant qu'il est perçu par une administration locale dont la caisse est toujours vide et dont les intentions sont presque toujours hostiles ? Visiblement, tous les établissements de bienfaisance et d'éducation dépérissent, depuis que les sources distinctes qui les

1. Sauzay, I, 228 (du 10 octobre 1790 au 20 février 1791). « Le poids total « de la dépouille des couvents, tant en or qu'en argent et en vermeil, en- « voyé à la Monnaie s'éleva à plus de cinq cent vingt-cinq kilogrammes » (pour le département).

2. Duvergier, loi du 8-14 octobre 1790.

alimentaient viennent se confondre et se perdre dans le lit desséché du trésor public[1]. — Déjà en 1790, l'argent manque pour payer aux religieux et aux religieuses leur petite pension alimentaire. Dans la Franche-Comté, les capucins de Baume n'ont pas de pain et sont obligés, pour vivre, de revendre, avec la permission du district, une partie des approvisionnements séquestrés de leur maison. Les Ursulines d'Ornans subsistent d'aumônes que des particuliers leur font pour conserver à la ville son seul établissement d'éducation. Les Bernardines de Pontarlier sont réduites à la dernière misère : « Nous « sommes persuadés, écrit le district, qu'elles n'ont rien « à mettre sous la dent ; il faut que nous-mêmes bour- « sillions au jour le jour pour les empêcher de mourir « de faim[2]. » — Trop heureuses, quand l'administration locale leur donne à manger ou tolère qu'on leur en donne ! En maint endroit, elle travaille à les affamer ou se plaît à les vexer. Au mois de mars 1791, malgré les instances du district, le département du Doubs réduit la pension des Visitandines à 101 livres pour les choristes et à 50 pour les converses. Deux mois auparavant, la municipalité de Besançon, interprétant à sa fantaisie le décret qui permet aux religieuses de s'habiller comme elles veulent, enjoint à toutes et même aux hospitalières de quitter leur ancien costume que beaucoup d'entre elles n'ont pas le moyen de remplacer. — Impuissance, indifférence ou malveillance, voilà les dispositions

1. *Moniteur*, séance du 13 juin 1792, Discours de M. Bernard, au nom du comité des secours publics : « Il n'y a pas de jour où nous ne recevions des « départements les nouvelles les plus affligeantes sur la pénurie de leurs « hôpitaux. » — *Mercure de France*, n° du 17 décembre 1791, séance du 5 décembre. Des députés du département du Nord demandent des secours pour leurs hôpitaux et leurs municipalités. De 480 000 livres de revenu, il leur en reste 10 000. « Les biens des communes, hypothéqués, ne leur offrent « plus de ressources ; » 280 000 personnes sont sans pain.

2. Sauzay, I, 252 (13 décembre 1790, 13 avril 1791).

qu'elles rencontrent dans les nouveaux pouvoirs chargés de les nourrir et de les défendre. Pour déchaîner la persécution, il suffit maintenant d'un décret qui mette en conflit l'autorité civile et la conscience religieuse. Le décret est rendu, et, le 12 juillet 1790, l'Assemblée établit la constitution civile du clergé.

C'est que, malgré la confiscation des biens et la dispersion des communautés, le principal corps ecclésiastique subsiste intact : soixante-dix mille prêtres, enrégimentés sous les évêques, autour du pape leur général en chef. Il n'en est pas de plus solide, de plus antipathique et de plus attaqué. Car il a contre lui des rancunes invétérées et des opinions faites, le gallicanisme des légistes qui, depuis saint Louis, sont les adversaires du pouvoir ecclésiastique, la doctrine des jansénistes qui, depuis Louis XIII, veulent ramener l'Église à sa forme primitive, la théorie des philosophes qui, depuis soixante ans, considèrent le christianisme comme une erreur et le catholicisme comme un fléau. A tout le moins, dans le catholicisme, l'institution cléricale est condamnée, et l'on se croit modéré, si l'on respecte le reste : « Nous pourrions changer la religion, » disent des députés à la tribune[1]. Or, le décret ne touche ni au dogme ni au culte ; il se borne à remanier la discipline, et, sur ce terrain distinct qu'on revendique pour la puissance civile, on prétend, sans le concours de la puissance ecclésiastique, démolir et rebâtir à discrétion.

En cela, l'on usurpe ; car, aussi bien que la société civile, la société ecclésiastique a le droit de choisir sa forme, sa hiérarchie et son gouvernement. — Là-dessus, toutes les raisons qu'on peut donner en faveur de la première, on peut les répéter en faveur de la seconde, et, du

1. *Moniteur*, séance du 1er juin 1790, Discours de Camus, de Treilhard, etc.

moment que l'une est légitime, l'autre est légitime aussi. Ce qui autorise la société civile ou religieuse, c'est la longue série des services que, depuis des siècles, elle rend à ses membres, c'est le zèle et le succès avec lesquels elle s'acquitte de son emploi, c'est la reconnaissance qu'ils ont pour elle, c'est l'importance qu'ils attribuent à son office, c'est le besoin qu'ils ont d'elle et l'attachement qu'ils ont pour elle, c'est la persuasion imprimée en eux que, sans elle, un bien auquel ils tiennent plus qu'à tous les autres leur ferait défaut. Dans la société civile, ce bien est la sûreté des personnes et des propriétés. Dans la société religieuse, ce bien est le salut éternel de l'âme. Sur tout le reste la ressemblance est complète, et les titres de l'Église valent les titres de l'État. C'est pourquoi, s'il est juste qu'il soit indépendant et souverain chez lui, il est juste qu'elle soit chez elle indépendante et souveraine; si l'Église empiète quand elle prétend régler la constitution de l'État, l'État empiète quand il prétend régler la constitution de l'Église, et si, dans son domaine, il doit être respecté par elle, dans son domaine, elle doit être respectée par lui. — Sans doute, entre les deux territoires, la ligne de démarcation n'est pas tranchée, et des contestations fréquentes s'élèvent entre les deux propriétaires. Pour les prévenir ou les terminer, tantôt ils peuvent se clore chacun chez soi par un mur de séparation, et, autant que possible, s'ignorer l'un l'autre; c'est le cas en Amérique. Tantôt, par un contrat débattu, ils peuvent se reconnaître l'un à l'autre des droits définis sur la zone intermédiaire, et y exercer ensemble leur juridiction partagée; c'est le cas de la France. Mais, dans les deux cas, les deux pouvoirs, comme les deux sociétés, doivent rester distincts. Il faut que, pour chacun d'eux, l'autre soit un égal avec lequel il traite, et non un subordonné dont il règle la condition. Quel que soit le régime civil, monarchique ou républicain, oligarchique ou démocratique, l'Église abuse de son crédit, quand elle le condamne ou l'attaque. Quel que soit le régime ecclésiastique, papal, épiscopal, presbytérien ou congrégationaliste, l'État abuse de sa force, lorsque, sans l'assentiment des fidèles, il l'abolit ou l'impose. — Non-seulement il viole le droit, mais le plus souvent sa violence est vaine. Il a beau frapper; la racine de l'arbre est hors de ses atteintes, et, dans cet injuste combat qu'il engage contre une institution aussi vivace que lui-même, il finit souvent par être vaincu.

Par malheur, en ceci comme dans tout le reste, l'Assemblée, préoccupée des principes, a oublié de regarder les choses, et, en ne voulant ôter qu'une écorce morte, elle blesse le tronc vivant. — Depuis plusieurs siècles, et surtout depuis le concile de Trente, ce qu'il y a de vivant dans le catholicisme c'est bien moins la religion que l'Église. La théologie y est descendue au second plan, la discipline y est montée au premier. Car, en droit, les fidèles sont tenus de croire à l'autorité spirituelle comme à un dogme, et, en fait, c'est à l'autorité spirituelle bien plus qu'au dogme que leur croyance est attachée. — Il est de foi qu'en matière de discipline comme en matière de dogme, si l'on rejette les décisions de l'Église romaine, on cesse d'être catholique, que l'autorité spirituelle vient d'en haut et non d'en bas, que, sans l'institution de l'évêque, nul n'est prêtre, que, sans l'institution du pape, nul n'est évêque, qu'un évêque ou prêtre illégitime ne peut conférer de sacrements valables, qu'un enfant baptisé par lui n'est pas chrétien, qu'un mourant absous par lui n'est pas absous, que deux fidèles mariés par lui vivent en concubinage. — Il est de fait que les fidèles ne sont plus théologiens ni canonistes, que, sauf quelques jansénistes, ils ne lisent plus l'Écriture ni les Pères, que, s'ils acceptent le dogme, c'est en bloc, sans examen, par confiance en la main qui le leur présente, que leur conscience obéissante est dans celte main pastorale, que peu leur importe l'Église du troisième siècle, et que, sur la forme légitime de l'Église présente, le docteur dont ils suivront l'avis n'est pas saint Cyprien qu'ils ignorent, mais leur évêque visible et leur curé vivant. — Rapprochez ces deux données et la conclusion en sort d'elle-même : évidemment, ils ne se croiront baptisés, absous, mariés que par ce curé autorisé par cet évêque. Mettez-en d'autres à la place, réprouvés par les premiers ; vous supprimez le culte, les sacrements et les plus précieuses fonctions de la vie spirituelle à vingt-quatre millions de Français, à tous les paysans, à tous les enfants, à presque toutes les femmes; vous révoltez contre vous les deux plus grandes forces de l'âme, la conscience et l'habitude. — Et voyez avec quel effet. Non-seulement vous faites de l'État un gendarme au service d'une hérésie, mais encore, par cet essai infructueux et tyrannique de jansénisme gallican, vous discréditez à jamais les maximes gallicanes et les doctrines jansénistes. Vous tranchez les deux dernières racines par lesquelles l'esprit libéral végétait encore dans le catholicisme orthodoxe. Vous rejetez tout le clergé vers Rome; vous le rattachez au pape dont vous vouliez le séparer; vous lui ôtez le caractère national que vous vouliez lui imposer. Il était français et vous le rendez ultramontain. Il excitait la malveillance et l'envie, vous le rendez sympathique et populaire. Il était divisé, vous le rendez unanime. Il était une milice incohérente, éparse sous plusieurs autorités indépendantes, enracinée au sol par la possession de la terre; grâce à vous, il va devenir une armée régulière et disponible, affranchie de toute attache locale, organisée sous un seul chef, et toujours prête à se mettre en campagne au premier mot d'ordre. Comparez l'autorité d'un évêque dans son diocèse en 1789, et soixante ans plus tard. — En 1789, sur 1,500 emplois et bénéfices, l'archevêque de Besançon nommait à moins de 100 ; pour 93 cures, le chapitre métropolitain choisissait ; pour 18, c'était le chapitre de la Madeleine ; dans 70 paroisses, c'était le seigneur fondateur ou bienfaiteur ; tel abbé avait à sa disposition 13 cures, tel 34, tel 35, tel prieur 9, telle abbesse 20 ; cinq communes nommaient directement leur pasteur ; abbayes, prieurés, canonicats étaient aux mains du roi[1]. — Dans un diocèse aujourd'hui, l'évêque nomme tous les curés ou desservants et peut en révoquer neuf sur dix ; dans ce même diocèse, de 1850 à 1860, c'est à peine si *un fonctionnaire laïque* a été nommé sans l'agrément ou l'entremise du cardinal-archevêque[2]. — Pour comprendre l'esprit, la discipline et l'influence de notre clergé contemporain, remontez à la source, et vous la trouverez dans le décret de l'Assemblée constituante. Ce n'est pas impunément qu'on dissout un corps naturel ; il se reforme en s'adaptant aux circonstances, et serre ses rangs à proportion de son danger.

Mais, selon les maximes de l'Assemblée, si, devant l'État laïque, les croyances et les cultes sont libres, devant l'État souverain, les Églises sont sujettes. Car elles sont des sociétés, des administrations, des hiérarchies, et nulle société, administration ou hiérarchie ne doit subsister dans l'État, à moins d'entrer dans ses cadres à titre de subordonnée, de déléguée et d'employée. Par essence, un prêtre est un salarié comme les autres, un fonctionnaire[3] préposé aux choses du culte et de la morale. Quand l'État veut changer le nombre, le mode de nomination, les attributions, les circonscriptions de ses ingénieurs, il n'est pas tenu de demander permission à ses ingénieurs as-

1. Sauzay, I, 168.

2. Ceci est à ma connaissance personnelle ; de 1863 à 1867, j'ai visité quatre fois Besançon.

3. *Moniteur*, séance du 30 mai 1790 et suivantes (Rapport de Treilhard, Discours de Robespierre, etc.).

semblés, ni surtout à un ingénieur étranger établi à Rome. Quand il veut changer la condition de « ses offi« ciers ecclésiastiques », son droit est égal et partant complet. Il n'a besoin, pour l'exercer, du consentement de personne, et il ne souffre aucune intervention entre lui et ses commis. L'Assemblée refuse de rassembler un conseil gallican ; elle refuse de négocier avec le pape, et, de sa seule autorité, elle refait toute la constitution de l'Église. Désormais cette branche de l'administration publique sera organisée sur le type des autres. — En premier lieu [1], le diocèse aura la même étendue et les mêmes limites que le département ; par suite, toutes les circonscriptions ecclésiastiques sont taillées à neuf, et quarante-huit siéges épiscopaux disparaissent. — En second lieu, défense à l'évêque nommé de « s'adresser au pape pour « en obtenir aucune confirmation. » Il ne pourra que lui écrire « en témoignage de l'unité de foi et de communion « qu'il doit entretenir avec lui. » Ainsi l'évêque n'est plus institué par son chef canonique, et l'Église de France devient schismatique. — En troisième lieu, défense au métropolitain ou à l'évêque d'exiger des évêques ou curés nouveaux « d'autre serment, sinon qu'ils font profes« sion de la religion catholique, apostolique et romaine. » Assisté de son conseil, il pourra les examiner sur leur doctrine et sur leurs mœurs, et leur refuser l'institution canonique ; mais, dans ce cas, ses raisons devront être données par écrit, signées de lui et de son conseil. D'ailleurs, son autorité ne va pas au delà ; car, entre les contestants, c'est le tribunal civil qui décide. Ainsi la hiérarchie catholique est brisée, le supérieur ecclésiastique a la main forcée ; s'il délègue encore le caractère sacerdotal, c'est pour la forme ; du curé à l'évêque, la subordination

1. Duvergier, lois du 12 juillet-14 août, 14-25 novembre 1790, 21-26 janvier 1791.

cesse, comme elle a cessé de l'évêque au pape, et l'Église de France devient presbytérienne. — En effet, comme dans les Églises presbytériennes, c'est maintenant le peuple qui choisit ses ministres : l'évêque est nommé par les électeurs du département, le curé par les électeurs du district, et, par une aggravation extraordinaire, ces électeurs ne sont pas tenus d'appartenir à sa communion. Peu importe que l'assemblée électorale contienne, comme à Nîmes, à Montauban, à Strasbourg, à Metz, une proportion notable de calvinistes, de luthériens et de juifs, ou que sa majorité, fournie par le club, soit notoirement hostile au catholicisme et même au christianisme. Elle choisira l'évêque et le curé ; le Saint Esprit est en elle et dans les tribunaux civils, qui, en dépit de toute résistance, peuvent installer ses élus. — Pour achever la dépendance du clergé, il est défendu à tout évêque de s'absenter quinze jours sans la permission du département, à tout curé de s'absenter quinze jours sans la permission du district, même pour assister son père mourant, pour se faire tailler de la pierre. Faute d'autorisation, son traitement est suspendu ; fonctionnaire et salarié, il doit ses heures de bureau, et quand il voudra quitter son poste, il ira prier ses chefs de l'hôtel de ville, pour obtenir d'eux un congé [1]. — A toutes ces nouveautés il doit souscrire, non-seulement par une obéissance passive, mais encore par un serment solennel. Ce serment, tous les ecclésiastiques anciens ou nouveaux, archevêques, évêques, curés,

1. *Moniteur*, séance du 31 mai 1790, Robespierre demande à mots couverts le mariage des prêtres. — Mirabeau s'était fait préparer un discours complet dans le même sens, concluant à ce que tout prêtre ou religieux pût contracter mariage ; quand ce prêtre ou religieux se présentait avec sa fiancée devant le curé, celui-ci était obligé de leur donner la bénédiction nuptiale, etc. Là-dessus Mirabeau écrivait le 2 juin 1790 : « Robespierre... « m'a escamoté ma motion sur le mariage des prêtres. » — En général le germe de toutes les lois de la Convention est dans la Constituante. (Ph. Plan, *Un collaborateur de Mirabeau*, p. 56, 144.)

vicaires, prédicateurs, aumôniers d'hôpital et de prison, supérieurs et directeurs de séminaires, professeurs des séminaires et des colléges, attesteront par écrit qu'ils sont prêts à le faire ; de plus, ils le prêteront publiquement dans l'église, « en présence du conseil général de « la commune et des fidèles, » et promettront « de main- « tenir de tout leur pouvoir » une Église schismatique et presbytérienne. — Car il ne peut y avoir de doute sur le sens et la portée du serment prescrit. On a eu beau l'envelopper dans un autre plus large, celui de maintenir la Constitution. Il est trop clair que la Constitution du clergé est comprise dans la Constitution totale, comme un chapitre dans un livre, et que, signer le livre, c'est signer le chapitre. D'ailleurs, dans la formule que les ecclésiastiques de l'Assemblée sont requis de venir jurer à la tribune, le chapitre est spécialement mentionné, et nulle exception ou réserve n'est admise[1]. On ôte la parole à l'évêque de Clermont et à tous ceux dont la prompte et pleine obéissance accepte expressément la constitution entière, sauf les décrets qui touchent au spirituel. Jusqu'où s'étend et où s'arrête le spirituel, l'Assemblée le sait mieux qu'eux ; elle l'a défini, elle impose sa définition aux canonistes et aux théologiens ; à son tour, elle est pape, et, sous sa décision, toutes les consciences doivent s'incliner. Qu'ils prêtent le « serment pur et simple ; » sinon ils sont « réfractaires. » Le mot est prononcé, et ses conséquences sont immenses ; car, avec le clergé, la loi atteint les laïques. — D'une part, tous les ecclésiastiques qui refusent le serment requis sont destitués. S'ils conti-

1. Duvergier, lois du 27 novembre-26 décembre 1790 ; du 5 février, 22 mars et 5 avril 1791. — *Moniteur*, séance du 6 novembre 1790 et suivantes, notamment celle du 27 décembre. « Je jure de maintenir de tout « mon pouvoir la Constitution française, et notamment les décrets relatifs à « la constitution civile du clergé. » — Cf. séance du 2 janvier 1791, Discours de l'évêque de Clermont.

nuent à « s'immiscer dans aucune de leurs fonctions « publiques ou dans celles qu'ils exerçaient en corps, » ils « seront poursuivis comme perturbateurs de l'ordre, « condamnés comme rebelles à la loi, » privés de tous leurs droits de citoyens actifs, déclarés incapables de toute fonction publique. Telle est déjà la peine pour l'évêque insermenté qui persiste à se croire évêque, à ordonner un prêtre, à publier un mandement. Telle sera bientôt la peine pour le curé insermenté qui osera confesser ou dire la messe [1]. — D'autre part, tous les citoyens qui refusent le serment requis, électeurs, officiers municipaux, juges, administrateurs, sont déchus de leur droit de vote, révoqués de leurs fonctions et déclarés incapables de tout office public [2]. Par suite, les catholiques scrupuleux sont exclus des administrations, des élections, et particulièrement des élections ecclésiastiques ; d'où il suit que plus on est croyant, moins on a de part au choix de son prêtre [3]. — Admirable loi qui, sous prétexte de réformer les abus ecclésiastiques, met tous les fidèles, ecclésiastiques ou laïques, hors la loi.

Dès les premiers jours, la chose devient manifeste. Cent trente-quatre archevêques, évêques, coadjuteurs refusent le serment ; on n'en trouve que quatre pour le prêter, dont trois, MM. de Talleyrand, de Jarente, de Brienne, incrédules et connus par leurs mauvaises mœurs : le reste a résisté par conscience, et surtout par esprit de corps ou par point d'honneur. Autour de cet état-major, le plus grand nombre des curés se rallient. Dans le dio-

1. Duvergier, loi du 7 mai 1791, pour maintenir aux prêtres insermentés le droit de dire la messe dans un édifice national ou privé. (Sur la réclamation de Sieyès et Talleyrand.)

2. Archives nationales, F⁷ 3235, Lettre de M. de Château-Randon, député de la Lozère, 28 mai 1791. Après le décret du 23 mai, tous les fonctionnaires du département ont donné leur démission.

3. Duvergier, loi du 21-29 mai 1791.

cèse de Besançon[1], sur quatorze cents prêtres, trois cent trente font le serment, mille le refusent, quatre-vingts le rétractent. Dans le département du Doubs, il n'y en a qu'un sur quatre qui consente à jurer. Dans le département de la Lozère, il n'y en a que « dix sur deux cent cinquante ». « Il est avéré, » écrit le mieux instruit de tous les observateurs, « que partout en France les deux tiers « des ecclésiastiques ont repoussé le serment, ou ne l'ont « prêté qu'avec les restrictions de M. l'évêque de Clermont. » — Ainsi, sur soixante-dix mille prêtres, quarante-six mille sont destitués, et la majorité de leurs paroissiens est pour eux. On s'en aperçoit à l'absence des électeurs convoqués pour les remplacer : à Bordeaux, sur 900, il n'en vient que 450; ailleurs, la convocation n'en rassemble que « le tiers ou le quart. » — En nombre d'endroits, il ne se présente point de candidats, ou les élus ne veulent point accepter. On est obligé, pour remplir les places, d'aller chercher des moines défroqués et d'un aloi douteux. — Dès lors, dans chaque paroisse, il y a deux partis, deux croyances, deux cultes et la discorde en permanence. Même quand l'ancien et le nouveau curés sont tolérants[1], leur situation les met en conflit. Pour le premier, le second est « l'intrus. » Pour le second, le premier est « le réfractaire. » En qualité de gardien des âmes, le premier ne peut se dispenser de dire à ses paroissiens que l'intrus est excommunié, que ses sacrements sont nuls ou sacriléges, qu'on ne peut sans péché entendre sa messe. En qualité de fonctionnaire, le second ne peut manquer d'écrire aux autorités que le réfractaire accapare les fidèles, fanatise les consciences, sape la Constitution, et doit être réprimé par

1. Sauzay, I, 366, 538 à 593, 750. — Archives nationales, F[7], 3235, Lettre de M. de Château-Randon, 10 mai 1791. — *Mercure*, n[os] du 23 avril et du 16 avril 1791. Articles de Mallet-Dupan, lettre de Bordeaux du 20 mars 1791.

la force. En d'autres termes, le premier fait le vide autour du second, le second envoie les gendarmes contre le premier, et la persécution commence. — Par un renversement étrange, c'est la majorité qui la subit, et c'est la minorité qui l'exerce. Partout la messe du curé constitutionnel est désertée [1]. En Vendée, sur cinq à six cents paroissiens, il a dix ou douze assistants ; le dimanche et les jours de fête, on voit des villages et des bourgs entiers aller à une et deux lieues entendre la messe orthodoxe ; les villageois disent que « si on leur rend leur ancien curé, ils payeront « volontiers double imposition. » — En Alsace, » les neuf « dixièmes au moins des catholiques refusent de reconnaître les prêtres assermentés. » Même spectacle en Franche-Comté, dans l'Artois et dans dix autres provinces. — A la fin, comme dans un composé chimique, le départ s'est fait. Autour de l'ancien curé sont rangés tous ceux qui sont ou redeviennent croyants, tous ceux qui, par conviction ou tradition, tiennent aux sacrements, tous ceux qui, par habitude ou foi, ont envie ou besoin d'entendre la messe. Le nouveau curé n'a pour auditeurs que des sceptiques, des déistes, des indifférents, gens du club, membres de l'administration, qui viennent à l'église comme à l'hôtel de ville ou à la société populaire, non par zèle religieux, mais par zèle politique, et qui soutiennent l'intrus pour soutenir la Constitution.

Cela ne lui fait pas des sectateurs très-fervents, mais cela lui fournit des protecteurs très-ardents, et, à défaut de la foi qu'ils n'ont pas, ils mettent la force qu'ils ont à son service. Contre l'évêque ou le curé insoumis, tout moyen leur

1. Roux et Buchez, XII, 77, Rapport de Gallois et Gensonné envoyés dans la Vendée et les Deux-Sèvres (25 juillet 1791). — Archives nationales, F [7], 3253, Lettre du Directoire du Bas-Rhin (rappel d'une lettre du 7 janvier 1792). — *Le District de Machecoul de* 1788 *à* 1793, par Lallier. — *Histoire de Joseph Lebon*, par Paris. — Sauzay, tomes I et II, tout entiers.

est bon, non-seulement la loi qu'ils aggravent par leurs interprétations forcées et par leur arbitraire illégal, mais encore l'émeute qu'ils lancent par leurs excitations ou qu'ils autorisent par leur tolérance[1]. — Il est expulsé de sa paroisse, consigné au chef-lieu, détenu en lieu sûr. Le directoire de l'Aisne le déclare perturbateur de l'ordre public, et lui défend, sous des peines graves, de conférer les sacrements. La municipalité de Cahors fait fermer les églises particulières et ordonne aux ecclésiastiques qui n'ont pas juré d'évacuer la ville dans les vingt-quatre heures. Le corps électoral du Lot les dénonce publiquement comme « des bêtes féroces, » des incendiaires, des promoteurs de guerre civile. Le directoire du Bas-Rhin les interne à Strasbourg ou à quinze lieues de la frontière. A Saint-Léon, l'évêque est forcé de fuir. A Auch, l'archevêque est emprisonné; à Lyon, M. de Boisboissel, grand vicaire, est enfermé à Pierre-Encize pour avoir gardé chez lui un mandement de son archevêque, et partout la brutalité se fait le ministre de l'intolérance. — Tel curé de l'Aisne qui, en 1789, avait nourri deux mille pauvres, ayant osé lire en chaire un mandement sur le carême, le maire le saisit au collet, l'empêche de monter à l'autel; « deux hoquetons nationaux » lèvent le sabre sur lui et, séance tenante, tête nue, sans pouvoir rentrer chez lui, il est expulsé à deux lieues, au son du tambour et sous escorte. A Paris, dans l'église Saint-Eustache, des vociférations accueillent le curé; on lui porte un pistolet à la tête, il est saisi par les cheveux, reçoit un coup de poing, et il faut l'intervention des grenadiers pour qu'il arrive jusqu'à la sacristie. Dans l'église des Théatins, louée par les orthodoxes avec toutes les formalités légales,

1. *Mercure*, 15 janvier, 23 avril, 16 et 30 mai, 1er juin, 23 novembre 1791. — *Le District de Machecoul*, par Lallier, 173. — Sauzay, I, 295. — Lavirotte, *Annales d'Arnay-le-Duc* (5 février 1792). — Archives nationales, F^{7}, 3223, Pétition de plusieurs habitants de Montpellier, 17 novembre 1791.

une bande furieuse disperse les prêtres et les assistants, renverse l'autel, profane les vases sacrés. Un placard affiché par le département rappelait le peuple au respect de la loi. « Je le vis, dit un témoin oculaire, déchirer avec « outrage, au milieu d'imprécations contre le département, » les prêtres et les dévots. Un harangueur en chef, placé « sur les marches..., concluait qu'il fallait empêcher le « schisme à tout prix, ne souffrir aucun autre culte que le « sien, fouetter les femmes, assommer les prêtres. » Effectivement, « une jeune demoiselle conduite par sa mère, « est fouettée sur les marches de l'église; » ailleurs, ce sont des religieuses, même des sœurs de Saint-Vincent-de-Paul, et, à partir d'avril 1791, les mêmes attentats à la pudeur et à la vie se propagent de ville en ville. A Dijon, des verges sont clouées à la porte de tous les couvents; à Montpellier, deux ou trois cents bandits, armés de gros bâtons ferrés, meurtrissent les hommes et outragent les femmes. — Il ne reste plus qu'à couvrir les malfaiteurs par l'amnistie, ce que fait l'Assemblée constituante, et à sanctionner par une loi l'animosité des administrations locales, ce que fait l'Assemblée législative [1]. Désormais, les ecclésiastiques qui n'ont pas fait le serment sont privés de leur pension alimentaire; on les déclare « suspects « de révolte contre la loi et de mauvaises intentions contre « la patrie. » — Ainsi, dit un protestant contemporain, « sur « ces *soupçons*, sur ces *intentions*, un Directoire, auquel « la loi interdit toute fonction judiciaire, pourra arbitrai- « rement chasser de sa demeure le ministre d'un Dieu de « paix et de charité, blanchi à l'ombre des autels. » Ainsi, « partout où il surviendra du trouble pour les opinions « religieuses, ce trouble fût-il suscité par les fustigateurs « effrénés des vertueuses filles de charité, par les bandits

1. Duvergier, décret du 29 novembre 1791. — *Mercure*, n° du 30 novembre 1791. (Article de Mallet-Dupan.)

« armés de nerfs de bœuf qui, à Nîmes et à Montpellier, « ont insulté, six mois durant, à la pudeur et à la liberté, « les prêtres non assermentés seront punis du bannisse- « ment ; on les ravira à leurs familles dont ils partagent la « subsistance ; on les enverra errer dans les grands che- « mins, abandonnés à la pitié ou à la férociét, publiques du « moment qu'un scélérat excitera du trouble pour le leur « imputer. » — Voici venir la révolte des paysans, les insurrections de Nîmes, de la Franche-Comté, de la Vendée, de la Bretagne, l'émigration, la déportation, l'emprisonnement, la guillotine ou la noyade pour les deux tiers du clergé de France et pour ses myriades de fidèles, laboureurs, artisans, journaliers, couturières, servantes, et les plus humbles entre les gens du peuple. A cela conduisent les lois de l'Assemblée constituante. — A l'endroit du clergé comme à l'endroit des nobles et du roi, elle a démoli un mur solide pour enfoncer une porte ouverte; rien de singulier si l'édifice entier croule sur la tête des habitants. Il fallait réformer, respecter, utiliser *les supériorités et les corps;* au nom de l'égalité abstraite et de la souveraineté nationale, elle n'a songé qu'à les abolir. Pour les abolir, elle a pratiqué, ou toléré ou préparé tous les attentats contre les propriétés et les personnes. Ceux qu'on commettra sont les suites inévitables de ceux qu'elle a commis; car, par sa Constitution, le mal se change en pire, et l'édifice social, déjà demi-ruiné par les maladroites destructions qu'elle y a faites, tombera sous le poids des bâtisses incohérentes ou extravagantes qu'elle y va improviser.

CHAPITRE III.

Les constructions. — La Constitution de 1791. — I. Les pouvoirs du centre. — Principe de l'Assemblée sur la séparation des pouvoirs. — Rupture de tout lien entre la législature et le roi. — Principe de l'Assemblée sur la subordination du pouvoir exécutif. — Comment elle l'annule. — Certitude d'un conflit. — Déchéance inévitable du roi. — II. Les pouvoirs administratifs. — Principe de l'Assemblee sur la hiérarchie. — Annulation des supérieurs. — Les pouvoirs sont collectifs. — Introduction de l'élection et de l'influence des subordonnés dans tous les services. — Désorganisation certaine. — Le pouvoir aux mains des corps municipaux. — III. Les corps municipaux. — Énormité de leur tâche. — Leur incapacité. — Faiblesse de leur autorité. — Insuffisance de leur instrument. — Rôle de la garde nationale. — IV. L'électeur garde national. — Grandeur de ses pouvoirs. — Grandeur de sa tâche. — Quantité du travail imposée aux citoyens actifs. — Ils s'y dérobent. — V. La minorité agissante. — Ses éléments. — Les clubs. — Leur ascendant. — Comment ils interprètent la Déclaration des droits de l'homme. — Leurs usurpations et leurs attentats. — VI. Résumé sur l'œuvre de l'Assemblée constituante.

Ce qu'on appelle un gouvernement, c'est un concert de pouvoirs, qui, chacun dans un office distinct, travaillent ensemble à une œuvre finale et totale. Que le gouvernement fasse cette œuvre, voilà tout son mérite; une machine ne vaut que par son effet. Ce qui importe, ce n'est pas qu'elle soit bien dessinée sur le papier, mais c'est qu'elle fonctionne bien sur le terrain. En vain les constructeurs allégueraient la beauté de leur plan et l'enchaînement de leurs théorèmes; on ne leur a demandé ni plans ni théorèmes, mais un outil. — Pour que cet outil soit maniable et efficace, deux conditions sont requises. En premier lieu, il faut que les pouvoirs publics s'accordent, sans quoi ils s'annulent. En second lieu, il faut que les pouvoirs publics soient obéis, sans quoi ils sont nuls. La Constituante n'a pourvu ni à cette concorde ni à cette obéissance. Dans la machine qu'elle a faite, les moteurs se contrarient; l'impulsion ne se transmet pas; du centre aux extrémités l'engrenage fait défaut; les grandes roues du centre et du haut tournent à vide; les innombrables petites roues qui touchent le sol s'y faussent ou s'y brisent : en vertu de son mécanisme même, elle reste en place, inutile, surchauffée, sous des torrents de fumée vaine, avec des grincements et des craquements qui croissent et annoncent qu'elle va sauter.

I

Considérons d'abord les deux pouvoirs du centre, l'Assemblée et le roi. — Ordinairement, quand une Constitution établit des pouvoirs distincts et d'origine différente, elle leur prépare, par l'institution d'une Chambre haute, un arbitre en cas de conflit. — A tout le moins, elle leur donne des prises mutuelles. Il en faut une à l'Assemblée sur le roi : c'est le droit de refuser l'impôt. Il en faut une au roi sur l'Assemblée : c'est le droit de la dissoudre. Sinon, l'un des deux étant désarmé, l'autre devient tout-puissant et, par suite, fou. En ceci le péril est aussi grand pour une Assemblée omnipotente que pour un roi absolu. Si elle veut garder sa raison, elle a besoin comme lui de répression et de contrôle, et, s'il est bon qu'elle puisse le contraindre en lui refusant les subsides, il est bon qu'il puisse se défendre contre elle en appelant d'elle aux électeurs. — Mais, outre ces moyens extrêmes, dont l'emploi est dangereux et rare, il en est un autre dont l'usage est journalier et sûr : c'est le droit pour le roi de prendre son ministère dans la Chambre. Le plus souvent ce sont alors les chefs de la majorité qui deviennent ministres, et, par leur nomination, l'accord se trouve fait entre le roi et l'Assemblée : car ils sont tout à la fois les hommes de l'Assemblée et les hommes du roi. Grâce à cet expédient, non-seulement l'Assemblée est rassurée, puisque ses conducteurs administrent, mais encore elle est contenue, parce que ceux-ci deviennent du même coup compétents et responsables. Placés au centre des services, ils peuvent juger si la loi est utile ou applicable ; obligés de l'exécuter, ils en calculent les effets avant de la proposer ou de l'accepter. Rien de plus sain pour une majorité que le ministère de ses chefs ; rien de plus efficace pour réprimer ses témérités ou ses intempérances. Un conducteur de train ne souffre pas volontiers qu'on ôte le charbon à sa machine, ni qu'on casse les rails sur lesquels il va rouler. — Avec toutes ses insuffisances et tous ses inconvénients, ce procédé est encore le meilleur qu'ait trouvé l'expérience humaine pour préserver les sociétés du despotisme et de l'anarchie. Au pouvoir absolu qui les fonde ou les sauve, mais qui les opprime ou les épuise, on a substitué peu à peu des pouvoirs distincts reliés entre eux par un tiers-arbitre, par une dépendance réciproque et par un organe commun.

Mais, aux yeux des constituants, l'expérience n'a pas de poids, et, au nom des principes, ils tranchent successivement tous les liens qui pourraient forcer les deux pouvoirs à marcher d'accord. — Point de Chambre haute, elle serait un asile ou une pépinière d'aristocratie. D'ailleurs, « la volonté nationale étant une, » il répugne « de « lui donner des organes différents. » C'est ainsi qu'ils procèdent avec des définitions et des distinctions d'idéologie, appliquant des formules et des métaphores toutes faites. — Nulle prise au roi sur le Corps législatif : l'exécutif est un bras qui ne doit qu'obéir, et il serait ridicule que le bras pût en quelque façon contraindre ou conduire la tête. A peine si l'on concède au monarque un veto suspensif; encore Sieyès proteste, déclarant que « c'est là une lettre de cachet lancée contre la volonté « générale, » et l'on soustrait à ce veto les articles de la Constitution, les lois de finance et d'autres lois encore. — Ce n'est pas le monarque qui convoque l'Assemblée ni les électeurs de l'Assemblée; il n'a rien à dire ni à voir dans les opérations qui la forment; les électeurs se réunissent et votent sans qu'il les appelle ou les surveille. Une fois l'Assemblée élue, il ne peut ni l'ajourner ni la dissoudre. Il ne peut pas même lui proposer une loi [1], il lui est seulement permis « de l'inviter à prendre un objet « en considération. » On le confine dans son emploi exécutif; bien mieux, on bâtit une sorte de muraille entre lui et l'Assemblée, et l'on bouche soigneusement la fissure par laquelle elle et lui pourraient se donner la main. — Défense aux députés de devenir ministres pendant toute la durée de leur mandat et deux ans après son terme : au contact de la cour, on craint qu'ils se laissent corrompre, et, de plus, quels que soient les ministres, on ne veut pas subir leur ascendant[2]. Si l'un d'eux est introduit dans l'Assemblée, ce ne sera pas pour y donner des conseils, mais seulement pour fournir des renseignements, pour répondre à des interrogatoires, pour protester de son zèle, en termes humbles et en posture douteuse[3]. Car, à titre d'agent royal, il est suspect comme le roi lui-même, et on séquestre le ministre dans ses bureaux

1. L'initiative reste au roi sur un point : la guerre ne peut être décrétée par l'Assemblée que sur sa proposition préalable et formelle. Cette exception ne fut obtenue qu'après un combat violent et par un effort suprême de Mirabeau.

2. Discours de Lanjuinais, 7 novembre 1789. « Nous avons voulu la séparation des pouvoirs. Comment donc nous propose-t-on de réunir dans la « personne des ministres le pouvoir législatif au pouvoir exécutif? »

3. Voir les comparutions de ministres devant l'Assemblée législative.

comme on séquestre le roi dans son palais. — Tel est l'esprit de la Constitution[1] : en vertu de la théorie et pour mieux assurer la séparation des pouvoirs, on a détruit à jamais leur entente volontaire, et, pour suppléer à leur concorde impossible, il ne reste plus qu'à faire de l'un le maître et de l'autre le commis.

On n'y a pas manqué, et, pour plus de sûreté, on a fait de celui-ci un commis honoraire. C'est en apparence et de nom qu'on lui a donné le pouvoir exécutif; de fait il ne l'a pas, on a eu soin de le remettre à d'autres. — En effet tous les agents d'exécution, tous les pouvoirs secondaires et locaux sont électifs. Directement ou indirectement, le roi n'a aucune part au choix des juges, accusateurs publics, évêques, curés, percepteurs et receveurs de l'impôt, commissaires de police, administrateurs de district et de département, maires et officiers municipaux. Tout au plus, lorsque un administrateur viole la loi, il peut annuler ses actes, le suspendre ; encore l'Assemblée, pouvoir supérieur, a-t-elle le droit de lever cette suspension. — Quant à la force armée dont il est censé le commandant en chef, elle lui échappe tout entière : la garde nationale n'a pas d'ordre à recevoir de lui; la gendarmerie et la troupe sont tenues d'obéir aux réquisitions des autorités municipales qu'il ne peut ni choisir ni révoquer. Bref, toute action locale, c'est-à-dire toute action effective lui est retirée. — On a brisé de parti pris l'instrument exécutif; on a rompu le lien qui attachait les rouages des extrémités à la poignée du centre, et, désormais, incapable d'imprimer l'impulsion, cette poignée, aux mains du monarque, reste inerte ou pousse dans le vide.

1. « Toute société dans laquelle la séparation des pouvoirs n'est pas dé- « terminée n'a point de Constitution. » (Déclaration des Droits, article XVI.) — Ce principe est emprunté à un texte de Montesquieu et à la Constitution américaine. Pour tout le reste on a suivi la théorie de Rousseau.

« Chef suprême de l'administration générale et de l'ar-« mée de terre et de mer, gardien de l'ordre et de la « tranquillité publique, représentant héréditaire de la « nation, » en dépit de tous ces beaux titres, le roi n'a aucun moyen d'appliquer sur place ses prétendus pouvoirs, de faire dresser le tableau des impositions dans telle commune récalcitrante, de faire payer l'impôt à tel contribuable en retard, de faire circuler un convoi de blé, exécuter un jugement rendu, réprimer une émeute, protéger les propriétés et les personnes. Car sur les agents qu'on lui déclare subordonnés il ne peut exercer de contrainte; ses seules ressources sont les avertissements et la persuasion. Il envoie à chaque assemblée de département les décrets qu'il a sanctionnés, l'invite à les transmettre et à les faire exécuter, reçoit ses correspondances, la blâme ou l'approuve. Rien de plus, il n'est qu'un intermédiaire impuissant, un héraut ou moniteur public, sorte d'écho central, sonore et vain, où les nouvelles arrivent et d'où les lois partent pour retentir comme un simple bruit.

Tel que le voilà, et tout amoindri qu'il est, on le trouve encore trop fort. On lui ôte le droit de grâce, « ce qui « coupe la dernière artère du gouvernement monarchi-« que[1]. » On multiplie contre lui les précautions. Il ne peut déclarer la guerre que sur un décret de l'Assemblée. Il est obligé de cesser la guerre sur un décret de l'Assemblée. Il ne peut conclure un traité de paix, d'alliance ou même de commerce qu'avec la ratification de l'Assemblée. On déclare expressément qu'il ne nomme que les deux tiers des contre-amiraux, la moitié des lieutenants généraux, maréchaux de camp, capitaines de vaisseau et colonels de la gendarmerie, le tiers des colonels et lieutenants-colonels de la ligne, le sixième des

1. *Mercure de France*, mot de Mallet-Dupan.

lieutenants de vaisseau. Il ne pourra faire séjourner ou passer de troupes qu'à 30,000 toises de l'Assemblée. Il n'aura qu'une garde de 1800 hommes, tous vérifiés et garantis contre ses séductions par le serment civique. Son héritier présomptif ne sortira pas du royaume sans la permission de l'Assemblée. C'est l'Assemblée qui, par une loi, réglera l'éducation de son fils mineur. — A toutes ces précautions on ajoute des menaces : contre lui, cinq cas de déchéance ; contre ses ministres responsables, huit cas de condamnation à douze et à vingt ans de gêne, cinq cas de condamnation à mort[1]. — Partout, entre les lignes de la Constitution, on lit la perpétuelle préoccupation de se mettre en garde, l'arrière-pensée d'une trahison, la persuasion que le pouvoir exécutif, quel qu'il soit, est par nature un ennemi public. — Si on lui refuse la nomination des juges, c'est en alléguant que « la cour « et les ministres sont la partie la plus méprisable de la « nation[2]. » Si on lui a concédé la nomination des ministres, c'est en alléguant que « des ministres nommés par le « peuple seraient nécessairement trop estimés. » — Il est de principe que « le corps législatif doit seul avoir la con- « fiance du peuple, » que l'autorité royale corrompt son dépositaire, que le pouvoir exécutif est toujours tenté d'abuser et de conspirer. Si on l'introduit dans la Constitution, c'est à regret, par nécessité, à condition de l'envelopper d'entraves : il sera d'autant moins nuisible qu'il sera plus restreint, plus surveillé, plus intimidé et plus dénoncé. — Visiblement un pareil rôle était intolérable, et il fallait un homme aussi passif que Louis XVI pour s'y résigner. Mais, quoi qu'il fasse, il ne peut le rendre te-

1. Constitution de 1791, chap. II, articles 5, 6, 7. — Décret du 25 septembre-6 octobre 1791, section III, articles 8 à 25.

2. Discours de Barnave et de Rœderer à l'Assemblée constituante. — Discours de Barnave et de Duport aux Jacobins.

nable. Il a beau s'y renfermer scrupuleusement et exécuter la Constitution à la lettre; parce qu'il est impuissant, l'Assemblée le juge tiède et lui impute les tiraillements d'une machine qu'il ne mène pas. S'il ose une fois se servir de son veto, c'est rébellion, rébellion d'un fonctionnaire contre son supérieur qui est l'Assemblée, rébellion d'un sujet contre son souverain qui est le peuple. En ce cas sa déchéance est de droit; l'Assemblée n'a plus qu'à la prononcer: le peuple n'a plus qu'à l'exécuter, et la constitution aboutit à une révolution. — Un pareil mécanisme se détruit par son propre jeu. Conformément à la théorie philosophique, on a voulu séparer les deux rouages du gouvernement; pour cela il a fallu les dessouder et les isoler l'un de l'autre. Conformément au dogme populaire, on a voulu subordonner le rouage actif et amortir tous ses effets; pour cela, il a fallu le réduire au minimum, rompre ses articulations, et le suspendre en l'air pour y tourner comme un jouet ou comme un obstacle. Infailliblement, on finira par le briser à titre d'obstacle, après l'avoir froissé à titre de jouet.

II

Descendons du centre aux extrémités, et voyons les administrations en exercice [1]. — Pour qu'un service se fasse bien et avec précision, il faut d'abord qu'il ait un chef uni-

1. Principaux textes. (Duvergier, *Collection des lois et décrets.*) — Lois sur l'organisation municipale et administrative, 14 décembre et 22 décembre 1789, 12-20 août 1790, 15 mars 1791. Sur l'organisation municipale de Paris, 21 mai-27 juin 1790. — Lois sur l'organisation judiciaire, 16-24 août 1790, 16-29 septembre 1791, 29 septembre-21 octobre 1791. — Lois sur l'organisation militaire, 23 septembre-29 octobre 1790, 16 janvier 1791, 27-28 juillet 1791. — Lois sur l'organisation financière, 14-24 novembre 1790, 23 novembre 1790, 17 mars 1791, 26 septembre-2 octobre 1791.

que, et ensuite que ce chef puisse nommer, récompenser, punir et révoquer ses subordonnés. — Car, d'une part, étant unique, il se sent responsable, et il porte dans la conduite des affaires une attention, une initiative, une cohérence, un tact que ne peut avoir une commission; les sottises ou défaillances collectives n'engagent personne, et le commandement n'est efficace que dans une seule main. — D'autre part, étant maître, il peut compter sur les subalternes qu'il a choisis, qu'il maintient par l'espérance et par la crainte, et qu'il renvoie s'ils fonctionnent mal; sinon, il ne les tient pas, ils ne sont pas des outils sûrs. — A cette condition seulement, un directeur de chemin de fer peut promettre que ses aiguilleurs seront à leur poste. A cette condition seulement, un directeur d'usine peut s'engager à livrer une commande au jour fixé. Dans toute entreprise privée ou publique, la contrainte directe et rapide est le seul moyen connu, humain, possible, d'assurer l'obéissance et la ponctualité des agents. — C'est ainsi qu'en tout pays on a toujours administré, par un ou plusieurs attelages de fonctionnaires, chacun sous un conducteur central qui tient toutes les guides rassemblées en ses seules mains.

Tout au rebours dans la Constitution nouvelle. Aux yeux de nos législateurs, l'obéissance doit toujours être spontanée, jamais forcée, et, pour supprimer le despotisme, ils suppriment le gouvernement. Règle générale, dans la hiérarchie qu'ils établissent, les subordonnés sont indépendants de leur supérieur; car celui-ci ne les nomme pas et ne peut les destituer; il ne garde sur eux qu'un droit de conseil et de remontrances. Tout au plus, en certains cas, il lui est permis d'annuler leurs actes, de leur infliger une suspension provisoire, révocable et contestée. — Ainsi qu'on l'a vu, aucun pouvoir local n'est délégué par le pouvoir central; celui-ci ressemble à un homme sans mains ni bras dans un fauteuil doré. Le ministre des finances ne peut nommer ni destituer un seul percepteur ou receveur ; le ministre de l'intérieur, un seul administrateur de département, de district ou de commune ; le ministre de la justice, un seul juge ou accusateur public. Dans ces trois services, le roi n'a qu'un homme à lui, le commissaire chargé de requérir auprès des tribunaux l'observation des lois, et, après sentence, l'exécution des jugements rendus. — De ce coup, tous les muscles du pouvoir central sont tranchés, et désormais chaque département est un petit État qui vit à part.

Mais, dans le département lui-même, une amputation pareille a coupé de même tous les liens par lesquels le supérieur pouvait maintenir et conduire le subordonné. — Si les administrateurs du département peuvent agir sur ceux des districts, et ceux du district sur ceux des municipalités, ce n'est aussi que par voie de réquisition et de semonce. Nulle part le supérieur n'est un commandant qui ordonne et contraint ; partout il n'est qu'un censeur qui avertit et gronde. — Pour affaiblir encore cette autorité déjà si affaiblie, à chaque degré de la hiérarchie on l'a divisée entre plusieurs. Ce sont des conseils superposés qui administrent le département, le district et la commune. Dans aucun de ces conseils il n'y a de tête dirigeante. Partout l'exécution et la permanence appartiennent à des directoires de quatre ou huit membres, à un bureau de deux, trois, quatre, six et sept membres, dont le chef élu, président ou maire[1], n'a qu'une primauté honorifique. Partout la décision et l'action, émoussées, ralenties, écourtées par le bavardage et les procédures de la délibération, ne peuvent jaillir qu'après l'accord pénible et tumultueux de plusieurs volontés dis-

1. Décrets du 14 décembre 1789, du 22 décembre 1789. Exception : « Dans « les municipalités réduites à trois membres (communes au-dessous de 500 « habitants), l'exécution sera confiée au maire seul. »

cordantes. — Tout électifs et collectifs que soient ces pouvoirs, on se prémunit encore contre eux. Non-seulement on les soumet au contrôle d'un conseil élu ; non-seulement on les renouvelle par moitié tous les deux ans ; mais encore le maire et le procureur de la commune après quatre ans d'exercice, le procureur-syndic de département ou de district après huit ans d'exercice, le receveur de district après six ans d'exercice, ne sont plus réélus. Tant pis pour les affaires et pour le public, s'ils ont mérité et gagné la confiance des électeurs, s'ils ont acquis par la pratique une compétence rare et précieuse ; on ne veut pas qu'ils s'ancrent dans leur poste. Peu importe que leur maintien introduise dans leur service l'esprit de suite et la prévoyance ; on craint qu'ils ne prennent trop d'influence, et la loi les chasse, dès qu'ils deviennent experts et autorisés. — Jamais la jalousie et le soupçon n'ont été plus en éveil contre le pouvoir même légal et légitime. On le mine et on le sape jusque dans les services où l'on en reconnaît la nécessité, jusque dans l'armée et dans la gendarmerie[1]. — Dans l'armée, pour nommer un sous-officier, les sous-officiers forment une liste, et le capitaine en extrait trois sujets, entre lesquels le colonel choisit. Pour choisir un sous-lieutenant, tous les officiers du régiment votent, et il est nommé à la majorité des suffrages. — Dans la gendarmerie, pour nommer un gendarme, le directoire du département fait une liste, le colonel y désigne cinq noms, et le directoire en choisit un. Pour choisir un brigadier, un maréchal des logis ou un lieutenant, voici, outre le directoire et le colonel, une autre intervention, celle des sous-officiers et officiers.

1. Lois du 23 septembre-29 octobre 1790, du 16 janvier 1791 (Titres II et VII). — Cf. les prescriptions de la loi sur les tribunaux militaires. Dans tout jury d'accusation ou de jugement, un septième des jurés est pris parmi les sous-officiers, et un septième parmi les soldats ; de plus, selon le grade de l'accusé, on double le nombre des jurés de son grade.

C'est un système compliqué d'élections et de triages, qui, remettant une portion du choix à l'autorité civile et aux subordonnés militaires, ne laisse au colonel que le tiers ou le quart de son ancien ascendant. — Quant à la garde nationale, le principe nouveau y est appliqué sans réserve Tous les sous-officiers et les officiers, jusqu'au grade de capitaine, sont élus par leurs hommes. Tous les officiers supérieurs sont élus par les officiers inférieurs. Tous les sous-officiers et tous les officiers inférieurs et supérieurs sont élus pour un an seulement, et ne peuvent être réélus qu'après un an d'intervalle pendant lequel ils auront servi comme simples gardes[1]. — La conséquence est manifeste : dans tout l'ordre civil et dans tout l'ordre militaire, le commandement est énervé ; les subalternes ne sont plus des instruments exacts et sûrs ; le chef n'a plus sur eux de prise efficace. Partant, ses ordres ne rencontrent qu'une obéissance molle, une déférence douteuse, parfois une résistance ouverte ; leur exécution demeure languissante, incertaine, incomplète, jusqu'à ce qu'elle devienne nulle, et la désorganisation latente, puis flagrante, est instituée par la loi.

De degré en degré dans la hiérarchie, le pouvoir a glissé, et, en vertu de la Constitution, il appartient désormais aux magistrats qui siégent au plus bas de l'échelle. Ce n'est pas le roi, ce n'est pas le ministre, ce n'est pas le directoire du département ou du district qui commandent dans la commune ; ce sont les officiers municipaux, et ils y règnent autant qu'on peut régner dans une petite république indépendante. Seuls ils ont cette *main forte*, qui fouille dans la poche du contribuable récalcitrant et assure le recouvrement de l'impôt, qui saisit l'émeutier au collet et sauvegarde les propriétés et les vies, bref qui convertit en actes les promesses ou les menaces de la loi.

1. Loi du 28 juillet-12 août 1791.

Sur leur réquisition, toute force armée, garde nationale, troupe, gendarmerie, doit marcher. Seuls parmi les administrateurs, ils ont ce droit souverain; le département et le district ne peuvent que les inviter à s'en servir. Ce sont eux qui proclament la loi martiale. Ainsi la poignée de l'épée est dans leurs mains [1]. — Assistés de commissaires que nomme le conseil général de la commune, ils dressent le tableau de l'imposition mobilière et foncière, fixent la quote-part de chaque contribuable, adjugent la perception, vérifient les registres et la caisse du percepteur, visent ses quittances, déchargent les insolvables, répondent des rentrées et autorisent les contraintes [2]. Ainsi la bourse des particuliers est à leur discrétion, et ils y puisent ce qu'ils jugent appartenir au public.—Ayant la bourse et l'épée, rien ne leur manque pour être maîtres, d'autant plus qu'en toute loi l'application leur appartient, que nulle injonction de l'Assemblée au roi, du roi aux ministres, des ministres aux départements, du département aux districts, du district aux communes, n'aboutit à l'effet local et réel que par eux, que chaque mesure générale subit leur interprétation particulière, et peut toujours être défigurée, amortie, exagérée, au gré de leur timidité et de leur inertie, de leur violence et de leur partialité. — Aussi bien ils ne tardent guère à sentir leur force. De toutes parts on les voit argumenter contre leurs supérieurs, contre les ordres du district, du département, des ministres, de l'Assemblée elle-même, alléguer les circonstances, leur manque de moyens, leur danger, le salut public, ne pas obéir, agir d'eux-mêmes, désobéir en face, se glorifier d'avoir désobéi, et réclamer en droit la

1. Lois du 14 novembre 1789 (art. 52), du 10-14 août 1789. — Instruction du 10-20 août 1790, § 8. — Loi du 21 octobre-21 novembre 1789.

2. Lois du 14 novembre, 23 novembre 1790, du 13 janvier, 26 septembre, 9 octobre 1791.

toute-puissance qu'ils exercent en fait. Ceux de Troyes [1], à la fête de la Fédération, refusent de subir la préséance du département, et la réclament pour eux-mêmes, comme « immédiats représentants du peuple ». Ceux de Brest, malgré les défenses réitérées du district, envoient quatre cents hommes et deux canons, pour soumettre une commune voisine à son curé assermenté. Ceux d'Arnay-le-Duc arrêtent Mesdames, malgré leur passe-port signé des ministres, les retiennent malgré les ordres du district et du département, persistent à leur barrer passage malgré le décret spécial de l'Assemblée nationale, et envoient deux députés à Paris pour faire prévaloir leur décision. Arsenaux pillés, citadelles envahies, convois arrêtés, courriers retenus, lettres interceptées, insubordination incessante et croissante, usurpations sans trêve ni mesure, les municipalités s'arrogent toute licence dans leur territoire, et parfois hors de leur territoire. — Désormais il y a quarante mille corps souverains dans le royaume. On leur a mis la force en main, et ils en usent. Ils en usent si bien que l'un d'eux, celui de Paris, profitant du voisinage, assiégera, mutilera, gouvernera la Convention nationale, et, par celle-ci, la France.

1. Albert Babeau, I, 327 (Fête de la Fédération du 14 juillet 1790). — Archives nationales, F7, 3215 (17 mai 1791, Délibération du conseil général de la commune de Brest. 17 et 19 mai, Lettres du directoire du district). — *Mercure*, n° du 5 mars 1791. « Mesdames sont retenues, jusqu'au retour de « deux députés que la République d'Arnay-le-Duc envoie aux représentants « de la nation, pour leur démontrer la nécessité d'enfermer les tantes du « roi dans le royaume. »

III

Suivons ces rois municipaux dans leur domaine : leur tâche est immense et au delà de ce que les forces humaines peuvent porter. Car tous les détails de l'exécution leur sont confiés, et il ne s'agit pas pour eux d'une petite routine à suivre, mais d'un ordre social tout entier à défaire, et d'un ordre social tout entier à constituer. — Ils ont quatre milliards de biens ecclésiastiques, mobiliers et immobiliers, bientôt deux milliards et demi de biens d'émigrés à séquestrer, évaluer, gérer, inventorier, dépecer, vendre et faire payer. Ils ont sept ou huit mille religieux et trente mille religieuses à déplacer, installer, autoriser et pourvoir. Ils ont quarante-six mille ecclésiastiques, évêques, chanoines, curés, vicaires, à déposséder, à remplacer, souvent de force, plus tard à expulser, interner, emprisonner et nourrir. Ils sont obligés de discuter, tracer, apprendre, enseigner au public les nouvelles circonscriptions territoriales, celles de la commune, celle du district, celle du département. Il leur faut convoquer, loger, protéger les nombreuses assemblées primaires et secondaires, surveiller leurs opérations qui parfois durent plusieurs semaines, installer leurs élus, juges de paix, officiers de la garde nationale, juges, accusateurs publics, curés, évêques, administrateurs de district et de département. Ils doivent dresser à nouveau le tableau de tous les contribuables, répartir entre eux suivant un mode nouveau des impôts tout nouveaux, mobiliers et fonciers, statuer sur les réclamations, nommer un percepteur, vérifier régulièrement sa caisse et ses livres, lui prêter main-forte, prêter main-forte à la perception des aides et de la gabelle, qui, vainement réduites, égalisées, transformées par l'Assemblée nationale, ne rentrent plus malgré ses décrets. Ils ont à trouver des fonds pour habiller, équiper, armer la garde nationale, à intervenir entre elle et les commandants militaires, à maintenir l'accord entre ses divers bataillons. Ils ont à défendre les forêts du pillage, à empêcher l'envahissement des communaux, à maintenir l'octroi, à protéger les anciens fonctionnaires, les ecclésiastiques et les nobles suspects et menacés, par-dessus tout à pourvoir, n'importe comment, à l'approvisionnement de la commune qui manque de subsistances, par suite à provoquer des souscriptions, à négocier des achats au loin et jusqu'à l'étranger, à faire marcher des escortes, à dédommager les boulangers, à garnir le marché chaque semaine, malgré la disette, malgré l'insécurité des routes et malgré la résistance des cultivateurs. — C'est à peine si un chef absolu, envoyé de loin et d'en haut, le plus énergique et le plus expert, soutenu par la force armée la plus disciplinée et la plus obéissante, viendrait à bout d'une pareille besogne, et, à sa place, il n'y a qu'une municipalité à qui tout manque, l'autorité, l'instrument, l'expérience, la capacité et la volonté.

Dans la campagne, dit un orateur à la tribune[1] « sur « 40000 municipalités, il y en a 20000 où les officiers « municipaux ne savent ni lire ni écrire. » En effet, le curé en est exclu par la loi, et, sauf en Vendée, le seigneur en est exclu par l'opinion. D'ailleurs, en beaucoup de provinces, on ne parle que patois[2]; le français, surtout le français philosophique et abstrait des lois et proclamations nouvelles, demeure un grimoire. Impossible d'entendre et d'appliquer les décrets compliqués, les instruc-

1. *Moniteur*, X, 132, Discours de M. Labergerie, 8 novembre 1791.

2. A Montauban, dans le salon de l'intendant, les dames du pays ne parlaient que patois, et la grand'mère de la personne très-bien élevée qui m'a raconté ce fait n'entendait pas d'autre langue.

tions savantes qui arrivent de Paris. — Ils viennent à la ville, se font expliquer et commenter tout au long l'office dont ils sont chargés, tâchent de comprendre, paraissent avoir compris, puis, la semaine suivante, reviennent n'ayant rien compris du tout, ni la façon de tenir les registres de l'état civil, ni la manière de dresser le rôle des impôts, ni la distinction des droits féodaux abolis et des droits féodaux maintenus, ni les règles qu'ils doivent faire observer dans les opérations électorales, ni les limites que la loi pose à leur subordination et à leurs pouvoirs. Rien de tout cela n'entre dans leur cervelle brute et novice; au lieu d'un paysan qui vient de quitter ses bœufs, il faudrait ici un homme de loi, aidé d'un commis exercé. — A leur ignorance, ajoutez leur prudence; ils ne veulent pas se faire d'ennemis dans leur commune, et ils s'abstiennent, surtout en matière d'impôt. Neuf mois après le décret sur la contribution patriotique, « 28 000 municipa« lités sont en retard, et n'ont (encore) envoyé ni rôles ni « aperçus[1]. » A la fin de janvier 1792, « sur 40 911 mu« nicipalités, 5448 seulement ont déposé leurs matrices, « 2560 rôles seulement sont définitifs et en recouvre« ment. Un grand nombre n'ont pas même commencé « leurs états de sections[2]. » — C'est bien pis, quand ils croient avoir compris et se mettent en devoir d'appliquer. Dans leur esprit incapable d'abstractions, la loi se transforme et se déforme par des interprétations extraordinaires. On verra ce qu'elle y devient quand il s'agit des droits féodaux, des forêts, des communaux,

1. *Moniteur*, V, 163, séance du 18 juillet 1790, Discours de M. Lecoulteux, rapporteur.

2. *Moniteur*, XI, 283, séance du 2 février 1792, Discours de Cambon : « Ils s'en retournent croyant entendre ce qu'on leur a bien expliqué, mais « reviennent le lendemain pour recevoir de nouvelles explications. Des « avoués refusent de se rendre sur les lieux pour diriger les municipalités, « disant qu'ils n'y entendent rien. »

de la circulation des blés, du taux des denrées, de la surveillance des aristocrates, de la protection des personnes et des propriétés. Selon eux, elle les autorise et les invite à faire de force et à l'instant tout ce dont ils ont besoin ou envie pour le moment. — Plus affiné et capable le plus souvent d'entendre les décrets, l'officier municipal des gros bourgs et des villes n'est guère plus en état de les bien mettre en pratique. Sans doute, il est intelligent, plein de bonne volonté, zélé pour le bien public. En somme, pendant les deux premières années de la Révolution, c'est la portion la plus instruite et la plus libérale de la bourgeoisie qui, à la municipalité comme au département et au district, arrive aux affaires. Presque tous sont des hommes de loi, avocats, notaires, procureurs, avec un petit nombre d'anciens privilégiés imbus du même esprit, un chanoine à Besançon, un gentilhomme à Nîmes. Ils ont les meilleures intentions, ils aiment l'ordre et la liberté, ils donnent leur temps et leur argent, ils siégent en permanence, ils accomplissent un travail énorme ; souvent même, ils s'exposent volontairement à de grands dangers. — Mais ce sont des bourgeois philosophes, semblables en cela à leurs députés de l'Assemblée nationale, et, à ce double titre, aussi incapables que leurs députés de gouverner une nation dissoute. A ce double titre, ils sont malveillants pour l'ancien régime, hostiles au catholicisme et aux droits féodaux, défavorables au clergé et à la noblesse, enclins à étendre la portée et à exagérer la rigueur des décrets récents, partisans des droits de l'homme, par suite humanitaires, optimistes, disposés à excuser les méfaits du peuple, hésitants, tardifs et souvent timides en face de l'émeute, bref excellents pour écrire, exhorter et raisonner, mais non pour casser des têtes et pour se faire casser les os. Rien ne les a préparés à devenir, du jour au lendemain, des hommes d'action. Jusqu'ici ils ont toujours vécu en administrés passifs, en particuliers paisibles, en gens de cabinet et de bureau, casaniers, discoureurs et polis, à qui les phrases cachaient les choses et qui, le soir, sur le mail, à la promenade, agitaient les grands principes du gouvernement sans prendre garde au mécanisme effectif qui, avec la maréchaussée pour dernier rouage, protégeait leur sécurité, leur promenade et leur conversation. Ils n'ont point ce sentiment du danger social qui fait le chef véritable et qui subordonne les émotions de la pitié nerveuse aux exigences du devoir public. Ils ne savent pas qu'il vaut mieux faire tuer cent citoyens honnêtes que leur laisser pendre un coupable non jugé. Entre leurs mains, la répression n'a ni promptitude, ni roideur, ni constance. Ils restent à l'hôtel de ville ce qu'ils étaient avant d'y entrer, des légistes et des scribes, féconds en proclamations, en rapports, en correspondances. C'est là tout leur rôle, et, si quelqu'un d'entre eux, plus énergique, veut en sortir, les prises lui manquent sur cette commune que, d'après la Constitution, il doit conduire, et sur cette force armée qu'on lui confie pour faire observer la loi.

En effet, pour qu'une autorité soit respectée, il ne faut pas qu'elle naisse sur place et sous la main de ses subordonnés. Lorsque ceux qui la font sont précisément ceux qui la subissent, elle perd son prestige avec son indépendance; car, en la subissant, ils se souviennent qu'ils l'ont faite. Tout à l'heure, un tel, candidat, sollicitait leurs suffrages; à présent, magistrat, il leur donne des ordres, et cette transformation si brusque est leur œuvre. Difficilement, ils passeront du rôle d'électeurs souverains à celui d'administrés dociles; difficilement, ils reconnaîtront leur commandant dans leur créature. Tout au rebours, ils n'accepteront son ascendant que sous bénéfice d'inventaire, et se réserveront en fait les pouvoirs qu'ils lui ont délégués en droit. « Nous l'avons nommé, c'est pour « qu'il fasse nos volontés : » rien de plus naturel que ce raisonnement populaire. Il s'applique à l'officier municipal ceint de son écharpe, comme à l'officier de la garde nationale muni de son épaulette, parce que l'écharpe, comme l'épaulette, conférée par l'arbitraire des électeurs, leur semble toujours un don révocable à leur bon plaisir. Toujours, et notamment en cas de danger ou de grande émotion publique, le supérieur, s'il est directement nommé par ceux à qui il commande, leur apparaît comme leur commis. — Voilà l'autorité municipale, telle qu'elle est alors, intermittente, incertaine et débile, d'autant plus débile que l'épée, dont les hommes de l'hôtel de ville semblent tenir la poignée, ne sort pas toujours du fourreau à leur volonté. Eux seuls, ils requièrent la garde nationale; mais elle ne dépend point d'eux, et ils ne disposent pas d'elle. Pour qu'ils puissent compter sur son aide, il faut que ses chefs indépendants veuillent bien obéir à la réquisition; il faut que les hommes veuillent bien obéir à leurs officiers élus; il faut que ces militaires improvisés consentent à quitter leur charrue, leur atelier, leur boutique ou leur bureau, à perdre leur journée, à faire patrouille la nuit, à recevoir des volées de pierres, à tirer sur une foule ameutée dont souvent ils partagent les colères ou les préjugés. — Sans doute, ils feront feu quelquefois; mais, ordinairement, ils resteront l'arme au bras. A la fin, ils se lasseront d'un service pénible, dangereux, perpétuel, odieux et pour lequel ils ne sont pas faits. Ils ne viendront pas, ou ils arriveront trop tard et en trop petit nombre. En ce cas, la troupe requise comme eux restera immobile à leur exemple, et le magistrat municipal, entre les mains duquel l'épée aura glissé, ne pourra que mander douloureusement à ses supérieurs du district et du département les violences populaires dont il aura été l'inutile témoin. — En d'autres cas, et surtout dans les campagnes, sa condition est pire. Tambour en tête, la garde nationale vient le prendre à la maison commune, afin d'autoriser par sa présence et de légaliser par ses arrêtés les attentats qu'elle veut commettre. Il marche saisi au collet, et signe sous les baïonnettes. Cette fois, son instrument, non-seulement s'est dérobé, mais s'est retourné ; au lieu d'en tenir la poignée, il en sent la pointe, et la force armée, dont il devrait se servir, se sert de lui.

IV

Voici donc le vrai souverain, l'électeur garde national et votant. C'est bien lui que la Constitution a voulu faire roi ; à tous les degrés de la hiérarchie, il est là, avec son suffrage pour déléguer l'autorité, et avec son fusil pour en assurer l'exercice. — Par son libre choix, il crée tous les pouvoirs locaux, intermédiaires et centraux, législatifs, administratifs, ecclésiastiques et judiciaires. Directement et dans les assemblées primaires, il nomme le maire, le corps municipal, le procureur et le conseil de la commune, le juge de paix et ses assesseurs, les électeurs du second degré. Indirectement et par ces électeurs élus, il nomme les administrateurs et procureurs syndics du district et du département, les juges au civil et au criminel, l'accusateur public, les évêques et curés, les membres de l'Assemblée nationale, les jurés de la haute cour nationale[1]. — Tous ces mandats qu'il confère sont à courte échéance, et les principaux, ceux d'officier municipal, d'électeur, de député, ne durent que deux ans ; au bout de ce bref délai, ses mandataires sont ramenés sous son vote, afin que, s'ils lui déplaisent, il puisse les remplacer par d'autres. Il ne faut pas que ses choix l'enchaînent, et, dans une maison bien tenue, le propriétaire légitime doit être

1. Loi du 11-15 mai 1791.

à même de renouveler librement, aisément, fréquemment, son personnel de commis. — On n'a confiance qu'en lui, et, pour plus de sûreté, on lui a remis les armes. Quand ses commis doivent employer la force, c'est lui qui la leur prête. Ce qu'il a voulu comme électeur, il l'exécute comme garde national. A deux reprises, il intervient, toujours d'une façon décisive, et son ascendant sur les pouvoirs légaux est irrésistible puisqu'ils ne naissent que par son vote et ne sont obéis que par son concours. — Mais tous ces droits sont en même temps des charges. La Constitution le qualifie de *citoyen actif*, et, par excellence, il l'est ou doit l'être, puisque l'action publique ne commence et n'aboutit que par lui, puisque tout dépend de sa capacité et de son zèle, puisque la machine n'est bonne et n'opère qu'à proportion de son discernement, de sa ponctualité, de son sang-froid, de sa fermeté, de sa discipline au scrutin et dans les rangs. La loi lui demande un service incessant de jour et de nuit, de corps et d'esprit, comme gendarme et comme électeur. — Ce que doit peser ce service de gendarme, on en peut juger par le nombre des émeutes. Combien est pesant ce service d'électeur, la liste des élections va le montrer.

En février, mars, avril et mai 1789, assemblées de paroisse très-longues pour choisir les électeurs et écrire les doléances; assemblées de bailliage encore plus longues pour choisir les députés et rédiger le cahier. — En juillet et août 1789, assemblées spontanées pour élire ou confirmer les corps municipaux; autres assemblées spontanées par lesquelles les milices se forment et nomment leurs officiers; puis, dans la suite, assemblées incessantes de ces mêmes milices, pour se fondre en une seule garde nationale, pour renouveler leurs officiers, pour députer aux fédérations. — En décembre 1789 et janvier 1790, assemblées primaires pour élire les officiers municipaux et leur conseil. — En mai 1790, assemblées primaires et secondaires pour nommer les administrateurs de département et de district. — En octobre 1790, assemblées primaires pour élire le juge de paix et ses assesseurs, assemblées secondaires pour élire le tribunal de district. — En novembre 1790, assemblées primaires pour renouveler une moitié du corps municipal. — En février et mars 1791, assemblées secondaires pour nommer l'évêque et les curés. — En juin, juillet, août et septembre 1791, assemblées primaires et secondaires pour renouveler une moitié des administrateurs de département et de district, pour nommer le président, l'accusateur public et le greffier du tribunal criminel, pour choisir les députés. — En novembre 1791 assemblées primaires pour renouveler une moitié du conseil municipal. — Notez que beaucoup de ces élections traînent parce que les votants manquent d'expérience, parce que les formalités sont compliquées, parce que l'opinion est divisée. En août et septembre 1791, à Tours, elles se prolongent pendant treize jours[1] ; à Troyes, en janvier 1790, au lieu de trois jours, elles occupent trois semaines ; à Paris, en septembre et octobre 1791, rien que pour choisir les députés, elles durent trente-sept jours ; en nombre d'endroits, elles sont contestées, cassées et recommencent. — A ces convocations universelles qui mettent en mouvement toute la France, joignez les convocations locales par lesquelles une commune s'assemble pour approuver ou contredire ses officiers municipaux, pour réclamer auprès du département, du roi, ou de l'Assemblée, pour demander le maintien de son curé, l'approvisionnement de son marché, la venue ou le renvoi d'un détachement militaire, et songez à tout ce que ces convocations, pétitions, nominations supposent de co-

1. Procès-verbal de l'assemblée électorale du département d'Indre-et-Loire (1791, imprimé).

mités préparatoires, de réunions préalables, de débats préliminaires. Toute représentation publique commence par des répétitions à huis clos. On ne s'entend pas du premier coup pour choisir un candidat, et surtout une liste de candidats, pour nommer dans chaque commune de trois à vingt et un officiers municipaux et de six à quarante-deux notables, pour nommer douze administrateurs au district et trente-six administrateurs au département, d'autant plus que la liste doit être double et contenir deux fois autant de noms qu'il y a de places à remplir. En toute élection importante, on peut compter qu'un mois d'avance les électeurs seront en branle, et que quatre semaines de discussions, manœuvres, conciliabules ne sont pas de trop pour l'examen des candidatures et pour le racolage des voix. — Ajoutez donc cette longue préface à chacune de ces élections si longues, si souvent répétées, et maintenant faites une masse de tous les dérangements et déplacements, de toutes les pertes de temps, de tout le travail que l'opération réclame. Chaque convocation des assemblées primaires appelle, pendant une ou plusieurs journées, à la maison commune ou au chef-lieu de canton, environ trois millions cinq cent mille électeurs du premier degré. Chaque convocation des assemblées du second degré fait venir et séjourner au chef-lieu de leur département, puis au chef-lieu de leur district, environ trois cent cinquante mille électeurs élus. Chaque remaniement ou réélection dans la garde nationale assemble sur la place publique ou fait défiler au scrutin de la maison commune trois ou quatre millions de gardes nationaux. Chaque fédération, après avoir exigé le même rassemblement ou le même défilé, envoie, aux chefs-lieux des districts et des départements, des délégués par centaines de mille, et, à Paris, des délégués par dizaines de mille. — Institués au prix de tant d'efforts, les pouvoirs ne fonctionnent que par un effort égal : dans une seule branche d'administration[1], ils occupent 2988 administrateurs au département, 6950 au district, 1175000 à la commune, en tout près de 1 200 000 administrateurs, et l'on a vu si leur office est une sinécure. Jamais machine n'a requis pour s'établir et marcher une aussi prodigieuse dépense de forces. Aux États-Unis, où maintenant elle se fausse par son propre jeu, on a calculé que, pour satisfaire au vœu de la loi et maintenir chaque rouage à sa place exacte, il faudrait que chaque citoyen donnât par semaine un jour entier, un sixième de son temps aux affaires publiques. En France où le régime est nouveau, où le désordre est universel, où le service de garde national vient compliquer le service d'électeur et d'administrateur, j'estime qu'il faudrait deux jours. A cela aboutit la constitution; telle est son injonction latente et finale : chaque citoyen actif donnera aux affaires publiques un tiers de son temps.

Or ces douze cent mille administrateurs, ces trois ou quatre millions d'électeurs et de gardes nationaux sont justement les hommes de France qui ont le moins de loisir. En effet, dans la classe des citoyens actifs sont compris presque tous les hommes qui travaillent de leur esprit ou de leurs bras. La loi n'a mis à l'écart que les domestiques appliqués au service de la personne et les simples manœuvres qui, dépourvus de toute propriété ou revenu, gagnent moins de vingt et un sous par jour. Partant, un garçon meunier attaché au service du moulin, le moindre métayer, tout villageois propriétaire d'une chaumière ou d'un carré de légumes, l'ouvrier ordinaire vote aux assemblées primaires et peut devenir officier municipal. De plus, s'il paye dix francs par an de contribution directe, s'il est fermier ou métayer d'un bien qui rapporte quatre cents livres, si son loyer est de cent à cent cin-

1. De Ferrières, I, 367.

quante francs, il peut être électeur élu, administrateur de district et de département. A ce taux les éligibles sont innombrables : dans le Doubs, en 1790[1], ils forment les deux tiers des citoyens actifs. Ainsi, à tous ou presque à tous le chemin de tous les offices est ouvert, et la loi n'a pris aucune précaution pour en réserver ou en ménager l'entrée à l'élite qui pourrait le mieux les remplir. Au contraire, dans la pratique, nobles, dignitaires ecclésiastiques, parlementaires, grands fonctionnaires de l'ancien régime, haute bourgeoisie, presque tous les gens riches qui ont des loisirs sont exclus des élections par la violence, et des places par l'opinion ; bientôt ils se cantonnent dans la vie privée, et, par découragement ou dégoût, par scrupules monarchiques ou religieux, ils renoncent à la vie publique. — Par suite tout le faix des fonctions nouvelles retombe sur les plus occupés, négociants, industriels, gens de loi, employés, boutiquiers, artisans, cultivateurs. Ce sont eux qui doivent donner un tiers de leur temps déjà tout pris, négliger leur besogne privée pour un travail public, quitter leur moisson, leur établi, leur échoppe ou leurs dossiers, pour escorter des convois et faire patrouille, pour courir, séjourner et siéger à la maison commune, au chef-lieu de canton, de district ou de département[2], sous une pluie de phrases et de paperasses,

1. Sauzay, I, 191 (21 711 éligibles sur 32 288 citoyens inscrits).

2. Procès-verbal de l'assemblée électorale du département d'Indre-et-Loire, 27 août 1791. « Un membre de l'assemblée a fait la motion que tous « les membres qui la composent fussent indemnisés de la dépense que leur « occasionneraient leur déplacement et le long séjour qu'ils devaient faire « dans la ville où l'assemblée tenait séance. Il a observé que les habitants « de la campagne étaient ceux qui souffraient le plus, leurs travaux étant « leur unique richesse ; que, si l'on fermait l'œil à cette réclamation, ils « seraient, malgré leur patriotisme, forcés de se retirer et d'abandonner « leur importante mission ; qu'alors les assemblées électorales seraient « désertes, ou seraient composées de ceux à qui leurs facultés permet- « traient ce sacrifice. »

avec le sentiment qu'ils font une corvée gratuite, et que cette corvée ne profite guère au public. — Pendant les six premiers mois, ils la font de bon cœur : pour écrire les cahiers, pour s'armer contre les brigands, pour supprimer les impôts, les redevances et la dîme, leur zèle est très-vif. Mais, cela obtenu ou extorqué, décrété en droit ou accompli en fait, qu'on ne les dérange plus. Ils ont besoin de tout leur temps : ils ont leur récolte à rentrer, leurs chalands à servir, leurs commandes à livrer, leurs écritures à faire, leurs échéances à payer, toutes besognes urgentes qu'on ne peut ni ne doit abandonner ou interrompre. Sous le fouet de la nécessité et de l'occasion, ils ont donné un grand coup de collier, et, si on les en croit, désembourbé la charrette publique ; mais ce n'est pas pour s'y atteler à perpétuité et la traîner eux-mêmes. Confinés depuis des siècles dans la vie privée, chacun d'eux a sa petite brouette qu'il pousse, et c'est de celle-ci d'abord et surtout qu'il se croit responsable. Dès le commencement de 1790, le relevé des votes montre autant d'absents que de présents : à Besançon, sur 3200 inscrits il n'y a que 959 votants; quatre mois après, plus de la moitié des électeurs manque au scrutin[1], et, dans toute la France, à Paris même, la tiédeur ne fera que croître. Des administrés de Louis XV et de Louis XVI ne deviennent pas du jour au lendemain des citoyens de Florence ou d'Athènes. On n'improvise pas, dans le cœur et l'esprit de trois ou quatre millions d'hommes, des facultés et des habitudes capables de détourner un tiers de leurs forces vers un travail nouveau, disproportionné, gratuit et de surcroît. — Au fond de toutes les combinaisons politiques que l'on fait et que, pendant dix ans, l'on va faire, gît un chiffre faux, d'une fausseté monstrueuse. Arbitrairement, et sans y avoir regardé, on attribue au

1. Sauzay, I, 147, 192.

métal humain qu'on emploie tel poids et telle résistance. Il se trouve à l'épreuve que le métal a dix fois moins de résistance et vingt fois plus de poids.

V

A défaut du grand nombre qui se dérobe, c'est le petit nombre qui fait le service et prend le pouvoir. Par la démission de la majorité, la minorité devient souveraine, et la besogne publique, désertée par la multitude indécise, inerte, absente, échoit au groupe résolu, agissant, présent, qui trouve le loisir et qui a la volonté de s'en charger. Dans un régime où toutes les places sont électives et où les élections sont fréquentes, la politique devient une carrière pour ceux qui lui subordonnent leurs intérêts privés ou y trouvent leur avantage personnel; il y en a cinq ou six dans chaque village, vingt ou trente dans chaque bourg, quelques centaines dans chaque ville, quelques milliers à Paris[1]. Voilà les vrais *citoyens actifs*. Eux seuls donnent tout leur temps et toute leur attention aux affaires publiques, correspondent avec les journaux et avec les députés de Paris, reçoivent et colportent sur chaque grande question le mot d'ordre, tiennent des conciliabules, provoquent des réunions, font des motions, rédigent des adresses, surveillent, gourmandent, ou dénoncent les magistrats locaux, se forment en comités, lancent et patronnent des candidatures, vont dans les faubourgs et dans les campagnes pour recruter des voix. — En récompense de ce travail, ils ont la puissance; car ils mènent les élections et sont élus aux offices ou pourvus de places par leurs candidats élus. Il y a un nombre prodigieux de ces offices et de ces places, non-seulement celles

1. Pour le détail de ces chiffres, voir le tome II, livre IV.

d'officiers de la garde nationale et d'administrateurs de la commune, du district ou du département, qui sont gratuites ou peu s'en faut, mais quantité d'autres qui sont payées[1], 83 d'évêques, 750 de députés, 400 de juges au criminel, 3700 de juges au civil, 5000 de juges de paix, 20 000 d'assesseurs aux juges de paix, 40 000 de percepteurs communaux, 46 000 de curés, sans compter les emplois accessoires ou infimes qui sont par dizaines et par centaines de mille, depuis les secrétaires, greffiers, huissiers et notaires, jusqu'aux gendarmes, recors, garçons de bureau, bedeaux, fossoyeurs, gardiens de séquestre. La pâture est immense pour les ambitieux ; elle n'est pas mince pour les besoigneux, et ils la saisissent. — Telle est la règle dans la démocratie pure : c'est ainsi que pullule aux États-Unis la fourmilière des *politicians*. Quand la loi appelle incessamment tous les citoyens à l'action politique, quelques-uns seulement s'y adonnent. Dans cette œuvre spéciale, ceux-ci deviennent spéciaux, par suite prépondérants. Mais, en échange de leur peine, il leur faut un salaire, et l'élection leur donne les places, parce qu'ils ont manipulé l'élection.

Deux sortes d'hommes recrutent cette minorité dominante : d'une part les exaltés, et de l'autre part les déclassés. Vers la fin de 1789, les gens modérés, occupés, rentrent au logis, et, chaque jour, sont moins disposés à en sortir. La place publique appartient aux autres, à ceux qui, par zèle et passion politique, abandonnent leurs affaires, et à ceux qui, comprimés dans leur case sociale ou refoulés hors des compartiments ordinaires, n'attendaient qu'une issue nouvelle pour s'élancer. — En ce temps d'utopie et de révolution, ni les uns ni les autres ne manquent. Lancé à pleines poignées, le dogme de la souveraineté populaire est tombé, comme une semence, à tra-

1. De Ferrières, I, 367. Cf. les diverses lois ci-dessus.

vers l'espace, et a végété dans les têtes chaudes, dans les esprits courts et précipités, qui, une fois pris par une pensée, y demeurent clos et captifs, chez les raisonneurs qui, partis d'un principe, foncent en avant comme un cheval à qui l'on a mis des œillères, notamment chez les gens de loi qui, par métier, sont habitués à déduire, chez le procureur de village, le moine défroqué, le curé intrus et excommunié, surtout chez le journaliste ou l'orateur local, qui, pour la première fois, trouve un auditoire, des applaudissements, un ascendant et un avenir. Il n'y a qu'eux pour faire le travail compliqué et perpétuel que comporte la nouvelle constitution ; car il n'y a qu'eux dont les espérances soient illimitées, dont le rêve soit cohérent, dont la doctrine soit simple, dont l'enthousiasme soit contagieux, dont les scrupules soient nuls et dont la présomption soit parfaite. Ainsi s'est forgée et trempée en eux la volonté roidie, le ressort intérieur qui, chaque jour, se bande davantage et les pousse vers tous les postes de la propagande et de l'action. — Pendant la seconde moitié de 1790, on les voit partout, à l'exemple des Jacobins de Paris et sous le nom d'amis de la Constitution, se grouper en sociétés populaires. Dans chaque ville ou bourgade naît un club de patriotes, qui, tous les soirs ou plusieurs soirs par semaine, s'assemblent « pour coo« pérer au salut de la chose publique [1]. » C'est un organe nouveau, spontané, supplémentaire et parasite, qui, à côté des organes légaux, se développe dans le corps social. Insensiblement, il va grossir, tirer à soi la substance des autres, les employer à ses fins, se substituer à eux, agir par lui-même et pour lui seul, sorte d'excroissance dévorante dont l'envahissement est irrésistible,

1. Constant, *Histoire d'un club jacobin en province* (Fontainebleau), p. 15. (Procès-verbaux de fondation des clubs de Moret, Thomery, Nemours, Montereau.)

non-seulement parce que les circonstances et le jeu de la Constitution la nourrissent, mais encore parce que son germe, déposé à de grandes profondeurs, est une portion vivante de la Constitution.

En effet, en tête de la Constitution et des décrets qui s'y rattachent, s'étale la Déclaration des Droits de l'homme. — Dès lors, et de l'aveu des législateurs eux-mêmes, il faut distinguer deux parties dans la loi : l'une supérieure, éternelle, inviolable, qui est le principe évident par lui-même, l'autre inférieure, passagère, discutable, qui comprend les applications plus ou moins exactes ou erronées. Nulle application ne vaut si elle déroge au principe. Nulle institution ou autorité ne mérite obéissance, si elle est contraire aux droits qu'elle a pour but de garantir. Antérieurs à la société, ces droits sacrés priment toute convention sociale, et, quand nous voulons savoir si l'inonction légale est légitime, nous n'avons qu'à vérifier si jelle est conforme au droit naturel. Reportons-nous donc en chaque cas douteux ou difficile vers cet évangile philosophique, vers ce catéchisme incontesté, vers ces articles de foi primordiaux que l'Assemblée nationale a proclamés. — Elle-même, expressément, nous y invite. Car elle nous avertit que « l'ignorance, l'oubli ou le mépris des « droits de l'homme sont les seules causes des malheurs « publics et de la corruption des gouvernements. » Elle déclare que « le but de toute association politique est la « conservation de ces droits naturels et imprescripti- « bles. » Elle les énonce « afin que les actes du pouvoir « législatif et ceux du pouvoir exécutif puissent être à « chaque instant comparés avec le but de toute institution « politique. » Elle veut « que sa déclaration soit cons- « tamment présente à tous les membres du corps social. » — C'est nous dire de contrôler les applications par le principe, et nous fournir la règle d'après laquelle nous pourrons et nous devrons accorder, mesurer ou même refuser notre soumission, notre déférence, notre tolérance aux institutions établies et au pouvoir légal.

Quels sont-ils, ces droits supérieurs, et, en cas de contestation, qui prononcera comme arbitre? — Ici rien de semblable aux déclarations précises de la Constitution américaine[1], à ces prescriptions positives qui peuvent servir de support à une réclamation judiciaire, à ces interdictions expresses qui empêchent d'avance plusieurs sortes de lois, qui tracent une limite à l'action des pouvoirs publics, qui circonscrivent des territoires où l'État ne peut entrer parce qu'ils sont réservés à l'individu. Au contraire, dans la déclaration de l'Assemblée nationale, la plupart des articles ne sont que des dogmes abstraits, des définitions métaphysiques, des axiomes plus ou moins littéraires, c'est-à-dire plus ou moins faux, tantôt vagues et tantôt contradictoires, susceptibles de plusieurs sens et susceptibles de sens opposés, bons pour une harangue d'apparat et non pour un usage effectif, simple décor, sorte d'enseigne pompeuse, inutile et pesante, qui, guindée sur la devanture de la maison constitutionnelle et secouée tous les jours par des mains violentes, ne peut manquer de tomber bientôt sur la tête des passants[2]. — On n'a rien fait pour parer à ce danger visible. Rien de

1. Cf. la Déclaration d'indépendance du 4 juillet 1776 (sauf la première phrase, qui est une réclame de circonstance à l'adresse des philosophes européens). — Pour la Constitution du 4 mars 1789, Jefferson proposa une Déclaration des droits qui fut refusée. On se contenta d'y ajouter les onze amendements qui énoncent les libertés fondamentales du citoyen.

2. Article 1er. « Les hommes naissent et demeurent libres et égaux en « droits. Les distinctions sociales ne peuvent être fondées que sur l'utilité « commune. »

La première phrase condamne la royauté héréditaire consacrée par la Constitution. Au moyen de la seconde phrase, on peut légitimer la monarchie et l'aristocratie héréditaires. — Articles 10 et 11 sur la manifestation des opinions religieuses, sur la liberté de la parole et de la presse. — En vertu de ces deux articles, on peut soumettre les cultes, la parole et la presse au régime le plus répressif, etc.

semblable ici à cette Cour suprême qui, aux États-Unis, est la gardienne de la Constitution, même contre le Congrès, qui, au nom de la Constitution, peut invalider en fait une loi même votée et sanctionnée par tous les pouvoirs et dans toutes les formes, qui reçoit la plainte du particulier lésé par la loi inconstitutionnelle, qui arrête la main du shérif ou du percepteur levée sur lui, et qui lui assigne sur eux des intérêts et dommages. On a proclamé des droits indéfinis et discordants, sans pourvoir à leur interprétation, à leur application, à leur sanction. On ne leur a point ménagé d'organe spécial. On n'a point chargé un tribunal distinct d'accueillir leurs réclamations, de terminer leurs litiges légalement, pacifiquement, en dernier ressort, par un arrêté définitif qui devienne un précédent et serre le sens lâche du texte. On charge de tout cela tout le monde, c'est-à-dire ceux qui veulent s'en charger, en d'autres termes la minorité délibérante et agissante. — Ainsi, dans chaque ville ou bourgade, c'est le club local qui, avec l'autorisation du législateur lui-même, devient le champion, l'arbitre, l'interprète, le ministre des droits de l'homme, et qui, au nom de ces droits supérieurs, peut protester ou s'insurger, si bon lui semble, non-seulement contre les actes légitimes des pouvoirs légaux, mais encore contre le texte authentique de la Constitution et des lois.

Considérez en effet ces droits tels qu'on les proclame, avec le commentaire du harangueur qui les explique au club, devant des esprits échauffés et entreprenants, ou dans la rue, devant une foule surexcitée et grossière. Tous les articles de la Déclaration sont des poignards dirigés contre la société humaine, et il n'y a qu'à pousser le manche pour faire entrer la lame[1]. — Parmi « ces droits na-

1. Roux et Buchez, XI, 237 (Discours de Malouet, à propos de la révision, 5 août 1791). « Vous donnez continuellement au peuple la tentation de la « souveraineté, sans lui en confier immédiatement l'exercice. »

« turels et imprescriptibles, » le législateur a mis « la « résistance à l'oppression. » Nous sommes opprimés, résistons et levons-nous en armes. — Selon le législateur, « la société a le droit de demander compte à tout agent « public de son administration. » Allons à l'hôtel de ville, interrogeons nos magistrats tièdes ou suspects, surveillons leurs séances, vérifions s'ils poursuivent les prêtres et s'ils désarment les aristocrates, empêchons-les de machiner contre le peuple, et faisons marcher ces mauvais commis. — Selon le législateur, « tous les citoyens ont « le droit de concourir personnellement ou par leurs re- « présentants à la formation de la loi. » Ainsi, plus d'électeurs privilégiés par leurs trois francs de contribution; à bas la nouvelle aristocratie des citoyens actifs; restituons à deux millions de prolétaires le droit de suffrage que la Constitution leur a frauduleusement dérobé. — Selon le législateur, «les hommes naissent et demeurent « libres et égaux en droits. » Par conséquent, que nul ne soit exclu de la garde nationale; à tous, même aux indigents, une arme, pique ou fusil, pour défendre leur liberté. — Aux termes mêmes de la Déclaration, « il n'y a « plus ni vénalité, ni hérédité d'aucun office public. » Ainsi la royauté héréditaire est illégitime : allons aux Tuileries et jetons le trône à bas. — Aux termes mêmes de la Déclaration, « la loi est l'expression de la volonté générale. » Écoutez ces clameurs de la place publique, ces pétitions qui arrivent de toutes les villes : voilà la volonté générale qui est la loi vivante et qui abolit la loi écrite. A ce titre, les meneurs de quelques clubs de Paris déposeront le roi, violenteront l'Assemblée législative, décimeront la Convention nationale. — En d'autres termes, la minorité bruyante et factieuse va supplanter la nation souveraine, et désormais rien ne lui manque pour faire ce qui lui plaît quand il lui plaît. Car le jeu de la Constitution lui a donné la réalité du pouvoir, et le préambule de la Constitution lui donne l'apparence du droit.

VI

Telle est l'œuvre de l'Assemblée constituante. Par plusieurs lois, surtout par celles qui intéressent la vie privée, par l'institution de l'état civil, par le code pénal et le code rural[1], par les premiers commencements et la promesse d'un code civil uniforme, par l'énoncé de quelques règles simples en matière d'impôt, de procédure et d'administration, elle a semé de bons germes. Mais, en tout ce qui regarde les institutions politiques et l'organisation sociale, elle a opéré comme une académie d'utopistes et non comme une législature de praticiens. — Sur le corps malade qui lui était confié, elle a exécuté des amputations aussi inutiles que démesurées, et appliqué des bandages aussi insuffisants que malfaisants. Sauf deux ou trois restrictions admises par inconséquence, sauf le maintien d'une royauté de parade et l'obligation d'un petit cens électoral, elle a suivi jusqu'au bout son principe qui est celui de Rousseau. De parti pris, elle a refusé de considérer l'homme réel qui était sous ses yeux, et s'est obstinée à ne voir en lui que l'être abstrait créé par les livres. — Par suite, avec un aveuglement et une roideur de chirurgien spéculatif, elle a détruit, dans la société livrée à son bistouri et à ses théories, non-seulement les tumeurs, les disproportions et les froissements des organes, mais encore les organes eux-mêmes et jusqu'à ces noyaux vivants et directeurs autour desquels les cellules s'ordonnent pour recomposer un organe détruit, d'un côté ces groupes anciens, spontanés et persistants que la

1. Décrets du 25 septembre-6 octobre 1791, 28 septembre-6 octobre 1791

géographie, l'histoire, la communauté d'occupations et d'intérêts avaient formés, d'un autre côté ces chefs naturels que leur nom, leur illustration, leur éducation, leur indépendance, leur bonne volonté, leurs aptitudes désignaient pour le premier rôle. D'une part, elle dépouille, laisse ruiner et proscrire toute la classe supérieure, noblesse, parlementaires, grande bourgeoisie. D'autre part, elle dépossède et dissout tous les corps historiques ou naturels, congrégations religieuses, clergé, provinces, parlements, corporations d'art, de profession ou de métier.— L'opération faite, tout lien ou attache entre les hommes se trouve coupé ; toute subordination ou hiérarchie a disparu. Il n'y a plus de cadres et il n'y a plus de chefs. Il ne reste que des individus, vingt-six millions d'atomes égaux et disjoints. Jamais matière plus désagrégée et plus incapable de résistance ne fut offerte aux mains qui voudront la pétrir ; il leur suffira pour réussir d'être dures et violentes. — Elles sont prêtes ces mains brutales, et l'Assemblée qui a fait la poussière a préparé aussi le pilon. Aussi maladroite pour construire que pour détruire, elle invente, pour remettre l'ordre dans une société bouleversée, une machine qui, à elle seule, mettrait le désordre dans une société tranquille. Ce n'était point trop du gouvernement le plus absolu et le plus concentré, pour opérer sans trouble un tel nivellement des rangs, une telle décomposition des groupes, un tel déplacement de la propriété. A moins d'une armée bien commandée, obéissante et partout présente, on ne fait point pacifiquement une grande transformation sociale ; c'est ainsi que le czar Alexandre a pu affranchir les paysans russes. — Tout au rebours, la Constitution nouvelle[1] réduit le roi au rôle de

1. Sur l'absurdité de la Constitution, les contemporains impartiaux et compétents sont unanimes.

« La Constitution était un vrai monstre. Il y avait trop de monarchie pour

président honoraire, suspect et contesté d'un État désorganisé. Entre lui et le Corps législatif elle ne met que des occasions de conflit, et supprime tous les moyens de concorde. Sur les administrations qu'il doit diriger, le monarque n'a point de prise, et, du centre aux extrémités de l'État, l'indépendance mutuelle des pouvoirs intercale partout la tiédeur, l'inertie, la désobéissance entre l'injonction et l'exécution. La France est une fédération de quarante mille municipalités souveraines, où l'autorité des magistrats légaux vacille selon les caprices des citoyens actifs, où les citoyens actifs, trop chargés, se dérobent à leur emploi public, où une minorité de fanatiques et d'ambitieux accapare la parole, l'influence, les suffrages, le pouvoir, l'action, et autorise ses usurpations multipliées, son despotisme sans frein, ses attentats croissants, par la Déclaration des droits de l'homme. — Le chef-d'œuvre de la raison spéculative et de la déraison pratique est accompli; en vertu de la Constitution, l'anarchie spontanée devient l'anarchie légale. Celle-ci est parfaite; on n'en a pas vu de plus belle depuis le neuvième siècle.

« une république et trop de république pour une monarchie. Le roi était « un hors d'œuvre; il était partout en apparence et n'avait aucun pouvoir « réel. » (Dumont, 339.)

« La conviction générale et presque universelle est que cette Constitution « est inexécutable. Du premier jusqu'au dernier, ceux qui l'ont faite la « condamnent. » (G. Morris, 30 septembre 1791.)

« Chaque jour montre plus clairement que leur nouvelle Constitution « n'est bonne à rien. » (*Id.*, 27 décembre 1791.)

Cf. le discours si judicieux et prophétique de Malouet (5 août 1791, Roux et Buchez, XI, 237).

LIVRE TROISIÈME

LA CONSTITUTION APPLIQUÉE

LIVRE TROISIÈME.

LA CONSTITUTION APPLIQUÉE.

CHAPITRE I.

I. Les fédérations. — Application populaire de la théorie philosophique. — Célébration idyllique du contrat social. — Différence de la volonté superficielle et de la volonté profonde. — Permanence du désordre. — II. Indépendance des municipalités. — Causes de leur initiative. — Le sentiment du danger. — Issy-l'Évêque en 1789. — L'exaltation de l'orgueil. — La Bretagne en 1790. — Usurpation des municipalités. — Prise des citadelles. — Violences contre les commandants. — Arrestation des convois. — Impuissance des directoires. — Impuissance des ministres. — Marseille en 1790. — III. Indépendance des groupes. — Causes de leur initiative. — — Le peuple délibérant. — Impuissance des municipalités. — Violences qu'elles subissent. — Aix en 1790. — Le gouvernement partout désobéi ou perverti.

I

Si jamais utopie parut applicable, bien mieux, appliquée, convertie en fait, instituée à demeure, c'est celle de Rousseau en 1789 et dans les trois années qui suivent. Car, non-seulement ses principes ont passé dans les lois et son esprit anime la Constitution tout entière, mais encore il semble que la nation ait pris au sérieux son jeu d'idéologie, sa fiction abstraite. Cette fiction, elle l'exécute de point en point. Un contrat social effectif et spontané, une immense assemblée d'hommes qui, pour la première fois, viennent librement s'associer entre eux, reconnaître leurs droits respectifs, s'engager par un pacte explicite, se lier par un serment solennel, telle est la recette sociale prescrite par les philosophes : on la suit à la lettre. — Bien plus, comme la recette est réputée infaillible, l'imagination entre en branle, et la sensibilité du temps fait son office. Il est admis que les hommes, en redevenant égaux, sont redevenus frères[1]. Une subite et merveilleuse concorde de toutes les volontés et de toutes les intelligences va ramener l'âge d'or sur la terre. Il convient donc que le contrat social soit une fête, une touchante et sublime idylle, où, d'un bout de la France à l'autre, tous, la main dans la main, viennent jurer le nouveau pacte, avec des chants, des danses, des larmes d'attendrissement, des cris d'allégresse, dignes prémices de la félicité publique. En effet, d'un accord unanime, l'idylle se joue comme d'après un programme écrit.

Le 29 novembre 1789, à l'Étoile près de Valence, les fédérations ont commencé[2]. Douze mille gardes nationaux des deux rives du Rhône se promettent « de rester à jamais unis, de protéger la circulation des subsistances « et de soutenir les lois émanées de l'Assemblée nationale. » — Le 13 décembre, à Montélimart, six mille hommes, représentants de vingt-sept mille autres, font un serment pareil, et se confédèrent avec leurs devanciers. — Là-dessus de mois en mois et de province en province, l'ébranle-

1. Adresse de la Commune de Paris, 5 juin 1790. « Qu'au même jour (l'anniversaire de la prise de la Bastille), un cri plus touchant se fasse entendre : « *Français, nous sommes tous frères!* Oui, nous sommes frères, nous som-« mes libres, nous avons une patrie! » (Buchez et Roux, VI, 275.)

2. Buchez et Roux, IV, 3, 309; V, 123; VI, 274, 399. — Duvergier, Collection des lois et décrets. Décret du 8-9 juin 1790.

ment se propage. Les quatorze villes bailliagères de la Franche-Comté forment une ligue patriotique. A Pontivy, la Bretagne se fédère avec l'Anjou. Cent mille gardes nationaux du Vivarais et du Languedoc envoient leurs délégués à Voute. Quatre-vingt mille des Vosges ont leurs députés à Épinal. En février, mars, avril et mai 1790, dans l'Alsace, la Champagne, le Dauphiné, l'Orléanais, la Touraine, le Lyonnais, la Provence, même spectacle. A Draguignan, huit mille gardes nationaux jurent en présence de vingt mille spectateurs. A Lyon cinquante mille hommes, délégués de plus de cinq cent mille autres, font le serment civique. — Mais, pour former la France, ce n'est pas assez des unions locales; il faut encore l'union générale de tous les Français. Nombre de gardes nationales ont écrit déjà pour s'affilier à celle de Paris, et le 5 juin, sur la proposition de la municipalité parisienne, l'Assemblée décrète la fédération universelle. Elle se fera le 14 juillet, partout à la fois, aux extrémités et au centre. Il y en aura une au chef-lieu de chaque district, une au chef-lieu de chaque département, une au chef-lieu du royaume. Pour celle-ci, chaque garde nationale députe à Paris un homme sur deux cents, chaque régiment un officier, un sous-officier et quatre soldats. — Au Champ de Mars, théâtre de la fête, on voit arriver quatorze mille représentants de la garde nationale des provinces, onze à douze mille représentants de l'armée de terre et de mer, outre la garde nationale de Paris, outre cent soixante mille spectateurs sur les tertres de l'enceinte, outre une foule encore plus grande sur les amphithéâtres de Chaillot et de Passy. Tous ensemble se lèvent, jurent fidélité à la nation, à la loi, au roi, à la Constitution nouvelle. Au bruit du canon qui annonce leur serment, les Parisiens qui sont demeurés au logis, hommes, femmes, enfants, lèvent la main du côté du Champ de Mars, en criant qu'ils jurent aussi. De tous les chefs-lieux de département et de district, de toutes les communes de France part, le même jour, le même serment. — Jamais pacte social n'a été plus expressément conclu. Aux yeux des spectateurs, voici, pour la première fois dans le monde, une société véritable et légitime ; car elle est constituée par des engagements libres, par des stipulations solennelles, par des consentements positifs. On en possède l'acte authentique et le procès-verbal daté.

Il y a plus : à ne considérer que les dehors et le moment, les cœurs sont unis. Il semble que toutes les barrières qui séparent les hommes soient tombées et sans effort. Plus d'antagonisme provincial : les fédérés de la Bretagne et de l'Anjou écrivent qu'ils ne veulent plus être Angevins ni Bretons, mais seulement Français. Plus de discordes religieuses : à Saint-Jean-du-Gard, près d'Alais, le curé et le pasteur s'embrassent à l'autel ; dans l'église, le pasteur siége à la première place, et, dans l'assemblée des protestants, le curé, à la place d'honneur, écoute le prêche du pasteur[1]. Plus de distinctions de rang ni de condition : à Saint-Andéol, « l'honneur de prêter le serment à la tête du peuple est déféré à deux vieillards de quatre-vingt treize et quatre-vingt-quatorze ans, l'un noble et colonel de la garde nationale, l'autre simple laboureur. » — A Paris, deux cent mille personnes de tout état, de tout âge et de tout sexe, officiers et soldats, moines et comédiens, écoliers et maîtres, élégants et déguenillés, grandes dames et poissardes, ouvriers de tous les métiers, paysans de toute la banlieue, sont venus s'offrir pour remuer la terre au Champ de Mars qui n'était pas prêt, et, en sept jours, d'une plaine unie, ils ont fait une vallée entre deux collines, tous égaux, camarades, volontairement attelés à la même besogne, roulant la brouette et maniant la pioche. — A Strasbourg, le général

1. Michelet, *Histoire de la révolution française*, II, 470, 474.

en chef, Luckner, habit bas, a travaillé comme le plus vigoureux terrassier, pendant une après-midi entière. Sur toutes les routes, les fédérés sont nourris, hébergés, défrayés. A Paris, les aubergistes et les maîtres d'hôtels garnis ont d'eux-mêmes baissé leurs prix, et ne songent point à rançonner leurs nouveaux hôtes. Bien mieux, « les districts festoient à l'envi les provinciaux[1] ; il y a « tous les jours des repas de douze cents à quinze cents « couverts. » Provinciaux, Parisiens, militaires, bourgeois, attablés et confondus, trinquent et s'embrassent. Surtout les soldats, les sous-officiers sont entourés, acclamés, régalés, jusqu'à en perdre la raison, la santé et plus encore. Tel, « vieux cavalier qui compte plus de cinquante ans « de service, meurt au retour, brûlé de liqueurs et excédé « de plaisirs. » — Bref, l'allégresse déborde, comme il convient dans le jour unique où le vœu d'un siècle entier s'est accompli. Voilà bien le bonheur idéal, tel que les livres et les estampes du temps le montraient. L'homme naturel, enterré sous la civilisation artificielle, s'est dégagé, et reparaît comme aux premiers jours, comme à Otaïti, comme dans les pastorales philosophiques et littéraires, comme dans les opéras bucoliques et mythologiques, confiant, aimant, heureux. « L'âme se sent affaissée « sous le poids d'une délicieuse ivresse à l'aspect de tout « ce peuple redescendu aux doux sentiments de la frater- « nité primitive, » et le Français, bien plus gai, bien plus enfant qu'aujourd'hui, s'abandonne, sans arrière-pensée, à ses instincts de sociabilité, de sympathie et d'expansion.

Tout ce que l'imagination du temps lui fournit pour ajouter à son émotion, tout le décor classique, oratoire et

1. De Ferrières, II, 91. — Albert Babeau, I, 340. (Lettre adressée au chevalier de Poterat, 18 juillet 1790.) — De Dammartin, *Événements qui se sont passés sous mes yeux*, etc., I, 155.

théâtral dont il dispose, il l'emploie pour embellir sa fête. Déjà exalté, il veut encore s'exalter davantage. — A Lyon, les cinquante mille fédérés du Midi se rangent en bataille autour d'un rocher artificiel haut de cinquante pieds et couvert d'arbustes, que surmontent un temple de la Concorde et une statue colossale de la Liberté ; on apporte les drapeaux sur les gradins du rocher, et une messe solennelle précède le serment civique. — A Paris, au milieu du Champ de Mars transformé en cirque colossal, s'élève l'autel de la Patrie ; alentour sont les troupes de ligne et les fédérations des départements ; en face est le roi sur un trône avec la reine et le dauphin, près de là les princes et princesses dans une tribune, l'Assemblée nationale sur un amphithéâtre. Deux cents prêtres vêtus d'aubes avec des ceintures tricolores officient autour de l'évêque d'Autun ; trois cents tambours et douze cents musiciens jouent ensemble ; quarante pièces de canon tonnent d'un seul coup ; quatre cent mille vivats partent à la fois. Jamais on n'a tant fait pour enivrer tous les sens, pour faire vibrer la machine nerveuse au delà de ce qu'elle peut porter. — Au même degré et plus haut encore vibre la machine morale. Depuis plus d'un an les harangues, les proclamations, les adresses, les journaux, les événements la montent tous les jours d'un ton. Cette fois, des milliers de discours, multipliés par des millions de gazettes, la tendent jusqu'à l'enthousiasme. De toutes parts, dans toute la France, la déclamation roule à gros bouillons dans un lit de rhétorique uniforme. En cet état d'excitation, on ne distingue plus l'emphase de la sincérité, le faux du vrai, la parade de l'action. La fédération devient un opéra que l'on joue sérieusement et dans la rue : on y enrôle des enfants, on ne s'aperçoit pas qu'ils sont des pantins, on prend pour des paroles du cœur les périodes apprises que l'on met dans leur bouche. — A Besançon, au retour des fédérés, des centaines de « jeunes

« citoyens, »[1] âgés de douze à quatorze ans, en uniforme national, « le sabre à la main », viennent au-devant de l'étendard de la Liberté. Trois fillettes de onze à treize ans, deux garçonnets de neuf ans prononcent chacun « un « discours plein de feu et ne respirant que le patriotisme; » puis une demoiselle de quatorze ans, élevant la voix et montrant le drapeau, harangue tour à tour l'assemblée, les députés, la garde nationale, le maire, le commandant des troupes, et la scène finit par un bal. C'est là le finale universel : partout hommes et femmes, enfants et adultes, gens du peuple et gens du monde, chefs et subordonnés, tous se trémoussent comme dans une pastorale de théâtre au dernier acte. — A Paris, écrit un témoin oculaire, « j'ai vu des chevaliers de Saint-Louis et des aumôniers « danser dans la rue avec les individus de leur département[2] ». Au Champ de Mars, le jour de la fédération, malgré la pluie qui tombe à flots, « les premiers arrivés commencent à danser; ceux qui suivent se joignent à eux « et forment une ronde qui embrasse bientôt une partie « du Champ de Mars.... Trois cent mille spectateurs battaient la mesure avec les mains. » Les jours suivants au Champ de Mars et dans les rues, on danse encore, on boit, on chante; « il y a bal et rafraîchissement à la « Halle au blé, bal sur l'emplacement de la Bastille. » — A Tours, où cinquante-deux détachements des provinces voisines se sont assemblés[3], vers quatre heures du soir, par un élan irrésistible de gaieté folle, « les officiers, bas « officiers et soldats, pêle-mêle, se mettent à courir dans « les rues, les uns le sabre à la main, les autres formant « des danses, criant Vive le roi, Vive la nation, jetant « leurs chapeaux en l'air, et forçant à danser toutes les

1. Sauzay, I, 202.
2. Albert Babeau, *ib.*, I, 339. — De Ferrières, II, 92.
3. Archives nationales, H, 1453. Correspondance de M. de Bercheny, 23 mai 1790.

« personnes qu'ils rencontrent sur leur chemin. Un cha- « noine de la cathédrale qui passait tranquillement est « affublé d'un bonnet de grenadier, » entraîné dans la ronde ; après lui, deux religieux ; « on les embrasse beau- « coup, » puis on les laisse aller. Arrivent les voitures du maire et de la marquise de Montausier : on monte dedans, derrière, sur les siéges du haut, tant qu'ils peuvent contenir, et l'on force les cochers à parader ainsi dans les principales rues. Ce n'est point malice, mais gaminerie, accès de verve. « Personne ne fut maltraité ni insulté, « quoique presque tout le monde fût ivre. » — Pourtant symptôme fâcheux, le lendemain, les soldats du régiment d'Anjou sortent de leurs casernes, « et passent toute la « nuit dehors, sans qu'on puisse les en empêcher. » — Symptôme plus grave : à Orléans, après que les milices nationales ont dansé le soir sur la place, « un grand nom- « bre de volontaires courent la ville avec des tambours « en criant de toutes leurs forces qu'il faut détruire l'aris- « tocratie, mettre à la lanterne les calotins et les aristo- « crates. » Ils entrent dans un café suspect, en chassent les habitués avec injures, mettent la main sur un gentilhomme qui passe pour n'avoir pas crié aussi correctement et aussi fort qu'eux-mêmes : peu s'en faut qu'il ne soit pendu[1]. — Tel est le fruit de la sensibilité et de la philosophie du dix-huitième siècle : les hommes ont cru que, pour instituer une société parfaite, pour établir à demeure la liberté, la justice et le bonheur sur la terre, il leur suffisait d'un élan de cœur et d'un acte de volonté.

1. Archives nationales, *ib.*, 13 mai 1790. « M. de la Rifaudière a été tiré « de sa voiture et mené au corps de garde, qui fut aussitôt rempli de monde. « On n'entendait que crier : A la lanterne, l'aristocrate ! — Le fait est qu'a- « près avoir crié vingt fois : *Vive le Roi et la Nation !*, comme on voulait lui « faire crier : *Vive la Nation* toute seule, il a crié : *Vive la Nation tant « qu'elle pourra !* » — A Blois, le jour de la fédération, un attroupement promène dans les rues une tête de bois coiffée d'une perruque, avec un écriteau portant qu'il faut couper le cou aux aristocrates.

Ils viennent d'avoir cet élan et de faire cet acte; ils ont été transportés, ravis, guindés au-dessus d'eux-mêmes. A présent, par contre-coup, il faut bien qu'ils retombent en eux-mêmes. Leur effort a produit tout ce qu'il pouvait produire, c'est-à-dire un déluge d'effusions et de phrases, un contrat verbal et non réel, une fraternité d'apparat et d'épiderme, une mascarade de bonne foi, une ébullition de sentiment qui s'évapore par son propre étalage, bref, un carnaval aimable et qui dure un jour.

C'est que, dans la volonté humaine, il y a deux couches, l'une superficielle dont les hommes ont conscience, l'autre profonde dont ils n'ont pas conscience, la première fragile et vacillante comme une terre meuble, la seconde stable et fixe comme une roche que leurs fantaisies et leurs agitations n'atteignent pas. Celle-ci détermine seule la pente générale du sol, et tout le gros courant de l'action humaine roule forcément sur le versant ainsi préparé. — Certainement ils se sont embrassés et ils ont juré; mais, après comme avant la cérémonie, ils sont ce que les ont faits des siècles de sujétion administrative et un siècle de littérature politique. Ils gardent leur ignorance et leur présomption, leurs préjugés, leurs rancunes et leurs défiances, leurs habitudes invétérées d'esprit et de cœur. Ils sont hommes, et leur estomac a besoin d'être rempli tous les jours. Ils ont de l'imagination, et, si le pain est rare, ils craignent de manquer de pain. Ils aiment mieux garder leur argent que de le donner : partant, ils regimbent contre la créance que l'État et les particuliers ont sur eux; ils se dispensent le plus qu'ils peuvent de payer leurs dettes; ils font volontiers leur main sur les choses publiques quand elles sont mal défendues; enfin, ils sont disposés à croire que les gendarmes et les propriétaires sont nuisibles, d'autant plus qu'on leur répète cela tous les jours et depuis un an. — D'autre part, la situation n'a pas changé. Ils vivent toujours dans une société désorganisée, sous une constitution impraticable, et les passions qui démolissent tout ordre public n'ont fait que s'aviver par le simulacre de fraternité sous lequel elles ont paru s'amortir. On ne persuade pas impunément aux hommes que le millénium est accompli ; car ils veulent en jouir tout de suite, et ne tolèrent pas d'être déçus dans leur attente. En cet état violent d'espérances illimitées, toutes leurs volontés leur semblent légitimes, et toutes leurs opinions certaines. Ils ne savent plus se défier d'eux-mêmes, se contenir ; dans leur cerveau regorgeant d'émotions et d'enthousiasme, il n'y a de place que pour une seule idée intense, absorbante et fixe. Chacun abonde et surabonde dans son propre sens ; tous deviennent emportés, absolus, intraitables. Ayant admis que tous les obstacles sont levés, ils s'indignent contre chaque obstacle qu'ils rencontrent ; quel qu'il soit, à l'instant ils le brisent, et leur imagination surexcitée recouvre du beau nom de patriotisme leurs appétits naturels de despotisme et d'usurpation.

Aussi bien, pendant les trois années qui suivent la prise de la Bastille, c'est un étrange spectacle que celui de la France. Tout est philanthropie dans les mots et symétrie dans les lois ; tout est violence dans les actes et désordre dans les choses. De loin, c'est le règne de la philosophie ; de près, c'est la dislocation carlovingienne. « Les étrangers, dit un témoin [1], ne savent pas que, si « nous avons donné une grande extension à nos droits « politiques, la liberté individuelle est, dans le droit, « réduite à rien, et, dans le fait, livrée à l'arbitraire de « soixante mille assemblées constitutionnelles ; que rien « ne peut mettre un citoyen à l'abri des vexations de ces « corps populaires ; que, suivant l'opinion qu'ils se font

1. *Mercure de France*, articles de Mallet-Dupan (18 juin et 6 août 1791 ; 14 avril 1792).

« des choses et des personnes, ils agissent dans un endroit « d'une façon et dans un autre d'une autre.... Ici, c'est un « département qui, de son chef et sans en référer, met « un embargo sur les navires; là, un autre département « qui ordonne l'expulsion d'un détachement militaire né- « cessaire à la sûreté des lieux dévastés par les brigands, « et un ministre qui répond aux réclamations des inté- « ressés : *le Département le veut.* Ailleurs, ce sont des « corps administratifs qui, à l'instant où l'Assemblée « nationale décrète le repos des consciences et la liberté « des prêtres non assermentés, les chassent tous de leur « domicile en vingt-quatre heures. Toujours en avant ou « en arrière des lois, alternativement audacieux ou pusil- « lanimes, osant tout lorsque la licence publique les « seconde et n'osant rien faire pour la réprimer, se hâ- « tant d'abuser de leur autorité du moment contre les « faibles pour se faire des titres à venir de popularité, « ne sachant maintenir l'ordre qu'au prix de la tran- « quillité et de la sûreté publiques, embarrassés dans les « rênes de leur administration nouvelle et compliquée, « joignant la fougue des passions à l'incapacité et à « l'inexpérience : tels sont, en grande partie, ces hom- « mes sortis du néant, vides d'idées et ivres de préten- « tions, sur lesquels reposent maintenant le soin de la « force et de la richesse publiques, l'intérêt de la sû- « reté et les bases de la puissance du gouvernement. « Dans toutes les divisions de l'empire, dans toutes les « branches d'administration, dans chaque rapport, on « aperçoit la confusion des autorités, l'incertitude de « l'obéissance, la dissolution de tous les freins, le vide « des ressources, la déplorable complication des ressorts « énervés, pas un moyen de force réelle, et, pour tout « appui, des lois qui, en supposant la France peu- « plée d'hommes sans vices et sans passions, ont aban- « donné l'humanité à son indépendance originelle. »

— Quelques mois après, au commencement de 1792, Malouet résumait tout en une phrase : « C'est la Ré-« gence d'Alger, moins le Dey. »

II

Les choses ne sauraient aller autrement. Car, avant le 6 octobre et la captivité du roi à Paris, le gouvernement était déjà détruit en fait; maintenant, par les décrets successifs de l'Assemblée, il est détruit en droit, et chaque groupe local est confié à lui-même. — Les intendants sont en fuite; les commandants militaires ne sont pas obéis; les bailliages n'osent juger; les parlements sont suspendus; sept mois s'écoulent avant que les administrations de district et de département soient élues; un an se passe avant que les nouveaux juges soient institués, et, après comme auparavant, tout le pouvoir effectif est aux mains de la commune. — A elle de s'armer, de choisir ses chefs, de s'approvisionner, de se garder contre les brigands, de nourrir ses pauvres. A elle de vendre ses biens nationaux, d'installer le curé constitutionnel, d'opérer la transformation par laquelle la société nouvelle se substitue à la société ancienne, au milieu de tant de passions avides et de tant d'intérêts froissés. A elle de parer seule aux dangers perpétuels ou renaissants qui l'assaillent ou qu'elle imagine. — Ils sont grands, et elle se les exagère encore. Elle est alarmée et elle est novice. Rien d'étonnant, si, dans cet exercice d'un pouvoir improvisé, elle outre-passe ses bornes naturelles ou légales, si elle franchit sans s'en apercevoir la limite métaphysique que la Constitution pose entre ses droits et les droits de l'État. La faim, la peur, la colère, aucune passion populaire ne sait attendre; on n'a pas le temps d'en référer à Paris. Il faut agir, agir tout de suite et avec les moyens qu'on a; on se sauve comme on peut. Tel maire de village va se trouver général et législateur. Telle petite ville se donne une charte, comme Laon ou Vezelay au douzième siècle. — Le 6 octobre 1789[1], près d'Autun, le bourg d'Issy-l'Évêque s'érige en État indépendant. M. Carion, curé, a convoqué l'assemblée de la paroisse; on l'a nommé membre du comité administratif et de l'état-major nouveau. Séance tenante, il fait adopter un statut complet, politique, judiciaire, pénal et militaire, en soixante articles. Rien n'y manque; on y lit des règlements « sur la « police de la ville, sur les alignements des rues et des « places publiques, sur la réparation des prisons, sur « les corvées et les prix des grains, sur l'administration « de la justice, sur les amendes et confiscations, sur le « régime des gardes nationales. » C'est un Solon de province, zélé pour le bien public et homme d'exécution. En chaire il explique ses ordonnances et menace les récalcitrants. A la maison de ville, il décrète et juge. Hors de la ville, à la tête de la garde nationale et sabre en main, il va prêter main-forte à ses arrêtés. Il fait décider que, sur un ordre écrit du comité, tout citoyen pourra être emprisonné. Il établit et perçoit des octrois, il fait abattre des murs de clôture, il va chez les cultivateurs lever des réquisitions de grains, il saisit les convois de ceux qui n'ont pas déposé leur quote-part dans son grenier d'abondance. Un matin, précédé d'un tambour, il se transporte hors des murs, y proclame « ses lois agraires », procède sur-le-champ au partage, et s'adjuge lui-même une part de territoire à titre d'ancien bien communal ou curial : le tout publiquement, en conscience, appelant notaire et tabellion pour dresser procès-verbal de ses actes, persuadé que, la société humaine ayant cessé, chaque groupe

1. *Moniteur*, IV, 560 (séance du 5 juin 1790), rapport de M. Freteau. « Ces « faits sont prouvés par cinquante témoins. » — Cf. n° du 19 avril 1791.

local a le droit de la recommencer à sa guise et de pratiquer, sans en référer à personne, la constitution qu'il s'est donnée. — Sans doute celui-ci parle trop haut, va trop vite, et le bailliage, puis le Châtelet, puis l'Assemblée nationale arrêtent provisoirement ses entreprises. Mais son principe est populaire, et les quarante mille communes de France vont agir comme autant de républiques distinctes sous les réprimandes sentimentales et de plus en plus vaines du pouvoir central.

C'est que maintenant les hommes agités et redressés par un sentiment nouveau, s'abandonnent à l'orgueilleux plaisir de se sentir indépendants et puissants. Nulle part ce plaisir n'est si vif que chez les chefs locaux, officiers municipaux et commandants des gardes nationales. Car jamais une si haute autorité et une si grande importance ne sont venues tout d'un coup revêtir des hommes auparavant si nuls ou si soumis. — Jadis commis de l'intendant ou du subdélégué, désignés, maintenus, rudoyés par lui, tenus en dehors de toute affaire considérable, n'ayant que les représentations humbles pour se défendre contre les aggravations de taxes, occupés de préséances, et de conflits d'étiquette[1], simples citadins ou paysans auxquels l'idée ne fût jamais venue d'intervenir dans la chose militaire, les voilà désormais souverains dans le militaire et dans le civil. — Tel, maire d'une bourgade ou syndic d'une paroisse, petit bourgeois ou villa-

1. Archives nationales, KK, 1105, Correspondance d M. de Thiard, commandant militaire de la Bretagne (septembre 1789). « Il y a, dans toutes les « petites villes, trois puissances qui s'entre-choquent, le présidial, la milice « bourgeoise et le comité permanent. Chacune veut avoir le pas sur l'autre, « et, à cette occasion, il m'est arrivé à Landivisiau une scène qui aurait pu « devenir sanglante, et qui n'a été que ridicule. Il s'est élevé une dispute fort « vive entre les trois harangueurs, pour savoir qui parlerait le premier. On « s'en est rapporté à moi pour la décision. Pour n'offenser aucune des par- « ties, j'ai prononcé qu'ils parleraient tous les trois ensemble, ce qui a été « ponctuellement exécuté. »

geois en sarrau, que l'intendant et le commandant militaire faisaient à volonté mettre en prison, requiert à présent un gentilhomme, capitaine de dragons, de marcher ou de rester, et, sur sa réquisition, le capitaine reste ou marche. De ce même bourgeois ou villageois, dépend la sûreté du château voisin, du grand propriétaire et de sa famille, du prélat, de tous les personnages du canton. Pour qu'ils soient à l'abri, il faut qu'il les protége; ils seront pillés si, en cas d'émeute, il n'envoie pas à leur secours la garde nationale et la troupe. C'est lui qui, avec son conseil communal, fixe au taux qu'il lui plaît leurs impositions. C'est lui qui, leur accordant ou leur refusant un passe-port, les oblige à rester ou leur permet de partir. C'est lui qui, prêtant ou refusant la force publique à la perception de leurs fermages, leur donne ou leur ôte les moyens de vivre. Il règne donc, et à la seule condition de gouverner au gré de ses pareils, de la multitude bruyante, du groupe remuant et dominant qui l'a élu. — Dans les villes surtout et notamment dans les grandes villes, le contraste est immense entre ce qu'il était et ce qu'il est, puisqu'à la plénitude du pouvoir s'ajoute pour lui l'étendue de l'action. Jugez de l'effet sur sa cervelle, à Marseille, Bordeaux, Nantes, Rouen, Lyon, où il tient dans sa main les biens et les vies de quatre-vingts ou cent mille personnes. D'autant plus que, parmi ces officiers municipaux des villes, les trois quarts, procureurs ou avocats, sont imbus des dogmes nouveaux et persuadés qu'en eux seuls, élus directs du peuple, réside l'autorité légitime. Éblouis par leur grandeur récente, ombrageux comme des parvenus, révoltés contre tous les pouvoirs anciens ou rivaux, ils sont en outre alarmés par leur imagination et par leur ignorance, vaguement troublés par la disproportion de leur rôle passé et de leur rôle présent, inquiets pour l'État, inquiets pour eux-mêmes, et ils ne trouvent de sécurité que dans l'usurpation. Sur des bruits de café, des municipalités jugent les ministres, décident qu'ils sont traîtres. Avec une raideur de conviction et une intrépidité de présomption extraordinaires, elles se croient en droit d'agir sans leurs ordres, contre leurs ordres, contre les ordres de l'Assemblée elle-même, comme si, dans la France dissoute, chacune d'elles était la nation.

Aussi bien, si la force armée obéit maintenant à quelqu'un, c'est à elles et à elles seules, non-seulement la garde nationale, mais encore la troupe qui, soumise à leurs réquisitions par un décret de l'Assemblée nationale[1], ne veut plus déférer qu'à leurs réquisitions. — Dès le mois de septembre 1789, les commandants militaires des provinces se déclarent impuissants : entre leurs ordres et celui d'une municipalité, c'est celui de la municipalité que les troupes exécutent. « Si pressant que soit le besoin de les « porter aux lieux où leur présence est nécessaire, elles sont « arrêtées par la résistance du comité de leur village[2] ». — « Sans aucun motif raisonnable, écrit le commandant de « la Bretagne, Vannes et Auray se sont opposées au déta- « chement que je croyais sage d'envoyer à Belle-Ile pour « en remplacer un autre.... Le gouvernement ne peut « plus faire un pas sans rencontrer des obstacles.... Le « ministre de la guerre n'est plus le maître de faire mou- « voir les troupes.... Aucun ordre n'est exécuté.... Tout le « monde veut commander, personne ne veut obéir.... « Comment le roi, le gouvernement et le ministre de la « guerre pourraient-ils combiner les besoins des places « et l'emplacement des troupes, si les villes se croient « autorisées à donner des contre-ordres aux régiments, et

1. Décret du 10-14 août 1789.

2. Archives nationales, KK, 1105. Correspondance de M. de Thiard, 11 septembre 1789. « Les troupes n'obéissent plus qu'aux municipalités. » — Et 30 juillet, 11 août 1790.

« à changer leur destination? » — Bien pis [1], « sur la fausse « supposition de brigands et de complots qui n'existent « pas, on me demande dans les villes et dans les villa- « ges des armes et même du canon.... Bientôt toute la « Bretagne sera dans un appareil de guerre effrayant par « ses suites : car, n'ayant réellement aucuns ennemis, ils « tourneront leurs armes contre eux-mêmes. » — Peu importe ; la panique est « une épidémie; » on veut croire « aux brigands et aux ennemis. » On répète à Nantes que les Espagnols vont débarquer, que des régiments français vont attaquer, qu'une armée de bandits approche, que le château est menacé, qu'il est menaçant, qu'il renferme trop d'engins de guerre. En vain le commandant de la province écrit au maire pour le rassurer, et pour lui représenter que « la municipalité, étant maîtresse du châ- « teau, l'est aussi de tous les magasins qu'il renferme. « Pourquoi donc conçoit-elle des alarmes pour des objets « qui sont entre ses mains? Pourquoi s'étonner qu'il y « ait des armes et de la poudre dans un arsenal? » — Rien n'y fait; le château est envahi ; deux cents ouvriers se mettent à en démolir les fortifications; la peur n'écoute rien et ne croit pouvoir prendre trop de précautions. Si inoffensives que soient les citadelles, on les tient pour dangereuses ; si accommodants que soient les chefs militaires, on les tient pour suspects. On regimbe contre la bride, même lâche et flottante ; on la casse et on la jette à terre, pour qu'à l'occasion aucune main ne puisse la serrer. Chaque municipalité, chaque garde nationale veut régner chez elle, à l'abri de tout contrôle étranger; c'est là ce qu'elle appelle la liberté. Partant, son adversaire est le pouvoir central; il faut le désarmer de peur qu'il n'intervienne, et, de tous côtés, avec un instinct sûr et

1. Archives nationales, KK, 1105. Correspondance de M. de Thiard, 11 et 25 septembre, 20 novembre, 25 et 30 décembre 1789.

persistant, par la prise des forteresses, par le pillage des arsenaux, par la séduction des soldats, par l'expulsion des généraux, la cité assure son omnipotence, en se garantissant d'avance contre toute répression.

A Brest, la municipalité veut qu'on livre au peuple un officier de marine, et sur le refus du lieutenant de roi, le comité permanent ordonne à la garde nationale de charger ses fusils[1]. A Nantes, la municipalité refuse de reconnaître M. d'Hervilly, envoyé pour commander un camp, et les villes de la province écrivent pour déclarer qu'elles ne souffriront pas sur leur territoire d'autres troupes que leurs fédérés. A Lille, le comité permanent veut que tous les soirs l'autorité militaire lui remette les clefs de la ville, et, quelques mois après, la garde nationale, jointe aux soldats révoltés, s'empare de la citadelle ainsi que du commandant Livarot. A Toulon, le commandant de l'arsenal, M. de Rioms, et plusieurs officiers de marine sont mis au cachot. A Montpellier, la citadelle est surprise, et le club écrit à l'Assemblée nationale pour en demander la démolition. A Valence, le commandant, M. de Voisins, qui veut se mettre en défense, est massacré, et désormais c'est la municipalité qui donne les ordres à la garnison. A Bastia, le colonel de Rully tombe sous une grêle de balles, et la garde nationale s'empare de la citadelle et du magasin à poudre. — Ce ne sont pas là des échauffourées passagères : au bout de deux ans, le même esprit d'insubordination se retrouve partout[2]. En vain les commissaires de l'Assemblée nationale veulent faire

1. Buchez et Roux, V, 394 (avril 1790). — Archives nationales, Papiers du comité des recherches DXXIX, I (note de M. de Latour-du-Pin, 28 octobre 1789). — Buchez et Roux, IV, 3 (1er décembre 1789) ; IV, 390 (février 1790) ; VI, 179 (avril et mai 1790).

2. *Mercure de France*. Rapport de M. Émery, séance du 21 juillet 1790, n° du 31 juillet. — Archives nationales, F7, 3200. Lettre du directoire du Calvados, 26 septembre et 20 octobre 1791.

sortir de Metz le régiment de Nassau : Sedan refuse de le recevoir; Thionville déclare que, s'il vient, elle lèvera les ponts; Sarrelouis menace, s'il approche, de tirer ses canons. A Caen, ni la municipalité, ni le directoire n'osent appliquer la loi qui remet le château aux troupes de ligne; la garde nationale refuse d'en sortir, et défend au directeur de l'artillerie d'y inspecter les munitions. — En cet état des choses, un gouvernement subsiste encore de nom, mais non plus de fait; car il n'a plus les moyens d'imposer l'obéissance. Chaque commune s'arroge le droit de suspendre ou d'empêcher l'exécution des ordres les plus urgents et les plus simples. En dépit de tous les passe-ports et de toutes les injonctions légales, Arnay-le-Duc a retenu Mesdames ; Arcis-sur-Aube retient Necker; Montigny va retenir M. Caillard, ambassadeur de France [1]. — Au mois de juin 1791, un convoi de quatre-vingt mille écus de six livres part de Paris pour la Suisse; c'est un remboursement du gouvernement français au gouvernement de Soleure ; la date du versement est fixée, l'itinéraire est décrit; toutes les pièces nécessaires sont fournies, il faut arriver pour l'échéance ; mais on a compté sans les municipalités et sans les gardes nationales. Arrêté à Bar-sur-Aube, c'est seulement au bout d'un mois et sur un décret de l'Assemblée nationale que le convoi peut se remettre en marche. A Belfort, il est saisi de nouveau, et, au mois de novembre, il y est encore. Vainement le directoire du Bas-Rhin a ordonné de le relâcher; la municipalité de Belfort n'a pas tenu compte de cet ordre. Vainement le même directoire a envoyé sur place un commissaire ; ce commissaire a manqué d'être écharpé. Il faut que le général Luckner intervienne en personne, à main-forte, et le convoi ne franchit la frontière qu'après

1. Archives nationales, F7, 3207. Lettre du ministre Dumouriez, 15 juin 1792. Rapport de M. Caillard, 29 mai 1792.

cinq mois de délai[1]. — Au mois de juillet 1791, sur la route de Rouen à Caudebec, un navire français qu'on dit chargé de barils d'or et d'argent est arrêté. Vérification faite, il a le droit de partir; tous ses papiers sont en règle, et le département requiert le district de faire observer la loi. Mais le district répond que cela est impossible : « toutes les mu« nicipalités des côtes de la Seine attendent armées le « navire au passage, » et l'Assemblée nationale elle-même est obligée de décréter que le navire sera déchargé.

Si telle est la rébellion des petites communes, que doit être celle des grandes[2]? Départements et districts ont beau requérir, la municipalité désobéit ou n'obéit pas. — « De« puis l'ouverture de ses séances, » écrit le directoire de Saône-et-Loire, « la municipalité de Mâcon n'a pas fait « une démarche à notre égard qui n'ait été une infraction, « n'a pas dit un mot qui ne soit une injure, n'a pas pris une « délibération qui ne soit un outrage. » — « Si le régiment « d'Aunis ne nous est pas rendu sur-le-champ, » écrit le directoire du Calvados, « s'il n'est pas pris des mesures « efficaces et promptes pour nous procurer une force pu« blique, nous abandonnerons tous un poste où il ne « nous est plus permis de tenir au milieu de l'insubordi« nation, de la licence, du mépris de toutes les autorités, « et conséquemment de l'impossibilité absolue de remplir « les fonctions qui nous sont confiées. » — Le directoire des

1. *Mercure de France*, n° du 16 juillet 1791 (séance du 6); n°s du 5 novembre et du 26 novembre 1791.

2. Albert Babeau, *Histoire de Troyes*, t. I, *passim*. — Archives nationales, F7, 3257. Adresse du directoire de Saône-et-Loire à l'Assemblée nationale, 1er novembre 1790. — F7, 3200. Lettre du directoire du Calvados, 9 novembre 1791. — F7, 3195. Procès-verbal de la municipalité d'Aix, 1er mars 1792 (sur les événements du 26 février); lettre de M. Villard, président du directoire, 10 mars 1792. — F7, 3220. Extrait des délibérations du directoire du Gers, et lettre au roi, 28 janvier 1792. Lettre de M. Lafitau, président du directoire, 30 janvier. (Il a été traîné par les cheveux et obligé de quitter la ville.)

Bouches-du-Rhône envahi s'enfuit devant les baïonnettes de Marseille. Le directoire du Gers, en conflit avec la municipalité d'Auch, est presque assommé.— Quant aux ministres, suspects par institution, ils sont encore moins respectés que les directoires. Incessamment on les dénonce à l'Assemblée; des municipalités leur renvoient leurs lettres, sans avoir daigné les décacheter [1]; et, vers la fin de 1791, leur impuissance croissante arrive à l'anéantissement parfait. Qu'on en juge par un seul exemple. — Au mois de décembre 1791, Limoges ne peut enlever les grains qu'elle vient d'acheter dans l'Indre; il faudrait soixante cavaliers pour en protéger le transport et le directoire de l'Indre demande instamment aux ministres de lui procurer cette petite troupe [2]. Après trois semaines d'efforts, le ministre répond que la chose est au delà de son pouvoir : il a frappé inutilement à toutes les portes. « J'ai « indiqué, dit-il, à MM. les députés de votre département « à l'Assemblée nationale un moyen qui consisterait à « retirer d'Orléans la compagnie du 20e régiment de ca- « valerie, et je les ai engagés à traiter cet objet entre « MM. les députés du Loiret. » Pas de réponse encore; il faut que les députés des deux départements soient tombés d'accord, sinon le ministre n'osera déplacer soixante hommes et protéger un convoi de grains. Il est clair qu'il n'y a plus de pouvoir exécutif, plus d'autorité centrale, plus de France, mais seulement des communes désagrégées et indépendantes, Orléans et Limoges qui, par leurs représentants, négocient entre elles, l'une pour ne pas manquer de troupes, l'autre pour ne pas manquer de pain.

1. *Mercure de France*, n° du 30 octobre 1790.

2. Archives nationales, F7, 3226. Lettre du directoire de l'Indre à M. Cahier, ministre, 6 décembre 1791. — Lettre de M. Delessart, ministre au directoire de l'Indre, 31 décembre 1791.

Considérons sur place et dans un cas circonstancié cette dissolution générale. Le 18 janvier 1790, à Marseille, la nouvelle municipalité entre en fonctions. Selon l'usage, la majorité des électeurs n'a pas pris part au scrutin [1], et le maire Martin n'a été élu que par un huitième des citoyens actifs. Mais, si la minorité dominante est petite, elle est résolue et entend n'être gênée en rien. « A peine constituée [2], » elle députe au roi pour qu'il retire ses troupes de Marseille ; celui-ci, toujours accommodant et faible, finit par y consentir : on prépare les ordres de marche, et la municipalité en est avertie. Mais elle ne veut tolérer aucun délai, et sur-le-champ « elle « rédige, imprime et débite une dénonciation à l'Assem- « blée nationale » contre le commandant et les deux ministres coupables, selon elle, d'avoir supposé ou supprimé des ordres du roi. En même temps, elle s'équipe et se fortifie comme pour un combat. Dès ses débuts, elle a cassé la garde bourgeoise trop amie de l'ordre, et institué une garde nationale où bientôt les gens sans propriété seront admis. « Chaque jour elle ajoute à son appareil « militaire [3] ; les retranchements, les barricades de l'hôtel « de ville s'accroissent, l'artillerie s'augmente, l'intérieur « de la ville est dans l'agitation d'un cantonnement mili- « taire très-près de l'ennemi. » Ayant ainsi la force, elle en use, et d'abord contre la justice. — Une insurrection populaire avait été réprimée au mois d'août 1789, et les trois principaux meneurs, Rebecqui, Pascal, Granet, étaient détenus au château d'If. Ce sont des amis de la municipalité ; il faut qu'elle les délivre. A sa demande, l'affaire est

1. Fabre, *Histoire de Marseille*, II, 422. Martin n'eut que 3555 voix, et, un peu après, la garde nationale comptait 24 000 hommes.

2. Archives nationales, F7, 3196. Lettre du ministre, M. de Saint-Priest, au président de l'Assemblée nationale, 11 mai 1790.

3. Archives nationales, F7, 3196. Lettres du commandant militaire, M. de Miran, 6, 14, 30 mars 1790.

retirée des mains du grand prévôt, et remise à la sénéchaussée; mais, en attendant, le grand prévôt et ses assesseurs seront punis d'avoir fait leur office. De sa propre autorité, la municipalité leur interdit toutes fonctions. Ils sont dénoncés publiquement, « menacés de poignards, « d'échafauds et de tout genre d'assassinat[1]. » Aucun imprimeur n'ose publier leur justification, par crainte des « vexations municipales. » Bientôt le procureur du roi et l'assesseur en sont réduits à chercher un asile dans le fort Saint-Jean; le grand prévôt, après avoir tenu un peu plus longtemps, quitte Marseille, afin d'avoir la vie sauve. Quant aux trois détenus, la municipalité les visite en corps, réclame leur liberté provisoire; l'un d'eux s'étant évadé, elle refuse au commandant l'ordre de le ressaisir; les deux autres, le 11 avril, sortent en triomphe du château d'If, escortés par huit cents gardes nationaux; ils se rendent pour la forme aux prisons de la sénéchaussée; dès le lendemain, ils sont mis en liberté, et, à leur endroit, toute instruction cesse. — En revanche, le colonel de Royal-Marine, M. d'Ambert, coupable d'un mot trop vif contre la garde nationale et acquitté par le tribunal devant lequel on l'a traduit, ne peut être élargi qu'en secret et sous la protection de deux mille soldats; la populace veut brûler la maison du lieutenant criminel qui a osé l'absoudre; ce magistrat lui-même est en danger, et forcé de se réfugier dans la maison du commandant militaire[2]. — Cependant, imprimés, écrits à la main, libelles injurieux de la municipalité et du club, délibérations séditieuses ou violentées des districts, quantité de pamphlets sont distribués gratis au peuple et aux soldats : de parti pris, on insurge d'a-

1. Archives nationales, F7, 3196. Lettre de M. de Bournissac, grand prévôt, 6 mars 1790.

2. Archives nationales, F7, 3196. Lettres de M. du Miran, 11 et 16 avril, 1er mai 1790.

vance les troupes contre leurs chefs. — En vain ceux-ci se font doux, conciliants, réservés. En vain le commandant en chef est parti avec la moitié des troupes. Il s'agit maintenant de déloger le régiment qui est dans les trois forts. Le club en fait la motion, et, de force ou de gré, il faut que la volonté populaire s'accomplisse. Le 29 avril, deux comédiens, aidés de cinquante volontaires, surprennent une sentinelle, et s'emparent de Notre-Dame de la Garde. Le même jour six mille gardes nationaux investissent les forts Saint-Jean et Saint-Nicolas.

Sommée de faire respecter les forteresses, la municipalité répond par la réquisition d'ouvrir les portes et d'admettre la garde nationale à faire le service conjointement avec les soldats. Les commandants hésitent, allèguent la loi, demandent à consulter leur supérieur. Deuxième réquisition plus urgente : les commandants seront responsables des troubles que provoquera leur refus, et, s'ils résistent, il sont déclarés fauteurs de guerre civile[1]. Ils cèdent, signent une capitulation. Un seul d'entre eux, le chevalier de Beausset, major du fort Saint-Jean, s'y est opposé et a refusé sa signature; le lendemain, au moment où il vient à l'hôtel de ville, il est saisi, massacré; sa tête est portée au bout d'une pique, et la bande des assassins, soldats et gens du peuple, danse avec des cris de joie autour de ses débris. — « Accident fâcheux, » écrit la municipalité[2]. « Par quel revers faut-il qu'après avoir « jusqu'ici mérité et obtenu des éloges, un Beausset que « nous n'avons pu soustraire au décret de la Providence « vienne flétrir nos lauriers ? Parfaitement étrangers à « cette scène tragique, ce n'était point à nous à en pour- « suivre les auteurs. » D'ailleurs, il était « coupable..., « rebelle, condamné par l'opinion publique, et la Provi-

1. Archives nationales, F7, 3196. Procès-verbal de la journée du 30 avril.

2. Archives nationales, F7, 3196. Lettres de la municipalité de Marseille à l'Assemblée nationale, 5 et 20 mai 1790.

« dence elle-même semble l'avoir abandonné au décret « irrévocable de sa vengeance. » — Quant à la prise des forts, rien de plus légitime. « Ces places étaient au pou- « voir des ennemis de l'État; maintenant elles sont entre « les mains des défenseurs de la Constitution de l'empire. « Malheur à qui voudrait nous les ravir, pour en faire « encore le foyer d'une contre-révolution ! » — Il est vrai que le commandant de la province, M. de Miran, a réclamé. Mais « peut-on voir sans une espèce de pitié la réquisi- « tion faite par un sieur de Miran, au nom du Roi qu'il « trahit, de rendre aux troupes de Sa Majesté les pla- « ces qui, désormais en notre pouvoir, garantissent à la « Nation, à la Loi, au Roi, la sécurité publique? » — C'est en vain que le roi, sur l'invitation de l'Assemblée nationale[1], ordonne à la municipalité de restituer les forts aux commandants et d'en faire sortir les gardes nationaux. La municipalité s'indigne et résiste. Selon elle, tout le tort est aux commandants et aux ministres. Ce sont les commandants qui « par l'appareil menaçant de leurs cita- « delles, par leur accumulation de provisions et d'ar- « tillerie, ont troublé la tranquillité publique. Que pré- « tend donc le ministre en voulant faire sortir de nos « forts les troupes nationales pour en confier la garde à « des troupes étrangères? Ce projet dénote son inten- « tion.... il voulait allumer la guerre civile. » — « Tous « les malheurs de Marseille ont dû leur origine à l'intel- « ligence secrète des ministres avec les ennemis de l'État. »

1. Archives nationales, F7, 3196. Ordre du roi, 10 mai. Lettre de M. de Saint-Priest à l'Assemblée nationale, 11 mai. Décret de l'Assemblée nationale, 12 mai. Lettre de la municipalité au roi, 20 mai. Lettre de M. Rubum, 20 mai. Note envoyée de Marseille, 31 mai. — Adresse de la municipalité au président des Amis de la Constitution à Paris, 5 mai. Dans son récit de la prise des forts, on lit la phrase suivante : « Nous nous portâmes « sans obstacle jusqu'auprès du commandant, que nous réduisîmes à la con- « corde, au moyen de l'influence que la force, la crainte et la raison donnent « à la persuasion. »

— Enfin voilà la municipalité obligée d'évacuer les forts; mais elle est bien décidée à ne pas les rendre, et, le lendemain du jour où elle a reçu le décret de l'Assemblée, elle imagine de les démolir. — Le 17 mai, deux cents ouvriers, payés d'avance, commencent la destruction. Pour la forme et par un faux semblant de déférence, la municipalité, à onze heures du matin, se transporte sur les lieux, et leur dit de cesser. Mais, elle partie, ils continuent, et, à six heures du soir, elle décide que « pour empêcher la démolition « entière de la citadelle, il est convenable d'autoriser celle « de la partie qui regarde la ville. » — Le 18 mai, le club jacobin, agent, complice et conseil de la municipalité, oblige les particuliers à contribuer aux frais de la démolition, « envoie dans tous les domiciles et auprès des syn- « dics de tous les corps, pour exiger leur quote-part « et faire signer un écrit par lequel tous les citoyens « paraissent avouer la conduite de la municipalité et l'en « remercier.... Il a fallu signer, payer et se taire : mal- « heur à qui aurait refusé ! » — Le 20 mai, la municipalité ose bien écrire à l'Assemblée nationale que « cette cita- « delle menaçante, ce monument odieux d'un despotisme « superbe va rentrer dans le néant; » et, afin de justifier sa désobéissance, elle fait remarquer que « l'amour de la « patrie est pour les empires le plus fort et le plus du- « rable de leurs remparts. » — Le 28 mai, elle fait jouer, sur deux théâtres et au profit des ouvriers démolisseurs, une pièce qui représente la prise des forts de Marseille. — Cependant elle a appelé les Jacobins de Paris à son aide; elle a délibéré d'inviter la fédération de Lyon et toutes les municipalités du royaume à dénoncer le ministre; elle a forcé M. de Miran, menacé de mort et attendu par un guet-apens sur la route, à quitter Aix, puis à demander son rappel[1], et c'est le 6 juin seulement que, sur un ordre

1. Archives nationales, F7, 3196. Lettre de M. de Miran, 5 mai. — Le ton

exprès de l'Assemblée nationale, elle se décide à suspendre la démolition à peu près finie. — On ne se joue pas plus impudemment des autorités auxquelles on doit obéissance. Mais le but est atteint : il n'y a plus de citadelle; les troupes sont parties; le régiment d'Ernest, qui reste seul, va être travaillé, puis insulté, puis renvoyé. Retiré à Aix, la garde nationale de Marseille s'y transportera pour le désarmer et le dissoudre. Désormais la municipalité a les coudées franches, « n'observe que les lois qui lui con-« viennent, se permet d'en faire à sa guise, bref gouverne « de la façon la plus despotique et la plus arbitraire[1], » non-seulement à Marseille, mais dans tout le département, où, de sa seule autorité, à main armée, elle fait des expéditions, des coups de main et des razzias.

du parti régnant à Marseille est indiqué par plusieurs imprimés joints au dossier, entre autres par une « Requête à Desmoulins, procureur général de la *Lanterne*. » Il s'agit d'une « écritoire patriotique », récemment fabriquée avec les pierres de la citadelle démolie, et représentant une hydre à quatre têtes, qui sont la noblesse, le clergé, les ministres et les juges. « C'est dans « ces quatre crânes patriotiques de l'hydre que doit être puisée l'encre de « proscription pour les ennemis de la constitution. Cette écritoire, taillée « dans la première pierre de la démolition du fort Saint-Nicolas, est destinée « à l'assemblée patriotique de Marseille. L'art enchanteur du héros de la « liberté marseillaise, de ce Renaud qui, sous le masque de la dévotion, « surprit la sentinelle bien éveillée de Notre-Dame de la Garde, et décida par « son mâle courage et sa ruse la conquête de cette clé du grand foyer de la « contre-révolution, vient de mettre au jour un nouveau trait de son génie : « nouveau Deucalion, il a personnifié cette pierre que la Liberté a fait tom-« ber du haut de nos Bastilles menaçantes, etc. »

1. Archives nationales, F7, 3198. Lettres des commissaires du roi, 13 et 15 avril 1791.

III

Si du moins la dissolution s'arrêtait là! — Mais tant s'en faut que chaque commune soit un petit État pacifique sous des magistrats obéis. Les causes qui révoltent les municipalités contre l'autorité du centre révoltent les individus contre l'autorité du lieu. Eux aussi, ils se sentent en danger et veulent pourvoir à leur salut. Eux aussi, de par la Constitution et les circonstances, ils se croient chargés de sauver la patrie. Eux aussi, ils se jugent en état de tout décider par eux-mêmes et en droit de tout exécuter par leurs propres mains. Électeur et garde national, muni de son vote et de son arme, le boutiquier, l'ouvrier, le paysan est devenu tout d'un coup l'égal et le maître de ses supérieurs; au lieu d'obéir, il commande, et les observateurs qui le revoient après quelques années d'absence trouvent que « dans son maintien, dans son « geste, tout est changé ». — « Un mouvement extraor- « dinaire, dit M. de Ségur[1], régnait partout. J'apercevais « dans les rues, sur les places, des groupes d'hommes « qui se parlaient avec vivacité. Le bruit du tambour « frappait mes oreilles au milieu des villages, et les « bourgs m'étonnaient par le grand nombre d'hommes « armés que j'y rencontrais. Si j'interrogeais quelques « individus des classes inférieures, ils me répondaient « avec un regard fier, un ton haut, hardi. Partout je « voyais l'empreinte de ces sentiments d'égalité, de li- « berté, devenus alors des passions si violentes. » — Ainsi relevés à leurs propres yeux, ils se croient appelés à tout conduire, non-seulement dans leurs affaires locales,

1. De Ségur, *Mémoires*, III, 482 (premiers mois de 1790).

mais encore dans les affaires générales. C'est à eux de régir la France : en vertu de la Constitution, ils s'en arrogent le droit, et, à force d'ignorance, ils s'en attribuent la capacité. Un torrent d'idées neuves, informes et disproportionnées s'est en quelques mois déversé dans leurs cervelles. Il s'agit d'intérêts immenses auxquels ils n'avaient jamais pensé, du gouvernement, de la royauté, de l'Église, du dogme, des puissances étrangères, des périls intérieurs et extérieurs, de ce qui se passe à Paris et à Coblentz, de l'insurrection des Pays-Bas, des cabinets de Londres, Vienne, Madrid, Berlin, et, de tout cela, ils s'enquièrent comme ils peuvent. Un officier[1] qui traverse la France raconte que les maîtres de poste lui faisaient attendre des chevaux jusqu'à ce qu'il leur eût « donné des « détails. Les paysans arrêtaient ma voiture au milieu « du chemin et m'accablaient de questions. A Autun, il « me fallut, malgré la rigueur du froid, parler d'une « fenêtre qui donnait sur la grande place, et raconter ce « que je savais sur l'Assemblée. » — Tous ces *on-dit* s'altèrent et s'amplifient en passant de bouche en bouche. A la fin ils se fixent en légendes circonstanciées, appropriées au moule mental qui les reçoit et à la passion dominante qui les propage. Suivez l'effet de ces fables acceptées, chez un paysan, chez une poissarde, dans un village écarté, dans un faubourg populeux, en des cervelles brutes, ou presque brutes, et de plus, vives, chaudes, surexcitées : cet effet est formidable. Car, en de tels esprits, la croyance aboutit tout de suite à l'action, à l'action brutale et meurtrière. C'est le sang-froid acquis, la réflexion et la culture qui, entre la croyance et l'action, interposent le souci de l'intérêt social, l'observation des formes et le respect de la loi. Tous ces freins manquent dans le nouveau souverain. Il ne sait pas s'arrêter et ne

1. De Dammartin, I, 184 (janvier 1791).

souffre pas qu'on l'arrête. Pourquoi tant de délais, quand le péril presse ? A quoi bon l'observation des formes, quand il s'agit de sauver le peuple? Qu'y a-t-il de sacré dans la loi, quand elle couvre des ennemis publics? Quoi de plus pernicieux que la déférence passive et l'attente inerte sous des magistrats timides ou aveugles? Quoi de plus juste que de se faire, à l'instant et sur place, justice à soi-même? — A leurs yeux, la précipitation et l'emportement sont des devoirs et des mérites. Un jour « la milice de Lorient « arrête de se mettre en marche pour Versailles et Paris, « sans calculer comment elle fera cette course ni ce qu'elle « demandera à son arrivée[1]. » Si le gouvernement central était à portée, ils mettraient tous la main sur lui. Faute de mieux, ils se substituent à lui dans leur territoire, et font avec conviction tous ses offices, principalement ceux de gendarme, de juge et de bourreau.

Au mois d'octobre 1789, à Paris, après l'assassinat du boulanger François, le principal meurtrier, portefaix au port au blé, déclare « qu'il a voulu venger la na- « tion,» et très-probablement sa déclaration est sincère : dans son esprit, l'assassinat est l'une des formes du patriotisme, et sa façon de penser ne tardera pas à prévaloir. — En temps ordinaire, dans les cerveaux incultes, les idées sociales et politiques sommeillent à l'état d'antipathies vagues, d'aspirations contenues, de velléités passagères : les voilà qui s'éveillent, énergiques, impérieuses, opiniâtres et débridées. Nulle opposition ou objection ne leur semble tolérable; pour elles, tout dissentiment est une marque sûre de trahison. — A propos des prêtres insermentés[2], cinq cent vingt-sept gardes natio-

1. Archives nationales, KK, 1105. Correspondance de M. de Thiard (12 octobre 1789).

2. Archives nationales, F7, 3250. Procès-verbal du directoire du département, 18 mars 1792. « Comme la fermentation était au plus haut point, et « qu'il était à craindre qu'il ne s'ensuivît les plus grands malheurs, M. le pré-

naux d'Arras écrivent « qu'on ne saurait douter de leur « scélératesse, sans mériter d'être soupçonné leur com- « plice.... Toute la ville se réunirait pour former un « vœu contraire à celui que nous vous exprimons, que « cela prouverait seulement qu'elle est remplie d'ennemis « de la constitution; » et, séance tenante, malgré la loi, malgré les remontrances des autorités, ils exigent la fermeture des églises. — A Boulogne-sur-Mer, un navire anglais ayant embarqué des volailles, du gibier et des œufs, « la garde nationale, de son autorité privée, » se transporte à bord et enlève la cargaison. Là-dessus, la municipalité accommodante approuve le coup de main, déclare la cargaison confisquée, ordonne qu'elle soit vendue, et en adjuge le produit moitié à la garde nationale, moitié aux bureaux de charité. Vaine concession : la garde nationale juge que moitié est trop peu, « injurie et me- « nace les officiers municipaux, » et sur-le-champ procède elle-même au partage du tout en nature : chacun s'en retourne chez soi avec son lot de lièvres et de poulets volés[1]; devant les fusils de leurs administrés, il faut bien que les magistrats se taisent. — Tantôt, et c'est le cas le plus fréquent, ils sont timides, et n'essayent pas même de résister. A Douai[2], les officiers municipaux, sommés à trois reprises, de proclamer la loi martiale, refusent à trois reprises, et finissent par avouer qu'ils

« sident, avec l'accent de la douleur, » déclara qu'il cédait et rendait l'arrêté inconstitutionnel. — Réponse du ministre, 23 juin : « Si les pouvoirs consti- « tués sont ainsi forcés de céder à la volonté arbitraire d'une multitude éga- « rée, il n'y a plus de gouvernement, nous sommes dans la plus affligeante « anarchie. — Si vous le croyez plus convenable, je proposerai au roi la cas- « sation de votre dernier arrêté. »

1. Archives nationales, F7, 3250. Lettre de M. Duport, ministre de la justice, 24 décembre 1791.

2. Archives nationales, F7, 3248. Procès-verbal des membres du département, terminé le 18 mars 1791. — Buchez et Roux, IX, 240 (Rapport de M. Alquier).

n'osent déployer le drapeau rouge : « Si l'on prenait ce « parti, nous serions tous sacrifiés à l'instant. » En effet, ni la troupe, ni la garde nationale ne sont sûres; dans cette tiédeur universelle, le champ reste libre aux furieux, et un marchand de blé est pendu. — Tantôt les administrations tâchent de lutter, mais elles finissent par plier sous la violence. « Pendant plus de six heures, écrit un « des membres du district d'Étampes[1], nous avons été « serrés de baïonnettes, mis en joue, et le pistolet sur « la poitrine; » il a fallu signer le renvoi des troupes qui venaient protéger le marché. A présent, « nous sommes « tous absents d'Étampes; il n'y a plus de district, il n'y « a plus de municipalité; » presque tous ont donné leur démission, ou ne reviendront que pour la donner. — Tantôt[2], et ce cas est le plus rare, les magistrats font leur devoir jusqu'au bout, et ils y périssent. Six mois plus tard, dans la même ville, le maire Simonneau, ayant refusé de taxer le blé, est assommé à coups de bâtons ferrés, et la bande des meurtriers vient décharger ses fusils sur le cadavre. — Avis aux municipalités qui se mettront en travers du torrent : bientôt, à la moindre opposition, il y va pour elles de la vie. En Touraine[3], « à mesure que les rôles d'imposition se publient, » on se soulève contre les municipalités, on les force à livrer

1. Archives nationales, F7, 3268. Extrait du registre des délibérations du directoire de Seine-et-Oise, avec toutes les pièces de l'insurrection d'Étampes, du 16 septembre 1791. — Lettre de M. Venard, administrateur du district, 20 septembre. « Je ne remettrai les pieds à Étampes que lorsque le « calme et la sûreté y seront rétablis, et la première opération que j'y ferai « sera de consigner ma démission sur le registre. Je suis las de me tuer pour « des ingrats. »

2. *Moniteur*, n° du 16 mars 1792. — Mortimer-Ternaux, *Histoire de la Terreur* (Procédure contre les assassins de Simonneau), I, 381.

3. Archives nationales, F7, 3226. Lettre et Mémoire de Chenantin, cultivateur, 7 novembre 1792. — Extrait des délibérations du directoire du district de Langeais, 5 novembre 1792 (sédition à la Chapelle-Blanche, près Langeais, 5 octobre 1792).

les rôles qu'elles ont dressés, on déchire leurs écritures. Bien mieux, « on tue, on assassine les municipaux; » dans telle grosse commune, hommes et femmes les « excèdent de coups de pieds, de poings et de sabots.... Le « maire en est très-malade; le procureur de la commune « en est mort sur les neuf à dix heures du matin; Véteau, « officier municipal, a reçu l'extrême-onction ce matin; » les autres sont en fuite, les menaces de mort et d'incendie ne cessent pas contre eux. Aussi n'osent-ils rentrer, et « c'est à qui maintenant ne sera ni maire ni administrateur. » — Ainsi, tous les attentats que les municipalités commettent contre leurs supérieurs, on les commet contre elles, et la garde nationale, le peuple attroupé, la faction maîtresse s'arrogent dans la commune la même souveraineté violente que la commune s'arroge dans l'État.

Je ne finirais pas, si j'entreprenais d'énumérer les émeutes où les magistrats sont contraints de tolérer ou de sanctionner les usurpations populaires, de fermer les églises, de chasser ou emprisonner les prêtres, de supprimer les octrois, de taxer les grains, de laisser pendre, assommer ou égorger les commis, les boulangers, les marchands de blé, les ecclésiastiques, les nobles et les officiers. Aux Archives nationales, quatre-vingt-quatorze liasses épaisses sont remplies de ces violences et n'en contiennent pas les deux tiers. Il vaut mieux considérer encore une fois un cas particulier, détaillé, vérifié, qui serve de spécimen, et présente en raccourci l'image de la France pendant une année tranquille. — A Aix, au mois de décembre 1790[1], en face des deux clubs jacobins, un club

1. Archives nationales, F7, 3195. Rapport des commissaires envoyés par l'Assemblée nationale et le roi, 23 février 1791. (Sur les événements des 12 et 14 décembre 1790.) — *Mercure de France*, n° du 29 février 1791. (Lettres d'Aix, et notamment lettre des sept officiers détenus dans les prisons d'Aix, 30 janvier 1791.) — Le plus ancien club jacobin, formé en février

d'opposants s'était formé, avait rempli les formalités, et comme le club des Monarchiens à Paris, prétendait avoir le droit de s'assembler au même titre que les autres. Mais, ici comme à Paris, les Jacobins ne veulent de droits que pour eux-mêmes, et refusent d'admettre leurs adversaires au bénéfice de la loi. — D'ailleurs des bruits alarmants se sont répandus. Un particulier venant de Nice dit « avoir « ouï dire qu'il y a, de Turin à Nice, vingt mille hommes « soudoyés par les émigrants, et qu'à Nice on fait une « neuvaine à saint François de Paule pour prier Dieu d'é- « clairer les Français. » Certainement une contre-révolution se prépare. Des aristocrates ont dit, « avec un air de « triomphe, que les gardes nationales et les municipalités « sont un jeu et que tout cela ne tiendra pas. » Un des principaux membres du nouveau club, M. de Guiramand, vieil officier de soixante-dix-huit ans, parle publiquement contre l'Assemblée nationale, essaye d'enrôler des ouvriers dans son parti, « affecte de porter à son chapeau un bou- « ton blanc défendu par des épingles dont les pointes « sont saillantes ; » et l'on raconte qu'il a fait chez plusieurs marchandes de modes une grande commande de cocardes blanches. A la vérité, après perquisition, on n'en découvrira aucune dans aucune boutique, et tous les marchands de rubans, interrogés, répondront qu'ils n'ont aucune connaissance de la chose. Mais cela prouve seulement que le coupable est très-dissimulé, d'autant plus dangereux, et qu'il est urgent de sauver la patrie. — Le 12

1790, avait pour titre *Club des vrais amis de la Constitution.* — Le second club jacobin, formé en octobre 1790, fut « composé, dès le principe, d'arti- « sans et de cultivateurs des faubourgs et des environs. » Il avait pour titre : *Société des frères antipolitiques,* ou *frères vrais, justes et utiles à la patrie.* — Le cercle opposant, formé en décembre 1790, s'intitulait, selon les uns, *les Amis du roi, de la paix et de la religion ;* selon les autres, *les Amis de la paix ;* selon d'autres enfin, *les Défenseurs de la religion, des personnes et des propriétés.*

décembre à quatre heures du soir, les deux clubs jacobins fraternisent, et passent en grand cortége devant le cercle, « où plusieurs membres, quelques officiers du régiment « de Lyonnais, quelques particuliers jouaient paisiblement « ou regardaient jouer. » La foule hue, ils se taisent; Elle repasse et hue de nouveau en criant : « A bas les aristocrates, à la lanterne! » Deux ou trois officiers, qui étaient sur le seuil de la porte, s'indignent; l'un d'eux, tirant l'épée, menace un jeune homme de le frapper s'il continue. Aussitôt la foule crie : « A la garde! au secours! à l'assassin! » s'élance contre l'officier qui rentre en appelant aux armes. Ses camarades, l'épée à la main, descendent pour défendre l'entrée; M. de Guiramand lâche deux coups de pistolet, reçoit un coup de fusil dans la cuisse. Une grêle de pierres fait voler les fenêtres en éclats, la porte est sur le point d'être enfoncée, plusieurs membres du cercle se sauvent par les toits. Une douzaine d'autres, la plupart officiers, se forment en peloton, et percent la foule, l'épée haute, frappant, frappés : cinq sont blessés, mais s'échappent. — Sur quoi la municipalité fait murer à l'instant les fenêtres et les portes du cercle, renvoie de la ville le régiment de Lyonnais, fait décréter sept officiers et M. de Guiramand de prise de corps, tout cela en quelques heures et sans autre témoignage que celui des vainqueurs.

Mais ces mesures si promptes, si fortes et si partiales ne suffisent point au club; il y a d'autres conspirateurs à saisir; c'est lui qui les désigne et va les prendre. — Trois mois auparavant, M. Pascalis, avocat, haranguant avec plusieurs de ses confrères le parlement dissous, avait déploré l'aveuglement du peuple « exalté par des préro« gatives dont il ne connaît pas le danger. » Manifestement un homme qui a osé parler ainsi est un traître. — Il en est un autre, M. Morellet de la Roquette, qui a refusé d'appartenir au cercle proscrit; mais ses anciens vassaux ont dû l'actionner en justice pour lui faire accepter le rachat de ses droits féodaux, et, six ans auparavant, sa voiture, en passant sur le cours, a écrasé un enfant : lui aussi, il est donc l'ennemi du peuple. Pendant que la municipalité délibère, « quelques membres du « club » se réunissent, décident qu'il faut mettre la main sur MM. Pascalis et de la Roquette. Dès onze heures du soir, quatre-vingts gardes nationaux de bonne volonté, et conduits par le président du club, vont à une lieue de là les saisir dans leur lit, et les amènent aux prisons de la ville. — Un si grand zèle ne laisse pas d'être inquiétant, et, si la municipalité tolère les arrestations, elle voudrait bien empêcher les meurtres. En conséquence, le lendemain 13 décembre, elle mande de Marseille quatre cents Suisses du régiment d'Ernest et quatre cents gardes nationaux; elle leur adjoint la garde nationale d'Aix, et les requiert de garder la prison contre toute violence. Mais, avec les gardes nationaux de Marseille, sont venus quantité de gens armés, volontaires du désordre; dans l'après-midi du 13, un premier attroupement essaye de forcer la prison, et, le lendemain matin, de nouveaux pelotons se forment, demandant la tête de M. Pascalis. En avant sont les hommes du club, avec « une foule d'in« connus venus du dehors qui commandent et qui exé« cutent. » La populace d'Aix a été travaillée pendant la nuit, et toutes les digues se rompent à la fois. Aux premières clameurs, les gardes nationaux qui sont de service sur le cours se débandent et se dispersent; aucun signal ne rassemble les autres; malgré les règlements, la générale n'est point battue. « La majeure partie de la garde « nationale s'éloigne, afin de ne point paraître autoriser « par sa présence les attentats qu'elle n'a pas l'ordre « d'empêcher. Les citoyens paisibles sont dans la cons« ternation; » chacun fuit ou s'enferme chez soi; les rues sont désertes et silencieuses. — Cependant la porte de la prison est ébranlée par les coups de hache. Le procureur syndic du département, qui invite le commandant des Suisses à protéger les prisonniers, est empoigné, emmené, et court risque de la vie. Trois officiers municipaux, qui arrivent en écharpe, n'osent donner l'ordre que réclame le commandant : faire couler le sang, faire tuer tant d'hommes; il est clair qu'en ce moment décisif leur responsabilité leur fait peur. « Nous n'avons pas d'ordres à donner. » — Alors, dans cette cour de caserne qui entoure la prison, un spectacle extraordinaire se déroule. Du côté de la loi sont huit cents hommes armés, les quatre cents Suisses et les quatre cents gardes nationaux de Marseille, tous rangés en bataille et le fusil au bras, avec une consigne expresse, répétée la veille et à trois reprises par la municipalité, par le district, par le département, avec les sympathies de tous les habitants honnêtes et de la majeure partie de la garde nationale. Mais la phrase légale et indispensable ne sort point des lèvres qui, en vertu de la constitution, ont charge de la prononcer, et une petite troupe de forcenés se trouve souveraine. A leur tour, sous les yeux de leurs soldats qui restent immobiles, les trois officiers municipaux sont saisis, et, « la « baïonnette sur la poitrine, ils signent, comme con« traints, l'ordre de livrer au peuple M. Pascalis; » M. de la Roquette est livré par surcroît. « Ce qui a paru de la « garde nationale d'Aix, » c'est-à-dire la minorité jacobine se forme en cercle autour de la porte de la prison, et s'érige en conseil de guerre : les voilà tout à la fois « ac« cusateurs, témoins, juges et bourreaux. » Un capitaine emmène les deux condamnés sur le cours ; ils sont pendus. Presque aussitôt le vieux M. de Guiramand, que la garde nationale de son village amenait prisonnier à Aix, est pendu de même.—Aucune information contre les assassins : le nouveau tribunal, effrayé ou prévenu, s'est rangé depuis longtemps dans le parti populaire ; en conséquence, c'est contre les opprimés, contre les membres du cercle lapidé, qu'il instrumente. Décrets de prise de corps ou d'ajournement personnel, perquisitions, saisies de correspondances, les procédures pleuvent sur eux. Trois cents témoins sont interrogés. Des officiers arrêtés sont « chargés de chaînes et jetés dans les cachots. » — Désormais le club règne et « fait trembler tout le monde[1]. » « Du 23 au 27 décembre, plus de deux mille passe-ports « sont délivrés à Aix. » — « Si les émigrations continuent, « écrivent les commissaires, il ne restera plus bientôt à « Aix que des ouvriers sans travail et sans aucune res- « source.... Des rues entières restent inhabitées.... Tant « que l'impunité paraîtra assurée à de tels forfaits, la « crainte éloignera de cette ville quiconque aura quel- « ques moyens de subsister ailleurs. » — Plusieurs sont revenus après l'arrivée des commissaires, espérant par eux sûreté et justice. Mais, « si l'information n'est pas « ordonnée, à peine aurons-nous quitté Aix que trois « cents ou quatre cents familles l'abandonneront.... Et « quel homme sensé oserait garantir que bientôt chaque « village n'aura pas son pendu?... Des valets de campa- « gne arrêtent leurs maîtres.... L'espérance de l'impunité « porte les habitants des villages à se permettre toute es- « pèce de dégâts dans les forêts, ce qui est du plus grand « danger dans un pays où les bois sont très-rares. Ils « établissent tous les jours les prétentions les plus absur- « des et les plus injustes vis-à-vis des riches proprié- « taires, et le fatal cordon est toujours l'interprète et le « signal de leur volonté. » — Point de refuge contre ces attentats. « Le département, les districts, les municipa- « lités n'administrent que conformément aux pétitions « multipliées du club. » — Aux yeux de tous, en un jour

1. Archives nationales, F7, 3195. Lettres des commissaires, 20 mars, 11 février, 10 mai 1791.

solennel, leur défaite éclatante a manifesté leur faiblesse, et, courbés sous leurs nouveaux maîtres, les magistrats ne gardent leur autorité légale qu'à condition de la mettre au service du parti vainqueur.

CHAPITRE II.

Souveraineté des passions libres. — I. Les vieilles haines religieuses. — Montauban et Nîmes en 1790. — II. La passion dominante. — Sa forme aiguë, la crainte de la faim. — Les grains ne circulent plus. — Intervention et usurpations des assemblées électorales. — Maximum et code rural en Nivernais. — Les quatre provinces du centre en 1790. — Cause permanente de la cherté. — L'anxiété et l'insécurité. — Stagnation des grains. — Les départements voisins de Paris en 1791. — Le blé prisonnier, taxé et requis par force. — Grosseur des attroupements en 1792. — Les armées villageoises de l'Eure, de la Seine-Inférieure et de l'Aisne. — Recrudescence du désordre après le 10 août. — La dictature de l'instinct lâché. — Ses expédients pratiques et politiques. — III. L'égoïsme du contribuable. — Issoudun en 1790. — Révolte contre l'impôt. — Les perceptions indirectes en 1789 et 1790. — Abolition de la gabelle, des aides et des octrois. — Les perceptions directes en 1789 et 1790. — Insuffisance et retard des versements. — Les contributions nouvelles en 1791 et 1792. — Retards, partialité et dissimulations dans la confection des rôles. — Insuffisance et lenteur des recouvrements. — Payement en assignats. — Le contribuable se libère à moitié prix. — Dévastation des forêts. — Partage des biens communaux. — IV. La cupidité du tenancier. — La troisième et la quatrième jacquerie. — La Bretagne, le Limousin, le Quercy, le Périgord et les provinces voisines en 1790 et 1791. — L'attaque et l'incendie des châteaux. — Les titres brûlés. — Les redevances refusées. — Les étangs détruits. — Caractère principal, moteur premier et passion maîtresse de la Révolution.

En cet état de choses, les passions sont libres ; il suffit qu'il y en ait une énergique et capable de grouper quelques centaines d'hommes, pour faire une faction ou une bande qui se lance à travers les fils dénoués ou fragiles du gouvernement passif ou méconnu. Une grande expérience va se faire sur la société humaine : grâce au relâchement des freins réguliers qui la maintiennent, on pourra mesurer la force des instincts permanents qui l'attaquent. Ils sont toujours là, même en temps ordinaire; nous ne les remarquons point parce qu'ils sont refoulés; mais ils n'en sont pas moins actifs, efficaces, bien mieux indestructibles. Sitôt qu'ils cessent d'être réprimés, leur malfaisance se déclare comme celle de l'eau qui porte une barque et qui, à la première fissure, entre pour tout submerger.

I

Et d'abord ce n'est pas avec des fédérations, des embrassades, des effusions de fraternité, que l'on contiendra les passions religieuses. Dans le Midi, où les protestants sont persécutés depuis plus d'un siècle, il y a des haines vieilles de cent ans[1]. — Vainement les édits odieux qui les opprimaient sont depuis vingt ans tombés en désuétude. Vainement, depuis 1787, tous les droits civils leur ont été restitués. Le passé survit dans les souvenirs qui le transmettent, et deux groupes sont en face l'un de l'autre, celui des protestants et celui des catholiques, chacun d'eux défiant, hostile, prompt à se mettre en défense, interprétant comme un plan d'attaque tous les préparatifs de son adversaire: en de telles circonstances, les fusils partent tout seuls. — Sur une alarme à Uzès[2], on verra tout d'un coup les catholiques, au nombre de deux mille, s'emparer de l'évêché et de l'hôtel de ville, les protestants, au nombre de quatre cents, s'assembler hors des murs sur l'Esplanade, et passer ainsi la nuit l'arme au bras, chaque troupe persuadée que l'autre va la massa-

1. Mot de Jean Bon Saint-André à Mathieu Dumas, envoyé pour rétablir la paix à Montauban (1790). « C'est le jour de la vengeance, et nous l'atten- « dons depuis cent ans. » (*Mémoires* de Mathieu Dumas.)

2. De Dammartin, I, 187. (Témoin oculaire.)

crer, et appelant au secours l'une les catholiques de Jalès, l'autre les protestants de la Gardonnenque. — Entre deux partis ainsi disposés, il n'y aurait qu'un moyen d'empêcher la guerre civile : ce serait l'ascendant d'un tiers arbitre, étranger, présent, énergique. A cet effet, le commandant militaire du Languedoc propose un plan efficace : selon lui[1], les boute-feux sont, d'un côté les évêques du bas Languedoc, de l'autre côté MM. Rabaut-Saint-Étienne, le père et les deux fils, tous les trois pasteurs : qu'on les rende responsables « sur leurs têtes » de tout attroupement, insurrection, ou tentative pour débaucher l'armée; qu'un tribunal de douze juges soit choisi par les municipalités des douze villes; qu'on traduise devant lui les délinquants; qu'il prononce en dernier ressort et que la sentence soit exécutable à l'instant même. — Mais c'est justement le système inverse qui est de mode. Organisés en milices et confiés à eux-mêmes, les deux partis ne peuvent manquer de tirer l'un sur l'autre, d'autant plus que les nouvelles lois ecclésiastiques viennent, de mois en mois, frapper, comme autant de marteaux, sur la sensibilité catholique, et faire jaillir une pluie d'étincelles sur les amorces de tant de fusils chargés.

A Montauban, le 10 mai 1790, jour de l'inventaire et de l'expropriation des communautés religieuses[2], les commissaires ne peuvent entrer; des femmes en délire se sont couchées en travers des portes; il faudrait leur passer sur le corps, et un grand attroupement se forme aux Cordeliers où l'on signe une pétition pour le maintien des couvents. — Témoins de cette effervescence, les protestants prennent peur : quatre-vingts de leurs gardes

1. Archives nationales, F7, 3223, et 3216. Lettres de M. de Bouzols, maréchal de camp, en résidence à Montpellier, 21, 25 et 28 mai 1790.

2. Mary Lafon, *Histoire d'une ville protestante* (avec les pièces originales, extraites des archives de Montauban).

nationaux marchent sur l'hôtel de ville, et s'emparent à main armée du poste qui le couvre. La municipalité leur ordonne de se retirer; ils refusent.—Là-dessus, les catholiques assemblés aux Cordeliers se précipitent en tumulte, lancent des pavés, ébranlent les portes à coups de poutres. Quelqu'un crie que les protestants réfugiés dans le corps de garde tirent par la fenêtre. Aussitôt la multitude furieuse envahit l'arsenal, s'arme de tout ce qu'elle y trouve, fusille le corps de garde; cinq protestants sont tués, vingt-quatre blessés. Un officier municipal et la maréchaussée sauvent les autres; mais on les oblige à venir deux à deux, en chemise, à genoux, faire amende honorable devant la cathédrale, et, au sortir de là, on les met en prison. — Pendant le tumulte, des cris politiques ont été proférés; on a crié : Vive la noblesse, Vive l'aristocratie, A bas la Nation, A bas le drapeau tricolore; et Bordeaux, jugeant que Montauban est en révolte contre la France, envoie quinze cents hommes de sa garde nationale pour élargir les détenus. Toulouse veut aider Bordeaux; la fermentation est terrible; quatre mille protestants se sauvent de Montauban; des cités armées vont se combattre comme jadis en Italie. Il faut qu'un commissaire de l'Assemblée nationale et du roi, Mathieu Dumas, vienne haranguer le peuple de Montauban, obtenir la délivrance des prisonniers et rétablir la paix.

Un mois après, à Nîmes[1], l'échauffourée, plus sanglante,

1. Archives nationales, F7, 3216. Procès-verbal de la municipalité de Nîmes, et rapport de l'abbé de Belmont. — Rapport des commissaires administrateurs, 28 juin 1790. — Pétition des catholiques, 20 avril. — Lettres de la municipalité, des commissaires et de M. de Nausel sur les événements des 2 et 3 mai. — Lettre de M. Rabaut Saint-Étienne, 12 mai. — Pétition de la veuve Gas, 30 juillet. — Rapport (imprimé) de M. Alquier, 19 février 1791. — Mémoire (imprimé) du massacre des catholiques de Nîmes, par Froment (1790). — Nouvelle adresse de la municipalité de Nîmes, présentée par le maire, M. de Marguerite, député (1790), imprimée. — *Mercure de France*, 23 février 1791.

tourne contre les catholiques. — A la vérité, sur cinquante-quatre mille habitants, les protestants ne sont que douze mille; mais le grand commerce est entre leurs mains; ils tiennent les manufactures; ils font vivre trente mille ouvriers, et, aux élections de 1789, ils ont fourni cinq députés sur huit. En ce temps-là les sympathies étaient pour eux; personne n'imaginait alors que l'Église régnante pût courir un risque. A son tour elle est attaquée, et voilà les deux partis qui s'affrontent. — Les catholiques signent une pétition[1], racolent les maraîchers du faubourg, gardent la cocarde blanche, et, lorsqu'elle est interdite, la remplacent par un pouf rouge, autre signe de reconnaissance. A leur tête est Froment, homme énergique, qui a de grands projets; mais, sur le sol miné où il marche, l'explosion ne saurait être conduite. Elle se fait d'elle-même, au hasard, par le simple choc de deux défiances égales, et, avant le jour final, elle a commencé et recommencé déjà vingt fois par des provocations mutuelles, dénonciations, insultes, libelles, rixes, coups de pierre et coups de fusil. — Le 13 juin 1790, il s'agit de savoir quel parti donnera des administrateurs au district et au département; à propos des élections, le combat s'engage. Au poste de l'évêché où se tient l'assemblée électorale, les dragons protestants et patriotes sont venus « trois fois plus « nombreux qu'à l'ordinaire, mousquetons et pistolets « chargés, la giberne bien garnie, » et ils font patrouille dans les alentours. De leur côté, les poufs rouges, royalistes et catholiques, se plaignent d'être menacés, « nar« gués. » Ils font avertir le suisse « de ne plus laisser « entrer aucun dragon à pied ni à cheval, sous peine de « vie, » et déclarent que « l'évêché n'est pas fait pour

1. La pétition est signée par 3127 personnes, outre 1560 qui ont apposé leur croix, déclarant ne savoir écrire. — La contre-pétition du club est signée de 162 noms.

« servir de corps de garde. » — Attroupement, cris sous les fenêtres : des pierres sont jetées ; la trompette d'un dragon qui sonnait le rappel est brisée ; deux coups de fusil partent[1]. Aussitôt les dragons font une décharge générale qui blesse beaucoup d'hommes et en tue sept. — A partir de ce moment, pendant toute la soirée et toute la nuit, on tire dans toute la ville, chaque parti croyant que l'autre veut l'exterminer, les protestants persuadés que c'est une Saint-Barthélemy, les catholiques que c'est « une Michelade. » Personne pour se jeter entre eux. Bien loin de donner des ordres, la municipalité en reçoit : on la rudoie, on la bouscule, on la fait marcher comme un domestique. Les patriotes viennent prendre à l'hôtel de ville l'abbé de Belmont, officier municipal, lui commandent, sous peine de mort, de proclamer la loi martiale, et lui mettent en main le drapeau rouge. « Marche « donc, calotin, b...., j.... f.... ! Plus haut le drapeau, plus « haut encore ; tu es assez grand pour cela. » Et des bourrades, des coups de crosse. Il crache le sang : n'importe ; il faut qu'il soit en tête, bien visible, en façon de cible, tandis que, prudemment, ses conducteurs restent en arrière. Il avance ainsi, à travers les balles, tenant le drapeau, et se trouve prisonnier des poufs rouges qui le relâchent en gardant son drapeau. — Second drapeau rouge tenu par le valet de ville, seconde promenade, nouveaux coups de fusil ; les poufs rouges capturent encore ce drapeau ainsi qu'un autre officier municipal. — Le reste de la municipalité et un commissaire du roi se réfugient aux casernes et font sortir la troupe. Cependant Froment et ses trois compagnies, cantonnées dans leurs tours et leurs maisons du rempart, résistent en déses

1. Ce dernier fait, affirmé dans le rapport de M. Alquier, est nié par la municipalité. Selon elle, les poufs rouges attroupés autour de l'évêché n'avaient pas de fusils.

pérés. Mais le jour a paru, le tocsin a sonné, la générale a battu, les milices patriotes du voisinage, les protestants de la montagne, rudes Cévenols, arrivent en foule. Les poufs rouges sont assiégés; un couvent de Capucins d'où l'on prétend qu'ils ont tiré est dévasté, cinq capucins sont tués. La tour de Froment est démolie à coups de canon, prise d'assaut; son frère est massacré, jeté en bas des murailles; un couvent de jacobins attenant aux remparts est saccagé. Vers le soir, tous les poufs rouges qui ont combattu sont tués ou en fuite; il n'y a plus de résistance. — Mais la fureur subsiste, et les quinze mille campagnards qui ont afflué dans la ville jugent qu'ils n'ont pas travaillé suffisamment. En vain on leur représente que les quinze autres compagnies de poufs rouges n'ont pas bougé, que les prétendus agresseurs « ne se « sont pas même mis en état de défense, » que, pendant toute la bataille, ils sont restés au logis, qu'ensuite, par surcroît de précaution, la municipalité leur a fait rendre leurs armes. En vain l'assemblée électorale, précédée d'un drapeau blanc, vient sur la place publique exhorter les citoyens à la concorde. « Sous prétexte de fouiller les « maisons suspectes, on pille, on dévaste; tout ce qui ne « peut être enlevé est brisé. » A Nîmes seulement, cent vingt maisons sont saccagées; mêmes ravages aux environs; au bout de trois jours, le dégât monte à sept ou huit cent mille livres. Nombre de malheureux sont égorgés chez eux, ouvriers, marchands, vieillards, infirmes; il y en a qui, « retenus dans leur lit depuis plusieurs an« nées, sont traînés sur le seuil de leur porte pour y être « fusillés. » D'autres sont pendus sur l'Esplanade, au Cours Neuf, d'autres hachés vivants à coups de faux et de sabres, les oreilles, le nez, les pieds, les poignets coupés. Selon l'usage, des légendes horribles provoquent des actions actroces. Un cabaretier, qui a refusé de distribuer les listes anticatholiques, passe pour avoir dans sa cave une mine toute prête de barils de poudre et de mèches soufrées ; on le dépèce à coups de hache et de sabre ; on décharge vingt fusils sur son cadavre ; on l'expose devant sa maison avec un pain long sur la poitrine, et on le perce encore de baïonnettes en lui disant : « Mange, « b...., mange donc ! » — Plus de cent cinquante catholiques ont été assassinés ; beaucoup d'autres, tout sanglants, « sont entassés dans les prisons, » et l'on continue les perquisitions contre les proscrits ; dès qu'on les aperçoit, on tire sur eux comme sur des loups. Aussi des milliers d'habitants demandent leurs passe-ports et quittent la ville. — Cependant, de leur côté, les campagnards catholiques des environs massacrent six protestants, un vieillard de quatre-vingt-deux ans, un jeune homme de quinze ans, un mari et sa femme dans leur métairie. — Pour arrêter les meurtres, il faut l'intervention de la garde nationale de Montpellier. Mais, si l'ordre est rétabli, ce n'est qu'au profit du parti vainqueur. Les trois cinquièmes des électeurs se sont enfuis ; un tiers des administrateurs du district et du département a été nommé en leur absence, et la majorité des nouveaux directoires est prise dans le club patriote. C'est pourquoi les détenus sont traités d'avance en coupables : « Nul huissier « n'ose leur prêter son ministère, ils ne sont pas admis « à faire la preuve de leurs faits justificatifs, et personne « n'ignore que les juges ne sont pas libres[1]. » — Ainsi finissent partout les commencements ou les éclats de la discorde religieuse et politique. Le vainqueur bâillonne la loi quand elle va parler pour ses adversaires, et, sous

1. Archives nationales, F7, 3216. Lettre de M. de Lespin, major à Nîmes, au commandant de la Provence, M. de Périgord, 27 juillet 1790. « Les trames, les conspirations, que l'on avait attribuées au parti vaincu et que « l'on croyait découvrir dans les dépositions de quatre cents hommes emprisonnés, s'évanouissent à mesure que la procédure avance. Les véritables « coupables ne se rencontreront que dans les dénonciateurs. »

l'iniquité légale de son administration permanente, il écrase ceux qu'il a terrassés par la violence illégale de ses coups de main.

II

Des passions comme celle-ci sont l'œuvre de la culture humaine et ne se déchaînent que sur un territoire restreint. Il est une autre passion qui n'est ni historique ni locale, mais naturelle et universelle, la plus indomptable, la plus impérieuse, la plus redoutable de toutes, je veux dire, la crainte de la faim. Car elle ne sait ni attendre, ni raisonner, ni voir au delà d'elle-même. A chaque canton ou commune il faut son pain, son approvisionnement sûr et indéfini. Que le voisin se pourvoie comme il pourra; nous d'abord, ensuite les autres. Et, par des arrêtés, par des coups de force, chaque groupe garde chez lui les subsistances qu'il a, ou va prendre chez les autres les subsistances qu'il n'a pas.

A la fin de 1789[1], « le Roussillon refuse des secours au « Languedoc ; le haut Languedoc au reste de la province, « la Bourgogne au Lyonnais : le Dauphiné se cerne ; une « partie de la Normandie retient les blés achetés pour « secourir Paris. » A Paris, il y a des sentinelles à la porte de tous les boulangers ; le 21 octobre, l'un d'eux est lanterné, et sa tête portée au bout d'une pique. Le 27 octobre, à Vernon, c'est le tour d'un négociant en blé, Planter, qui, l'hiver précédent, a nourri les pauvres de six lieues à la ronde ; en ce moment, ils ne lui pardonnent pas d'envoyer des farines à Paris ; pendu deux fois, il est sauvé, parce que deux fois la corde casse. — Ce n'est que par

1. Buchez et Roux, III, 240. (Mémoire des ministres, 28 octobre 1789.) — Archives nationales, D, XXIX, 3. Délibération du conseil municipal de Vernon (4 novembre 1789).

force et sous escorte que l'on peut faire arriver du grain dans une ville; incessamment les gardes nationales ou le peuple soulevé le saisissent au passage. En Normandie[1], la milice de Caen arrête sur les grands chemins le blé qu'on porte à Harcourt et ailleurs. En Bretagne, Auray et Vannes retiennent les convois de Nantes ; Lannion, ceux de Brest. Brest ayant voulu négocier, ses commissaires sont pris au collet; couteau sous la gorge, on les contraint à signer l'abandon pur et simple des grains qu'ils ont payés, et ils sont reconduits hors de Lannion à coups de pierres. Là-dessus, 1800 hommes sortent de Brest avec quatre canons, et vont reprendre leur bien, fusils chargés. Ce sont les mœurs des grandes famines féodales, et, d'un bout à l'autre de la France, sans compter les émeutes des affamés à l'intérieur des villes, on ne trouve qu'attentats semblables où revendications pareilles. — « Le peuple armé de Nantua, Saint-Claude et « Septmoncel, dit une dépêche[2], a de nouveau coupé les « vivres au pays de Gex ; il n'y vient de blé d'aucun « côté ; tous les passages sont gardés. Sans le secours « du gouvernement de Genève qui veut bien prêter « 800 coupées de blé à ce pays, il faudrait ou mourir de « faim, ou aller, à main armée, enlever le grain aux « municipalités qui le retiennent. » Narbonne affame Toulon ; sur le canal du Languedoc, la navigation est interceptée ; les populations riveraines repoussent deux compagnies de soldats, brûlent un grand bâtiment, veulent « détruire le canal lui-même. » — Bateaux arrêtés, voitures pillées, pain taxé de force, coups de pierre et coups de fusil, combats de la populace contre la garde

1. Archives nationales, KK, 1105. Correspondance de M. de Thiard, 4 novembre 1789. — Autres faits semblables, 4 septembre, 23 octobre, 4 et 19 novembre 1789, 27 janvier et 27 mars 1790.

2. Archives nationales, F7, 3257. Lettre de Gex, 29 mai 1790. — Buchez et Roux, VII, 198, 369 (septembre-octobre 1790).

nationale, des paysans contre les citadins, des acheteurs contre les marchands, des ouvriers et des journaliers contre les fermiers et les propriétaires, à Castelnaudary, à Niort, à Saint-Étienne, dans l'Aisne, dans le Pas-de-Calais, principalement sur la longue ligne qui va de Montbrison à Angers, c'est-à-dire dans presque toute l'étendue de l'immense bassin de la Loire, tel est le spectacle que présente l'année 1790. — Et pourtant la récolte n'a point été mauvaise. Mais le blé ne circule plus; chaque petit centre s'est contracté pour accaparer l'aliment : de là le jeûne des autres et les convulsions de tout l'organisme, premier effet de l'indépendance plénière que la Constitution et les circonstances confèrent à chaque groupe local.

« On nous dit de nous assembler, de voter, de nommer « des gens qui feront nos affaires : faisons-les nous-« mêmes. Assez de bavardages et de simagrées : le pain « à deux sous, et allons chercher le blé où il y en a. » — Ainsi raisonnent les paysans, et, dans le Nivernais, le Bourbonnais, le Berri, la Touraine, les réunions électorales sont le boute-feu des insurrections [1]. A Saint-Sauge, « avant tout travail, l'assemblée primaire oblige « les officiers municipaux, sous peine d'être décollés, à « taxer le blé ; » à Saint-Géran, le pain, le blé et la viande ; à Châtillon-en-Bayait, toutes les denrées, et toujours à un tiers ou moitié au-dessous du cours, sans parler d'autres exigences. — Par degrés, ils en viennent à dresser un tarif de toutes les valeurs qu'ils connaissent, et proclament un maximum anticipé, par suite un code complet d'économie rurale et sociale : dans sa rédaction tumul-

1. Archives nationales, H, 1453. Correspondance de M. de Bercheny, commandant des quatre provinces du Centre. Lettres du 25 mai, 11, 19, 27 juin 1790. — Archives nationales, D, XXIX, 4. Délibération des administrateurs du district de Bourbon-Lancy, 26 mai.

tueuse et décousue, on y voit leurs volontés et leurs sentiments comme dans un miroir[1]. C'est le programme villageois : avec des variantes locales, il faut que ses divers articles s'exécutent, tantôt l'un, tantôt l'autre, selon l'occasion, le besoin, le moment, en premier lieu l'article qui concerne les vivres. — Comme à l'ordinaire, le désir a produit la légende : les paysans se croient autorisés, ici par un décret de l'Assemblée nationale et du roi, là par une commission expresse donnée au comte d'Estrées. Déjà, au marché de Saint-Amand, « un homme

Archives nationales, H, 1453. Procès-verbal d'une dizaine de paroisses du Nivernais, 4 juin. La livre de pain blanc à 2 sous et de pain bis à 1 sou et demi. Les laboureurs à 30 sous, les faucheurs à 10 sous, les charrons à 10 sous, les huissiers à 6 sous par lieue. Le beurre à 8 sous, la viande à 5 sous, le lard à 8 sous, l'huile à 8 sous la pinte. La toise de maçonnerie à 40 sous, la paire de grands sabots à 3 sous. « Rendre tous les usages et « pacages qui ont été pris par justice. Les chemins seront libres partout « comme auparavant. Toutes les rentes seigneuriales seront supprimées. Les « meuniers ne prendront que le trente-deuxième du boisseau. Les seigneurs « de notre département rendront tous les bordelages et biens mal acquis. Le « curé de Bièze n'aura d'autre emploi que de dire sa messe à neuf heures et « les vêpres à deux heures, en été comme en hiver; il mariera et enterrera « gratis, sauf à nous de lui payer sa pension. Les messes lui seront payées « 6 sous, il ne sortira de sa cure que pour dire son bréviaire et visiter hon« nêtement ses paroissiens et paroissiennes. Les chapeaux de 3 livres à « 30 sous. La grosse de clous d'emballage à 3 livres. Les curés ne tiendront « que des servantes sages de cinquante ans. Les curés n'iront ni aux foires, « ni aux marchés. Tous les curés auront la même condition que celui de « Bièze. Il n'y aura plus de gros marchands de blé. Les commis qui auront « fait des prises injustes rendront l'argent. Les fermiers finiront à la Saint« Martin. M. le comte, quoique absent, M. de Tontenelle et M. le commandant « signeront sans difficulté. M. le curé de Mingot résiliera par écrit sa cure ; « (il) s'est sauvé avec sa servante, il a même manqué sa messe le premier « vendredi de la Fête-Dieu, et il est à présumer qu'il a couché dans les bois. « Les menuisiers seront taxés au prix des charrons. Les courroies de bœuf « à 40 sous, les jougs à 10 sous. Les maîtres payeront la moitié des tailles. « Les notaires ne prendront que la moitié de ce qu'ils prenaient autrefois, « ainsi que les contrôleurs. La commune proteste se pourvoir contre ce « qu'elle aurait oublié dans le présent article, soit de fait, soit de droit. » (Signé par une vingtaine de personnes, dont plusieurs maires ou greffiers de municipalités.)

« monté sur un tas de blé a crié : Au nom du Roi et de la « Nation, le blé à moitié au-dessous du cours ! » De plus, il est avéré qu'un chevalier de Saint-Louis, ancien officier des grenadiers royaux, marche à la tête de plusieurs paroisses et publie des ordonnances en son nom et au nom du roi, avec amende de huit livres pour quiconque refusera de se joindre à lui. — De toutes parts, il se fait un fourmillement de blouses et la résistance est vaine; il y en a trop, la maréchaussée est noyée sous leur flot. Car ces législatures rurales sont la garde nationale elle-même, et, quand elles ont voté la taxe ou la réquisition des vivres, elles ont des fusils pour l'imposer.

Bon gré, mal gré, il faut bien que les officiers municipaux prêtent aux insurgés leur ministère. Au Donjon, l'assemblée électorale a saisi le maire de l'endroit, avec menace de le tuer et d'incendier sa maison, s'il ne met pas la coupée de blé à 40 sous : il signe, et tous les maires présents avec lui, « sous peine de vie. » Aussitôt, « au son « des fifres et des tambours, » les paysans se répandent dans les paroisses voisines, se font délivrer le blé à 40 sous, et leur mine est si résolue que quatre brigades de gendarmerie, envoyées contre eux, ne trouvent rien de mieux à faire que de se retirer. — Non contents de se garnir les mains, ils se ménagent des réserves. Le blé est prisonnier : dans le Nivernais et le Bourbonnais, les paysans tracent une ligne de démarcation que nul sac du pays ne doit franchir ; en cas de contravention, la corde et la torche sont là pour le délinquant. — Reste à surveiller l'application du règlement : dans le Berri, les paysans viennent par bandes à chaque marché pour maintenir partout leur tarif. En vain on leur représente qu'ils vont rendre les marchés déserts : « ils répondent « qu'ils sauront bien faire venir du grain, qu'ils iront « en prendre chez tous les particuliers, et même de l'ar- « gent, s'ils en ont besoin. » De fait, « un grand nombre

« de personnes ont leurs greniers et leurs caves pillés; » on contraint les fermiers à porter leur récolte dans un grenier commun; on rançonne les riches; « on fait con- « tribuer les seigneurs; on oblige à faire des donations « de domaines entiers; on enlève les bestiaux; on veut « ôter la vie aux propriétaires; » et, comme les villes défendent leurs magasins et leurs marchés, on les attaque à force ouverte[1]. Bourbon-Lancy, Bourbon-l'Archambault, Saint-Pierre-le-Moutier, Montluçon, Saint-Amand, Château-Gontier, Decises, chaque petite cité est un îlot assailli par la marée montante de l'insurrection campagnarde. La milice y passe la nuit sous les armes; des détachements de la garde nationale des grandes villes, des troupes réglées y viennent tenir garnison. A Bourbon-Lancy, pendant huit jours, le drapeau rouge est en permanence, et les canons restent sur la place chargés et braqués. Le 24 mai, Saint-Pierre-le-Moutier est attaqué, et, toute la nuit, des deux côtés, on se fusille. Le 2 juin, Saint-Amand, menacé par vingt-sept paroisses, n'est sauvé que par ses préparatifs et par sa garnison. Vers le même temps, Bourbon-Lancy est attaqué par douze paroisses réunies, Château-Gontier par les sabotiers des forêts voisines; une bande de quatre à cinq cents villageois arrête les convois de Saint-Amand et fait capituler leurs escortes; une autre bande se fortifie dans le château de la Fin, et y tiraille un jour entier contre la troupe et la garde nationale. — Les grandes villes elles-mêmes ne sont pas en sûreté. Trois à quatre cents campagnards, conduits par leurs officiers municipaux, entrent de force à Tours pour contraindre la municipalité à baisser d'un

1. Archives nationales, H, 1453. Même correspondance, 29 mai, 11 et 17 juin, 15 septembre 1790. — *Ib.*, F7, 3257. Lettre des officiers municipaux de Marsigny, 3 mai; des officiers municipaux de Bourbon-Lancy, 5 juin. Extrait des lettres écrites à M. Amelot, 1er juin.

tiers le prix du blé et à diminuer le prix des baux. Deux mille ardoisiers, armés de fusils, de broches et de fourches, pénètrent dans Angers pour obtenir un rabais du pain, tirent sur la garde, sont chargés par la garde nationale et la troupe; nombre d'entre eux restent sur le carreau, deux sont pendus le soir même, et le drapeau rouge demeure exposé huit jours. « Sans le régiment de « Picardie, disent les dépêches, la ville était pillée et in« cendiée. » — Par bonheur, comme la récolte s'annonce bien, les prix baissent; comme les assemblées électorales sont closes, la fermentation se ralentit, et, vers la fin de l'année, ainsi qu'une éclaircie dans un orage permanent, on voit poindre une trêve dans la guerre civile de la faim.

Rompue en vingt endroits par des explosions isolées, la trêve n'est pas longue, et, vers le mois de juillet 1791, les troubles que provoque l'incertitude des subsistances recommencent pour ne plus cesser. Dans ce désordre universel, considérons seulement un groupe, celui des huit ou dix départements qui entourent et nourrissent Paris.— Là sont de riches pays à blé, la Brie, la Beauce, et, non-seulement la récolte de 1790 a été bonne, mais la récolte de 1791 est très-ample. On écrit de Laon au ministre[1], que, dans le département de l'Aisne, « il y a du blé pour « deux années, » que « les granges, ordinairement vides « au mois d'avril, ne le seront pas cette année avant juil« let, » et que, par conséquent, « les subsistances sont assu« rées. » Mais cela ne suffit point; car la cause du mal n'est pas dans le manque de blé. — Pour que dans une vaste et populeuse contrée, où les terrains, les cultures et les métiers diffèrent, chacun puisse manger, il faut que l'aliment arrive à la portée de ceux qui ne le produisent pas.

1. Archives nationales, F7, 3185 et 3186. Lettre du président du tribunal du district de Laon, 8 février 1792.

Pour qu'il y arrive sans encombre, de lui-même, par le seul effet de l'offre et de la demande, il faut une police capable de protéger les propriétés, les transactions et les transports. A mesure que dans un État l'autorité devient plus faible, la sécurité devient moindre ; à mesure que la sécurité devient moindre, la répartition des subsistances devient plus difficile, et la gendarmerie est un rouage indispensable dans la machine qui nous apporte chaque jour notre pain quotidien. — C'est pourquoi, en 1791, le pain quotidien manque à beaucoup d'hommes. Par le seul jeu de la Constitution, aux extrémités et au centre, tous les freins, déjà si lâches, se sont desserrés et se desserrent chaque jour davantage. Les municipalités, qui sont les vraies souveraines, répriment plus mollement le peuple, les unes parce qu'il est plus hardi et qu'elles sont plus timides, les autres parce qu'elles sont plus radicales et qu'elles lui donnent toujours raison. La garde nationale s'est lassée, ne vient pas, ou refuse de faire usage de ses armes. Les citoyens actifs sont dégoûtés et restent chez eux. A Étampes[1], où ils sont tous convoqués par les commissaires du département pour aviser aux moyens de rétablir un ordre quelconque, il ne s'en présente que vingt ; les autres disent, pour s'excuser, que, si la populace les savait contraires à ses volontés, « elle « brûlerait leurs maisons, » et ils s'abstiennent. « Ainsi, » écrivent les commissaires, « la chose publique est aban- « donnée à la discrétion des artisans et des ouvriers dont « les vues sont bornées à leur simple existence. » — C'est donc le bas peuple qui règne, et les renseignements d'après lesquels il rend ses décrets sont des rumeurs qu'il adopte ou qu'il fabrique, pour recouvrir, sous une apparence de raison, les attentats de sa cupidité ou les bruta-

1. Archives nationales, F7, 3268. Procès-verbal et observations des deux commissaires envoyés à Étampes, 22-25 septembre 1791.

lités de sa faim. A Étampes, « on lui a insinué que les « blés vendus pour nourrir les départements au-dessous « de la Loire sont embarqués à Paimbœuf, et, de là, con- « duits hors du royaume, pour être vendus à l'étranger.» Aux environs de Rouen, il se figure « qu'on engloutit les « grains » tout exprès « dans les mares, dans les étangs « et dans les marnières. » Auprès de Laon, des comités imbéciles et jacobins attribuent la cherté des subsistances à l'avidité des riches et à la malveillance des aristocrates: selon eux, « des millionnaires jaloux s'enrichissent aux « dépens du peuple. Ils appréhendent ses forces, » et, n'osant se mesurer avec lui « dans un combat hono- « rable, » ils ont recours « à la trahison. » Afin de le vaincre plus aisément, ils ont résolu de l'exténuer d'a- vance par l'excès de la misère et par la longueur du jeûne; c'est pourquoi ils accaparent tout, « blés, seigles « et farines, savons, sucre et eaux-de-vie[1]. » — De pareils bruits suffisent pour lancer dans les voies de fait une foule souffrante, et il est inévitable qu'elle prenne pour conseillers et conducteurs ceux qui la poussent du côté où déjà elle penche. Il faut toujours des chefs au peuple, et il les prend où il les trouve, tantôt dans son élite, tantôt dans sa canaille. A présent que la noblesse est chassée, que la bourgeoisie se retire, que les gros cultivateurs sont

1. Archives nationales, F7, 3265. Le document suivant, entre beaucoup d'autres, montrera les conceptions et les expédients de l'imagination populaire. — Pétition de plusieurs habitants de la commune de Forges (Seine-Inférieure) : « au bon et incorruptible ministre de l'intérieur. » (16 octobre 1792.) Après trois bonnes récoltes successives, la disette dure toujours. Sous l'ancien régime, le blé regorgeait, on en nourrissait les porcs, on engraissait les veaux avec du pain. Il est donc certain que le blé est détourné par les accapareurs et les ennemis du nouveau régime. Les fermes sont trop grandes : divisez-les. Il y a trop de pâturages : mettez tout en blé. Forcez chaque propriétaire ou fermier à déclarer sa récolte; qu'on en proclame le chiffre au prône; en cas de mensonge, que l'homme soit mis à mort ou en prison, et son blé confisqué. Obligez tous les cultivateurs des environs à ne vendre qu'à Forges, etc., etc.

suspects, que le besoin animal exerce son despotisme intermittent et aveugle, ses ministres appropriés sont les aventuriers et les bandits. Il n'est pas nécessaire qu'ils soient très-nombreux: dans un lieu plein de combustible, quelques boute-feux suffisent pour allumer l'incendie. On en compte « une vingtaine au plus dans chacune des « villes d'Étampes et de Dourdan, ... hommes n'ayant « rien à perdre et tout à gagner dans les troubles : ce sont « eux qui excitent toujours la fermentation et le désordre, « et les autres citoyens, par leur indifférence, leur en « fournissent les moyens. » Parmi les nouveaux guides de la foule, ceux dont on sait les noms sont presque tous des repris de justice, habitués par leur métier antérieur aux coups de main, aux violences, souvent au meurtre et toujours au mépris de la loi. — A Brunoy[1], les chefs de l'émeute sont « deux déserteurs du 18e régiment, con- « damnés, décrétés, impunis, qui, associés aux plus mau- « vais sujets et aux plus déterminés de la paroisse, « marchent toujours armés et menaçants. » — A Étampes, les deux principaux assassins du maire sont un braconnier condamné plusieurs fois pour braconnage, et un ancien carabinier renvoyé de son régiment avec de mauvaises notes. Autour d'eux sont des artisans « sans « domicile connu, » ouvriers nomades, compagnons, apprentis, gens sans aveu, rôdeurs de route, qui, les jours de marché, affluent dans les villes et sont toujours prêts lorsqu'il y a quelque mauvais coup à faire. En effet, maintenant les vagabonds pullulent dans la campagne, et contre eux toute répression a cessé.

« Depuis un an, » écrivent plusieurs paroisses voisines de Versailles[2], « on n'a pas vu de gendarmes, sauf celui qui

1. Archives nationales, F7, 3268. Rapport des commissaires envoyés par le département, 11 mars 1792 (à propos de l'insurrection du 4 mars). — Mortimer-Ternaux, I, 381.

2. Archives nationales, F7, 3268. Lettres de plusieurs maires, administra-

« apporte les décrets; » c'est pourquoi, d'Étampes à Versailles, sur les routes et dans la campagne, « les meur« tres et les brigandages » se multiplient. Des bandes de treize, quinze, vingt et vingt-deux mendiants dépouillent les vignobles, entrent le soir dans les fermes, se font donner de force à souper et à coucher, reviennent ainsi tous les quinze jours, et les fermes ou maisons isolées sont leur proie. Aux environs de Versailles, le 26 septembre 1791, un ecclésiastique a été tué chez lui; le même jour, un bourgeois et sa femme ont été garrottés, puis volés. Le 22 septembre, près de Saint-Remi-Honoré, huit bandits ont fait leur main chez un fermier. Le 25 septembre, à Villiers-le-Sec, treize autres ont dévalisé un autre fermier, puis ajouté en manière de compliment : « Vos maîtres sont bien heureux de ne pas se trouver « ici; nous les aurions grillés au grand feu que voilà. » En moins d'un mois, dans un rayon de trois ou quatre lieues, il y a six attaques semblables, à main armée, à domicile, avec des propos de *chauffeurs*. « Après des « entreprises aussi fortes et aussi audacieuses, » écrivent les gens du pays, « il n'est pas un habitant de la campagne « un peu aisé qui puisse compter sur une heure de sûreté « chez lui. Déjà plusieurs de nos meilleurs cultivateurs « abandonnent leur exploitation, et d'autres menacent « d'en faire autant, si ces désordres continuent. » — Ce qui est plus grave encore, c'est que, dans ces attaques, la plupart de ces bandits étaient « en uniforme national. » Ainsi la portion la plus indigente, la plus ignorante et la plus exaltée de la garde nationale s'enrôle pour le pillage. Il est si naturel de croire que l'on a droit à ce dont on a besoin, que les possesseurs du blé en sont les accapa-

teurs de district, cultivateurs de Vélizy, Villacoublay, la Celle-Saint-Cloud, Montigny, etc., 12 novembre 1791. — Lettre de M. de Narbonne, 13 janvier 1792; de M. Sureau, juge de paix du canton d'Étampes, 17 septembre 1791. — Lettre de Bruyères-le-Châtel, 28 janvier 1792.

reurs, que le superflu des riches appartient aux pauvres! C'est ce que disent les paysans qui dévastent la forêt de Bruyères-le-Chatel : « Nous n'avons ni bois, ni pain, ni « travail; nécessité n'a pas de loi. »

Impossible d'avoir les vivres à bas prix sous un pareil régime; l'anxiété est trop grande, la propriété est trop précaire, le commerce est trop empêché, l'achat, la vente, le départ, l'arrivée et le payement sont trop incertains. Comment emmagasiner et transporter dans une contrée où ni le gouvernement central, ni l'administration locale, ni la garde nationale, ni la troupe, ne font leur office, et où toute opération sur les subsistances, même la plus légale, même la plus utile, est subordonnée au caprice de vingt drôles qu'une populace suit? Le blé demeure en grange, se cache, attend, et ne se glisse qu'à la dérobée vers les mains assez riches pour payer, outre son prix, le prix de son risque. Ainsi refoulé dans un canal étroit, il monte à un taux que la dépréciation des assignats élève encore, et non-seulement la cherté se maintient, mais elle croît. — Là-dessus, pour guérir le mal, l'instinct populaire invente un remède qui l'aggrave : désormais le blé ne voyagera plus; il est séquestré dans le canton où on le récolte. A Laon, « le peuple a juré de mourir plutôt que de laisser « enlever ses subsistances. » A Étampes, où la municipalité d'Angers envoie un administrateur de son Hôtel-Dieu pour acheter deux cent cinquante sacs de farine, la commission ne peut être exécutée; même, pendant plusieurs jours, le délégué n'ose avouer le motif de sa venue; seulement « il se rend incognito et de nuit chez « les différents fariniers de la ville. » Ceux-ci « s'offri« raient bien à remplir la fourniture, » mais « ils crai« gnent pour leur vie, *ils n'osent pas même sortir de chez « eux.* » — Mêmes violences dans le cercle de départements plus lointains, qui enveloppe ce premier cercle. A Aubigny dans le Cher, les voitures de grains sont arrêtées, les administrateurs du district menacés, deux têtes sont mises à prix ; une partie de la garde nationale est avec les mutins[1]. A Chaumont, dans la Haute-Marne, c'est toute la garde nationale qui se mutine; un convoi de plus de trois cents sacs est retenu, l'hôtel de ville forcé, l'insurrection dure quatre jours, le directoire du département est en fuite, le peuple s'empare de la poudre et des canons. A Douai dans le Nord, pour sauver un marchand de grains, on le conduit en prison ; la foule force les portes, les soldats refusent de tirer, l'homme est pendu, le directoire du département se réfugie à Lille. A Montreuil-sur-Mer, dans le Pas-de-Calais, les deux chefs de l'émeute, un chaudronnier et un maréchal ferrant, « Béquelin dit Petit-« Gueux, » celui-ci sabre en main, répondent aux sommations de la municipalité que « pas un grain ne sortira, « qu'à présent ils sont les maîtres, » et que, si les officiers municipaux osent encore faire de pareilles proclamations, « on leur f..... la tête à bas. » Nul moyen de résister; la garde nationale convoquée ne vient pas ; les volontaires requis lèvent la crosse en l'air; la foule attroupée sous les fenêtres crie vivat. Tant pis pour la loi quand elle s'oppose aux passions populaires ; « nous n'y obéirons pas, disent-ils, « *on fait des lois comme on veut.* » — Effectivement, dans la Seine-Inférieure, à Tostes, six mille hommes des paroisses environnantes forment un corps délibérant et armé; pour mieux établir leurs droits, ils ont amené sur des charrettes deux canons attachés avec des cordes. Alentour

1. Archives nationales, F7, 3203. Lettre du directoire du Cher, 25 août 1791. — F7, 3240. Lettre du directoire de la Haute-Marne, 6 novembre 1791. — F7, 3248. Procès-verbal des membres du département du Nord, 18 mars 1791. — F7, 3250. Procès-verbal des officiers municipaux de Montreuil-sur-Mer, 16 octobre 1791. — F7, 3265. Lettre du directoire de la Seine-Inférieure, 22 juillet 1791. — D, XXIX, 4. Remontrances des municipalités assemblées à Tostes, 21 juillet 1791. — Pétition des officiers municipaux des districts de Dieppe, Cany et Caudebec, 22 juillet 1791.

marchent vingt-deux gardes nationales, chacune sous son drapeau ; on a forcé les habitants paisibles à venir, « sous « peine de vie »; les officiers municipaux sont en tête. Ce parlement improvisé édicte sur les grains une loi complète qu'il envoie, pour la forme, à l'acceptation du département et de l'Assemblée nationale, et l'un des articles porte que défense sera faite aux laboureurs « de vendre « leur blé ailleurs qu'aux marchés. » N'ayant plus d'autre débouché, il faudra bien que le blé vienne aux halles, et, quand les halles seront pleines, il faudra bien qu'il baisse de prix.

Déception profonde : même dans le grenier de la France le blé reste cher, et coûte environ un tiers de plus qu'il ne faudrait pour que le pain, conformément à la volonté du peuple, soit à deux sous la livre.—Là-dessus[1], à Gonesse, à Dourdan, à Corbeil, à Mennecy, à Brunoy, à Limours, à Brie-Comte-Robert, surtout à Étampes et Montlhéry, presque chaque semaine, à force de clameurs et de violences, on contraint les vendeurs à baisser leurs prix d'un tiers et davantage. Impossible aux administrations de maintenir dans leur halle la liberté de l'achat et de la vente. Le peuple a d'avance écarté la troupe de ligne : quelle que soit la tolérance ou la connivence des soldats, il sent vaguement qu'ils ne sont pas là pour laisser éventrer les sacs ou prendre les fermiers à la gorge ; afin de se débarrasser de toute entrave ou surveillance, il emploie la municipalité elle-même, et la force à se désarmer de ses propres mains.—Assiégés dans la maison commune, parfois sous les pistolets et les baïonnettes[2], les officiers munici-

1. Archives nationales, F7, 3268 et 3269, *passim*.

2. Archives nationales, F7, 3268 et 3269, *passim*. Délibération du directoire de Seine-et-Oise, 20 septembre 1791. (A propos de l'insurrection du 16 septembre à Étampes. — Lettre de Charpentier, président du district. 19 septembre. — Rapport des commissaires du département, 11 mars 1792. (Sur l'insurrection de Brunoy du 4 mars.) — Rapport des commissaires du

paux expédient au détachement qu'ils attendaient l'ordre de s'en retourner, et supplient le directoire de ne plus leur envoyer de troupes ; car, s'il en vient, on leur a déclaré « qu'ils auraient à s'en repentir. » Point de troupes: à Étampes, le peuple répète « qu'elles sont demandées et « payées par les marchands de farine »; à Montlhéry, « qu'elles ne servent qu'à armer les citoyens les uns « contre les autres »; à Limours, « qu'elles feront ren- « chérir les grains. » Sur cet article, tous les prétextes semblent bons; la volonté populaire est absolue, et, complaisamment, les autorités vont au-devant de ses décrets. A Montlhéry, la municipalité, « pour éviter du sang, » confine la gendarmerie aux portes de la ville, et c'est par son ordre que l'émeute a libre jeu. — Mais les administrateurs n'en sont pas quittes pour laisser faire le peuple; il faut encore qu'ils sanctionnent ses exigences par leurs arrêtés. On va les prendre à l'hôtel de ville ; on les transporte sur la place du marché, et là, séance tenante, sous la dictée de la clameur qui fixe les prix, simples greffiers, ils proclament la taxe. Bien mieux, quand, dans un village, une troupe armée se met en route pour tyranniser le marché voisin, elle emmène son maire, bon gré mal gré, comme un instrument officiel qui lui appartient[1]. « Contre la force, point de résistance, écrit celui de Vert-le-Petit; il nous a fallu partir à l'instant. » — « Ils « m'ont déclaré, écrit celui de Fontenay, que, si je ne leur

département, 4 mars 1792. (Sur les insurrections de Montlhéry des 13 et 20 février.) — Délibération du directoire de Seine-et-Oise, 16 septembre 1791. (Sur l'insurrection de Corbeil.) — Lettres des maires de Limours, de Longjumeau, etc.

1. Archives nationales, F7, 3268 et 3269, *passim*. — Procès-verbal de la municipalité de Montlhéry, 28 février 1792. « Nous ne pouvons vous faire un « plus grand détail, sans nous exposer à des extrémités qui ne pourraient « que nous être très-fâcheuses. » — Lettre du juge de paix du canton, 25 février. « La clameur publique m'apprend que, si j'envoie des mandats d'ar- « rêt à ceux qui ont massacré Thibault, le peuple se soulèvera. »

« obéissais pas, ils allaient me pendre. » — Si quelque officier municipal hasarde une remontrance, on lui dit « qu'il « devient aristocrate. » Aristocrate et pendu, l'argument est irrésistible, d'autant plus qu'en fait on l'applique. — A Corbeil, le procureur-syndic qui réclame pour la loi est presque assommé, et trois maisons où on le cherche sont bouleversées. A Montlhéry, un marchand grainetier, que l'on accuse d'avoir mélangé, avec de la farine de blé, de la farine de fèves (deux fois plus chère), est massacré dans sa maison. A Étampes, le maire qui proclame la loi est tué à coup de triques. Les attroupements ne parlent « que d'incendier et de détruire, » et les laboureurs violentés, taxés, honnis, menacés de mort et volés, se sauvent en disant qu'ils ne reviendront plus au marché.

Tel est le premier effet de la dictature populaire; comme toutes les forces dépourvues d'intelligence, elle opère à l'inverse de son objet; à la cherté elle ajoute la disette, et vide les marchés au lieu de les remplir. Il y avait parfois quinze ou seize cents sacs de blé sur celui d'Étampes; dans la semaine qui suit cette insurrection, il n'en vient plus que soixante. A Montlhéry, où six mille hommes se sont attroupés, chacun d'eux, partage fait, n'obtient qu'un minot, et les boulangers de la ville n'ont pas de quoi cuire. — Là-dessus, les gardes nationaux en fureur disent aux fermiers qu'ils iront les visiter dans leurs fermes. En effet, ils y vont[1]; le tambour roule sur les routes, autour de Montlhéry, de Limours et des autres grands marchés. On voit passer des colonnes de deux cents, trois cents, quatre cents hommes sous la conduite de leur commandant et de leur maire qu'ils conduisent. Ils entrent dans chaque ferme, montent dans les greniers, consta-

1. Archives nationales, F7, 3268 et 3269, *passim*. Rapports de la gendarmerie, 24 février 1792 et jours suivants. — Lettre du brigadier de Limours, 2 mars; du régisseur de la ferme de Plessis-le-Comte, 23 février.

tant la quantité de grain battu, font signer au propriétaire la promesse de l'apporter au marché la semaine suivante. Parfois, comme ils ont appétit, ils se font donner à boire et à manger sur place, et il ne faut pas les mettre en colère : tel fermier et sa femme manquent d'être pendus dans leur propre grenier. — Peine inutile : on a beau séquestrer et pourchasser le blé, il se terre ou s'esquive comme un animal effarouché. En vain les insurrections continuent; en vain, dans tous les marchés du département[1], des attroupements armés soumettent les grains à la taxe. De mois en mois, le blé plus rare devient plus cher, et, de 26 francs, monte à 33. C'est que le laboureur violenté « n'apporte plus que très-peu, » juste « ce « qu'il lui faut sacrifier pour se soustraire aux menaces ; « il vend chez lui ou dans les auberges aux fariniers de « Paris. » — Ainsi, en courant après l'abondance, le peuple est tombé plus avant dans la disette ; ses brutalités ont empiré sa misère, et c'est lui-même qui s'est affamé. Mais il est bien loin d'attribuer la faute à son insubordination ; ce sont ses magistrats qu'il accuse; à ses yeux, « ils sont de connivence avec les accapareurs. » Sur cette pente il ne peut s'arrêter; sa détresse accroît sa fureur, sa fureur accroît sa détresse, et, par une descente fatale, ses attentats le précipitent dans d'autres attentats.

A partir du mois de février 1792, on ne peut plus les compter, et les attroupements qui viennent requérir ou taxer les grains sont des armées. Il y en a une de six mille hommes qui vient gouverner le marché de Montlhéry[2]. Il y en a une de sept à huit mille hommes

1. Archives nationales, F7, 3268 et 3269, *passim*. — Mémoire à l'Assemblée nationale par les citoyens de Rambouillet, 17 septembre 1792.

2. Archives nationales, F7, 3268 et 3269, *passim*. Procès-verbal de la municipalité de Montlhéry, 27 février 1792. — Buchez et Roux, XIII, 421 (mars 1792) ; et XIII, 317. — *Mercure de France*, 25 février 1792. (Lettres de M. Dauchy, président du directoire du département ; de M. de Gouy, envoyé du ministre, etc.) — *Moniteur*, séance du 15 février 1792.

qui envahit le marché de Verneuil. Il y en a une de dix mille, puis de vingt-cinq mille hommes qui pendant dix jours reste organisée près de Laon. — Là, cent cinquante paroisses ont sonné le tocsin, et l'insurrection s'étend sur douze lieues à la ronde. Cinq bateaux de grains ont été arrêtés, et, malgré les injonctions du district, du département, du ministre, du roi, de l'Assemblée nationale, on refuse de les rendre. En attendant, on en use et on en jouit. « Les officiers municipaux des différentes paroisses « rassemblées se sont fait payer de leurs vacations, sa- « voir : 100 sous par jour pour le maire, 3 livres pour les « officiers municipaux, 2 livres 10 sous pour les gardes, « 2 livres pour les porteurs. Ils ont arrêté que ces som- « mes seraient payées en grains, et ils taxent, dit-on, les « grains à 15 livres le sac. Ce qu'il y a de certain, c'est « qu'ils se les partagent et qu'il y a déjà quatorze cents « sacs de distribués. » Vainement les commissaires de l'Assemblée nationale leur font un discours de trois heures; le discours fini, on délibère devant eux s'ils seront pendus, ou noyés, ou coupés en morceaux et leurs têtes plantées sur les cinq piques du milieu dans la grille de l'abbaye. Contre la force militaire dont on les menace, ils ont fait leurs dispositions. Neuf cents hommes qui se relayent veillent jour et nuit au centre de ralliement, dans un camp bien choisi, permanent, et des guetteurs, postés dans les clochers de tous les villages circonvoisins, n'ont qu'à faire un signal pour y amener en quelques heures vingt-cinq mille hommes. — Tant que le gouvernement reste debout, il combat de son mieux; mais, de mois en mois, il s'affaisse, et, après le 10 août, quand il est à terre, c'est l'attroupement, souverain universel et incontesté, qui prend sa place. A partir de ce moment, non-seulement la loi qui protége les subsistances est sans force contre les perturbateurs de la circulation et de la vente, mais, en fait, l'Assemblée autorise les révoltés, puisque, par décret [1], elle éteint les procès commencés contre eux, abolit les sentences rendues, élargit tous ceux qui sont en prison ou aux fers. — Voilà les administrations, les marchands, les propriétaires, les fermiers abandonnés aux affamés, aux furieux, aux brigands : désormais les subsistances sont à qui veut et peut les prendre. « On vous dira, dit une pétition [2], que nous violons la loi. Nous répondrons à ces insinuations perfides que le salut du peuple est la suprême loi. Nous venons pour faire approvisionner les halles et que les prix du blé soient égaux dans toute la République. Car, n'en doutez pas, le patriotisme le plus pure (sic) s'éteint lorsqu'on n'a pas de pain.... Résistance à l'oppression, oui, résistance à l'oppression, c'est le plus saint des devoirs ; est-il une oppression plus terrible que celle de manquer de pain? Non, sans doute.... Joignez-vous à nous, et ça ira, ça ira : nous ne pouvons mieux finir cette pétition que par cet air patriotique. » La supplique a été écrite sur un tambour, au milieu d'un cercle de fusils ; avec de tels accompagnements, elle vaut un ordre. — Ils le savent bien, et parfois, de leur autorité privée, ils se confèrent, non-seulement le droit, mais encore le titre. Dans le Loir-et-Cher [3], une bande de quatre à cinq mille hommes prend le nom de « Pouvoir souverain ». Ils vont de marché en marché, à Saint-Calais, à Montdoubleau, à Blois, à Vendôme, pour taxer les vivres, et leur troupe fait boule de neige; car ils menacent « de brûler les meubles et d'incendier les propriétés de ceux qui n'auront pas le même courage qu'eux. » — En cet état

1. Décret du 3 septembre 1792.

2. Archives nationales, F7, 3268 et 3269. Pétition des citoyens de Montfort-l'Amaury, Saint-Léger, Gros-Rouvre, Gelin, Laqueue, Méré, aux citoyens municipaux de Rambouillet.

3. Archives nationales, F7, 3230. Lettre d'un administrateur du district de Vendôme, avec délibération de la commune de Vendôme, 24 novembre 1792.

de décomposition sociale, l'émeute est une gangrène où les parties saines sont infectées par les parties malades; les attroupements se produisent et se reproduisent partout et sans cesse, gros et petits, pareils à des abcès pullulants et renaissants, qui finissent par se rejoindre et se froisser douloureusement les uns les autres. Il y en a des villes contre les campagnes et des campagnes contre les villes. D'une part, « tout laboureur qui porte au marché « passe (chez lui) pour aristocrate [1], et devient en horreur « à ses concitoyens » du village. D'autre part, la garde nationale des villes se répand dans les campagnes, et y fait des razzias pour ne pas mourir de faim [2]. Il est admis dans les campagnes que chaque municipalité a le droit de s'isoler. Il est admis dans les villes que chaque ville a le droit de se faire approvisionner par les campagnes. Il est admis par les indigents de chaque commune que la commune doit leur fournir le pain gratuitement ou à bon marché. Là-dessus, les pierres pleuvent et les coups de fusil partent: département contre département, district contre district, canton contre canton, on se dispute l'aliment, et les plus forts le prennent ou le gardent. — Et je n'ai décrit que le Nord où, depuis trois ans, la récolte est bonne! Et j'ai omis le Midi où la circulation est interrompue sur le canal des Deux Mers, où le procureur-syndic de l'Aude vient d'être massacré pour avoir

1. Archives nationales, F7, 3255. Lettre des administrateurs du département de Seine-Inférieure, 23 octobre 1792. — Lettres du comité spécial de Rouen, 22 et 23 octobre 1792. « Il semble que, plus on stimule le zèle et le « patriotisme des cultivateurs, plus ils s'opiniâtrent à fuir les halles, qui sont « toujours dans un dénûment absolu. »

2. Archives nationales, F7, 3265. Lettre de David, cultivateur, 10 octobre 1792. — Lettre des administrateurs du département, 13 octobre 1792, etc. — Lettre (imprimée) du ministre à la Convention, 4 novembre. — Proclamation du Conseil exécutif provisoire, 31 octobre 1792. (Le setier de grain de deux cent quarante livres poids se vend 60 francs dans le midi, et moitié moins dans le nord.)

voulu protéger le passage d'un convoi, où la moisson a été médiocre, où, en beaucoup d'endroits, le pain coûte six sous la livre, où, dans presque tous les départements, le setier de blé se vend deux fois plus cher que dans le Nord !

Spectacle étrange et le plus instructif de tous ; car on y voit le fonds de l'homme. Comme sur un radeau de naufragés sans vivres, il est retombé à l'état de nature ; le mince tissu d'habitudes et d'idées raisonnables dans lequel la civilisation l'enveloppait s'est déchiré et flotte en lambeaux autour de lui ; les bras nus du sauvage ont reparu, et il les agite. Pour les employer et pour se conduire, il n'a plus qu'un guide, celui des premiers jours, l'instinct alarmé de son estomac souffrant. Désormais ce qui règne en lui et par lui, c'est le besoin animal avec son cortége de suggestions violentes et bornées, tantôt sanguinaires et tantôt grotesques. Imbécile ou effaré, et toujours semblable à un roi nègre, ses seuls expédients politiques sont des procédés de boucherie ou des imaginations de carnaval. Deux commissaires que Roland, ministre de l'intérieur, envoie à Lyon, peuvent voir à quelques jours de distance le carnaval et la boucherie [1]. — D'une part, sur la route, les paysans arrêtent tout le monde ; dans chaque voyageur le peuple voit un aristocrate qui se sauve, et tant pis pour ceux qui tombent sous sa main ! Près d'Autun, quatre prêtres qui, pour obéir à la loi, se rendaient à la frontière, ont été mis en prison « pour leur sûreté » ; un quart d'heure après, ils en sont tirés, et, malgré trente-deux cavaliers de la maréchaussée, on les massacre. « Leur voiture brû-« lait encore lorsque je passai, et les cadavres étaient « étendus non loin de là. Leur conducteur était encore

1. Archives nationales, F7, 3255. Lettres de Bonnemant, 11 septembre 1792 ; de Laussel, 22 septembre 1792.

« détenu, et ce fut en vain que je sollicitai son élargis-« sement. » — D'autre part, à Lyon, pendant trois jours, l'autorité vient de tomber aux mains des filles de la rue. « Elles se sont emparées du club central ; elles se sont « érigées en commissaires de police; elles ont signé des « affiches en cette qualité ; elles ont fait des visites dans « les magasins ; » elles ont rédigé un tarif de tous les vivres, depuis le pain et la viande, « jusqu'aux pêches « fines et aux pêches communes. Elles ont annoncé que « quiconque oserait s'y opposer serait regardé comme « traître à la patrie, adhérent à la liste civile, et pour-« suivi comme tel : » tout cela publié, proclamé, appliqué par « des commissaires de police femelles, » elles-mêmes la plus basse fange des derniers bas-fonds. Les bonnes ménagères et les travailleuses n'en étaient pas, ni « les ouvriers d'aucune classe. » Dans cette parodie d'administration, les seuls acteurs étaient « des coquines, « des souteneurs en petit nombre, et quelques femmes « de la lie. » — A cela aboutit la dictature de l'instinct, lâché, là-bas, sur la grande route, à un massacre de prêtres, ici, dans la seconde ville de France, au gouvernement des catins.

III

La crainte de manquer de pain n'est que la forme aiguë d'une passion plus générale, qui est l'envie de posséder et la volonté de ne pas se dessaisir. Aucun instinct populaire n'avait été froissé plus longtemps, plus rudement, plus universellement, sous l'ancien régime; et il n'en est aucun qui bouillonne davantage sous la contrainte, aucun qui, pour être contenu, exige une digue publique plus haute, plus épaisse, et tout entière bâtie de blocs durs. C'est pourquoi, dès le commencement, celui-ci crève ou submerge la mince et basse bordure, les levées de terre friable et croulante entre lesquelles la Constitution prétendait l'enserrer. — Le premier flot noie les créances de l'État, du clergé et de la noblesse. Aux yeux du peuple, elles sont abolies; du moins, il s'en donne quittance. Là-dessus son idée est faite et fixe; pour lui, c'est en cela que consiste la Révolution. Il n'a plus de créanciers, il ne veut plus en avoir, il n'en payera aucun, et d'abord il ne payera plus l'État.

Le 14 juillet 1790, jour de la fédération, à Issoudun en Berry, la population, solennellement convoquée, venait prêter le beau serment qui devait assurer pour toujours la paix publique, la concorde sociale et le respect de la loi[1]. Probablement, ici comme ailleurs, on avait préparé une cérémonie touchante : il y avait des jeunes filles en blanc; des magistrats lettrés et sensibles devaient prononcer des harangues philosophiques. Voilà qu'ils découvrent que le peuple rassemblé sur la place s'est muni de bâtons, de faux et de haches, et que la garde nationale ne l'empêchera pas de s'en servir; au contraire; car elle aussi se compose presque tout entière de vignerons et de gens intéressés à la suppression des droits sur le vin, tonneliers, aubergistes, cabaretiers, ouvriers en futailles, charretiers des tonneaux, et autres de la même espèce, rudes gaillards qui entendent le contrat social à leur façon. Tant de décrets, d'arrêtés et de phrases qu'on leur expédie de Paris ou que leur débitent les autorités nou-

1. Archives nationales, H, 1453. Correspondance de M. de Bercheny, 28 juillet, 24 et 26 octobre 1790. — Cette disposition a persisté. Après les journées de juillet 1830, il y eut une grande insurrection à Issoudun contre les droits réunis; sept à huit mille vignerons brûlèrent les archives, les bureaux des droits, et traînèrent dans les rues un employé, en disant, à chaque réverbère : « Il faut le pendre. » Le général, envoyé pour réprimer l'émeute, n'entra que par capitulation; au moment où il arrivait à l'hôtel de ville, un homme du faubourg de Rome lui passa sa grosse serpe au cou en disant : « Plus de commis, ou il n'y a rien de fait. »

velles ne valent pas un sou d'impôt maintenu sur chaque bouteille de vin. Plus de droits d'aides : ils ne font le serment civique qu'à cette condition expresse, et, le soir, ils pendent en effigie leurs deux députés, qui, à l'Assemblée nationale, « n'ont pas soutenu leurs intérêts. » Quelques mois plus tard, de toute la garde nationale convoquée pour protéger les commis, il ne vient à l'appel que le commandant et deux officiers. — S'il se rencontre un contribuable docile, on ne lui permet même pas de payer les droits; cela semble une défection, presque une trahison. Trois poinçons ayant été déclarés, on les défonce à coups de pierres, on en boit une partie, on porte le reste à la caserne pour débaucher les soldats ; on menace le commandant de Royal-Roussillon, M. de Sauzay, qui a eu l'audace de sauver des commis, et, pour ce méfait, il manque d'être pendu lui-même. Requise de s'interposer et d'employer la force, la municipalité répond « que, pour « si peu de chose, ce n'est pas la peine de compromettre « la vie des citoyens, » et la troupe de ligne, mandée à l'hôtel de ville, est obligée par les ordres du peuple de n'y aller que la crosse en l'air. Cinq jours après, les vitres du bureau des aides sont défoncées, l'écriteau arraché; la fermentation ne cesse pas, et M. de Sauzay écrit que pour contenir la ville il faudrait un régiment. — A Saint-Amand, l'émeute éclate tout à fait, et n'est comprimée que par la violence. A Saint-Étienne-en-Forez, Berthéas, commis aux aides, et d'ailleurs accusé faussement d'accaparer les grains [1], est défendu inutilement par la garde nationale. Selon la coutume, pour lui sauver la vie, on l'a mené en prison, et, pour plus de sûreté, la foule a exigé qu'on l'y attachât avec un collier de fer. Mais tout d'un coup, se

1. Archives nationales, F7, 3203. Lettre du directoire du Cher, 9 avril 1790, — *Ib.*, F7, 3255. Lettre du 4 août 1790. Jugement du présidial, 4 novembre 1790. — Lettre de la municipalité de Saint-Étienne, 5 août 1790.

ravisant, elle enfonce la porte, le traîne dehors et l'assomme. Étendu à terre, il remuait encore la tête et y portait la main, lorsqu'une femme, ramassant une grosse pierre, lui brisa le crâne. — Ce ne sont point là des faits isolés. Aux mois de juillet et d'août 1789, dans presque toutes les villes du royaume, les barrières ont éte brûlées, et l'Assemblée nationale a beau ordonner de les rétablir, maintenir les droits et les octrois, expliquer au peuple les besoins publics, lui rappeler pathétiquement qu'elle l'a déjà soulagé d'ailleurs, le peuple aime bien mieux se soulager lui-même, tout de suite et tout à fait. Plus d'impôts sur les objets de consommation ni au profit de l'État, ni au profit des villes. « Les perceptions d'entrées sur les « vins et les bestiaux, écrit la municipalité de Saint-Étienne, « sont presque nulles, et nos forces insuffisantes pour les « appuyer. » — A Cambrai[1], deux émeutes successives ont obligé le bureau des aides et le Magistrat de la ville à diminuer de moitié les droits sur la bière. Mais « le mal, « borné d'abord à un coin de la province, s'est bientôt « propagé ; » à présent, écrivent les grands baillis de Lille, Douai et Orchies, « nous n'avons presque plus de bureaux « qui n'aient essuyé des avanies, et où l'impôt ne soit « absolument à la discrétion du peuple. » Ceux-là seuls payent qui le veulent bien ; aussi « la fraude ne saurait être « plus grande qu'elle n'est. » — En effet les contribuables sont ingénieux pour se défendre, et trouvent des arguments ou des arguties pour se soustraire aux droits. A Cambrai ils alléguaient que, puisque maintenant les privilégiés payent comme les autres, le trésor doit être assez riche[2]. A Noyon, Ham, Chauny et dans les paroisses circonvoi-

1. Archives nationales, F7, 3248. Lettre de M. Sénac de Meilhan, 10 avril 1790. — Lettre des grands baillis, 30 juin 1790.

2. Buchez et Roux, VI, 403. Rapport de Chabroud sur l'insurrection de Lyon des 9 et 10 juillet 1790. — Duvergier, *Collection des décrets.* Décrets des 4 et 15 août 1790.

sines, les bouchers, cabaretiers et aubergistes coalisés qui ont refusé les aides distinguent dans le décret spécial par lequel l'Assemblée les assujettit à la loi, et il faut un second décret spécial pour réduire ces nouveaux légistes. A Lyon, le procédé est plus simple : les trente-deux sections ont nommé des commissaires ; ceux-ci se prononcent contre l'octroi et invitent la municipalité à l'abolir. Il faut bien qu'elle y consente ; car le peuple est là et furieux. Du reste, en attendant l'autorisation, il l'a prise, il s'est porté aux barrières, il a chassé les commis, et de grandes provisions de denrées, qui, « par une prédestination singulière, » attendaient aux portes, entrent en franchise. — Contre cette mauvaise volonté universelle du contribuable, contre ces irruptions ou ces infiltrations de la fraude, le Trésor se défend comme il peut, répare sa digue emportée, bouche ses fissures, et la perception recommence. Mais comment serait-elle régulière et complète dans un État où les tribunaux n'osent juger les délinquants, où les pouvoirs publics n'osent soutenir les tribunaux[1], où la faveur populaire protége, contre les tribunaux et contre les pouvoirs publics, les bandits les mieux avérés et les vagabonds les plus malfaisants ? — A Paris, où, après huit mois d'impunité, l'instruction a commencé contre les pillards qui, le 13 août 1789, ont brûlé les barrières, les officiers de l'élection, « considérant « que leurs audiences sont devenues très-tumultueuses,

1. Archives nationales, F7, 3255. Lettre du ministre, 2 juillet 1790, au directoire de Rhône-et-Loire. «Le roi est informé que, dans l'étendue de votre « département, et notamment dans les districts de Saint-Étienne et de Montbrison, la licence est portée au comble, que les juges n'osent poursuivre, « qu'en plusieurs endroits les officiers municipaux sont à la tête du désordre, que, dans les autres, les gardes nationales n'obéissent pas aux réquisitions. » — Lettre du 5 septembre 1790. « Dans le bourg de Thisy, des « brigands se sont portés dans divers établissements de filature de coton « les ont détruits en partie, et, après avoir pillé les marchandises, les ont « publiquement vendues à l'encan. »

« que l'affluence du peuple est inquiétante, que l'on a « entendu des menaces de nature à donner de justes « alarmes, » sont contraints de surseoir, en réfèrent à l'Assemblée nationale; et celle-ci, considérant que, « si « l'on autorise les poursuites pour Paris, il faut les auto- « riser pour tout le royaume, » se décide « à voiler la sta- « tue de la Loi [1]. »

Non-seulement elle la voile, mais encore elle la défait, la refait et la mutile selon les exigences de la volonté populaire, et, en matière d'impôts indirects, tous ses décrets lui sont extorqués. — Dès l'origine, l'insurrection a été terrible contre la gabelle : dans l'Anjou seul, soixante mille hommes étaient ligués pour la détruire, et il a bien fallu abaisser le prix du sel de seize à six sous [2]. Mais cela ne suffit pas au peuple ; il a tant pâti de ce monopole qu'il ne veut pas en souffrir les restes, et il est toujours pour les contrebandiers contre les commis. — Au mois de janvier 1790, à Béziers, trente-deux employés, qui avaient saisi sur des contrebandiers armés une charge de faux sel [3], sont poursuivis par la foule jusque dans l'hôtel de ville; les consuls refusent de les défendre et se sauvent; la troupe les défend, mais en vain. Cinq sont suppliciés, horriblement mutilés, puis pendus. — Au mois de mars 1790, Necker déclare que, d'après les relevés du dernier trimestre, le déficit dans le recouvrement de la gabelle monte à plus de quatre millions par mois, c'est-à-dire aux quatre cinquièmes de la recette ordinaire, et le monopole du tabac n'est pas mieux respecté que celui du sel.

1. Buchez et Roux, VI, 345. Rapport de M. Muguet, 1er juillet 1790.

2. Procès-verbaux de l'Assemblée nationale (séance du 24 octobre 1789). — Décret du 27 septembre 1789, applicable le 1er octobre. Autres adoucissements applicables le 1er janvier 1790.

3. *Mercure de France*, 27 février 1790. (Mémoire du garde des sceaux, 16 janvier.) — Observations de M. Necker sur le rapport fait par le comité des finances, dans la séance du 12 mars 1790.

— A Tours[1], la milice bourgeoise refuse de donner main-forte aux employés, « protége ouvertement la contre-« bande, » « et le tabac de contrebande se vend publique-« ment à la foire, sous les yeux de la municipalité qui « n'ose s'y opposer. » — Par suite[2], toutes les recettes indirectes baissent à la fois. Du 1er mai 1789 au 1er mai 1790, la ferme générale, au lieu de 150 millions, n'en produit que 127; les aides et droits réunis, au lieu de 50 millions, n'en rendent que 31. Les ruisseaux qui venaient remplir le trésor public sont de plus en plus obstrués par les résistances populaires, et, sous la pression populaire, l'Assemblée finit par les boucher tout à fait. Au mois de mars 1790[3], elle abolit la gabelle, les traites, les droits sur les cuirs, l'huile, l'amidon et la marque des fers. Aux mois de février et de mars 1791, elle abolit les octrois et droits d'entrée dans toutes les villes et bourgs du royaume, tous les droits d'aides ou réunis aux aides, notamment toutes les taxes qui pèsent sur la fabrication, la vente ou la circulation des boissons. — A la fin le peuple l'a emporté, et, le 1er mai 1791, jour de l'application du décret, la garde nationale de Paris fait le tour des murs en jouant des airs

1. Archives nationales, H, 1453. Correspondance de M. de Bercheny, 24 avril, 4 et 6 mai 1790. « Il est bien à craindre que l'impôt du tabac n'ait « le même sort que celui du sel. »

2. *Mercure de France*, 31 juillet 1790 (séance du 10 juillet). M. Lambert, contrôleur général des finances, informe l'Assemblée « des obstacles que des « insurrections continuelles, des brigandages, des maximes de liberté anar-« chique, imposent, d'un bout de la France à l'autre, à la perception des « taxes. D'un côté, on persuade au peuple qu'en refusant avec fermeté un « impôt contraire à ses droits il en obtiendra l'abolition. Ailleurs, la contre-« bande se fait à force ouverte; le peuple la protége, et les gardes natio-« nales refusent de marcher contre la nation. En d'autres lieux, on excite « des haines, des divisions entre les troupes et les préposés aux barrières : « ceux-ci sont massacrés, les bureaux incendiés, pillés, et les prisons for-« cées. » — Mémoire à l'Assemblée nationale, par M. Necker, 21 juillet 1790.

3. Décrets des 21 et 22 mars 1790, applicables le 21 avril suivant. — Décrets des 19 février et 2 mars 1791, applicables le 1er mai suivant.

patriotiques. Le canon des Invalides et celui du Pont-Neuf tonnent comme pour une victoire. Le soir, on illumine; toute la nuit, on boit, et la kermesse est universelle. En effet la bière est à trois sous le pot, le vin à six sous la pinte; c'est une baisse de moitié, et il n'y a pas de conquête plus populaire, puisqu'elle met l'ivresse à la portée de tous les gosiers[1].

Reste à pourvoir aux charges que défrayait l'octroi supprimé. En 1790, celui de Paris avait produit 35 910 859 livres dont 25 059 446 pour l'État, et 10 851 413 pour la ville. Comment la ville va-t-elle maintenant payer son guet, ses réverbères, le balayage de ses rues et l'entretien de ses hôpitaux? Comment vont faire les douze cents autres villes et bourgs qui, du même coup, se trouvent dans le même cas? Comment va faire l'État qui, par l'abolition de la ferme générale, des entrées et des aides, s'est privé tout d'un coup des deux cinquièmes de son revenu? — Au mois de mars 1790, quand l'Assemblée a supprimé la gabelle et autres droits, elle a établi en remplacement une taxe de 50 millions à répartir sur l'impôt direct et sur les entrées des villes. Par conséquent, à présent que les entrées sont abolies, cette charge nouvelle tout entière retombé *sur l'impôt direct*. Est-il rentré, et rentrera-t-il? — Certainement, à travers tant d'émeutes, l'impôt indirect est difficile à percevoir. Pourtant, il révolte moins que l'autre, parce que les prélèvements de l'État y disparaissent dans le prix de la denrée, et que le fisc y cache sa main sous la main du marchand. Hier l'employé a passé dans la boutique, présenté son papier timbré : le débitant a payé sans trop de répugnance, sachant que demain il sera remboursé et au delà par le chaland ; la perception indirecte est achevée. S'il y a maintenant difficulté et débat,

1. De Goncourt, *La société française pendant la Révolution*, 204. — Maxime Du Camp, *Paris, sa vie et ses organes*, VI, 11.

ce sera entre le débitant et le contribuable qui vient à la boutique faire ses petites provisions ; celui-ci gronde, mais contre la cherté, parce qu'il la sent, et peut-être contre le débitant qui empoche sa pièce blanche ; il ne s'en prend point à l'employé du fisc qu'il ne voit pas et qui n'est plus là. — Au contraire, dans la perception de l'impôt direct, c'est l'employé visible et présent qui lui enlève cette précieuse pièce blanche. De plus ce voleur autorisé ne lui donne rien en échange : sa perte est sèche ; quand il sortait de la boutique, c'était avec une cruche de vin, un pot de sel, ou autres denrées semblables ; quand il sort du bureau, il n'a dans la main qu'une quittance, un mauvais morceau de papier griffonné. — Or, à présent, il est maître dans sa commune, électeur, garde national, maire, seul autorisé à employer la force armée et chargé de se taxer lui-même. Venez donc lui demander de déterrer le magot enfoui où il a mis tout son cœur et toute son âme, le pot de terre où ses pièces blanches sont venues s'entasser une à une et qu'il a sauvé pendant tant d'années, au prix de tant de misères et de jeûnes, à la barbe du garnisaire, à travers les persécutions du subdélégué, de l'élu, du collecteur et du commis !

Du 1er mai 1789 au 1er mai 1790[1], les recettes générales, taille, accessoires de la taille, capitation, vingtièmes, au lieu de 161 millions, n'en rapportent que 28 ; dans les pays d'États, au lieu de 28 millions, le trésor en touche 6. Sur la contribution patriotique qui devait prélever le quart de tous les revenus au delà de 400 livres et 2 1/2 pour 100 de l'argenterie, des bijoux, de tout l'or et de tout l'argent monnayé que chacun avait en réserve, l'État a reçu 9 700 000 livres. Quant aux dons patriotiques, leur

1. Compte des revenus et dépenses au 1er mai 1789. — Mémoire de M. Necker, 21 juillet 1790. — Mémoires présentés par M. de Montesquiou, 9 septembre 1791. — Comptes rendus par le ministre Clavières, 5 octobre 1792, 1er février 1793. — Rapport de Cambon, février 1793.

total, y compris les boucles d'argent des députés, n'atteint que 361 587 francs; et, plus on examine les alentours de ces chiffres, plus on voit se réduire l'apport du villageois, de l'artisan, de l'ancien taillable. — En effet, depuis le mois d'octobre 1789, les privilégiés sont portés au rôle des contributions, et certainement ils forment la classe la plus aisée, la plus sensible aux idées générales, la plus véritablement patriote. Il est donc probable que, sur les 43 millions qui rentrent de l'impôt direct et de la contribution patriotique, ils ont versé la plus grosse part, peut-être les deux tiers, peut-être les trois quarts. En ce cas, pendant la première année de la Révolution, le paysan, l'ancien contribuable n'aura rien ou presque rien tiré de sa poche. Par exemple, pour la contribution patriotique, l'Assemblée a laissé à la conscience de chacun le soin de fixer sa cote : au bout de six mois, elle découvre que les consciences sont trop larges, et se trouve obligée de confier ce droit aux municipalités. Par suite[1], tel qui se taxait à quarante-huit livres est taxé à cent cinquante; tel autre, cultivateur, qui avait offert six livres, est jugé capable d'en verser cent. Dans un régiment, ce sont toujours les mêmes, une petite élite de braves, qui vont au-devant des balles. Dans un État, ce sont toujours les mêmes, une petite élite de gens probes, qui vont au-devant du percepteur. Il faut une contrainte efficace, dans le régiment pour suppléer à la bravoure de ceux qui n'en ont guère, dans l'État pour suppléer à la probité de ceux qui n'en ont pas. — C'est pourquoi, pendant les huit mois qui suivent, du 1er mai 1790 au 1er janvier 1791, la contribution patriotique ne fournit que 11 millions. Deux ans après, le 1er février 1793, sur les quarante mille rôles communaux qui doivent la répartir, il y en a sept mille qui ne sont pas encore faits; sur 180 mil-

1. Boivin-Champeaux, 231.

lions qu'elle devrait produire, 73 millions sont encore dus. — Or, dans toutes les branches de la recette, la résistance du contribuable produit un déficit semblable et des retards pareils[1]. Au mois de juin 1790, un député déclare à la tribune que, « sur trente-six millions d'impositions qu'on de« vrait recevoir par mois, on n'en reçoit que neuf[2]. » Au mois de novembre 1791, un rapporteur du budget dit que les recettes, qui devraient monter à quarante ou quarante-huit millions par mois, ne dépassent pas onze millions et demi. Au 1er février 1793, sur les impôts directs de 1789 et 1790, il reste encore dû cent soixante-seize millions. — Visiblement, contre les anciennes taxes, même autorisées et prolongées par l'Assemblée constituante, le peuple lutte de toute sa force, et l'on n'obtient de lui que ce qu'on peut lui arracher.

Sera-t-il plus docile aux taxes nouvelles? L'Assemblée l'y exhorte et lui représente que, soulagé comme il l'est et patriote comme il doit l'être, il peut et doit s'acquitter. Il le peut; car, étant dispensé de la dîme, des droits féodaux, de la gabelle, des octrois et des aides, à présent il est à son aise. Il le doit, car les impôts adoptés sont indispensables à l'État, équitables, répartis sur tous à proportion des fortunes, encaissés et dépensés sous un contrôle sévère, sans détournement ni gaspillage, selon des comptes exacts, clairs, périodiques et vérifiés. Sans nul doute, à partir du 1er janvier 1791, date du nouveau régime financier, chaque contribuable s'empressera de payer en bon citoyen, et les deux cent quarante millions du nouvel impôt foncier, les soixante millions du nouvel impôt mobilier, sans compter les autres, droits d'enregis-

1. *Mercure de France*, 28 mai 1791 (séance du 22 mai). — Discours de M. d'Allarde : « La Bourgogne n'a encore rien payé de 1790. »

2. *Moniteur*, séance du 1er juin 1790. Discours de M. Freteau. — *Mercure de France*, 26 novembre 1791. Rapport de Lafont-Ladebat.

trement, de patente et de douane, rentreront d'eux-mêmes, aisément et régulièrement.

Par malheur, avant que le percepteur puisse toucher les deux premières contributions, il faut qu'elles soient réparties, et à travers la complication des écritures, des formalités, des réclamations, parmi les résistances et les ignorances locales, l'opération se prolonge indéfiniment. L'impôt mobilier et foncier de 1791 n'est distribué par l'Assemblée entre les départements qu'au mois de juin 1791. Il n'est distribué par les départements entre les districts qu'aux mois de juillet, août et septembre 1791. Il n'est distribué par les districts entre les communes qu'aux mois d'octobre, novembre et décembre 1791. Ainsi, aux dernier mois de 1791, il n'est pas encore distribué par les communes entre les contribuables; d'où il suit que, sur l'exercice de 1791, pendant toute l'année 1791, le contribuable n'a rien payé. — Enfin, en 1792, chacun commence à recevoir sa cote. Avec quelle partialité et quelles dissimulations ces cotes sont faites, il faudrait un volume pour le dire. C'est que d'abord l'emploi de répartiteur est dangereux, et que les municipalités, chargées d'appliquer à chacun sa quote-part, ne sont pas à leur aise dans la maison commune. Déjà, en 1790[1], les officiers municipaux de Montbazon ont été menacés de mort, si, au rôle de la taille, ils osaient taxer l'industrie, et ils se sont sauvés à

1. Archives nationales, H, 1453. Correspondance de M. de Bercheny, 5 juin 1790, etc. — F7, 3226. Lettres de Chenantin, cultivateur, 7 novembre 1792, et du procureur syndic, 6 novembre. — F7, 3269. Procès-verbal de la municipalité de Clugnac, 5 août 1792. — F7, 3202. Lettre du ministre de la justice, Duport, 3 janvier 1792. « Le défaut absolu de force publique dans « le district de Montargis y rend absolument impossible toute opération du « gouvernement et toute exécution des lois. L'arriéré des impôts à recou- « vrer y est très-considérable, et les contraintes dangereuses à décerner et « impossibles à mettre à exécution, tant par la crainte des huissiers qui « n'osent s'en charger, que par la violence des contribuables auxquels on « n'a aucun frein à opposer. »

Tours au milieu de la nuit. A Tours même, trois ou quatre cents insurgés du voisinage, traînant avec eux les officiers municipaux de trois bourgades, sont venus déclarer aux autorités de la ville « que, pour toute imposition, ils « ne voulaient payer que quarante-cinq sous par ménage. » J'ai conté comment en 1792, dans le même département, « on tue, on assassine les municipaux » qui ont la hardiesse de publier les rôles de la contribution mobilière. Dans la Creuse, à Clugnac, au moment où le greffier en donne lecture, des femmes se jettent sur lui, lui arrachent le rôle, « le déchirent avec mille imprécations »; le conseil municipal est assailli; deux cents personnes lui lancent des pierres; un de ses membres est renversé; on lui rase les cheveux, et on le promène avec dérision dans le village. — Quand le petit contribuable se défend ainsi, on est averti de le ménager. Aussi bien, dans ces conseils de villageois, la répartition se fait de compère à compère. On se décharge en chargeant autrui : « on taxe « les propriétaires; on veut leur faire supporter tout « l'impôt. » Surtout on taxe à outrance le noble, l'ancien seigneur, tellement qu'en plusieurs endroits son revenu ne suffit pas à payer sa cote. — D'autre part, on se fait pauvre; on fausse ou on esquive les prescriptions de la loi. « Dans la plupart des municipalités, les maisons, bâ- « timents, usines[1], ne sont évalués qu'en raison de al « valeur de la superficie, estimée comme terre de première « classe, ce qui réduit leur cote à presque rien. » Et cette fraude n'a pas été pratiquée seulement dans les villages. « On pourrait citer des communes de huit à dix « mille âmes de population, qui se sont si bien concertées « à cet égard, qu'il ne s'y trouve point de maison estimée

1. Rapport au comité des finances par Ramel, 19 floréal an II. (La Constituante avait fixé la contribution foncière d'une maison au sixième de sa valeur locative.)

« au-dessus de cinquante sous. » — Dernier expédient : la commune diffère le plus qu'elle peut la confection de ses rôles. Le 30 janvier 1792, sur 40 911, il n'y en a encore que 2560 définitifs; au 5 octobre 1792, dans 4800 municipalités, les matrices ne sont pas faites; et notez qu'il s'agit d'un exercice terminé depuis plus de neuf mois. A la même date, il y a plus de six mille communes qui n'ont pas encore commencé à percevoir la contribution foncière de 1791, plus de quinze mille communes qui n'ont pas encore commencé à percevoir la contribution mobilière de 1791; sur ces deux impositions, le Trésor et les départements n'ont encore touché que 152 millions, il en reste dû 222. Au 1er février 1793, sur le même exercice, il reste encore dû 161 millions, et, des 50 millions établis en 1790 pour remplacer la gabelle et autres droits supprimés, on en a touché 2. Enfin à cette même date, sur les deux contributions directes de 1792, qui devaient produire 300 millions, on a recouvré moins de 4 millions. — C'est un adage de débiteur qu'il ne faut payer que le plus tard possible. Quel que soit le créancier, État ou particulier, à force de traîner en longueur, on en tirera pied ou aile. L'adage est vrai, et, cette fois encore, le succès en va prouver la justesse. Pendant l'année 1792, le paysan commence à solder une portion de son arriéré, *mais c'est en assignats*. Or, en janvier, février et mars 1792, les assignats perdent trentre-quatre, quarante et quarante-sept pour cent; en janvier, février et mars 1793, quarante-cinq et cinquante pour cent; en mai, juin et juillet 1793, cinquante-quatre, soixante et soixante-sept pour cent. Ainsi la vieille créance de l'État a fondu entre ses mains; ceux qui ont gardé leurs écus gagnent cinquante pour cent et davantage. Bien mieux, plus ils atermoient, plus leur dette diminue, et déjà, à force de délais, ils ont trouvé le moyen de se libérer à moitié prix.

En attendant, ils font main basse sur les biens fonciers

mal défendus de ce créancier trop faible. — Il est toujours difficile à des cerveaux bruts de se figurer comme une personne véritable, comme un propriétaire légitime, cet être abstrait, vague, invisible qu'on nomme l'État, surtout quand on leur répète que l'État c'est tout le monde. Ce qui est à tout le monde est à chacun, et, puisque les forêts sont au public, le premier venu a le droit d'en user. Au mois de décembre 1789[1], dans les bois de Boulogne et de Vincennes, des bandes de soixante hommes et davantage abattent les arbres. Au mois d'avril 1790, dans la forêt de Saint-Germain, « jour et nuit, les patrouilles ar« rêtent des délinquants de tout genre ; » remis aux gardes nationales voisines et aux municipalités, ils sont « relâchés presque aussitôt, même avec les bois coupés « en fraude. » Contre « les insultes et les menaces réi« térées du bas peuple, » nulle répression ; un attroupement de femmes excitées par un ancien garde-française vient piller, à la barbe de l'escorte, une voiture de fagots confisquée au profit d'un hospice, et, dans la forêt, des bandes de maraudeurs font feu sur les patrouilles. — A Chantilly, trois officiers de chasse[2] sont blessés mortellement ; pendant dix-huit jours consécutifs, les deux parcs sont dévastés ; tout le gibier est tué, transporté à Paris, vendu. — A Chambord, le lieutenant de la maréchaussée

1. *Mercure de France*, 12 décembre 1789. — Archives nationales, F7, 3268. Mémoire des officiers commandant le détachement de la garde nationale parisienne en station à Conflans-Sainte-Honorine (avril 1790). Certificat des officiers municipaux de Poissy, 31 mars.

2. *Mercure de France*, 12 et 26 mars 1791. — Archives nationales, H, 1453. Lettre du lieutenant de la maréchaussée de Blois, 22 avril 1790. — *Mercure de France*, 24 juillet 1790. Deux des meurtriers disaient à ceux qui voulaient sauver l'officier de la maîtrise : « On pend bien à Paris. Allez, vous êtes des aristocrates. On parlera de nous dans les gazettes de Paris. » (Dépositions des témoins.) — Décrets et proclamations pour la protection des forêts, 3 novembre et 11 décembre 1789. — Autre en octobre 1790. — Autre le 29 janvier 1791.

écrit pour annoncer son impuissance; les bois sont ravagés et même incendiés; ce sont les braconniers qui maintenant sont les seigneurs du lieu; ils ont fait brèche aux murs et dessèchent les étangs pour mettre le poisson à sec. — A Claix, en Dauphiné, un officier de la maîtrise, ayant obtenu contre les habitants la défense de couper du bois dans des îlots affermés, est saisi, supplicié pendant cinq heures, puis assommé à coups de pierres. — Vainement l'Assemblée nationale, par trois décrets et règlements, a mis les forêts sous la surveillance et la protection des corps administratifs; ils ont trop peur de leurs administrés. Entre le pouvoir central qui est débile et lointain et le peuple qui est fort et présent, c'est pour le peuple qu'ils se décident. Des cinq municipalités qui entourent Chantilly, aucune ne veut prêter main-forte à la loi, et le directoire du district, le directoire du département, autorisent leur inertie. — Pareillement, près de Toulouse[1], où la superbe forêt de Larramet est dévastée en plein jour et à main armée, où le gaspillage populaire n'a rien laissé du taillis et des futaies que « quelques « arbres épars et des restes de troncs coupés à diverses « hauteurs, » les municipalités de Toulouse et de Tournefeuille refusent toute assistance. Bien pis, en d'autres provinces, par exemple, en Alsace, « des municipalités « entières, leurs maires en tête, coupent les bois qui sont « à leur bienséance et les emportent[2] » — Si quelque tribunal veut appliquer la loi, c'est sans effet, à ses propres risques, au risque de ne pouvoir juger ou d'être contraint de se déjuger. A Paris, la sentence préparée contre les incendiaires de l'octroi n'a pu être rendue. A Montargis,

1. Archives nationales, F7, 3219. Lettre du bailli de Virieu, 26 janvier 1792.

2. *Mercure de France*, 3 décembre 1791. (Lettre de Sarrelouis, du 15 novembre 1791). — Archives nationales, F7, 3223. Lettre des officiers municipaux de Montargis, 8 janvier 1792.

la sentence rendue contre les maraudeurs, qui volaient des charretées de bois dans les forêts nationales, a dû être réformée, et par les juges eux-mêmes. Au moment où le tribunal prononçait la confiscation des charrettes et des bêtes saisies, des cris de fureur se sont élevés contre lui; il a été insulté par l'assistance; les condamnés ont déclaré tout haut qu'ils reprendraient de force leurs charrettes et leurs bêtes. Sur quoi « les juges se retirent dans « la chambre du conseil, et bientôt après, remontant « sur leurs siéges, annulent dans leur jugement tout ce « qui regarde la confiscation. »

Pourtant, cette justice, si dérisoire et si violentée qu'elle soit, est encore un reste de barrière. Quand elle tombe avec le gouvernement, tout est en proie; il n'y a plus de propriétés publiques.—A partir du 10 août 1792, chaque commune ou particulier s'en approprie ce qui lui convient, produit ou sol. Les déprédateurs vont jusqu'à dire que, puisque le gouvernement ne les réprime plus, il les autorise[1]. « Ils ont détruit jusqu'à des plantations ré« centes de jeunes arbres. » Tel village près de Fontainebleau s'est partagé et a défriché un morceau entier de la futaie. A Rambouillet, du 10 août à la fin d'octobre, « la perte est de plus de 100 000 écus, » et les agitateurs ruraux demandent avec menaces le partage de la forêt entre les habitants. Partout « les dévastations sont énor« mes, » prolongées pendant des mois entiers, et telles, dit le ministre, que cette source de revenu public est pour longtemps tarie. — Les biens communaux ne sont pas plus respectés que les biens nationaux. Dans chaque commune, les gens hardis et besoigneux, la populace rurale les exploite et en jouit, par privilége. Non con-

1. Archives nationales, F7, 3268. Lettre du directeur des domaines nationaux à Rambouillet, 31 octobre 1792. — Compte rendu du ministre Clavières, 1er février 1793.

tente de la jouissance, elle en veut encore la propriété, et, quatre jours après la chute du roi, l'Assemblée législative, perdant pied dans la débâcle universelle, donne aux indigents la faculté de pratiquer la loi agraire[1]. Désormais il suffira que, dans une commune, le tiers des habitants des deux sexes, servantes, manouvriers, bergers, valets de ferme ou d'écurie, et même pauvres à l'aumône, demande le partage des communaux. Tous les communaux, sauf les édifices publics et les bois, seront partagés en autant de lots égaux qu'il y aura de têtes; les lots seront tirés au sort, et chaque individu prendra possession de son morceau. L'opération s'exécute, car « elle flatte infiniment les habitants les moins aisés. » Dans le district d'Arcis-sur-Aube, sur quatre-vingt-dix communes, il n'y en a qu'une douzaine où plus des deux tiers des votants aient eu le bon sens de se prononcer contre elle. Dorénavant, la commune cesse d'être un propriétaire indépendant; elle n'a plus de réserve. En cas de détresse, il faut qu'elle se taxe et touche, si elle peut, les sous additionnels. Son revenu futur réside à présent dans la poche bien fermée des nouveaux propriétaires. — Cette fois encore, des convoitises privées ont fait prévaloir leurs courtes vues. National ou communal, c'est toujours l'intérêt public qui succombe, et il succombe toujours sous l'usurpation des minorités indigentes, tantôt par la faiblesse du pouvoir public qui n'ose s'opposer à leurs violences, tantôt par la complicité du pouvoir public qui leur confère les droits de la majorité.

1. Décrets du 14 août 1792, du 10 juin 1793. — Archives nationales, Missions des Représentants, D, § 1. (Délibération du district de Troyes, 2 ventôse an III.) — A Thunelières, le tirage des lots a eu lieu le 10 fructidor an II, et on l'a recommencé en faveur de la servante de Billy, officier municipal très-influent, et qui « était l'âme de ses collègues. » — *Ib.*, Précis des opérations du district d'Arcis-sur-Aube, au 30 pluviôse an III. « Les deux « tiers des communes ont de ces sortes de biens. La majeure partie a voté « et effectué le partage, ou s'en occupe actuellement. »

IV

Quand la force publique manque pour protéger les propriétés publiques, elle manque aussi pour protéger les propriétés privées ; car les mêmes convoitises et les mêmes besoins s'attaquent aux unes et aux autres. Que l'on doive à l'État ou à un particulier, la tentation de ne pas payer est toujours égale. Dans les deux cas, il suffit de trouver un prétexte pour nier la dette, et, pour trouver ce prétexte, la cupidité du tenancier vaut l'égoïsme du contribuable. « Puisque le régime féodal est aboli, il faut que rien n'en subsiste ; plus de créances seigneuriales. Si là-bas, à Paris, l'Assemblée en a maintenu plusieurs, c'est par mégarde ou par corruption ; nous apprendrons bientôt qu'elle les a supprimées toutes. En attendant, faisons-nous donner quittance, et allons brûler les titres là où ils sont. »

Sur ce raisonnement, la jacquerie recommence ; à vrai dire, elle est universelle et permanente. Comme dans un corps où les éléments derniers de la substance vivante sont altérés par un trouble organique, on démêle le mal dans les parties qui semblent saines ; là où il n'éclate pas il est sur le point d'éclater ; une anxiété continuelle, un malaise profond, une fièvre sourde, dénotent sa présence. Ici le débiteur ne paie pas, et le créancier n'ose poursuivre. Ailleurs ce sont des éruptions isolées : à Auxon[1], dans un domaine épargné par la grande jacquerie de

1. *Mercure de France*, 7 janvier 1790. (Château d'Auxon dans la Haute-Saône.) — Archives nationales, F7, 3255. (Lettre du ministre au directoire de Rhône-et-Loire, 2 juillet 1790.) — *Mercure de France*, 17 juillet 1790. (Rapport de M. de Broglie, 13 juillet, et décret des 13-18 juillet.) — Archives nationales, H, 1453. (Correspondance de M. de Bercheny, 21 juillet 1790.)

juillet 1789, les bois sont ravagés, et les paysans, furieux d'être dénoncés par les gardes, marchent sur le château occupé par un vieillard et par une enfant : tout le village est venu, hommes et femmes ; à coups de hache ils défoncent la porte barricadée et tirent sur les voisins qui viennent au secours. — En d'autres endroits, dans les districts de Saint-Étienne et de Montbrison, « on enlève impunément les arbres des propriétaires, on démolit leurs murs de clôture et de terrasse; ceux qui se plaignent sont menacés de mort et de voir abattre leurs maisons. » Près de Paris, autour de Montargis, Nemours et Fontainebleau, nombre de paroisses refusent d'acquitter les droits de dîme et de champart que l'Assemblée vient de consacrer une seconde fois; on dresse des potences avec menace d'y accrocher les percepteurs, et, aux environs de Tonnerre, les redevables attroupés tirent sur la maréchaussée qui vient protéger les redevances. — Là bas, près d'Amiens, la comtesse de la Mire [1], dans sa terre de Davencourt, voit arriver chez elle la municipalité du village qui l'invite à renoncer à ses droits de champart et de tiers. Elle refuse ; on insiste. Elle refuse encore; on l'avertit « qu'il lui arrivera malheur. » En effet, deux officiers municipaux font sonner le tocsin, et le village accourt avec des armes. Un domestique a le bras cassé par une balle: pendant trois heures, la comtesse et ses deux enfants sont chargés d'avanies et de coups; on la force à signer un papier qu'on ne lui permet pas de lire; en parant un coup de sabre, elle a le bras fendu, du coude au poignet; le château est pillé; elle ne parvient à s'évader que grâce au zèle de quelques domestiques. — En même temps, de

1. *Mercure de France*, 19 mars 1790. Lettre d'Amiens, 28 février. (Mallet-Dupan ne publie dans le *Mercure* que des lettres signées et authentiques.)

larges éruptions s'étalent sur des provinces entières; presque sans interruption l'une succède à l'autre, et la fièvre reprend des portions qu'on croyait guéries, tant qu'enfin ces ulcères confluents se rejoignent et font une seule plaie de toute la surface du corps social.

A la fin de décembre 1789, la fermentation chronique devient aiguë en Bretagne. Selon l'ordinaire, les imaginations ont forgé un complot, et, au dire du peuple, si le peuple attaque, c'est pour se défendre. Le bruit a couru[1] que M. de Goyon, près de Lamballe, vient de réunir dans son château nombre de gentilshommes et six cents soldats. Aussitôt le maire et la garde nationale de Lamballe sont partis en force; ils l'ont trouvé chez lui tout pacifique, sans autre compagnie que deux ou trois amis, et sans autres armes que quatre fusils de chasse. — Mais le branle est donné, et, le 15 janvier, la grande fédération de Pontivy a exalté les cervelles. On a bu, chanté, crié, célébré les décrets nouveaux, devant des paysans armés qui n'entendent pas le français, encore bien moins les termes légaux, et qui, au retour, raisonnant entre eux en bas-breton, interprètent la loi d'une étrange manière. « A leur sens, un décret de l'Assemblée nationale est un « *décret de prise de corps;* » or les principaux décrets de l'Assemblée sont contre les nobles; donc ce sont là, contre les nobles, autant de décrets de prise de corps. — Quelques jours après, vers la fin de janvier, pendant tout le mois de février et jusqu'au mois d'avril, l'opération s'exécute tumultuairement, par des attroupements de villageois et de vagabonds, autour de Nantes, Auray, Redon, Dinan, Ploërmel, Rennes, Guingamp, et d'autres villes encore.

1. Archives nationales, KK, 1105. (Correspondance de M. de Thiard; lettres du chevalier de Bévy, 26 décembre 1789, et autres, jusqu'au 5 avril 1790). — *Moniteur*, séance du 9 février 1790. — *Mercure de France*, 6 février et 6 mars 1790. (Liste des châteaux.)

Partout, écrit le maire de Nantes[1], « les gens de la cam-« pagne croient s'affranchir de leurs redevances en brû-« lant les titres ; dans cette persuasion, les meilleurs « d'entre eux y concourent, » ou laissent faire ; et les excès sont énormes, parce que plusieurs exercent « des « vengeances particulières, et que tous sont échauffés « par le vin. » — A Beuvres, « les paysans et vassaux de « la seigneurie, après avoir brûlé les titres, s'établissent « dans le château et menacent de l'incendier, si on ne leur « livre d'autres papiers qu'ils prétendent qu'on leur ca-« che. » Près de Redon, l'abbaye de Saint-Sauveur est réduite en cendres. Redon est menacé ; Ploërmel est presque assiégé. Au bout d'un mois, on compte trente-neuf châteaux attaqués, vingt-cinq où les titres ont été brûlés, douze où les propriétaires ont dû signer l'abandon de leurs droits. Deux châteaux qui commençaient à flamber ont été sauvés par la garde nationale. Celui du Bois-au-Voyer a été incendié tout à fait ; plusieurs ont été saccagés. Par surcroît, « plus de quinze « procureurs fis-« caux, greffiers, notaires, officiers de justice seigneuriale, « ont été pillés ou brûlés, » et les propriétaires se réfugient dans les villes, parce que la campagne est maintenant inhabitable pour eux.

En même temps, sur un autre point, une seconde tumeur s'est ouverte[2]. Elle a percé dans le bas Limousin dès le commencement de janvier ; de là l'inflammation purulente a gagné le Quercy, le haut Languedoc, le Pé-

1. Archives nationales, KK. 1105. (Correspondance de M. de Thiard.) — Lettres du maire de Nantes, 16 février 1790, de la municipalité de Redon, 19 février, etc.

2. *Mercure de France*, 6 et 27 février 1790. (Discours de M. de Foucault, séances des 2 et 6 février.) — *Moniteur* (mêmes dates). (Rapport de Grégoire, 9 février, discours de M. Sallé de Chaux et de M. de Noailles, 9 février.) — Mémoire des députés de la ville de Tulle, rédigé par l'abbé Morellet (d'après les délibérations et adresses des quatre-vingt-trois bourgs et villes de la province).

rigord, le Rouergue, et, au mois de février, depuis Tulle jusqu'à Montauban, depuis Agen jusqu'à Périgueux et Cahors, elle couvre trois départements. — Là aussi, selon la règle, l'attente a créé son objet. A force de souhaiter une loi qui supprime toutes les redevances, on se figure qu'elle est faite ; et l'on répète que « le roi et l'Assemblée « nationale ont ordonné des députations pour planter le « Mai et pour *éclairer* les châteaux. » — De plus, et toujours selon l'usage, les bandits, les gens sans aveu sont en tête avec les furieux, et conduisent l'opération à leur manière. Dès qu'une bande s'est formée, elle arrête sur les chemins, dans les champs, dans les chaumières isolées, les campagnards tranquilles qu'elle aura soin de mettre en avant, si l'on en vient aux coups. — A la contrainte elle ajoute la terreur. Des potences sont dressées pour quiconque payera les droits casuels ou les redevances annuelles, et des paroisses du Quercy menacent leurs voisins du Périgord de les mettre à feu et à sang sous huitaine, s'ils ne font pas en Périgord ce qu'elles font en Quercy. — Le tocsin sonne, le tambour bat, et, de commune en commune, « la cérémonie » s'accomplit. On prend de force au curé les clefs de l'église, on en brûle les bancs et parfois les boiseries marquées aux armes du seigneur. On va chez le seigneur, on arrache ses girouettes et on l'oblige à fournir son plus bel arbre avec plumes et rubans pour l'orner, sans oublier les trois mesures avec lesquelles il prélève ses redevances en grains ou farine. On plante ce mai sur la place du village, on attache au sommet les girouettes, les rubans, les plumes, les trois mesures et cette inscription : « Par ordre du roi et de l'Assemblée « nationale, quittance finale des rentes. » Cela fait, il est visible que le seigneur, n'ayant plus ni girouettes, ni banc à l'église, ni mesures à prélèvement, n'est plus seigneur et ne pourra plus rien prélever. Partant, acclamations, kermesse et orgie sur la place. Seigneur, curé, riches, quiconque peut payer est mis à contribution; on mange, on boit, « le peuple ne désenivre « pas. » — En cet état, comme il a des armes, il frappe, et, quand on lui résiste, il incendie. Dans l'Agénois un château à M. de Lameth, un autre à M. d'Aiguillon, dans le haut Languedoc celui de M. de Bournazel, dans le Périgord celui de M. de Bar, sont brûlés; M. de Bar est assommé de coups; six autres sont tués dans le Quercy. Nombre de châteaux aux environs de Montauban et dans le Limousin sont assiégés à coups de fusil; plusieurs sont pillés. — Des bandes de douze cents hommes sont en campagne : « on en veut à toutes les propriétés; » on répare les torts; « on juge à nouveau des procès jugés de« puis trente ans, et l'on rend des sentences qu'on exé« cute. » — Si quelqu'un manque au nouveau code, il est puni, et au profit des nouveaux souverains : dans l'Agénois, un gentilhomme ayant payé la rente que comportait son fief, le peuple lui prend sa quittance, le met à l'amende d'une somme égale à celle qu'il a versée, et vient sous ses fenêtres manger cet argent, en triomphe et avec dérision.

Contre ces fourmilières soulevées d'usurpateurs brutaux, plusieurs gardes nationales encore énergiques, beaucoup de municipalités encore amies de l'ordre, nombre de gentilshommes encore résidants usent de leurs armes. Quelques brigands, arrêtés en flagrant délit, sont jugés prévôtalement, et, sur-le-champ, exécutés pour l'exemple. Pour tous les gens du pays, le péril social est manifeste et pressant : si de tels attentats restaient impunis, il n'y aurait plus de propriétés ni de lois en France. Aussi bien, le parlement de Bordeaux requiert des poursuites; quatre-vingt-trois bourgs et villes signent des adresses et envoient à l'Assemblée nationale une députation extraordinaire pour demander que l'on continue les procédures commencées, que l'on punisse les coupables détenus, et surtout que l'on maintienne les prévôtés. — En réponse, l'Assemblée inflige l'improbation la plus rude au parlement de Bordeaux, et commence la démolition de tout l'ordre judiciaire [1]. Dès à présent elle sursoit à l'exécution de tous les jugements prévôtaux. Quelques mois plus tard, elle obligera le roi à déclarer que les procédures instruites contre la jacquerie de la Bretagne seront regardées comme non avenues, et que les mutins arrêtés seront mis en liberté. Pour toute répression, elle expédie au peuple français une exhortation sentimentale, douze pages de fadeurs littéraires, qui semblent écrites par Florian pour ses Estelle et ses Némorin [2]. — Par une conséquence inévitable, aux alentours du brasier mal éteint, de nouveaux foyers s'allument. Dans le district de Saintes [3], M. Dupaty, conseiller au parlement de Bordeaux, après avoir épuisé les voies de douceur, avait fini par assigner ceux de ses tenanciers qui ne voulaient pas lui payer ses rentes; là-dessus, la paroisse de Saint-Thomas de Cosnac, jointe à cinq ou six autres, s'ébranle et vient assaillir ses deux châteaux de Bois-Roche et de Saint-Georges-des-Agouts; ils sont saccagés, puis brûlés; son fils s'échappe à travers les coups de fusil. Le notaire et régisseur Martin est visité de même; ses meubles et son argent sont pillés; « sa fille éprouve les outrages les plus « affreux, » et un détachement, poussant jusque chez le marquis de Cumont, l'oblige, sous peine d'être incendié, à donner décharge de toutes les redevances. En tête des incendiaires sont les officiers municipaux de Saint-Tho-

1. *Moniteur*, séance du 4 mars 1790.— Duvergier, Décrets du 6 mars 1790 et des 6-10 août 1790.

2. L'adresse est du 11 février 1790. Cette pièce, d'un comique extraordinaire, suffirait pour faire comprendre toute l'histoire de la Révolution.

3. Archives nationales, F7, 3203. (Lettres du commissaire du roi, 30 avril et 9 mai 1790. — Lettre du duc de Maillé, 6 mai. — Procès-verbaux des administrateurs du département, 12 novembre 1790.) — *Moniteur*, VI, 515.

mas, excepté le maire qui s'est sauvé. — C'est que le régime électoral institué par l'Assemblée constituante commence à produire ses effets. « Presque partout, » écrit le commissaire du roi, « on a éliminé les grands proprié« taires, et les emplois sont occupés par des hommes qui « remplissent strictement les conditions d'éligibilité. Il en « résulte une sorte d'acharnement des gens peu riches « à vexer ceux qui ont des héritages considérables. » — Six mois plus tard, dans le même département, à Aujean, Migron, Varaise, les gardes nationales et les autorités villageoises décident qu'on ne payera plus ni dîmes, ni agriers, ni champarts, ni aucun des droits conservés. En vain le département casse leur arrêté, envoie des commissaires, des gendarmes, un huissier. Les commissaires sont chassés, on tire sur l'huissier et sur les gendarmes ; le vice-président du district, qui allait faire son rapport au département, est saisi en route, et contraint de donner sa démission. Sept paroisses se sont coalisées avec Aujean, dix avec Migron ; Varaise a sonné le tocsin, les villages sont soulevés à quatre lieues à la ronde, quinze cents hommes armés de fusils, de faux, de cognées et de fourches, apprêtent leurs bras. Il s'agit de délivrer le principal meneur de Varaise, Planche, qui a été arrêté, et de punir Latierce, maire de Varaise, que l'on soupçonne d'avoir dénoncé Planche. Latierce est roué de coups, on lui « fait subir mille tourments pen« dant trente heures ; » puis on se met en marche avec lui sur Saint-Jean-d'Angély, et on exige l'élargissement de Planche. La municipalité, qui d'abord a refusé, finit par consentir à condition qu'on lui rendra Latierce en échange. En conséquence, Planche est mis en liberté, reçu avec des cris de triomphe. Mais Latierce n'est pas rendu ; au contraire, on le supplicie une heure durant, puis on le massacre, et le directoire du district, moins soumis que la municipalité, est forcé de fuir. — De tels symptômes ne sont pas douteux, et il y en a de pareils en Bretagne : évidemment, les âmes sont toujours insurgées. Au lieu de se vider, l'abcès social se remplit et se gonfle ; il va crever une seconde fois aux mêmes places, et, en 1791 comme en 1790, la jacquerie s'étale sur la Bretagne comme sur le Limousin.

C'est que la volonté du paysan est d'une autre nature que la nôtre, bien plus fixe et bien plus tenace. Quand une pensée s'accroche en lui, elle y prend naissance par une croissance obscure et profonde, sur laquelle la parole et le raisonnement n'ont pas de prise ; une fois implantée, elle végète à sa guise, non à la nôtre, et nul texte législatif, nul arrêté judiciaire, nulle remontrance administrative ne peut changer l'espèce de fruit qu'elle produit. Ce fruit, élaboré depuis des siècles, est le sentiment d'une spoliation excessive, et partant le besoin d'une décharge complète. Ayant trop payé à tout le monde, ils ne veulent plus rien payer à personne, et cette idée, vainement comprimée, se redresse toujours à la façon d'un instinct. — Au mois de janvier 1791 [1], les bandes se reforment en Bretagne ; c'est que les propriétaires d'anciens fiefs ont réclamé l'acquittement de leurs rentes. D'abord les paroisses coalisées refusent de rien payer aux régisseurs ; puis les gardes nationales rustiques viennent dans les châteaux contraindre les propriétaires. Le plus souvent c'est le commandant de la garde nationale, parfois c'est le procureur de la commune qui dicte au seigneur la renonciation ; de plus on lui fait souscrire des billets au profit de la paroisse ou de divers particuliers. Selon eux, c'est restitution et dédommagement : puisque tous les droits féodaux sont abolis, il est tenu de leur rendre ce qu'il a reçu d'eux l'année dernière ; puisqu'ils se sont dérangés,

1. Archives nationales, F7, 3225. Lettre du directoire d'Ille-et-Vilaine, 10 janvier 1791, et Lettre de Dinan, 29 janvier. — *Mercure de France*, 2 et 16 avril 1791. Lettres de Rennes, 20 mars ; de Redon, 12 mars.

il est tenu de « les salarier pour leur course. » — Deux troupes principales, l'une de quinze cents hommes, opèrent ainsi autour de Dinan et de Saint-Malo; pour plus de sûreté, dans les châteaux de Saint-Tual, Besso, Beaumanoir, la Rivière, la Bellière, Châteauneuf, Chenay, Chausavoir, Tourdelin et Chalonge, ils brûlent les titres; par surcroît, ils mettaient le feu à Châteauneuf, quand la troupe arriva. — Aux débuts, une vague idée d'ordre social et légal semble encore flotter dans leurs cerveaux : à Saint-Tual, avant de prendre 2,000 livres à l'homme d'affaires, ils obligent le maire à leur en donner la permission écrite; à Yvignac, leur chef, requis de présenter ses pouvoirs, déclare « qu'il est autorisé par la volonté « générale de la populace de la nation[1]. » — Mais, au bout d'un mois, battus par la troupe, furieux des coups qu'ils ont donnés et qu'ils ont reçus, excités par la faiblesse des municipalités qui relâchent les prisonniers, ils deviennent des bandits de la pire espèce. Dans la nuit du 22 au 23 février, le château de Villefranche, à trois lieues de Malestroit, est attaqué; trente-deux coquins, le visage masqué, conduits par un chef en uniforme national, enfoncent la porte. Les domestiques sont garrottés; le propriétaire, M. de la Bourdonnaie, un vieillard, sa femme âgée de soixante ans, sont meurtris de coups, liés sur leur lit; puis on approche leurs pieds du feu, et on les *chauffe*. Cependant, argenterie, linge, étoffes, bijoux, deux mille francs en argent, jusqu'aux montres, boucles et bagues, tout est pillé, chargé sur les onze chevaux des écuries, emporté. — Quand il s'agit de la propriété, un genre d'attentat entraîne tous les autres, et la cupidité limitée du censitaire s'achève par la rapacité illimitée du brigand.

Cependant, dans les provinces du Sud-Ouest, les mêmes causes ont produit les mêmes effets, et, vers la fin

1. Expressions du procès-verbal.

de l'automne, quand, la récolte faite, les propriétaires ont demandé leurs rentes en argent ou en nature, le paysan, immuable dans son idée fixe, a de nouveau refusé[1]. A l'entendre, s'il y a une loi contre lui, elle n'est pas de l'Assemblée nationale; ce sont les ci-devant seigneurs qui l'ont extorquée ou fabriquée; elle est donc nulle. Que les administrateurs du département et du district la proclament autant de fois qu'ils voudront; il n'en a cure, et, à l'occasion, il saura bien les en punir. Composées de censitaires comme lui, les gardes nationales de village sont avec lui, et, au lieu de le réprimer, le soutiennent. Pour commencer, il replante les Mais en signe d'affranchissement et les potences en signe de menace. — Dans le district de Gourdon, la troupe et la maréchaussée ayant été envoyées pour les abattre, aussitôt le tocsin sonne; un flot de paysans, quatre à cinq mille hommes, armés de faux et de fusils, arrivent de toutes les paroisses environnantes; les cent soldats, retirés dans une église, capitulent après un siége de vingt-quatre heures, et sont contraints de nommer les propriétaires qui ont demandé au district leur intervention : ce sont MM. Hébray, de Fontange, et encore d'autres. Toutes leurs maisons sont détruites de fond en comble, ils se sauvent pour ne pas être pendus ; les châteaux de Repaire et de Salviat sont brûlés. Au bout de huit jours, le Quercy est en feu, trente châteaux sont détruits. — Le chef d'une garde nationale rustique, Joseph Linard, à la tête de l'armée villageoise, pénètre dans Gourdon, s'installe à l'hôtel de ville, se déclare protecteur du peuple contre le directoire du district, écrit au département au

1. *Moniteur*, séance du 15 décembre 1790. (Adresse du département du Lot, 7 décembre.) — Séance du 20 décembre. (Discours de M. de Foucault.) — *Mercure de France*, 18 décembre 1790. (Lettre de Belves en Périgord, 7 décembre.) — *Ib.*, 22 janvier et 29 janvier 1791. (Lettre de M. de Clarac, 18 janvier)

nom de « ses frères d'armes, » et vante son patriotisme. En attendant, il commande en conquérant, ouvre les prisons, promet que, si l'on congédie la maréchaussée et la troupe, il va se retirer lui et ses gens, en bon ordre. — Mais ces sortes d'autorités tumultuaires, instituées par acclamation pour l'attaque, sont impuissantes pour la résistance. A peine Linard s'est-il retiré que la sauvagerie se déchaîne. « La tête des administrateurs est mise à « prix; leurs maisons sont les premières dévastées; tou- « tes les maisons des citoyens riches sont mises au pil- « lage; il en est de même des châteaux et des habita- « tions de campagne qui annoncent quelque aisance. » — Contre cette jacquerie qui se propage, quinze gentilshommes, réunis à Castel chez M. d'Escayrac[1], font appel à tous les bons citoyens pour marcher au secours des propriétaires attaqués; mais il y a trop peu de propriétaires dans la campagne, et chaque ville n'a pas trop des siens pour se garder elle-même. Après quelques escarmouches, M. d'Escayrac, abandonné par la municipalité de son village, blessé, se retire en Languedoc chez le comte de Clarac, maréchal de camp. Là aussi, le château est entouré[2], bloqué, assiégé par la garde nationale du lieu. M. de Clarac descend, parlemente; on lui tire des coups de fusil. Il remonte et jette de l'argent par la fenêtre; on ramasse l'argent et l'on tire de nouveau sur lui. Le feu est mis au château; M. d'Escayrac est tué de cinq coups de fusil; M. de Clarac et un autre, réfugiés dans un souterrain voûté, presque étouffés, n'en sont retirés que le surlendemain matin par les gardes nationales du voisinage; celles-ci les emmènent à Toulouse où on les retient en prison, et où l'accusateur public informe contre eux. En même temps, le château de Bagat, près de Montcuq,

1. 17 décembre 1790.
2. 7 janvier 1791.

est démoli; l'abbaye d'Espagnac, près de Figeac, est attaquée à coups de fusil; on force l'abbesse à restituer toutes les rentes qu'elle a perçues et à rembourser quatre mille livres pour les frais d'un procès que le couvent a gagné il y a vingt ans.

Après de pareils succès, il est inévitable que la révolte s'étende, et, au bout de quelques semaines ou de quelques mois, elle est permanente dans les trois départements voisins. — Dans la Creuse[1], on menace les juges de mort, s'ils ordonnent le payement des cens, et l'on promet le même sort aux propriétaires qui réclameront leurs rentes. En plusieurs endroits, surtout dans la montagne, les paysans, « considérant qu'ils sont la nation et que les « biens du clergé sont nationaux, » veulent qu'au lieu de les vendre on les leur partage. Cinquante paroisses, autour de La Souterraine, ont reçu des lettres incendiaires qui les invitent à venir en armes à la ville « pour se « faire exhiber par force et au péril de leur sang tous « les titres de rentes foncières. » De huit lieues à la ronde, les paysans s'ébranlent au son du tocsin, précédés de leurs officiers municipaux en écharpe; ils sont plus de quatre mille et traînent avec eux un chariot plein d'armes; c'est pour réviser et constituer à nouveau la propriété du sol. — Dans la Dordogne[2], des arbitres qui se sont désignés eux-mêmes s'interposent impérieusement entre le propriétaire et le métayer, au moment de la récolte, pour empêcher le propriétaire de réclamer et le

1. *Archives révolutionnaires du département de la Creuse*, par Duval. (Lettre des administrateurs du département, 31 mars 1791.) — Archives nationales, F7, 3209. (Délibération du directoire du département, 12 mai 1791. — Procès-verbal de la municipalité de La Souterraine, 23 août 1791.)

2. Archives nationales, F7, 3269. — Arrêté du directoire du district de Ribérac, 5 août 1791, et réquisition du procureur syndic, 4 août. — Lettres du même directoire, 9 et 22 août — Lettres du procureur-syndic du département, 24 août et 11 septembre. — Lettre du commissaire du roi, 22 août.

métayer de fournir la dîme et le rève : toute convention de cette espèce est interdite; quiconque dérogera au nouveau système, propriétaire ou métayer, sera pendu. A cet effet, dans les districts de Bergerac, Excideuil, Ribérac, Mucidan, Montignac et Périgueux, les milices rurales, conduites par les officiers municipaux, vont de commune en commune, pour faire signer aux propriétaires leur désistement, et ces visites « sont toujours ac-« compagnées de vols, d'outrages et de mauvais traite-« ments auxquels on n'échappe que par une soumission « absolue. » De plus, ils demandent l'abolition « de « toute espèce d'impôts et le partage des terres. » — Impossible « aux propriétaires un peu riches » de rester à la campagne; de tous côtés, ils se réfugient à Périgueux, et là, formés en corps de troupe, avec la gendarmerie et la garde nationale de la ville, ils parcourent les cantons pour rétablir l'ordre. Mais il n'y a nul moyen de persuader aux paysans que c'est l'ordre qu'on rétablit. Avec cette opiniâtreté d'imagination que nul obstacle n'arrête et qui, comme une source vive, finit toujours par trouver une issue, le peuple déclare que « les gen-« darmes et les gardes nationales » qui sont venus le contraindre « étaient des prêtres et des gentilshommes « déguisés. » — D'ailleurs les théories nouvelles sont descendues jusque dans les bas-fonds, et rien de plus facile que d'en tirer l'abolition des dettes ou même la loi agraire. A Ribérac, où les paroisses voisines ont fait invasion, l'orateur des séditieux, un tailleur de village, tirant de sa poche le catéchisme de la Constitution, argumente avec le procureur-syndic et lui prouve que les insurgés ne font qu'exercer les droits de l'homme. En premier lieu, il est dit dans le livre que « les Français sont égaux et « frères, qu'ils doivent se secourir » les uns les autres; « donc, les maîtres doivent partager, surtout cette année « qui est *disetteuse*. En second lieu, il est écrit que tous

« les biens appartiennent à la nation, » et c'est pour cela « qu'elle s'est emparée des biens de l'Église; » or « la « nation se compose de tous les Français, » et la conclusion est claire. Aux yeux du tailleur, puisque les biens des particuliers français appartiennent à tous les Français, il y a droit, lui tailleur, au moins pour sa quote-part. — On va vite et loin sur cette pente; car chaque attroupement entend jouir tout de suite et à sa façon. Nul souci des voisins, ni des conséquences, même immédiates et physiques, et, en vingt endroits, la propriété usurpée périt elle-même sous la main des usurpateurs.

C'est dans le troisième département, celui de la Corrèze, qu'on peut le mieux observer cette destruction gratuite[1]. Non-seulement, depuis le commencement de la Révolution, les paysans y ont refusé de payer les rentes; non-seulement ils ont « planté des Mais armés de crocs « de fer pour pendre » le premier qui oserait les réclamer ou les payer; non-seulement les violences, qui sont de toute espèce, sont commises « par des communes en- « tières, » et « la garde nationale des petites communes « y participe; » non-seulement les coupables décrétés de prise de corps restent libres, et « on ne parle que de « pendre les huissiers qui feront des actes, » mais encore, avec la propriété des eaux, la réserve, la conduite, la distribution des eaux sont bouleversées, et, dans un pays où les pentes sont roides, on imagine les suites d'une pareille opération. — A trois lieues de Tulle, dans un vallon formant demi-cercle, un étang profond de vingt pieds sur une étendue de trois cents arpents était fermé par une épaisse chaussée du côté d'une gorge très-

1. Archives nationales, F7, 3204. — Lettres du directoire du département, 2 juin 1791, 8 et 22 septembre. — Du ministre de la justice, 15 mai 1791. — De M. de Lentilhac, 2 septembre. — De M. Melon-Padon, commissaire du roi, 8 septembre. — *Mercure de France*, 14 mai 1791. (Lettre d'un témoin, M. de Loyac, 25 avril 1791.)

profonde, toute peuplée de maisons, de moulins et de cultures. Le 17 avril 1791, une troupe assemblée au son du tambour, cinq cents hommes armés des trois villages voisins, se mettent à démolir la digue. Le propriétaire, député suppléant à l'Assemblée nationale, M. de Sedières, n'est averti qu'à onze heures du soir; il monte à cheval avec ses hôtes et ses domestiques, charge les misérables fous, et, à coups de pistolet, de fusil, les disperse; il était temps : la tranchée qu'ils creusaient avait déjà huit pieds de profondeur; l'eau affleurait presque; une demi-heure plus tard, l'effroyable masse roulante se déversait sur les habitants de la gorge. — Mais, contre l'attaque universelle et continue, de tels coups de main, rares et rarement heureux, ne sont pas une défense. La troupe de ligne et la gendarmerie, toutes deux en voie de refonte ou de décomposition, sont peu sûres ou trop faibles. Il n'y a que trente hommes de cavalerie dans la Creuse et autant dans la Corrèze. La garde nationale des villes est surmenée par tant d'expéditions dans la campagne, et l'argent manque pour lui payer ses déplacements. Enfin, l'élection aux mains du peuple amène au pouvoir des hommes disposés à tolérer tous les excès populaires. A Tulle, les électeurs du second degré, choisis presque tous parmi les cultivateurs, et de plus catéchisés par le club, ne nomment pour députés et pour accusateur public que des candidats déclarés contre les rentes et contre les étangs. — Aussi bien, vers le mois de mai, la démolition générale des digues a commencé. A une lieue et demie du chef-lieu, sur un vaste étang, l'opération dure, sans opposition, une semaine entière; ailleurs, quand les gardes ou la gendarmerie arrivent, on tire dessus. Vers la fin de septembre, dans tout le département, toutes les chaussées sont rompues : à la place des étangs, il reste des marais infects; les moulins ne tournent plus; l'arrosage manque aux prairies. Mais les démolisseurs emportent des pannerées de poissons, et le sol de l'étang rentre dans leurs communaux. — Ce n'est pas encore la haine qui les pousse, c'est l'instinct d'acquisition : toutes ces mains violentes, qui se tendent et se roidissent à travers la loi, en veulent à la propriété, et non au propriétaire; elles sont avides bien plutôt qu'hostiles. L'un des seigneurs de la Corrèze, M. de Saint-Victour, est absent depuis cinq ans; dès le commencement de la Révolution, quoique ses rentes féodales fissent la moitié du revenu de sa terre, il a défendu d'employer, pour les percevoir, les moyens de rigueur; par suite, depuis 1789 il n'en a perçu aucune. De plus, ayant beaucoup de blé en réserve, il a prêté pour quatre mille francs de grains à ceux de ses tenanciers qui en manquaient. Enfin, il est libéral, et, dans la ville voisine, à Ussel, il passe même *pour Jacobin*. Malgré tout cela, il est traité comme les autres; c'est que les paroisses de sa terre sont « clubistes, » gouvernées par une compagnie de niveleurs ruraux et pratiques; dans l'une d'elles, « les « brigands, s'étant constitués en municipalité, » ont choisi leur chef pour procureur-syndic. Partant, le 22 août, quatre-vingts paysans armés ont ouvert la chaussée de son grand étang, au risque de submerger le village voisin, qui est venu la refermer. Dans les deux semaines suivantes, ses cinq autres étangs ont été démolis; quatre à cinq mille francs de poisson ont été volés; le reste pourrit dans les herbes [1]. Pour mieux assurer l'expropriation, on a voulu brûler ses titres; son château, assailli dans la nuit et à deux reprises, n'a été sauvé que par la garde nationale d'Ussel. A présent ses métayers et domestiques hésitent à cultiver, ils sont venus demander

1. Archives nationales, F7, 3204. Lettres de M. de Saint-Victour, 25 septembre, 2 et 10 octobre 1791. — Lettre du régisseur de la terre de Saint-Victour, 18 septembre.

au régisseur s'ils pouvaient faire les semailles. Nul recours auprès des autorités : les administrateurs, les juges, même lorsqu'il s'agit de leurs propres biens, « n'osent se montrer ouvertement, » parce « qu'ils ne se « voient pas en sûreté sous le bouclier de la loi. » — A travers la loi ancienne ou nouvelle, la volonté populaire poursuit opiniâtrément son œuvre et atteint forcément son objet.

Aussi bien, quels que soient les grands noms, liberté, égalité, fraternité, dont la Révolution se décore, elle est par essence *une translation de la propriété* : en cela consiste son support intime, sa force permanente, son moteur premier, et son sens historique. — Jadis, dans l'antiquité, on avait vu des exécutions pareilles, les dettes abolies ou réduites, les biens des riches confisqués, les terres publiques partagées; mais l'opération se renfermait dans une cité, et se bornait à un petit territoire. Pour la première fois, elle s'accomplit en grand et dans un État moderne. — Jusqu'ici, dans ces vastes États, lorsque les couches profondes se soulevaient, c'était toujours contre la domination de l'étranger ou contre l'oppression des consciences. En France au quinzième siècle, en Hollande au seizième, en Angleterre au dix-septième, le paysan, l'artisan, le manœuvre avait pris les armes contre l'ennemi ou pour sa foi. Au zèle religieux ou patriotique a succédé le besoin de bien-être, et le nouveau motif est aussi puissant que les autres; car, dans nos sociétés industrielles, démocratiques, utilitaires, c'est lui qui désormais gouverne presque toutes les vies et provoque presque tous les efforts. Refoulée pendant des sièles, la passion s'est redressée en secouant les deux grands poids qui l'accablaient, gouvernement et priviléges. A présent, elle se débande impétueusement de tout son jeu, comme une force brute, à travers toutes les propriétés légales et légitimes, publiques ou privées. Les obstacles qu'elle rencontre ne font que la rendre plus destructive : par delà les propriétés, elle s'attaque aux propriétaires, et achève les spoliations par les proscriptions.

CHAPITRE III.

Développement de la passion maîtresse. — I. Attitude des nobles. — Modération de leur résistance. — II. Travail de l'imagination populaire à leur endroit. — Monomanie du soupçon. — Les nobles suspects et traités en ennemis. — Situation d'un gentilhomme dans son domaine. — Affaire de M. de Bussy. — III. Visites domiciliaires. — La cinquième jacquerie. — La Bourgogne et le Lyonnais en 1791. — Affaires de M. de Chaponay et de M. Guillin-Dumontet. — IV. Les nobles obligés de quitter la campagne. — Ils se réfugient dans les villes. — Dangers qu'ils y courent. — Les quatre-vingt-deux gentilshommes de Caen. — V. Persécutions qu'ils subissent dans la vie privée. — VI. Conduite des officiers. — Leur abnégation. — Dispositions des soldats. — Les émeutes militaires. — Propagation et accroissement de l'indiscipline. — Démission des officiers. — VII. L'émigration et ses causes. — Premières lois contre les émigrés. — VIII. Attitude des prêtres insermentés. — Comment ils deviennent suspects. — Arrêtés illégaux des administrations locales. — Violence ou connivence des gardes nationales. — Attentats de la populace. — Le *Pouvoir exécutif* dans le Midi. — La sixième jacquerie. — Ses deux causes. — Éruptions isolées dans le Nord, l'Est et l'Ouest. — Éruption générale dans le Centre et le Midi. — IX. État des esprits. — Les trois convois de prêtres insermentés sur la Seine. — Psychologie de la Révolution.

I

Si la passion populaire aboutit aux meurtres, ce n'est pas que la résistance soit grande ni violente. Au contraire, jamais aristocratie n'a souffert sa dépossession avec tant de patience, et n'a moins employé la force pour défendre ses prérogatives ou même ses propriétés. A parler exactement, celle-ci reçoit les coups sans les rendre, et, quand elle s'arme, c'est presque toujours avec la bourgeoisie et la garde nationale, sur l'invitation des magistrats, conformément à la loi, pour sauvegarder les personnes et les biens. Les nobles tâchent de ne pas être tués, ni volés, rien de plus; pendant près de trois ans, ils ne lèvent aucun drapeau politique. Dans les villes où ils ont l'ascendant et que l'on dénonce comme des révoltées, par exemple Mende et Arles, leur opposition se borne à réprimer l'émeute, à contenir la plèbe et à faire respecter la loi. Ce n'est point contre l'ordre nouveau, c'est contre le désordre brutal qu'ils se liguent. — « A Mende, dit la municipalité[1], « nous avons eu la gloire de solder « les premiers les contributions de 1790. Nous avons rem« placé notre évêque; nous avons installé son successeur « sans aucun trouble et sans le secours d'aucune force « étrangère.... Nous avons dispersé les membres d'une « cathédrale auxquels nous tenions tous par les liens « du sang ou de l'amitié; nous avons renvoyé depuis « l'évêque jusqu'aux enfants de chœur. Nous n'avions « que trois maisons de religieux mendiants, elles ont été « toutes les trois supprimées. Nous avons vendu tous « les biens nationaux sans aucune exception. » — A la vérité le commandant de leur gendarmerie est un ancien garde du corps, et les officiers supérieurs de leur garde nationale sont des gentilshommes ou des croix de Saint-Louis. Mais, visiblement, s'ils se défendent contre les Jacobins, ils ne s'insurgent pas contre l'Assemblée. — Dans Arles qui a dompté sa populace[2], qui s'est armée, qui a

1. *Moniteur*, XI, 763 (Séance du 28 mars 1792). — Archives nationales, F7, 3235 (Délibération du directoire du département, 29 novembre 1791 et 27 janvier 1792. — Pétition de la municipalité de Mende et de quarante-trois autres, 30 novembre 1791).

2. Archives nationales, F7, 3198. Procès-verbal des officiers municipaux d'Arles, 2 septembre 1791. — Lettres des commissaires du roi et de l'Assemblée nationale, 24 octobre, 6, 14, 17, 21 novembre et 21 décembre 1791. — Par impartialité, les commissaires vont tour à tour à la messe d'un insermenté et à la messe d'un assermenté. Pour la première, « l'église est remplie ; » pour la seconde, « elle est toujours déserte. »

fermé ses portes et qui passe pour un foyer de conspiration royaliste, les commissaires envoyés par le Roi et par l'Assemblée nationale, gens circonspects et de poids, ne trouvent, après un mois d'examen, que soumission aux décrets et zèle pour la chose publique. « Voilà, disent-ils, « les hommes qu'on a calomniés, parce que, chérissant la « Constitution, ils avaient pris en horreur le fanatisme, « les démagogues et l'anarchie. Si les citoyens ne s'étaient « pas réveillés au moment du danger, ils auraient été « égorgés comme leurs voisins (d'Avignon). C'est cette « insurrection contre le crime que des brigands ont noir- « cie. » S'ils ont fermé leurs portes, c'est parce que « les « gardes nationaux de Marseille, les mêmes qui s'étaient « si mal conduits dans le Comtat, accouraient, sous pré- « texte de maintenir la liberté et de prévenir la contre- « révolution, mais en réalité pour piller la ville. » Aux élections très-sages et très-calmes qui viennent d'avoir lieu, on n'a crié que Vive la Nation, la Loi et le Roi. « On a parlé de l'attachement des citoyens à la Constitu- « tion ».... « L'obéissance aux lois, l'empressement le « plus vif à acquitter les contributions publiques, voilà « ce que nous avons remarqué chez ces prétendus contre- « révolutionnaires. Tous ceux qui sont sujets à l'impôt « des patentes se rendent en foule à l'Hôtel de Ville. » A peine « le bureau des recettes a-t-il été ouvert, que les « honnêtes gens y ont afflué; au contraire les soi-disant « *bons patriotes*, républicains ou anarchistes, n'ont pas « brillé dans cette occasion : un très-petit nombre d'entre « eux ont fait soumission. Les autres sont tout étonnés « qu'on leur demande de l'argent : on les avait flattés « d'un espoir si différent! »

Bref, pendant plus de trente mois, sous une pluie continue de menaces, de spoliations et d'outrages, les nobles qui sont demeurés en France ne commettent et n'entreprennent aucune hostilité contre le gouvernement qui les persécute. Aucun d'eux, pas même M. de Bouillé, ne tente d'exécuter un véritable plan de guerre civile; à cette date et dans leurs rangs, je ne trouve qu'un homme résolu, prêt à l'action et qui, contre un parti militant, travaille à former un parti militant; il est vraiment politique et conspirateur, il s'entend avec le comte d'Artois, il fait signer des pétitions pour la liberté du Roi et de l'Église, il organise des compagnies armées, il embauche des paysans, il prépare une Vendée du Languedoc et de la Provence; *et c'est un bourgeois*, Froment de Nîmes[1]. Mais au moment de l'action, sur dix-huit compagnies qu'il croyait acquises à sa cause, il ne s'en trouve que trois pour marcher avec lui. Les autres restent au logis, jusqu'à ce que, Froment vaincu, on vienne les égorger à domicile, et les survivants qui se sauvent à Jalès y trouvent, non une place forte, mais un asile temporaire, où ils ne parviennent jamais à transformer leurs velléités en volontés[2]. — Eux aussi, comme les autres Français, les nobles ont subi la longue pression de la centralisation monarchique. Ils ne font plus un corps, ils ont perdu l'instinct d'association. Ils ne savent plus agir d'eux-mêmes, ils sont des administrés, ils attendent l'impulsion du centre, et, au centre, le roi, leur général héréditaire, captif du peuple, leur commande de se résigner, de ne rien faire. D'ailleurs, comme les autres Français, ils ont été élevés dans la philosophie du dix-huitième siècle : « La liberté est si

1. *Mémoire* de M. Mérilhou pour Froment, *passim*. — Rapport de M. Alquier, p. 54. — De Dammartin, I, 208.

2. De Dammartin, I, 208. Ils disaient aux paysans catholiques : « Allons, mes enfants, vive le Roi ! » — Cris d'enthousiasme. — « Ces scélérats de démocrates, il faut en faire un exemple, rétablir les droits sacrés du trône et de l'autel. » — « Comme vous voudrez, répliquaient les campagnards dans leur patois; mais il faut garder la Révolution, car là-dedans il y a de bonnes choses. » — Ils se tiennent en repos, refusent de marcher au secours d'Uzès, et rentrent dans leurs montagnes à la première approche de la garde nationale.

« précieuse, écrivait le duc de Brissac[1], qu'il faut bien « l'acheter par quelques peines; la féodalité détruite « n'empêchera pas d'être respecté et aimé, ce qui est le « bon et le certain. » — Pendant longtemps ils persistent dans cette illusion : ils restent optimistes. Ils ne comprennent pas qu'étant eux-mêmes bienveillants pour le peuple, le peuple puisse être malveillant pour eux; ils s'obstinent à croire que les troubles sont passagers. Aussitôt que la Constitution est proclamée, d'Espagne, de Belgique, d'Allemagne, ils reviennent en foule; pendant quelques jours la poste de Troyes ne peut fournir assez de chevaux aux émigrés qui rentrent[2]. Ainsi, ils acceptent non-seulement l'abolition de la féodalité et l'égalité civile, mais encore l'égalité politique et la souveraineté du nombre. — Très-probablement des égards, quelques respects extérieurs, des saluts les auraient ralliés de cœur à l'institution démocratique. Ils consentiraient même à être confondus dans la foule, à subir le niveau commun, à vivre en simples particuliers. S'ils étaient traités comme le bourgeois ou le paysan leurs voisins, si leurs propriétés et leurs personnes étaient respectées, ils supporteraient sans aigreur le nouveau régime. Que les grands seigneurs émigrés, que les gens de l'ancienne cour intriguent à Coblentz ou à Turin : cela est naturel, puisqu'ils ont tout perdu, autorité, places, pensions, sinécures, plaisirs et le reste. Mais, pour la petite et moyenne noblesse de province, chevaliers de Saint-Louis, officiers subalternes, propriétaires résidants, la perte est petite. La loi a supprimé la moitié de leurs droits seigneuriaux; mais, en vertu de la même loi, leurs terres sont affranchies de la dîme. Ils

1. Dauban, *la Démagogie à Paris*, p. 598 ; Lettre de M. de Brissac, 25 août 1789.

2. *Moniteur*, X, 339 (*Journal de Troyes* et lettre de Perpignan, novembre 1791.)

n'auront pas les places dans l'élection populaire, mais ils ne les avaient pas sous l'arbitraire ministériel. Ministériel ou populaire, peu leur importe que le pouvoir ait changé de main; ils ne sont pas habitués à ses faveurs, et ils continueront leur vie ordinaire, chasse, promenades, lectures, visites, conversations, pourvu qu'ils trouvent, comme le premier venu, comme l'épicier du coin, comme leur valet de ferme, protection, sûreté, sécurité, sur la voie publique et dans leur logis[1].

II

Par malheur, la passion populaire est une puissance aveugle, et faute de lumières, elle se laisse guider par ses visions. Les imaginations travaillent, et travaillent conformément à la structure de la cervelle échauffée qui les enfante. Si l'ancien régime revenait! S'il nous fallait rendre les biens du clergé! Si nous étions obligés de nouveau de payer la gabelle, les aides, la taille, les redevances que grâce à la loi nous ne payons plus, et les autres impôts ou redevances que nous ne payons plus malgré la loi! Si tant de nobles dont on a brûlé les châteaux ou qui, le couteau sur la gorge, ont donné quittance de leurs rentes, trouvaient moyen de se venger et de rentrer dans leurs anciens droits! Certainement, ils y songent, ils s'entendent entre eux, ils complotent avec

1. Mercure de France, n° du 3 septembre 1791. « Qu'on nous présente la « Liberté, et toute la France sera à genoux devant elle; mais les cœurs « nobles et fiers résisteront éternellement à l'oppression qui se couvre de « ce masque sacré. Ils invoqueront la liberté, mais la liberté sans crimes, « la liberté qui se soutient sans cahots, sans inquisiteurs, sans incendiaires, « sans brigands, sans serments forcés, sans coalitions illégales, sans supplices « populaires; la liberté enfin qui ne laisse impuni aucun oppresseur et qui « n'écrase pas les citoyens paisibles sous le poids des chaînes qu'elle a « brisées. »

l'étranger; au premier jour, ils vont fondre sur nous; il faut les surveiller, les réprimer et au besoin les détruire. — Dès les premiers jours, ce raisonnement instinctif a prévalu, et, à mesure que la licence augmente, il prévaut davantage. Le seigneur est toujours le *créancier* passé, présent, futur, ou tout au moins possible, c'est-à-dire le pire et le plus odieux ennemi. Toutes ses démarches sont suspectes, et jusqu'à son oisiveté même; quoi qu'il fasse, c'est pour s'armer. — A une lieue de Romans, en Dauphiné[1], M. de Gilliers, établi là avec sa sœur et sa femme, s'amusait à planter des arbres et des fleurs; à quinze pas de sa maison, dans une autre campagne, M. de Montchorel, vieux militaire, M. Osmond, vieil avocat de Paris, avec leurs femmes et leurs enfants, occupaient leurs loisirs à peu près de même. M. de Gilliers ayant fait venir des tuyaux de bois pour conduire l'eau, le bruit se répand que ce sont des canons. Son hôte, M. Servan, reçoit une malle de voyage à l'anglaise; on dit qu'elle est pleine de pistolets. M. Osmond et M. Servan s'étant promenés dans la campagne avec du papier à dessiner et des crayons, il est avéré qu'ils dressent des plans du pays pour les Espagnols et les Savoyards. Les quatre voitures des deux familles vont à Romans chercher des invités; au lieu de quatre voitures, il y en a dix-neuf, et elles ramènent des aristocrates qui viennent se cacher dans les souterrains. M. de Senneville, cordon rouge, fait visite en revenant d'Alger; c'est un cordon bleu, et ce cordon bleu est le comte d'Artois en personne. Conspiration évidente, à cinq heures du matin, dix-huit communes, deux mille hommes en armes arrivent aux portes des deux maisons; les cris, les menaces de mort durent pendant huit heures; un coup de fusil tiré à quatre pas sur les suspects rate

1. Rivarol, *Mémoires*, p. 367 (Lettre de M. Servan, publiée dans les *Actes des Apôtres*).

par accident ; un paysan qui les vise dit à son voisin : « Donne-moi une pièce de vingt-quatre sous, et je leur « mettrai mes deux balles dans le corps. » Enfin, M. de Gilliers, qui était absent pour un baptême, revient avec les chasseurs royaux de Dauphiné, avec la garde nationale de Romans, et, grâce à leur aide, délivre sa famille. — C'est seulement dans les villes, dans quelques villes, et pour très-peu de temps, qu'un noble inoffensif et attaqué trouve encore un peu de secours : les fantômes qu'on s'y forge sont moins grossiers ; des demi-lumières, un reste de bon sens, empêchent l'éclosion des contes trop absurdes. — Mais dans les ténèbres profondes des cervelles rustiques, rien n'arrête la monomanie du soupçon. Le rêve y pullule, comme une mauvaise herbe dans un trou sombre ; il s'y enracine, il y végète jusqu'à devenir croyance, conviction, certitude ; il y produit ses fruits qui sont l'hostilité, la haine, les pensées homicides et incendiaires. A force de regarder le château, le village y voit une Bastille armée qu'il faut prendre, et, au lieu de saluer le seigneur, il ne songe plus qu'à lui tirer un coup de fusil.

Suivons en détail une de ces histoires locales [1]. Au mois de juillet 1789, pendant la jacquerie du Mâconnais, la paroisse de Villiers a réclamé l'aide de son seigneur, M. de Bussy, ancien colonel de dragons ; il est revenu, il a donné à dîner aux gens du village, il a essayé de les former en garde bourgeoise contre les incendiaires et les brigands : avec les hommes de bonne volonté, il a « fait patrouille « tous les soirs pour tranquilliser sa paroisse. » Le bruit ayant couru « qu'on empoisonnait les puits, » il a mis des gardes à tous les puits, excepté aux siens, afin de « prouver que c'était pour sa paroisse qu'il travaillait, et « non pour lui. » Bref, il a fait de son mieux pour se conci-

1. Archives nationales, F7, 3257. Procès-verbaux, interrogatoires et correspondances relatives à l'affaire de M. de Bussy (octobre 1790).

lier les villageois et pour les employer au salut commun. — Mais, à titre de seigneur et de militaire, il est suspect, et c'est Perron, syndic de la commune, que maintenant la commune écoute. Perron annonce que, le roi « ayant « retiré sa parole jurée, » on ne peut plus avoir confiance en lui, ni par conséquent en ses officiers et gentilshommes. M. de Bussy proposant aux gardes nationaux de secourir le château du Thil qui brûle, Perron les en empêche: « C'est la noblesse et le clergé, dit-il, qui allument les « incendies. » M. de Bussy insiste, supplie, offre d'abandonner « son terrier, » c'est-à-dire tous ses droits seigneuriaux, si l'on veut marcher avec lui pour arrêter le fléau; on refuse. Il persévère, et, ayant appris que le château de Juillenas est en péril, il réunit, à force d'instances, cent cinquante hommes de sa paroisse, marche avec eux, arrive, sauve le château qu'un attroupement voulait incendier. Mais l'effervescence populaire qu'il vient de calmer à Juillenas a gagné sa propre troupe ; les brigands ont séduit ses hommes, « ce qui l'oblige à les « remmener, et, tout le long de la route, on fait des motions « pour lui tirer dessus. » — Revenu au logis, il est menacé jusque chez lui ; une bande vient attaquer son château, puis, le trouvant en défense, demande qu'on la laisse aller à celui de Courcelles. — Au milieu de toutes ces violences, M. de Bussy, avec une quinzaine d'amis et de serviteurs, parvient à se préserver, et, à force de patience, d'énergie, de sang-froid, sans tuer ni blesser un seul homme, finit par rétablir la sûreté dans tout le canton. La jacquerie s'apaise, il semble que l'ordre nouveau va s'affermir; il fait revenir Mme de Bussy, et quelques mois s'écoulent. — Mais les imaginations populaires sont empoisonnées, et, quoi que fasse un gentilhomme, il n'est plus toléré dans sa terre. A quelques lieues de là, le 29 avril 1790, M. de Bois-d'Aisy, député à l'Assemblée nationale, revenait dans sa paroisse pour voter aux élections nouvelles [1]. « A peine arrivé, » la commune de Bois-d'Aisy lui fait signifier par son maire « qu'elle ne veut « pas qu'il soit éligible. » Il vient à l'assemblée électorale qui s'est réunie dans l'église; là, du haut de la chaire, un officier municipal invective contre les nobles, les prêtres, et déclare qu'ils ne doivent point prendre part aux élections. Tous les yeux se tournent vers M. de Bois-d'Aisy, seul noble de l'assistance; néanmoins il prête le serment civique, et peu s'en faut que cela ne lui coûte cher; car on murmure autour de lui, et nombre de paysans disent que pour l'en empêcher il aurait fallu le pendre, comme le seigneur de Sainte-Colombe. En effet, la veille même, celui-ci, M. de Vitteaux, vieillard de soixante-quatorze ans, a été chassé de l'assemblée primaire, puis arraché de la maison où il s'était réfugié, et meurtri à coups de bâton; on l'a traîné dans les rues, puis sur la place; on lui a enfoncé du fumier dans la bouche et un bâton dans les oreilles; « il a expiré après « un martyre de trois heures. » Le même jour, dans l'église des Capucins, à Semur, les paroisses rurales assemblées ont exclu par les mêmes moyens leurs prêtres et leurs gentilshommes : M. de Damas et M. de Sainte-Maure ont été assommés à coups de bâton et de pierres ; le curé de Massigny est mort de six coups de couteau ; M. de Virieu s'est sauvé comme il a pu. — Après de tels exemples, il est probable que beaucoup de nobles ne tiendront plus à exercer leur droit de suffrage. M. de Bussy n'y prétend point; seulement il essaye de constater qu'il est fidèle à la nation et ne médite rien contre la garde nationale ou le peuple. Dès les commencements, il a proposé aux volontaires de Mâcon de s'affilier à eux, lui et sa pe-

1. *Mercure de France*, 15 mai 1790 (Lettre du baron de Bois-d'Aisy, 29 avril, lue à l'Assemblée nationale). — *Moniteur*, IV, 302, séance du 6 mai, (Procès-verbal du juge de paix de Vitteaux, 28 avril.)

tite troupe ; ils ont refusé ; ainsi, de ce côté, la faute n'est pas sienne. Le 14 juillet 1790, jour de la fédération dans son domaine, il envoie à Villiers tous ses gens, munis de la cocarde tricolore. Lui-même, avec trois amis, il vient à la cérémonie pour prêter le serment, tous les quatre en uniforme, cocarde au chapeau, sans autre arme que leur épée, et une badine à la main. Ils saluent les gardes nationaux assemblés des trois paroisses voisines et se tiennent hors de l'enceinte pour ne pas donner ombrage. Mais ils ont compté sans les préventions et l'animosité des municipalités nouvelles. Perron, l'ancien syndic, est devenu maire ; un autre officier municipal est Bailly, cordonnier du village ; leur conseil est un ancien dragon, probablement l'un de ces soldats déserteurs ou licenciés qui sont les brandons de presque toute émeute. Un peloton de douze ou quinze hommes se détache des rangs et marche vers les quatre gentilshommes ; ils vont au-devant, le chapeau à la main. Tout d'un coup, le peloton les couche en joue, et Bailly, d'un air furieux, leur demande « ce qu'il viennent f..... ici. » M. de Bussy répond qu'ayant été informé de la fédération, il y vient pour prêter serment, comme les autres. Bailly demande pourquoi il y vient armé. M. de Bussy fait observer « qu'ayant « servi, l'épée est inséparable de l'uniforme, » et que c'eût été leur manquer que de venir sans cet insigne ; du reste, ils doivent remarquer qu'il n'a point d'autres armes. Bailly, toujours furieux et, de plus, exaspéré par ces raisons trop bonnes, se tourne, le fusil à la main, vers le chef du peloton, et lui demande à trois reprises : « Mon commandant, faut-il ? » — Le commandant n'ose prendre sur lui un meurtre si gratuit, se tait et finit par ordonner à M. de Bussy « de f..... le camp ; » — « ce que « je fis, » dit M. de Bussy. — Néanmoins, arrivé chez lui, il écrit à la municipalité pour bien marquer le motif de sa venue et pour demander l'explication d'un pareil traitement. Le maire Perron jette la lettre sans vouloir la lire, et le lendemain, au sortir de la messe, la garde nationale vient, en signe de menace, charger ses armes devant M. de Bussy, tout autour de son jardin. — Quelques jours après, à l'instigation de Bailly, deux autres propriétaires du voisinage sont assassinés chez eux. Enfin, dans un voyage à Lyon, M. de Bussy apprend « que l'on rebrûle « les châteaux dans le Poitou, et qu'on va recommencer « partout. » — Alarmé par tous ces indices, « il prend « décidément son parti pour former une troupe de volon- « taires qui, restant dans son château, pourront venir au « secours du canton, sur réquisition légale. » Il estime que quinze hommes braves suffiront. Au mois d'octobre 1790, il en a déjà six avec lui ; des habits verts ont été commandés pour eux ; des boutons d'uniforme ont été achetés. Sept ou huit domestiques pourront faire nombre. En fait d'armes et de munitions, le château renferme deux barils de poudre qui s'y trouvaient avant 1789, sept mousquetons et cinq sabres de cavalerie que les anciens dragons de M. de Bussy y ont laissés en passant ; ajoutez-y deux fusils de chasse doubles, trois fusils de munition, cinq paires de pistolets, deux mauvais fusils simples, deux vieilles épées, un couteau de chasse ; voilà toute la garnison, tout l'arsenal, et ce sont ces préparatifs si justifiés, si bornés, que le préjugé, joint aux commérages, va transformer en un grand complot.

En effet, dès le premier jour, le village a soupçonné le château ; tous ses hôtes, toutes leurs entrées et sorties, tous leurs tenants et aboutissants ont été espionnés, dénoncés, grossis et défigurés. Si, par la maladresse ou l'imprudence de tant de gardes nationaux improvisés, un jour, en plein midi, une balle égarée est arrivée dans une grange, elle vient du château ; ce sont les aristocrates qui ont tiré sur les paysans. — Mêmes soupçons dans les villes voisines. La municipalité de Valence, ayant appris que deux jeunes gens font faire des habits « dont la cou- « leur paraît suspecte, » mande le tailleur ; celui-ci avoue et ajoute « qu'on s'est réservé de mettre les boutons. » Un tel détail est alarmant. L'enquête s'ouvre et accroît les alarmes : on a vu passer des gens en uniforme inconnu, ils vont au château de Villiers; de là, quand ils seront deux cents, ils iront rejoindre la garnison de Besançon; ils voyageront quatre par quatre pour dérouter la surveillance. A Besançon, ils trouveront un corps de quarante mille hommes commandé par M. d'Autichamp; ce corps se portera à Paris pour enlever le roi et dissoudre l'Assemblée nationale. Sur toute la route, il s'adjoindra par force les gardes nationales. A une certaine distance, chaque homme touchera 1 200 livres; à la fin de l'expédition, il sera nommé garde d'Artois, sinon renvoyé avec une gratification de 12 000 livres. Cependant, le prince de Condé, avec quarante mille hommes, viendra par Pont-Saint-Esprit en Languedoc, ralliera les malveillants de Carpentras et du camp de Jalès, occupera Cette et les autres ports. Enfin, de son côté, le comte d'Artois entrera par Pont-Beauvoisin avec trente mille hommes. — Terrible découverte : la municipalité de Valence en donne avis à celles de Lyon, de Besançon, de Châlons, de Mâcon et à d'autres encore. Là-dessus, la municipalité de Mâcon, « considérant que les ennemis de la Révolution font tou- « jours les efforts les plus grands pour anéantir la « Constitution qui fait le bonheur de cet empire, » persuadée « qu'il est très-important de déjouer leurs projets, » envoie deux cents hommes de sa garde nationale au château de Villiers, « avec autorisation de déployer la force « des armes en cas de résistance. » Pour plus de sûreté, cette troupe ramasse les gardes nationales des trois paroisses voisines. M. de Bussy, averti qu'elles escaladent son jardin, prend un fusil, met en joue, ne tire pas, puis, la réquisition étant légale, laisse tout visiter. On trouve chez lui six habits verts, sept douzaines de gros boutons et quinze douzaines de petits : preuve manifeste. Il explique son projet et donne son motif : pur prétexte. Il donne par signe un ordre à son valet de chambre : complicité certaine. M. de Bussy, ses six hôtes, son valet de chambre, sont arrêtés, transportés à Mâcon. Là, procès, dépositions, interrogatoires : la vérité y éclate, même à travers les témoignages les plus malveillants ; il est clair que M. de Bussy n'a jamais songé qu'à se défendre. — Mais le préjugé est un bandeau pour des yeux hostiles ; on ne veut pas admettre que, sous la Constitution qui est parfaite, un innocent ait pu courir des dangers ; on lui objecte « qu'il n'est pas naturel de former une compagnie « armée pour s'opposer à une dévastation dont rien ne le « menace ; » on est sûr d'avance qu'il est coupable. Sur un décret de l'Assemblée nationale, le ministre avait ordonné que les accusés seraient conduits à Paris par la maréchaussée et les hussards ; la garde nationale de Mâcon, « dans le plus grand désordre, » déclare que, « M. de « Bussy ayant été arrêté par elle, elle n'entend pas que « sa translation ait lieu par un autre corps... Sans doute, « le projet est de le faire évader en route ; » mais elle saura garder sa capture. En effet, de sa propre autorité, elle escorte M. de Bussy jusqu'à Paris, dans les prisons de l'Abbaye, où il reste détenu pendant plusieurs mois, tant qu'enfin, après nouvelle enquête et procès, l'absurdité de l'accusation devenant trop palpable, on est obligé de l'élargir. — Telle est la situation de la plupart des gentilshommes dans leur domaine, et M. de Bussy, même acquitté et justifié, fera sagement de ne pas retourner dans le sien.

III

Aussi bien, il n'y serait qu'un otage. Seul contre mille, seul représentant et survivant d'un régime aboli que tous détestent, c'est au seigneur qu'on s'en prend, lorsqu'une secousse politique semble ébranler le régime nouveau. A tout le moins, comme il pourrait être dangereux, on le désarme, et, dans ces exécutions populaires, la brutalité ou la convoitise se lâchent comme un taureau qui crève une porte et se lance à travers une maison. — Dans ce même département[1], quelques mois plus tard, à la nouvelle de l'arrestation du roi à Varennes, « tous les « prêtres insermentés et les ci-devant seigneurs sont en « butte à toutes les horreurs de la persécution. » Des bandes entrent de force chez eux pour saisir leurs armes; Commarin, Grosbois, Montculot, Chaudenay, Créancé, Toisy, Chatellenot et d'autres maisons sont ainsi visitées

1. Archives nationales, DXXIX, 4, Lettre de M. Belin-Chatellenot (près d'Arnay-le-Duc) au président de l'Assemblée nationale, 1er juillet 1791. « Dans le royaume de la liberté, nous vivons sous la tyrannie la plus cruelle « et l'anarchie la plus complète, et les corps administratifs et de police, en- « core dans leur enfance, ont l'air de n'agir qu'en tremblant.... Jusqu'à pré- « sent, dans tous les crimes, ils sont plus occupés d'atténuer les faits que de « punir les délits. En conséquence, les coupables n'ont été retenus que par « quelques adresses doucereuses, comme : *Chers frères et amis, vous êtes « dans l'erreur, prenez garde,* etc. » — *Ib.*, F7, 3229, Lettre du Directoire du département de la Marne, 13 juillet 1791. (Perquisitions par les gardes nationales dans les châteaux et désarmement des anciens privilégiés). « Aucun « de nos arrêtés n'a été respecté. » Par exemple, bris et violences chez M. de Guinaumont, à Merry; on a même enlevé le fusil, le plomb et la poudre du garde-chasse. « M. de Guinaumont n'a plus aucun moyen de se défendre « contre un chien enragé ou autre bête féroce qui viendrait dans ses bois ou « dans sa cour. » Le maire de Merry était avec la garde nationale, par force, et leur disant en vain que cela était contre la loi. — Pétition de Mme d'Ambly, femme du député, 28 juin 1791. A défaut des fusils qu'elle avait remis déjà, on lui fait payer 150 francs.

et plusieurs saccagées. Dans la nuit du 26 au 27 juin 1791, au château de Créancé, « tout est pillé, les glaces sont « brisées, les tableaux lacérés, les portes enfoncées. » Le maître du logis, « M. de Comeau-Créancé, chevalier de « Saint-Louis, horriblement maltraité, est traîné au bas « de l'escalier où il reste comme mort; » auparavant, « on l'a forcé à une contribution considérable et à la « restitution de toutes les amendes qu'il avait perçues, « avant la Révolution, comme seigneur du lieu. » — Deux autres propriétaires du voisinage, chevaliers de Saint-Louis, ont été traités de même: « Voilà trois anciens et « braves militaires bien récompensés de leurs services. » — Un quatrième, homme pacifique, s'est sauvé d'avance, laissant les clefs aux serrures et son jardinier dans la maison. Néanmoins, les portes et les armoires ont été brisées, le pillage a duré cinq heures et demie, on a menacé de mettre le feu, si le seigneur ne comparaissait pas; on s'informait « s'il allait à la messe du nouveau curé, « s'il avait jadis fait payer des amendes, enfin si quelque « habitant avait à se plaindre de lui. » Aucune plainte; au contraire, il est plutôt aimé. — Mais, dans ces sortes de tumultes, cent furieux et cinquante drôles font la loi aux indifférents et aux timides. Les malfaiteurs ont déclaré « qu'ils avaient de bons ordres; ils ont forcé le « maire et le procureur-syndic d'assister à leur pillage; « ils ont eu aussi la précaution de forcer, par les plus « grandes menaces, quelques honnêtes citoyens à mar- « cher avec eux. » Ceux-ci viennent le lendemain en faire leurs excuses au propriétaire pillé, et les officiers municipaux dressent procès-verbal de la violence qu'on leur a faite. Mais la violence est faite, et, comme elle reste impunie, il est sûr qu'on recommencera.

On a déjà commencé et achevé dans les deux départements voisins; là, surtout au Sud, rien de plus instructif que l'entraînement par lequel l'émeute, lancée d'abord au nom de l'intérêt public, dégénère tout de suite sous l'impulsion de l'intérêt privé et aboutit au crime. — Autour de Lyon[1], sous le même prétexte, à la même date, des attroupements semblables opèrent des visites pareilles, et, dans toutes ces visites, « on brûle les terriers, on pille « et incendie les maisons. L'autorité municipale, créée « pour garantir les propriétés, n'est, dans beaucoup de « mains, qu'un moyen de plus de les violer. La garde « nationale ne paraît armée que pour protéger le désordre « et le pillage. » — Depuis plus de trente ans, M. de Chaponay, père de six enfants dont trois au service, dépensait son vaste revenu dans sa terre de Beaulieu, y occupait nombre de personnes, hommes, femmes et enfants. Après la grêle de 1761, qui avait presque détruit le village de Moranée, il avait reconstruit trente-trois maisons, fourni à d'autres des bois de charpente, procuré du blé à la commune, obtenu aux habitants, pour plusieurs années, une diminution des tailles. En 1790, il a célébré magnifiquement la fête de la fédération et donné deux banquets, l'un de cent trente couverts pour les municipalités et les officiers des gardes nationales voisines, l'autre de mille couverts pour les simples gardes. Certainement, si quelque gentilhomme peut se croire populaire et en sûreté, c'est celui-ci. — Le 24 juin 1791, les municipalités de Moranée, Lucenay et Chazelai, avec leurs maires et leurs gardes nationales, environ deux mille hommes, arrivent au château, tambours battants et drapeaux déployés. M. de Chaponay va audevant d'eux et leur demande ce qui lui vaut « le plaisir » de leur visite. Ils répondent qu'ils ne viennent pas pour l'offenser, mais pour exécuter les arrêtés du district qui leur a commandé de s'emparer du château et d'y mettre

1. Archives nationales, DXXIX, 4, Lettres des administrateurs du département de Rhône-et-Loire, 6 juillet 1791. (M. Vitet est un des signataires.) — *Mercure de France*, 8 octobre 1791.

soixante hommes de garde : demain le district et la garde nationale de Villefranche viendront en faire la visite. — Notez que cet ordre est imaginaire, car M. de Chaponay a beau le réclamer, ils ne peuvent le produire. Très-probablement, s'ils se sont mis en marche, c'est sur le bruit faux que la garde nationale de Villefranche va venir, et leur dérober un butin sur lequel ils ont compté. — Néanmoins, M. de Chaponay se soumet ; il prie seulement les officiers municipaux de faire eux-mêmes les perquisitions et en bon ordre. Sur quoi, le commandant de la garde nationale de Lucenay s'écrie avec emportement « que « tous sont égaux, que tous entreront, » et, au même instant, tous se précipitent. « M. de Chaponay faisait « ouvrir les appartements ; on les refermait exprès pour « que les sapeurs en jetassent les portes bas à coups de « hache. » — Tout est pillé, « argenterie, assignats, linge « en quantité, dentelles et autres effets, les arbres des « avenues mutilés et coupés, les caves vidées, les tonneaux « roulés sur la terrasse, tout le vin répandu, le donjon « démoli... Les officiers encourageaient ceux qui se ralen- « tissaient. » — Vers neuf heures du soir, M. de Chaponay est averti par ses domestiques que les municipalités ont résolu de lui faire signer l'abandon de ses droits féodaux et de lui couper la tête ensuite. Il se sauve avec sa femme par la seule porte non gardée, erre toute la nuit sous les coups de fusil des pelotons qui le traquent, et n'arrive à Lyon que le lendemain. — Cependant les pillards lui font signifier que, s'il n'abandonne pas son terrier, ils abattront ses forêts, et mettront le feu partout dans son domaine. En effet, à trois reprises différentes, le feu est mis au château ; dans l'intervalle, la bande en a saccagé un autre à Bayère, et, repassant chez M. de Chaponay, démolit une écluse de 10,000 livres. — De son côté, l'accusateur public reste muet, quelques instances qu'on lui fasse : sans doute il se dit que, pour un gentilhomme *visité*, c'est beaucoup d'avoir la vie sauve, et que d'autres, par exemple M. Guillin-Dumoutet, n'ont pas été aussi heureux.

Celui-ci, jadis capitaine d'un vaisseau de la compagnie des Indes, puis commandant au Sénégal, maintenant retiré de la vie active, habitait son château de Poleymieux, avec sa jeune femme et ses deux enfants en bas âge, ses sœurs, ses nièces et sa belle-sœur: en tout dix femmes de sa famille et de son service, un domestique nègre, et lui-même vieillard de plus de soixante ans[1]; voilà le repaire de conspirateurs militants qu'il faut désarmer au plus vite. — Par malheur, un frère de M. Guillin, accusé de lèse-nation, a été arrêté dix mois auparavant, et cela suffit aux clubs du voisinage. Déjà, au mois de décembre 1790, le château a été fouillé par les paroisses environnantes; elles n'ont rien trouvé, et le département a blâmé, puis interdit ces perquisitions arbitraires. Cette fois elles s'y prendront mieux. — Le 26 juin 1791, à dix heures du matin, on voit approcher la municipalité de Poleymieux avec deux autres en écharpe et trois cents gardes nationaux, toujours sous le prétexte de rechercher les armes. Mme Guillin se présente, leur rappelle la défense du département, demande l'ordre légal qui les autorise. On refuse. M. Guillin descend à son tour, offre d'ouvrir si on lui présente cet ordre. On n'a pas d'ordre à lui montrer. — Pendant le colloque, un certain Rosier, ancien soldat qui a déserté deux fois et qui maintenant commande une garde nationale, saisit M. Guillin au collet: le vieux capitaine se défend, menace l'autre d'un pistolet qui ne part pas, et, se débarrassant des mains qui le serrent, rentre en refermant la porte. — Aussitôt le tocsin sonne aux

1. *Mercure de France*, 20 août 1791, article de Mallet-Dupan. « Tous les « traits du tableau que je viens d'esquisser m'ont été fournis par Mme Du- « montet elle-même. » Je suis « autorisé par sa signature à garantir l'exac- « titude de ce récit. »

environs, trente paroisses s'ébranlent, deux mille hommes arrivent. Mme Guillin, suppliante, obtient que des délégués, choisis par la foule, feront la visite du château. Ces délégués, après avoir parcouru tous les appartements, déclarent qu'ils n'y ont trouvé que des armes ordinaires. Déclaration inutile : la multitude s'est échauffée par l'attente ; elle sent sa force et n'entend pas retourner à vide. Une grêle de coups de fusil crible les fenêtres du château. — Par un dernier effort, Mme Guillin, tenant ses deux enfants dans ses bras, sort, arrive jusqu'aux officiers municipaux, les somme de faire leur devoir. Bien loin de là, ils la retiennent afin d'avoir un otage, et la placent de façon à ce qu'elle reçoive les balles, si l'on tire du château. — Cependant les portes sont enfoncées, la maison est pillée de fond en comble, puis incendiée ; M. Guillin, qui s'est réfugié dans le donjon, va être atteint par les flammes. A ce moment quelques-uns des assaillants, moins féroces que les autres, l'encouragent à descendre, répondent de sa vie : à peine s'est-il montré, que les autres se jettent sur lui ; on crie qu'il faut le tuer, qu'il a 36,000 francs de rente viagère sur l'État, que « ce sera « autant de gagné pour la Nation ; » « on le hache en « pièces vivant ; » on lui coupe la tête, on la porte au bout d'une pique, on dépèce son cadavre, on envoie un morceau du corps à chaque paroisse ; plusieurs trempent leurs mains dans son sang et s'en barbouillent le visage. Il semble que le tumulte, les clameurs, l'incendie, le vol et le meurtre aient réveillé en eux, non-seulement les instincts cruels du sauvage, mais encore les appétits carnassiers de la bête : quelques-uns, saisis par la gendarmerie à Chasselay, avaient fait rôtir l'avant-bras du mort, et le dévoraient à table[1]. — Mme Guillin, sauvée

1. *Mercure de France*, 20 août 1791, article de Mallet-Dupan. « La pro-« cédure instruite à Lyon a constaté ce festin d'anthropophages. »

par la compassion de deux habitants, parvient, à travers de grands dangers, à gagner Lyon : elle et ses enfants ont tout perdu, « château, dépendances, récolte de l'année « précédente, vins, grains, mobilier, argenterie, argent « comptant, assignats, billets, contrats, » et, dix jours plus tard, le département avertit l'Assemblée nationale que « les mêmes projets se forment et se combinent en- « core, que l'on menace (toujours) de brûler les châteaux « et les terriers, » que là-dessus nul doute n'est permis ni possible : « Les habitants de la campagne n'attendent « qu'une occasion pour renouveler ces scènes d'hor- « reur[1]. »

IV

Devant la jacquerie multipliée et renaissante, il n'y a plus qu'à fuir, et les nobles, chassés de la campagne, cherchent un refuge dans les villes. Mais là aussi une jacquerie les attend. — A mesure que les effets de la Constitution se sont développés, les administrations renouvelées sont devenues plus faibles ou plus partiales ; la populace lâchée est devenue plus excitable et plus violente ; le club intronisé est devenu plus soupçonneux et plus despotique. C'est lui qui désormais, à travers ou par-dessus les administrations, conduit la populace, et les nobles vont la trouver aussi hostile que leurs paysans. Tous leurs cercles, même libéraux, sont fermés, comme celui de Paris, par l'intervention illégale du peuple attroupé ou par l'intervention inique des magistrats populaires. Toutes leurs associations, même légales et salutaires, sont brisées par la force brutale ou par l'intolérance

1. La lettre du département finit par cette naïveté ou cette ironie : « Il « vous reste une conquête à faire, celle de l'obéissance et de la soumission « du peuple à la loi. »

municipale. On les punit d'avoir songé à se défendre, et on les tue parce qu'ils essayent de se dérober au couteau. — Trois ou quatre cents gentilshommes, menacés dans leurs terres, ont cherché, avec leurs familles, un asile à Caen [1]; et ils ont cru l'y trouver ; car, par trois arrêtés successifs, la municipalité leur a promis aide et protection. Par malheur, le club est d'un autre avis, et, le 23 août 1791, il imprime et affiche la liste de leurs noms et de leurs demeures, déclarant que, puisque « leurs opinions suspectes les ont engagés à quitter la campagne, » ils sont « des émigrants dans l'intérieur ; » d'où il suit qu'il faut « surveiller scrupuleusement leur conduite, » parce « qu'elle peut être l'effet de quelque trame dangereuse « contre la patrie. » Quinze surtout sont signalés, entre autres, « le ci-devant curé de Saint-Loup, grand limier « des aristocrates : toutes personnes très-suspectes, « ayant les plus mauvaises intentions. » — Ainsi dénoncés et désignés, on comprend qu'ils ne peuvent plus dormir tranquilles ; d'ailleurs, depuis que leurs adresses ont été publiées, ils sont menacés tout haut de visites et de violences à domicile. Quant aux administrations, il n'y a pas à compter sur leur entremise; le département lui-même annonce au ministre qu'il ne peut, conformément à la loi, remettre le château aux troupes de ligne [2]; ce se-

1. Archives nationales, F7, 3200, Pièces concernant l'affaire du 5 novembre 1791 et les événements précédents ou suivants, entre autres : Lettres du Directoire et du procureur-syndic du département ; Pétition et Mémoire pour les détenus ; Lettres d'un témoin, M. de Morant. — *Moniteur*, X, 356 Procès-verbal de la municipalité de Caen, et du Directoire du département, XI, 164, 206, Rapport de Guadet et pièces du procès. — Archives nationales, *ib.* — Lettres de M. Cahier, ministre de l'intérieur, 26 janvier 1792, de M. G.-D. de Pontécoulant, président du Directoire du département, 3 février 1792. — Proclamation du Directoire.

2. Archives nationales, F7, 3200, Lettre du 26 septembre 1791. — Lettre trouvée sur un des gentilshommes arrêtés : « Une bourgeoisie sans courage, « des directeurs dans les caves, une municipalité clubiste nous faisant la « guerre la plus illégale. »

rait, dit-il, soulever la garde nationale. « Comment d'ail- « leurs, sans force publique, arracher ce poste des mains « qui s'en sont emparées? La chose nous serait impos- « sible avec les seuls moyens que nous donne la Consti- « tution. » Ainsi, pour défendre les opprimés, la Constitution est une lettre morte. — C'est pourquoi les gentilshommes réfugiés, ne trouvant de protection qu'en eux-mêmes, entreprennent de se secourir les uns les autres. Nulle association mieux justifiée, plus pacifique, plus innocente. Son objet est « de réclamer l'exécution « des lois à chaque instant violées et de protéger les pro- « priétés et les personnes. » Dans chaque quartier on tâchera de réunir « les honnêtes gens; » on formera un comité de huit membres, et, dans chaque comité, il y aura toujours « un officier de justice, ou un membre d'un « corps administratif, avec un officier ou sous-officier de « la garde nationale. » Si quelque citoyen est attaqué dans sa personne ou dans ses biens, l'association fera une pétition en sa faveur. Si quelque violence particulière nécessite l'emploi de la force publique, les membres du quartier s'assembleront, sous la conduite de l'officier de justice et de l'officier de la garde nationale, pour venir prêter main-forte. « Dans tous les cas possibles, » ils « auront la plus grande attention à éviter toute insulte « particulière; ils considéreront que leur réunion n'a « pour but que d'assurer la tranquillité publique et la « protection que chaque citoyen doit attendre de la loi. » — Bref, ce sont des *constables volontaires :* une municipalité hostile et un tribunal prévenu auront beau tourner et retourner l'enquête : on n'y trouvera pas autre chose. Le seul indice contre un des chefs est une lettre par laquelle il détourne un gentilhomme d'aller à Coblentz et lui montre qu'il sera plus utile à Caen. Le principal témoignage contre l'association est celui d'un bourgeois que l'on a voulu enrôler et à qui l'on a demandé quelles étaient ses opinions; il a dit qu'il était pour l'exécution des lois, et on lui a répondu : « En ce cas, vous êtes « des nôtres, vous êtes bien plus aristocrate que vous ne « pensez. » Effectivement, toute leur aristocratie consiste à empêcher le brigandage. Nulle prétention n'est plus révoltante puisqu'elle oppose une barrière à l'arbitraire d'un parti qui se croit tout permis. — Le 4 octobre, le régiment d'Aunis a quitté la ville, et les honnêtes gens sont livrés à la milice, « habillée ou non, » qui seule est en possession des armes. Ce jour-là, pour la première fois depuis longtemps, M. Bunel, ancien curé de Saint-Jean, avec l'autorisation et l'assistance de son successeur assermenté, a dit la messe : grand concours d'orthodoxes; cela inquiète les patriotes. Le lendemain, M. Bunel doit encore dire la messe; par l'organe de la municipalité, les patriotes lui défendent d'officier; il se soumet. — Mais, faute d'avertissement, une foule de fidèles sont arrivés, et l'église est pleine. Attroupement dangereux; les patriotes et les gardes nationaux arrivent « pour rétablir l'ordre » qui n'est pas troublé, et ils le troublent. Des propos menaçants sont échangés entre les domestiques des nobles, et la garde nationale. Celle-ci dégaine; un jeune homme est sabré, foulé aux pieds; M. de Saffrey, qui vient sans armes à son secours, est sabré lui-même, percé de baïonnettes; deux autres sont blessés. — Cependant dans une rue voisine, M. Achard de Vagogne, voyant des gens armés maltraiter un homme, approche pour mettre la paix; l'homme est tué d'un coup de fusil; M. Achard est criblé de coups de baïonnette et de sabre; « il n'y a pas un fil sur lui qui ne soit teint « de son sang qui ruisselle jusque dans ses souliers. » En cet état, avec M. de Saffrey, il est conduit au château; d'autres enfoncent la porte de M. du Rosel, vieil officier de soixante-quinze ans, qui en a cinquante-neuf de service, et le poursuivent jusque par-dessus le mur de son jardin. Un quatrième peloton saisit M. d'Héricy, autre officier septuagénaire, qui, comme M. du Rosel, ignorait tout, et partait paisiblement pour sa maison de campagne. — La ville est pleine de tumulte, et, par les ordres de la municipalité, la générale bat.

Pour les constables volontaires, le moment d'agir est venu; environ soixante gentilshommes, avec quelques marchands et artisans, se mettent en marche. Selon les statuts de leur association et avec un scrupule significatif, ils prient un officier de la garde nationale qui passait là de se mettre à leur tête, arrivent sur la place Saint-Sauveur, rencontrent l'officier major envoyé vers eux par la municipalité, et, à sa première injonction, se laissent conduire par lui à l'hôtel de ville. Là, sans qu'ils fassent aucune résistance, ils sont arrêtés, désarmés, fouillés. On saisit sur eux des statuts de leur ligue : évidemment, ils tramaient une contre-révolution. La clameur est terrible contre eux; on est obligé, « pour leur sûreté, » de les conduire au château, et, dans le trajet, plusieurs sont cruellement maltraités par la multitude. D'autres, pris chez eux, M. Levaillant, un domestique de M. d'Héricy, sont transportés tout sanglants, percés de baïonnettes. Quatre-vingt-deux prisonniers sont ainsi entassés, et l'on craint toujours qu'ils ne s'échappent; « on coupe leur pain « et leur viande par morceaux pour voir si rien n'y est « enfermé; on interdit l'accès à des chirurgiens que l'on « traite aussi d'aristocrates. » En même temps les maisons sont visitées de nuit; ordre à tout étranger de venir à l'hôtel de ville pour donner les motifs de sa résidence et déposer ses armes; défense à tout prêtre insermenté de dire la messe. Le département, qui voudrait résister, a la main forcée, et confesse son impuissance. « Le peuple, » écrit-il, « connaît sa force, il sait que nous n'en avons « aucune : agité par les mauvais citoyens, il se permettra « tout ce qui servira sa passion ou son intérêt; il in-

« fluencera nos délibérations, et nous arrachera celles « que, dans une position différente, nous nous serions « bien gardés de prendre. » — Trois jours après, les vainqueurs célèbrent leur triomphe : « avec tambours, mu- « sique et flambeaux allumés, le peuple va détruire à « coups de marteau les armes qui étaient sur les hôtels « et qui avaient été ci-devant enduites de plâtre ; » la défaite des aristocrates est achevée. — Pourtant leur innocence est si manifeste que l'Assemblée législative elle-même n'a pu s'empêcher de la reconnaître. Après onze semaines de détention, ordre est donné de les élargir, sauf deux, un jeune homme de moins de dix-huit ans et un vieillard presque octogénaire, sur lesquels deux lettres mal entendues laissent encore planer l'ombre d'un soupçon. — Mais il n'est pas sûr que le peuple veuille les rendre. La garde nationale a refusé de les élargir en plein jour et de leur faire escorte. La veille même, « des groupes « nombreux de femmes, entremêlés de quelques hommes, « parlent de massacrer tous ces gens-là, au moment où « ils mettront le pied hors du château. » On est obligé de les faire sortir à deux heures du matin, en secret, sous une forte garde, et, tout de suite, ils quittent la ville, comme, six mois auparavant, ils ont quitté la campagne. — Ni à la campagne, ni à la ville[1], ils ne sont couverts par la loi civile ou religieuse, et un gentilhomme, qui n'est pas compromis dans l'affaire, remarque que leur situation est pire que celle des protestants et des vagabonds aux

1. Archives nationales, F7, 3200, Lettre du procureur-syndic de Bayeux, 14 mai 1792, et du Directoire de Bayeux, 21 mai 1792. — A Bayeux aussi, les réfugiés sont dénoncés et en péril. D'après leurs déclarations vérifiées, ils sont à peine cent. « A la vérité, il se trouve parmi eux plusieurs prêtres « insermentés. (Mais) le reste est formé, pour la plupart, de chefs de fa- « mille connus pour habiter ordinairement les districts voisins, et qui ont « été forcés de quitter leurs foyers, après avoir été ou craignant de deve- « nir les victimes de l'intolérance religieuse ou des menaces des factieux et « des brigands. »

pires années de l'ancien régime : « N'est-ce pas la loi qui « a laissé aux prêtres (insermentés) la liberté de dire la « messe? Pourquoi donc, sans péril de sa vie, n'ose-t-on « entendre leur messe? — N'est-ce pas la loi qui com- « mande à tous les citoyens de protéger la tranquillité « publique? Pourquoi donc ceux que le cri *Aux armes* a « fait sortir armés pour protéger l'ordre sont-ils assail- « lis en qualité d'aristocrates? — Pourquoi, sans ordres, « ni dénonciation, ni apparence de délit, viole-t-on l'a- « sile des citoyens que les décrets ont déclaré sacré? — « Pourquoi désarmer de préférence tout ce qu'il y a de « notables et de gens aisés? Les armes ne sont-elles exclu- « sivement faites que pour ceux qui naguère en étaient « privés et qui en abusent? Pourquoi serait-on égal pour « payer, et distingué pour être vexé et insulté? » — Il a dit le mot juste. Ce qui règne désormais, c'est une aristocratie à rebours, contraire à la loi, encore plus contraire à la nature. Car, dans l'échelle graduée de la civilisation et de la culture, à présent, par un renversement brusque, les échelons inférieurs se trouvent en haut, et les échelons supérieurs se trouvent en bas. Supprimée par la constitution, l'inégalité s'est rétablie au sens contraire. Plus arbitrairement, plus brutalement, plus injustement que les vieux barons féodaux, la populace des campagnes et des villes taxe, emprisonne, pille ou tue, et, pour serfs ou vilains, elle a ses anciens chefs.

V

Supposons que, pour ne pas donner prise aux soupçons, ils se résignent à ne plus avoir d'armes, à ne point faire de groupes, à ne point paraître aux élections, à s'enfermer au logis, à se confiner étroitement dans le cercle inoffensif de la vie privée. La même défiance et la même animosité les y poursuivent. — A Cahors[1], où la municipalité vient, malgré la loi, d'expulser les Chartreux qui, avec la permission de la loi, optaient pour la résidence et la vie commune, deux religieux, avant de partir, donnent à M. de Beaumont, leur voisin et ami, quatre poiriers nains et des ognons à fleur de leur jardin. Là-dessus, la municipalité arrête que « le sieur Louis de Beaumont, ci-de« vant comte, est coupable d'avoir dégradé les biens na« tionaux témérairement et malicieusement, » le condamne à 300 livres d'amende, ordonne « que les quatre « poiriers arrachés dans la ci-devant Chartreuse, seront « portés demain, jour de mercredi, devant la porte du dit « sieur de Beaumont, pour y rester pendant quatre jours « consécutifs, et y être gardés à vue, nuit et jour, par « deux fusiliers, aux frais et dépens dudit sieur de Beau« mont, sur lesquels arbres sera placé un écriteau por« tant cette inscription : Louis de Beaumont dégradateur « des biens nationaux. Et sera le présent arrêté imprimé « au nombre de mille exemplaires, lu, publié, affiché aux « frais et dépens dudit sieur de Beaumont, pour être « adressé, dans tout le département du Lot, aux districts « et municipalités dont il est composé, ainsi qu'à toutes « les sociétés des Amis de la Constitution et de la Liberté. » A chaque ligne de cette invective légale, perce l'envie haineuse du plumitif local qui se venge d'avoir jadis salué trop bas. — L'année suivante M. de Beaumont ayant racheté par-devant notaire une église vendue par le district avec tous les ornements et objets de culte qu'elle renferme, le maire et les officiers municipaux, suivis d'ouvriers, y viennent tout enlever et détruire, confessionnaux, autels, et jusqu'au corps canonisé du saint enseveli là depuis cent cinquante ans, si bien qu'après leur départ « l'édi-

1. *Mercure de France,* 4 juin 1790, (Lettre de Cahors, du 17 mai, arrêté de la municipalité du 10 mai 1790).

« fice ressemble à une vaste grange remplie de démolitions « et de décombres.[1] » Notez qu'en ce moment M. de Beaumont est commandant militaire du Périgord : par le traitement qu'il subit, jugez de celui qu'on réserve aux nobles ordinaires ; je ne leur conseille pas de se présenter aux adjudications[2]. — Seront-ils au moins libres dans leurs amusements domestiques, et, quand ils vont dans un salon, sont-ils sûrs d'y passer tranquillement leur soirée? — A Paris même, dans un hôtel du faubourg Saint-Honoré, nombre de personnes de la bonne compagnie, parmi elles les ambassadeurs de Danemark et de Venise, écoutaient un concert donné par un virtuose étranger ; entre une charrette avec cinquante bottes de foin qui sont la provision du mois pour les chevaux. Un patriote, qui a vu entrer la charrette, imagine que le roi, caché sous les bottes, vient dans l'hôtel pour s'entendre avec les aristocrates et comploter sa fuite. Attroupement : un commissaire vient avec la garde nationale ; la charrette est gardée à vue par quatre grenadiers. Cependant le commissaire visite tout l'hôtel, y voit des pupitres à musique et les apprêts d'un souper, revient, fait décharger la charrette, déclare au peuple qu'il n'a rien trouvé de suspect.

1. Archives nationales, F7, 3223, Lettre du comte Louis de Beaumont, 9 novembre 1791. Sa lettre, fort modérée, finit ainsi : « Convenez, monsieur, que tout cela est fort désagréable et même incroyable que les officiers municipaux soient les auteurs de tous les désordres qui se passent « dans cette ville. »

2. *Mercure de France,* 7 janvier 1792. M. Granchier de Riom adresse au Directoire de son département une pétition à l'effet d'acheter le cimetière où son père a été enterré quatre années auparavant ; c'est pour empêcher la fouille décrétée du cimetière et pour conserver le tombeau de sa famille. Il demande en même temps à acheter l'église Saint-Paul, afin d'y acquitter les messes fondées pour l'âme de son père. — Le Directoire répond (5 décembre 1791) : « Considérant que les moyens qui ont déterminé l'exposant « à faire sa déclaration sont le simulacre d'une bonhomie dans laquelle le « prestige impuissant pour séduire la saine raison est enveloppé, le Directoire arrête qu'il n'y a lieu à accueillir la demande du sieur Granchier. »

Le peuple ne le croit pas, et réclame une seconde visite. Seconde visite faite par vingt-quatre délégués ; de plus on compte les bottes de paille, on en délie plusieurs, le tout en vain. Irritée de sa déception et ayant compté sur un spectacle, la foule exige que tous les invités, hommes et femmes, sortent à pied et ne remontent dans leurs voitures qu'au bout de la rue. « Les voitures vides défilent « les premières, » puis les invités en costume de soirée, les femmes en grande toilette, « tremblantes de peur, les « yeux baissés, entre deux haies d'hommes, de femmes « et d'enfants qui les regardent sous le nez et les acca- « blent d'injures. [1] » — Suspect de conciliabules à domicile et recherché jusque dans son hôtel, le noble a-t-il au moins le droit de fréquenter une salle publique, de manger au restaurant, d'y prendre le frais sur le balcon? — Le vicomte de Mirabeau, qui vient de dîner au Palais-Royal, se met à la fenêtre pour respirer ; il est reconnu ; bientôt un rassemblement crie : à bas Mirabeau-Tonneau[2] ! « On lui lance de tous côtés des graviers et quelquefois « des pierres : une pierre casse un carreau de vitre ; lui « aussitôt de prendre la pierre, de la montrer à la multi- « tude, et, en même temps, de la poser tranquillement « sur le bord de la fenêtre, en signe de modération. » Des vociférations éclatent ; ses amis le font rentrer et il faut que le maire Bailly vienne en personne pour apaiser les agresseurs. — En effet ceux-ci ont de justes motifs de haine. Le gentilhomme qu'ils lapident est un bon vivant, gros et gras, qui soupe volontiers, amplement, savamment, et là-dessus, la populace se l'est figuré comme un monstre, bien pis comme un ogre. A l'endroit de ces nobles dont le plus grand tort est d'être trop policés et trop mondains, l'imagination surexcitée reforge des contes de

1. De Ferrières, II, 268 (19 avril 1791).
2. De Montlosier, II, 307, 309, 312.

nourrice. Logé rue Richelieu, M. de Montlosier se voyait suivi des yeux lorsqu'il allait à l'Assemblée nationale. Une femme surtout, de trente à trente-deux ans, et vendant de la viande à un étal passage Saint-Guillaume, « le « regardait avec une attention particulière. Dès qu'elle le « voyait arriver, elle prenait un large et long couteau « qu'elle aiguisait devant lui, en lui lançant des regards « furieux. » Il interroge sa maîtresse d'hôtel; deux enfants du quartier ont disparu enlevés par des bohémiens, et c'est maintenant un bruit répandu que M. de Montlosier, le marquis de Mirabeau, d'autres députés du côté droit « se rassemblent pour faire des orgies dans les« quelles ils mangent de petits enfants. »

En cet état de l'opinion, il n'est pas un crime qu'on ne leur impute, pas un outrage qu'on ne leur prodigue. Traîtres, tyrans, conspirateurs, assassins, tel est à leur endroit le vocabulaire courant des clubs et des gazettes. Aristocrate signifie tout cela, et quiconque ose démentir la calomnie est lui-même un aristocrate.—Au Palais-Royal, on répète que M. de Castries, dans son dernier duel, s'est servi d'une épée empoisonnée, et un officier de marine, qui proteste contre ce bruit faux, est accusé lui-même, jugé sur place, condamné « à être consigné au corps de « garde ou jeté dans le bassin[1]. »—Que les nobles se gardent bien de défendre leur honneur à la façon ordinaire et de répondre à une insulte par une provocation. A Castelnau près de Cahors[2], l'un de ceux qui, l'année précédente, ont marché contre les incendiaires, M. de Bellud, chevalier de Saint-Louis, arrivant sur la place publique avec son frère, garde du corps, est accueilli par des cris : A l'aristocrate, A la lanterne! Son frère est en redin-

1. *Moniteur*, VI, 556, Lettre de M. d'Aymar, chef d'escadre, 18 novembre 1790.

2. *Mercure de France*, 28 mai et 16 juin 1791. (Lettres de Cahors et de Castelnau, 18 mai.)

gote du matin et en pantoufles : ils ne veulent point se faire d'affaires, ils ne disent mot. Un peloton de garde nationale qui passe répète le cri; ils se taisent encore. Le chant continue; au bout de quelque temps, M. de Bellud prie le commandant d'imposer silence à ses hommes. Celui-ci refuse, et M. de Bellud lui demande réparation hors de la ville. A ce mot, les gardes nationaux foncent sur M. de Bellud, la baïonnette en avant. Son frère reçoit un coup de sabre au col; lui, se défendant de l'épée, blesse légèrement le commandant et un garde. Seuls contre tous, les deux frères battent en retraite jusque dans leur maison où ils sont bloqués. Vers sept heures du soir, deux ou trois cents gardes nationaux de Cahors arrivent pour renforcer les assiégeants. La maison est prise, le garde du corps, se sauvant à travers champs, se foule le pied, est capturé. M. de Bellud, qui a gagné une autre maison, continue à s'y défendre; on y met le feu, elle brûle avec les deux voisines. Réfugié dans une cave, il tire toujours; on jette, par le soupirail, des bottes de paille enflammées. Presque étouffé, il sort, tue d'un coup de pistolet le premier assaillant, et de l'autre coup, se tue lui-même. On lui coupe la tête, ainsi qu'à son domestique; on fait baiser les deux têtes au garde du corps, et, comme il demande un verre d'eau, on lui verse dans la bouche le sang qui dégoutte de la tête coupée de son frère. Puis la troupe victorieuse se met en marche vers Cahors, avec les deux têtes sur des baïonnettes et le garde du corps sur une charrette. Elle s'arrête devant la maison où s'assemble un cercle littéraire suspect au club jacobin; on fait descendre le blessé, on le pend, on décharge les fusils sur son corps, puis on brise tout dans le cercle, « on jette les meubles par les fenêtres, on démo- « lit la maison. » — Toutes les exécutions populaires sont de cette nature, à la fois promptes et complètes, pareilles à celles d'un roi d'Orient qui, de ses propres mains, à l'instant, sans enquête ni jugement, venge sa majesté offensée, et, pour toute offense, ne connaît qu'un châtiment, la mort. A Tulle[1], M. de Massey, lieutenant de Royal-Navarre, qui a frappé un insulteur, est saisi dans la maison où il s'est réfugié, et, malgré les trois corps administratifs, massacré sur-le-champ. — A Brest, deux caricatures antirévolutionnaires ayant été charbonnées sur les murs du café militaire, la foule ameutée s'en prend à tous les officiers ; l'un d'eux, M. Patry, se dénonce, et, sur le point d'être déchiré, veut se tuer lui-même. On le désarme ; mais, quand la municipalité arrive à son secours, elle trouve qu'il « vient d'expirer d'un nombre in« fini de blessures, » et voit sa tête promenée au bout d'une pique[2]. — Mieux vaudrait vivre sous un roi d'Orient ; car il n'est point partout, ni toujours furieux et fou comme la populace. Ni dans la vie publique, ni dans la vie privée, ni à la campagne, ni à la ville, ni réunis, ni séparés, les nobles ne sont à l'abri. Comme un nuage noir et menaçant, l'hostilité populaire pèse sur eux, et, d'un bout à l'autre du territoire, l'orage s'abat par une grêle continue de vexations, d'outrages, de diffamations, de spoliations et de violences ; çà et là, et presque journellement, des coups de tonnerre meurtriers tombent au hasard sur la tête la plus inoffensive, sur un vieux gentilhomme endormi, sur un chevalier de Saint-Louis qui se promène, sur une famille qui prie à l'église. Mais, dans cette noblesse écrasée par places et meurtrie partout, la

1. *Mercure de France*, n° du 28 mai 1791. A la fête de la Fédération, M. de Massey n'avait pas voulu commander à ses cavaliers de mettre leurs chapeaux au bout de leurs sabres, manœuvre difficile. Pour ce fait, on l'avait accusé de lèse-nation, et il avait dû quitter Tulle pendant plusieurs mois. — Archives nationales, F7, 3204, Extrait des minutes du tribunal de Tulle, 10 mai 1791.

2. Archives nationales, F7, 3215, Procès-verbal des officiers municipaux de Brest, 23 juin 1791.

foudre trouve un groupe prédestiné qui l'attire et sur lequel incessamment elle frappe : c'est le corps des officiers.

VI

Sauf un petit nombre de fats, habitués des salons, favoris de cour et portés aux premiers grades par des intrigues d'antichambre, c'est dans ce groupe, surtout dans les rangs moyens de ce groupe, que l'on trouvait alors le plus de noblesse morale. Nulle part en France il n'y avait tant de mérite éprouvé et solide ; un homme de génie qui les a fréquentés dans sa jeunesse leur a rendu ce témoignage : beaucoup d'entre eux étaient des gens « du caractère le « plus aimable et de l'esprit le plus élevé[1]. » — En effet, pour la plupart, le service militaire n'était pas une carrière d'ambition, mais un devoir de naissance. Dans chaque famille noble, il était de règle qu'un fils fût à l'armée ; peu importait qu'il y avançât. Il payait la dette de son rang ; cela lui suffisait, et après vingt ou trente ans de service, une croix de Saint-Louis, parfois une maigre pension, étaient tout ce qu'il avait droit d'attendre. — Sur neuf à dix mille officiers, le plus grand nombre, sortis de la petite et pauvre noblesse provinciale, gardes du corps, lieutenants, capitaines, majors, lieutenants-colonels et même colonels, n'ont pas d'autre prétention. Résignés aux passe-droits[2], confinés dans leur grade secondaire,

1. Mémoires de Cuvier (Éloges historiques par Flourens), I, 177. Cuvier, qui était alors au Havre (1788), avait fait des études supérieures dans une école administrative allemande. « M. de Surville, dit-il, officier au régiment d'Ar- « tois, était l'un des esprits les plus élevés et des caractères les plus aima- « bles que j'aie rencontrés. Il y en avait beaucoup de ce genre parmi ses « camarades, et je suis toujours étonné que de pareils hommes aient pu « végéter dans les rangs obscurs de quelque régiment d'infanterie. »

2. De Dammartin, I, 133. Au commencement de 1790, « les officiers sim- « ples disaient : nous devrions faire des réclamations ; car nos griefs sont

ils laissent les très-hauts emplois aux héritiers des grandes familles, aux assidus ou aux parvenus de Versailles, et se contentent d'être de bons gardiens de l'ordre public et de braves défenseurs de l'État. A ce régime, quand le cœur n'est pas très-bas, il s'élève : on se fait un point d'honneur de servir sans récompense; on n'a plus en vue que l'intérêt public, d'autant plus qu'en ce moment il est l'objet de toutes les préoccupations et de tous les écrits. Nulle part la philosophie pratique, celle qui consiste dans l'esprit d'abnégation, n'a pénétré plus profondément que dans cette élite méconnue. Sous des dehors polis, brillants et parfois frivoles, ils ont l'âme sérieuse; leur vieil honneur est devenu du patriotisme. Préposés à l'exécution des lois, ayant en main la force pour maintenir la paix par la crainte, ils sentent toute l'importance de leur office, et pendant deux ans, ils persistent à le remplir avec une modération, une douceur, une patience extraordinaires, non-seulement au péril de leur vie, mais à travers des humiliations énormes et multipliées, par le sacrifice de leur autorité et de leur amour-propre, par la soumission de leur volonté capable à la dictature incapable des nouveaux maîtres qui leur sont infligés. Il est dur à un officier noble d'obéir aux réquisitions d'une municipalité bourgeoise et improvisée[1], de subordonner sa compétence, son courage

« au moins aussi nombreux que ceux de nos cavaliers. » — M. de La Rochejacquelein disait après ses grands succès de Vendée : « J'espère que le roi, « une fois rétabli, me donnera un régiment. » Il n'aspirait à rien de plus. (*Mémoires* de Mme de La Rochejacquelein.) — Cf. *Un officier royaliste au service de la République*, par M. de Bezancenet, lettres et biographie du général de Dommartin, tué dans l'expédition d'Égypte.

1. Correspondances de MM. de Thiard, de Caraman, de Miran, de Bercheny, etc., citées ci-dessus, *passim*. — Correspondance de M. de Thiard, 5 mai 1790 : « La ville de Vannes a un style autoratif qui commence à me déplaire : elle veut que le roi lui fournisse des baguettes de tambour; la première bûche le ferait avec plus de promptitude et de facilité. »

et sa prudence aux maladresses et aux alarmes de cinq ou six procureurs novices, effarés et timides, de mettre son initiative et son énergie au service de leur présomption, de leur indécision et de leur faiblesse, même quand leurs ordres ou refus d'ordres sont manifestement absurdes et malfaisants, même quand ils sont contraires aux instructions antérieures de son général et de son ministre, même quand ils aboutissent au pillage d'un marché, à l'incendie d'un château, à l'assassinat d'un innocent, même quand ils lui imposent l'obligation d'assister au crime, l'épée au fourreau et les bras croisés[1]. Il est dur à un officier noble de voir se former en face de sa troupe une troupe indépendante, populaire, bourgeoise, rivale et même hostile, en tout cas dix fois plus nombreuse et non moins exigeante que susceptible, d'être tenu envers elle aux complaisances et aux déférences, de lui céder les postes, les arsenaux, les citadelles, de traiter ses chefs en égaux, quelle que soit leur ignorance ou leur indignité, quels qu'ils soient, ici un avocat, là un capucin, ailleurs un brasseur ou un cordonnier, le plus souvent un démagogue, et dans maint bourg ou village, un déserteur, un soldat chassé du régiment pour inconduite, peut-être tel de ses propres hommes, mauvais sujet qu'il a renvoyé jadis avec la cartouche jaune, en lui disant d'aller se faire pendre ailleurs. Il est dur à un officier noble d'être diffamé publiquement et journellement à raison de son grade et de son titre, d'être qualifié de traître au club et dans les gazettes, d'être désigné par son nom aux soupçons et aux fureurs populaires, d'être hué dans la rue et au théâtre, de subir la désobéissance de ses soldats, d'être dénoncé, insulté, arrêté, rançonné, chassé, meurtri par eux et par

1. Archives nationales, F7, 3248, 16 mars 1791. A Douai, Nicolon, marchand de blé, est pendu, parce que la municipalité n'a pas osé proclamer la loi martiale. Le commandant, M. de la Noue, n'avait pas le droit de faire marcher ses grenadiers, et le meurtre s'est accompli sous ses yeux.

la populace, d'avoir en perspective une mort atroce, ignoble et sans vengeance, celle de M. de Launay massacré à Paris, de M. de Belzunce massacré à Caen, de M. de Beausset massacré à Marseille, de M. de Voisins, massacré à Valence, de M. de Rully massacré à Bastia, de M. de la Rochetailler massacré à Saint-Étienne, de M. de Mauduit massacré à Port-au-Prince[1]. Tout cela, les officiers nobles le supportent. Pas une seule municipalité, même jacobine, ne trouve un prétexte pour leur imputer un refus d'obéissance. A force de tact et d'égards, ils évitent tout conflit avec les gardes nationales. Jamais ils ne provoquent, et, même provoqués, il est rare qu'ils se défendent. Des conversations imprudentes, des vivacités de langage, des mots plaisants, voilà leurs plus grandes fautes. Comme de bons chiens de garde au milieu d'un troupeau effarouché qui les foule sous ses sabots ou les perce de ses cornes, ils se laissent percer et fouler sans mordre, et ils resteraient jusqu'au bout attachés à leur poste, si l'on ne venait les en chasser.

Rien n'y fait : doublement suspects comme membres d'une classe proscrite et comme chefs de la force armée, c'est contre eux que la méfiance publique allume le plus d'explosions ; d'autant plus que l'instrument qu'ils manient est singulièrement explosible. Recrutée par des engagements volontaires, « dans un peuple ardent, turbu« lent et un peu débauché, » l'armée se compose « de ce « qu'il y a de plus ardent, de plus turbulent et de plus « débauché dans la nation »[2]. Ajoutez-y la balayure des

1. Ce dernier, notamment, est mort avec une douceur héroïque. (*Mercure de France*, 18 juin 1791. — Séance du 9 juin, discours de deux officiers du régiment de Port-au-Prince, l'un témoin oculaire.)

2. De Dammartin, II, 214. La désertion est énorme, même en temps ordinaire, et fournit aux armées étrangères « le quart de leur effectif. » — Vers la fin de 1789, Dubois de Crancé, ancien mousquetaire et l'un des futurs montagnards, disait à l'Assemblée nationale, que l'ancien système de recru-

dépôts de mendicité : voilà beaucoup de chenapans sous l'uniforme. Si l'on réfléchit que la solde est petite, la nourriture mauvaise, la discipline dure, l'avancement nul et la désertion endémique, on ne s'étonne plus de la débandade : pour de tels hommes, l'attrait de la licence est trop fort. Dès le commencement, avec du vin, des filles et de l'argent, on leur a fait tourner casaque, et, de Paris, la contagion a gagné la province. En Bretagne[1], les grenadiers et chasseurs de l'Ile-de-France « vendent leurs « habits, leurs armes et leurs souliers, exigent le prêt pour « le manger au cabaret » ; cinquante-six soldats de Penthièvre « ont voulu massacrer leurs officiers, » et l'on prévoit que, livrés à eux-mêmes, bientôt, faute de solde, « ils iront voler et assassiner sur les grands chemins. » Dans l'Eure-et-Loir, des dragons[2], sabre et pistolets en main, vont chez les fermiers prendre du pain et de l'argent, et les fantassins de Royal-Comtois, les dragons de Colonel-Général désertent par bandes pour aller à Paris où l'on s'amuse. Pour eux, avant tout, il s'agit de « faire « la noce. » En effet, les grandes insurrections militaires des premiers temps, celles de Paris, de Versailles, de Besançon, de Strasbourg, ont commencé ou fini par des kermesses. — Sur ce fonds de convoitises grossières, des ambitions légitimes ou naturelles ont germé. Depuis une vingtaine d'années, beaucoup de soldats savent lire et

tement peuplait l'armée de « gens sans aveu, sans domicile, qui souvent se « faisaient soldats pour éviter les punitions civiles. » (*Moniteur*, II, 376, 381, séance du 12 décembre 1789.)

1. Archives nationales, KK 1105, Correspondance de M. de Thiard, 4 e 7 septembre 1789, 20 novembre 1789, 28 avril et 29 mai 1790. « L'esprit « d'insubordination qui commence à se montrer dans le régiment de Bassigny est une maladie épidémique qui gagne insensiblement toutes les « troupes.... Toutes les troupes sont gangrenées et toutes les municipalités « s'opposent aux ordres qu'elles reçoivent pour les mouvements. »

2. Archives nationales, H, 1453, Correspondance de M. de Bercheny, 12 juillet 1790.

se croient capables d'être officiers. D'ailleurs un quart des engagés sont des jeunes gens nés avec quelque aisance, et qu'un coup de tête a jetés dans l'armée. Ils étouffent dans ce couloir étroit, bas, noir, fermé, où les privilégiés de naissance leur bouchent toute issue, et ils marcheront sur leurs chefs pour avancer. Voilà des mécontents, des raisonneurs, des harangueurs de chambrée, et tout de suite, entre ces politiques de la caserne et les politiques de la rue, l'alliance s'est faite. — Partis du même point, ils vont au même but, par la même voie, et le travail d'imagination, qui a noirci le gouvernement dans l'esprit du peuple, noircit les officiers dans l'esprit des soldats.

Le trésor est à sec, et il y a des arriérés dans la solde. Les villes obérées ne peuvent livrer leur quote-part de fournitures, et à Orléans, devant la détresse de la municipalité, les Suisses de Châteauvieux ont dû s'imposer une retenue d'un sou par jour et par homme pour avoir du bois en hiver[1]. Les grains sont rares, les farines gâtées, et le pain de munition, qui était mauvais, est devenu pire. L'administration, vermoulue d'abus anciens, est détraquée par le désordre nouveau, et les soldats pâtissent de sa dissolution comme de ses gaspillages. — Ils se croient volés, ils se plaignent, d'abord avec modération, et l'on fait droit à leurs réclamations fondées. Bientôt ils exigent des comptes, et on leur en rend. A Strasbourg, vérification faite devant Kellermann et un commissaire de l'Assemblée nationale, il est prouvé qu'on ne leur a pas fait tort d'un sou ; néanmoins, on les gratifie de six francs par tête, et ils crient qu'ils sont contents, qu'ils n'ont rien à

1. *Mémoire justificatif* (par Grégoire) pour deux soldats Emery et Delisle. — De Bouillé, *Mémoires*. — De Dammartin, I, 128, 144. — Archives nationales, KK, 1105, Correspondance de M. de Thiard, 2 et 9 juillet 1790. — *Moniteur*, séances du 3 septembre et du 4 juin 17 0.

redemander. Quelques mois après, nouvelles plaintes, nouvelle vérification : un porte-étendard, accusé de malversation et qu'ils voulaient pendre, est jugé en leur présence ; toute sa comptabilité est nette ; nul d'entre eux ne peut articuler contre lui un grief prouvé, et, cette fois encore, ils se taisent. D'autres fois, après avoir entendu pendant plusieurs heures la lecture des registres, ils bâillent, cessent d'écouter et s'en vont dehors pour boire un coup. — Mais le chiffre de leurs réclamations, tel que l'ont arrêté leurs calculateurs de chambrée, demeure implanté dans leurs cervelles ; il y a pris racine, et repousse incessamment, sans qu'aucun compte ni réfutation puisse l'extirper. Plus d'écritures ni de discours : c'est de l'argent qu'il leur faut, 11 000 livres au régiment de Beaune, 39 500 livres à celui de Forez, 44 000 à celui de Salm, 200 000 à celui de Châteauvieux, et de même aux autres. — Tant pis pour les officiers si la caisse n'y suffit pas ; qu'ils se cotisent ou qu'ils empruntent, sur leur signature, à la municipalité, aux riches de la ville. — Pour plus de garanties en divers endroits, les soldats enlèvent la caisse militaire, montent la garde alentour : elle est à eux, puisqu'ils sont le régiment, et en tout cas, elle sera mieux entre leurs mains qu'entre des mains suspectes. — Déjà, le 4 juin 1790, le ministre de la guerre annonce à l'Assemblée que « le corps militaire menace de tomber dans la plus com- « plète anarchie. » Son rapport montre « les prétentions les « plus inouïes affichées sans détours, les ordonnances sans « force, les chefs sans autorité, la caisse militaire et les » drapeaux enlevés, les ordres du roi lui-même bravés hau- « tement, les officiers méprisés, avilis, menacés, chassés, « quelques-uns même captifs au milieu de leur propre « troupe, y traînant une vie précaire au sein des dégoûts « et des humiliations, et pour comble d'horreur, des « commandants égorgés sous les yeux et jusque dans les « bras de leurs propres soldats. »

C'est bien pis après la fédération de Juillet. Régalés, caressés et endoctrinés aux clubs, leurs délégués, bas officiers et soldats, reviennent jacobins au régiment, et désormais correspondent avec les jacobins de Paris, « recevant leurs instructions et leur rendant compte[1]. » — Trois semaines plus tard, le ministre de la guerre vient avertir l'Assemblée nationale que, dans l'armée, la licence n'a plus de bornes. « A chaque instant, il arrive des courriers porteurs d'une nouvelle plainte. » Ici, « on demande le compte des masses et l'on propose de les partager. » Ailleurs, une garnison, tambour battant, sort de la ville, dépose ses officiers, et rentre dans la ville, le sabre à la main. Chaque régiment est gouverné par un comité de soldats : « c'est là que s'est deux fois préparée la détention du lieutenant-colonel de Poitou ; c'est là que Royal-Champagne a conçu l'insurrection » par laquelle il a refusé de reconnaître un sous-lieutenant qu'on lui envoyait. « Tous les jours, le cabinet du ministre est rempli de soldats députés vers lui qui viennent fièrement lui intimer les volontés de leurs commettants. » Enfin, à Strasbourg, sept régiments, représentés chacun par trois délégués, ont formé un congrès militaire. — Le même mois, éclate la terrible insurrection de Nancy : trois régiments révoltés, la populace avec eux, l'arsenal pillé, trois heures de combat

1. De Bouillé, p. 127. — *Moniteur*, séance du 6 août 1790, et séance du 27 mai 1790. — Grands détails, par pièces authentiques, de l'affaire de Nancy, *passim*. — Rapport de M. Emmery, 16 août 1790, et autres pièces dans Buchez et Roux, VII, 59-162. — De Bezancenet, p. 35. Lettres de M. de Dommartin (Metz, 4 août 1790). « La Fédération s'était passée tranquillement ici ; seulement, peu de temps après, des soldats d'un régiment se sont mis en tête de se partager la masse, et aussitôt ils placent des sentinelles à la porte de l'officier chargé de la caisse et l'obligent à désacquer. Un autre régiment a mis depuis tous ces officiers aux arrêts. Un troisième s'est mutiné et voulait conduire tous ses chevaux sur le marché pour les vendre.... On entend partout les soldats dire que, lorsqu'ils manqueront d'argent, ils sauront bien en trouver. »

furieux dans les rues, les insurgés tirant par les fenêtres des maisons et par les soupiraux des caves, cinq cents morts parmi les vainqueurs, trois mille morts parmi les vaincus. — Le mois suivant et pendant six semaines[1], c'est une autre insurrection, moins sanglante, mais plus vaste, plus concertée, plus obstinée, celle de toute l'escadre, vingt mille hommes mutinés à Brest, d'abord contre leur amiral et leurs officiers, puis contre le nouveau code pénal et contre l'Assemblée nationale elle-même qui, après de vaines remontrances, est obligée, non-seulement de ne pas sévir, mais encore de remanier sa loi[2].

A partir de ce moment, dans la flotte et dans l'armée, je ne compte plus les émeutes incessantes. — Avec l'autorisation du ministre, le soldat va au club, où on lui répète que ses officiers, étant des aristocrates, sont des traîtres; à Dunkerque, on lui enseigne en plus des moyens de se défaire d'eux. Clameurs, dénonciations, insultes, coups de fusil, ce sont là les procédés naturels, et on les pratique; mais il en est un autre, récemment découvert, pour chasser un officier énergique et redouté. On se procure

1. Archives nationales, F7, 3215, Lettres des commissaires du roi, 27 septembre, 1er, 4, 8, 11 octobre 1790. « Quels sont les moyens de quatre com- « missaires pour convaincre 20 000 hommes dont le plus grand nombre est « séduit par les véritables ennemis du bien public? Les équipages sont, en « grande partie, par l'effet du remplacement, composés de gens presque « étrangers à la mer, qui ne connaissent point les règles de la subordination, « *et qui, dans le commencement de la Révolution, ont eu le plus de part* « *aux insurrections intérieures.* »

2. *Mercure de France*, 2 octobre 1790, Lettre de l'amiral, M. d'Albert de Rioms, 16 septembre. Les soldats du *Majestueux* ont refusé de faire la manœuvre et les matelots du *Patriote* refusent d'obéir. — « J'ai voulu m'in- « former auparavant s'ils avaient à se plaindre de leur capitaine? — Non. — « S'ils se plaignaient de moi? — Non. — S'ils avaient des plaintes à faire « contre leurs officiers? — Non. » — C'est la révolte d'une classe contre une autre classe; ils crient seulement *Vive la Nation, les aristocrates à la Lanterne!* La multitude a planté une potence devant la maison de M. de Marigny, major-général de la marine; il a donné sa démission. M. d'Albert offre la sienne. — *Ib.*, 18 juin 1791 (Lettre de Dunkerque du 3 juin).

un bretteur patriote qui vient le provoquer. Si l'officier se bat et n'est pas tué, la municipalité le traduit en justice, et ses chefs le font partir avec ses seconds, « pour ne pas « troubler l'harmonie du militaire et du citoyen. » S'il refuse le duel proposé, le mépris de ses soldats l'oblige à quitter le régiment. Ainsi, dans les deux cas, on est débarrassé de lui[1]. — Point de scrupule à son endroit : présent ou absent, on est sûr qu'un officier noble conspire avec ses camarades émigrés; là-dessus une légende s'est bâtie. Jadis, pour prouver que l'on jetait les sacs de farine à la rivière, les soldats alléguaient que ces sacs étaient liés avec des *cordons bleus*. A présent, pour croire qu'un officier conspire avec Coblentz, il suffit de constater qu'il monte *un cheval blanc;* tel capitaine, à Strasbourg, manque d'être écharpé pour ce crime : « le diable « ne leur ôterait pas de la tête qu'il fait le métier d'espion, « et que la petite levrette » qui l'accompagne dans ses promenades « sert pour donner des signaux. » — Un an après, au moment où l'Assemblée nationale achève son œuvre, M. de Lameth, M. Fréteau, M. Alquier, constatent devant elle que Luckner, Rochambeau et les généraux les plus populaires « ne répondent plus de rien. » Le régiment d'Auvergne a chassé ses officiers et forme une société particulière qui n'obéit à personne. Le second bataillon de Beaune est sur le point d'incendier Arras. On est presque obligé d'assiéger Phalsbourg dont la garnison s'est mutinée. Ici, « la désobéissance aux ordres du général « est formelle. » Là « ce sont des soldats qu'il faut prier « instamment de rester en sentinelle, qu'on n'ose pas « mettre à la chambre de discipline, qui menacent de « faire feu sur leurs officiers, qui s'écartent de la route,

1. De Dammartin, I, 222 et 219. — *Mercure de France*, 3 septembre 1791 (Séance du 23 août), cf. *Moniteur* (même date). — *L'Ancien régime*, p. 493.

« pillent tout, et couchent en joue le caporal qui veut les « ramener. » A Blois, une partie du régiment « vient « d'arriver sans hardes et sans armes, les soldats ayant « tout vendu, chemin faisant, pour fournir à leurs « débauches. » Tel d'entre eux, délégué par ses camarades, propose aux Jacobins de Paris de « désaristocra- « tiser » l'armée, en cassant tous les nobles. Tel autre, aux applaudissements du club, déclare que, « sur la « manière dont sont faites les palissades de Givet, il va « dénoncer le ministre de la guerre au tribunal du sixième « arrondissement de Paris. »

Il est manifeste que, pour les officiers nobles, la place n'est plus tenable. Après vingt-trois mois de patience, beaucoup sont partis par conscience, lorsque l'Assemblée nationale, leur imposant un troisième serment, a effacé de sa formule le nom du roi, leur général-né[1]. — D'autres s'en vont à la fin de la Constituante, « parce qu'ils sont « en danger d'être pendus. » Un grand nombre donnent leur démission à la fin de 1791 et dans les premiers mois de 1792, à mesure que le nouveau code et le nouveau recrutement de l'armée développent leurs conséquences[2].

1. Maréchal Marmont, *Mémoires*, I, 24. « J'avais pour la personne du Roi « un sentiment difficile à définir... (C'était) un sentiment de dévouement « avec un caractère presque religieux, un respect inné, comme dû à un être « d'ordre supérieur. Le mot de *Roi* avait alors une magie et une puissance « que rien n'avait altéré dans les cœurs droits et purs. Cette fleur de sensa- « tion... existait encore dans la masse de la nation, surtout parmi les gens « bien nés qui, placés à une assez grande distance du pouvoir, étaient plutôt « frappés de son éclat que de ses imperfections. » — De Bezancenet, 27. Lettre de M. de Dommartin, 24 août 1790. « Nous venons de renouveler notre ser- « ment; je ne sais trop ce que cela signifie; moi, militaire, je ne connais- « sais que mon Roi; actuellement j'obéis à deux maîtres qui doivent, nous « dit-on, faire mon bonheur et celui de mes frères, s'ils sont d'accord. »

2. De Dammartin, I, 179. Voir le détail de sa démission (III, 185), après le 20 juin 1792. — *Mercure de France*, 14 avril 1792, Lettre des officiers du bataillon des chasseurs royaux de Provence (9 mars). Ils ont été consignés par leurs soldats qui leur ont refusé toute obéissance, et déclarent que c'est à cause de cela qu'ils quittent le service et la France.

En effet d'un côté, les soldats et les sous-officiers ayant une part dans l'élection de leurs chefs et un siége dans les tribunaux militaires, « l'ombre de la discipline n'existe « plus; le pur caprice prononce dans les jugements; le « soldat contracte l'habitude de dédaigner ses supérieurs « dont il ne craint aucune peine et dont il n'attend « aucune récompense; les officiers sont paralysés au point « d'être des personnages entièrement superflus. » — D'un autre côté, la majorité des volontaires nationaux se compose « d'hommes achetés par les communes » et par les corps administratifs, « mauvais sujets du coin des rues, « vagabonds des campagnes qu'on fait marcher par le « sort ou par argent[1], » avec eux des exaltés, des fanatiques, tellement qu'à partir de mars 1792, depuis leur lieu d'engagement jusqu'à la frontière, leur trace est partout marquée par des pillages, des vols, des dévastations et des assassinats. Naturellement, en route et à la frontière, ils dénoncent, chassent, emprisonnent ou massacrent leurs officiers, surtout les nobles. — Et pourtant, en cette extrémité, nombre d'officiers nobles, surtout dans l'artillerie et le génie, s'obstinent à leur poste, les uns par principes libéraux, les autres par respect de la consigne, même après le 10 août, même après le 2 septembre, même après le 21 janvier, comme leurs généraux Biron, Custine, de Flers, de Broglie, de Montesquiou, avec la perspective incessante de la guillotine qui viendra les prendre au sortir du champ de bataille et jusque dans les bureaux de Carnot.

1. Rousset, *les Volontaires de* 1791 *à* 1794, p. 106, Lettre de M. de Biron au ministre (août 1792); p. 225, Lettre de Vezu, chef du 3ᵉ bataillon de Paris à l'armée du Nord (24 juillet 1793). — *A Residence in France from* 1792 *to* 1795 (septembre 1792, Arras). — Pour les détails de ces violences, voir les notes à la fin du second volume.

VII

Il faut donc que les officiers et les nobles s'en aillent et qu'ils s'en aillent à l'étranger, non-seulement eux, mais leur famille. « Des gentilshommes ayant à peine six cents « livres de rente partent à pied[1] », et, sur le motif de leur départ, on ne peut se méprendre. « Quiconque con- « sidérera impartialement les seules et véritables causes de « l'émigration, dit un honnête homme, les trouvera dans « l'anarchie. Si la liberté individuelle n'était pas journel- « lement menacée, si, » dans l'ordre civil comme dans l'ordre militaire, « l'on n'avait pas mis en pratique le « dogme insensé, prêché par les factieux, que les crimes « de la multitude sont les jugements du ciel, la France « eût conservé les trois quarts de ses fugitifs. Exposés « depuis deux ans à des dangers ignominieux, à des ou- « trages de tout genre, à des persécutions innombrables, « au fer des assassins, au brandon des incendiaires, aux « plus infâmes délations, » aux dénonciations de « leurs « serviteurs corrompus, aux visites domiciliaires » provoquées par le premier bruit de la rue, « aux emprisonne- « ments arbitraires du Comité des recherches, » privés de leurs droits civiques, chassés des assemblées primaires, « on leur demande compte de leurs murmures, et on les

1. *Mercure de France,* 5 mars, 4 juin, 3 septembre, 22 octobre 1791 (Articles de Mallet-Dupan). — *Ib.,* 14 avril 1792. Plus de 600 officiers de marine ont donné leur démission, après l'insurrection de l'escadre de Brest « Vingt-deux faits d'insurrection capitale dans les ports sont restés impunis, « plusieurs par sentence du jury maritime. » — « Il est sans exemple « qu'aucune insurrection, dans les ports ou sur les vaisseaux, qu'aucun « attentat contre les officiers de marine ait été puni.... Il ne faut pas cher- « cher ailleurs la cause de l'abandon du service par les officiers de marine. « D'après leurs lettres, tous offrent leur sang à la France, mais refusent de « commander à qui n'obéit pas. »

« punit d'une sensibilité qui toucherait en des animaux « souffrants. » — « Aucune résistance ne s'est présentée; « depuis le trône du prince, jusqu'au presbytère du curé, « l'ouragan a prosterné les mécontents dans la résigna- « tion. » Abandonnés « à la fureur inquiète des clubs, « des délateurs, des administrateurs intimidés, ils trou- « vent des bourreaux partout où la prudence et le salut de « l'État leur ont prescrit de ne pas même voir des ennemis... « Quiconque a détesté les énormités du fanatisme et de la « férocité publique, quiconque a accordé sa pitié aux « victimes entassées sous les débris de tant de droits légi- « times et d'abus odieux, quiconque enfin a osé élever un « doute ou une plainte, a été affiché *ennemi de la nation.* « Après avoir présenté ainsi les mécontents comme autant « de conspirateurs, on a légitimé dans l'opinion tous les « crimes dirigés contre eux. La conscience publique, for- « mée par les factieux et par cette bande d'écumeurs « politiques qui seraient l'opprobre d'une nation barbare, « n'a plus considéré les attentats contre les propriétés et « les villes que comme une *justice nationale*, et, plus d'une « fois, l'on a entendu la nouvelle d'un meurtre ou la sen- « tence qui menaçait de mort un innocent faire éclater « des hurlements d'allégresse. Il fut donc établi deux « droits naturels, deux justices, deux moralités; par l'une, « il est permis de faire contre son semblable, réputé « aristocrate, tout ce qui serait criminel s'il était patriote. « .... Avait-on prévu qu'au bout de deux ans la France, « peuplée de lois, de magistrats, de tribunaux, de gardes « citoyennes liées par des serments solennels à la défense « de l'ordre et de la sûreté publique, serait encore et « toujours une arène où *des bêtes féroces dévoreraient des* « *hommes désarmés?* » — A tous, même aux vieillards, aux veuves, aux enfants, on fait un crime de se dérober à leurs griffes. Sans distinguer entre ceux qui se sauvent pour ne pas devenir une proie et ceux qui s'arment pour attaquer la frontière, la Constituante et la Législative condamnent tous les absents. La Constituante[1] a triplé leurs impositions foncières et mobilières, et prescrit une retenue triple sur leurs rentes et redevances. La Législative séquestre, confisque, met en vente leurs biens, meubles et immeubles, près de quinze cents millions de valeurs liquides. Qu'ils reviennent se mettre sous les couteaux de la populace; sinon, ils seront des mendiants, eux et toute leur postérité. — A ce coup, l'indignation déborde, et un bourgeois, un libéral, un étranger, Mallet-Dupan s'écrie[2] : « Quoi! vingt mille familles absolument étrangères aux « projets de Coblentz et à ses rassemblements, vingt « mille familles dispersées sur toute la face de l'Europe, « par les fureurs des clubs, par les crimes des brigands, « par le défaut constant de sûreté, par la stupide et lâche « inertie des autorités pétrifiées, par le pillage des pro- « priétés, par l'insolence d'une cohorte de tyrans sans « pain et sans habits, par les assassinats et les incendies, » par la basse servilité des ministres silencieux, par tout « le cortége des fléaux de la Révolution, quoi, ces vingt « mille familles désolées, des femmes, des vieillards, ver- « ront leurs héritages devenir la proie des gaspillages « nationaux! Quoi! Mme Guillin, qui a dû fuir avec « horreur la terre où des monstres ont brûlé sa demeure, « égorgé et mangé son mari, et vivent impunément à côté « de son domicile, Mme Guillin verra sa fortune con- « fisquée au profit des communautés auxquelles elle doit « ses épouvantables infortunes ! M. de Clarac ira, sous

1. Duvergier, Décrets du 1er-6 août 1791; du 9-11 février 1792; du 30 mars-8 avril 1792; du 24-28 juillet 1792; du 28 mars-5 avril 1793. — Compte rendu de Roland, 6 janvier 1793. Il évalue ces biens à 4800 millions, dont il faudra distraire 1800 millions pour les créanciers des émigrés; restent 3 milliards. Or, à cette date, les assignats perdent 55 pour 100 de leur chiffre nominal.

2. *Mercure de France*, 18 février 1792.

« peine du même châtiment, relever les ruines de son « château où une armée de scélérats n'a pu parvenir à « l'étouffer ! » — Tant pis pour eux, s'ils n'osent rentrer. Ils vont être frappés de mort civile, bannis à perpetuité, et, s'ils rompent leur ban, livrés à la guillotine, avec eux d'autres qui, encore plus innocemment, ont quitté le territoire, magistrats, simples riches, bourgeois ou paysans catholiques et notamment une classe entière, le clergé insermenté, depuis l'archevêque cardinal jusqu'au simple vicaire de village, tous poursuivis, puis dépouillés, puis écrasés par la même oppression populaire et par la même oppression législative, chacune des deux persécutions provoquant et aggravant l'autre, tant qu'enfin la populace et la loi, complices l'une de l'autre, ne laissent plus ni un toit, ni un morceau de pain, ni une heure de vie sauve à une gentilhomme ou à un curé.

VIII

C'est que la passion régnante s'en prend à tous les obstacles, même à ceux qu'elle a mis elle-même en travers de son chemin. Par une usurpation énorme, la minorité incrédule, indifférente ou tiède a voulu imposer sa forme ecclésiastique à la majorité catholique, et la situation qu'elle a faite au prêtre orthodoxe est telle qu'à moins de devenir schismatique, il ne peut manquer d'apparaître comme un ennemi. — Vainement il a obéi, il s'est laissé prendre ses biens, il a quitté son presbytère, il a remis à son successeur les clefs de son église, il se tient à l'écart, il n'enfreint, ni par omission, ni par commission, aucun article d'aucun décret. Vainement il use de son droit légal en s'abstenant de faire un serment qui répugne à sa conscience. Par cela seul, il semble refuser le serment civique dans lequel est compris le serment ecclésiastique, rejeter la constitution qu'il accepte tout entière moins un chapitre parasite, conspirer contre le nouvel ordre social et politique que souvent il approuve et auquel presque toujours il se soumet[1]. — Vainement il se confine dans son domaine propre et reconnu, qui est la direction spirituelle. Par cela seul, il résiste aux législateurs nouveaux qui prétendent en donner une ; car, en qualité d'orthodoxe, il doit croire que leur élu est excommunié, que ses sacrements sont nuls, et, en qualité de pasteur, il doit empêcher ses ouailles d'aller boire à la mauvaise source. — Vainement il leur prêcherait la modération et le respect. Par cela seul que le schisme est fait, ses conséquences se déroulent et les paysans ne seront pas toujours aussi patients que leur curé. Ils le connaissent depuis vingt ans, il les a baptisés et mariés, ils croient que sa messe est la seule bonne, ils ne sont pas contents d'être obligés d'aller en chercher une autre à deux ou trois lieues, et de laisser l'église, leur église que jadis ils ont bâtie et où, de père en fils, ils prient depuis des siècles, aux mains d'un étranger, nouveau venu, hérétique, qui officie devant des bancs presque vides, et que les gendarmes, fusil en main, ont installé. Certainement, quand il passera dans la rue, ils le regarderont de travers ; rien d'étonnant si bientôt des femmes et des enfants le huent, si la nuit on jette des

1. Cf. sur cette attitude générale du clergé, Sauzay, t. I et t. II, tout entiers. —*Mercure de France*, 10 septembre 1791 : « Il n'échappera à aucun homme « impartial qu'au milieu de cette oppression, au milieu de tant d'accusa- « tions fanatiques qui s'autorisent par le reproche de fanatisme et de ré- « volte, il ne s'est pas encore manifesté un seul acte de résistance. Des « délateurs, des municipalités gouvernées par les clubs ont fait jeter dans « les cachots un grand nombre de non-jureurs. Ils en sont tous sortis ou ils « y gémissent sans jugement, et nul tribunal n'a trouvé de coupables. » — Rapport de M. Cahier, ministre de l'intérieur, 18 février 1792. Il déclare « n'avoir eu connaissance d'aucun prêtre puni par les tribunaux comme « perturbateur du repos public, quoique plusieurs aient subi des accusa- « tions. » — *Moniteur*, 6 mai 1792 (Rapport de Français de Nantes) : « Depuis trente mois, pas un seul n'a été puni. »

pierres dans ses vitres, si, dans les départements très-catholiques, Haut et Bas-Rhin, Doubs et Jura, Lozère, Deux-Sèvres et Vendée, Finistère, Morbihan et Côtes-du-Nord, il est accueilli par la désertion universelle, puis expulsé par la malveillance publique, si sa messe est interrompue, si sa personne est menacée[1], si la désaffection, qui jusqu'ici n'avait atteint que la haute classe, descend jusque dans les couches populaires, si, d'un bout à l'autre de la France, une hostilité sourde gronde contre les institutions nouvelles, depuis que la constitution politique et sociale s'est soudée à la constitution eccle-

1. Sur ces brutalités spontanées des paysans catholiques, cf. Archives nationales, F7, 3236 (Lozère, juillet-novembre 1791); Délibération du district de Florac, 6 juillet 1791, et procès-verbal du commissaire du département sur les troubles d'Espagnac. Le 5 juillet, Richard, curé constitutionnel requiert la municipalité de procéder à son installation. « La cérémonie n'a « pu être faite, à cause des huées des femmes et des enfants, et des mena- « ces faites par diverses personnes qui disaient : il faut le tuer, il faut l'é- « trangler; c'est un protestant, il est marié, il a des enfants; et à cause de « l'impossibilité d'entrer dans l'église dont les portes étaient obstruées par « le grand nombre de femmes qui s'étaient rendues au-devant d'icelles. » — Le 6 juillet, on l'installe, mais difficilement. « Dans l'intérieur de l'église « une troupe de femmes faisaient les hauts cris et se lamentaient sur le « remplacement de leur curé. Au retour, dans les rues, un grand nombre « de femmes, égarées à l'aspect du curé constitutionnel, détournaient la fi- « gure.... et se contentaient de prononcer des mots entrecoupés.... sans se « permettre d'autres mouvements que de se couvrir la figure avec leurs cha- « peaux et de se jeter par terre. » — 15 juillet. Le clerc ne veut plus servir la messe ni sonner les cloches; le curé Richard ayant voulu les sonner lui-même, le peuple le menace de le maltraiter s'il s'y hasarde. — 8 septembre 1791. Lettre du curé de Fau, district de Saint-Chély. « Cette nuit, j'ai « été à deux doigts de la mort par une troupe de bandits qui m'ont exspo- « lié la cure, après avoir fracassé les portes et les vitres. » — 30 décembre 1791. Un autre curé qui vient prendre possession de sa cure est assailli à coups de pierres par soixante femmes et poursuivi ainsi jusques hors de la paroisse. — 5 août 1791. Pétition de l'Évêque constitutionnel de Mende et de ses quatre vicaires. « Il ne se passe pas de jour que nous ne soyons insultés « dans nos fonctions; nous ne pouvons faire un pas sans entendre des « huées. Si nous sortons, nous sommes menacés d'être assassinés lâche- « ment, d'être assommés à coups de bâton. » — F7, 3253 (Bas-Rhin, Lettre du Directoire du département, 9 avril 1792) : « Les 10/11es au moins des « catholiques refusent de reconnaître les prêtres assermentés.

siastique comme un édifice à sa flèche, et, par cette pointe aiguë, va chercher l'orage jusque dans les nuages noircissants du ciel. Tout le mal vient de cette soudure maladroite, gratuite, forcée, et, par conséquent, de ceux qui l'ont faite. — Mais jamais un parti vainqueur n'admettra qu'il ait pu se tromper. Aux yeux de celui-ci, les prêtres assermentés sont les seuls coupables; il s'irrite contre leur conscience factieuse, et, pour écraser la rébellion jusque dans le sanctuaire inaccessible de la pensée intime, il n'est point de violence légale ou brutale à laquelle il ne se laisse emporter.

Voilà donc une nouvelle chasse ouverte, et le gibier est immense; car il comprend non-seulement toutes les robes noires ou grises, plus de quarante mille prêtres, plus de trente mille religieuses, plusieurs milliers de moines, mais encore tous les orthodoxes un peu fervents, c'est-à-dire toutes les femmes de la classe inférieure ou moyenne, et, sans compter la noblesse provinciale, la majorité de la bourgeoisie sérieuse et rangée, la majorité des paysans, la population presque entière de plusieurs provinces à l'est, à l'ouest et au midi. On leur attache un nom, comme tout à l'heure aux nobles; c'est celui de *fanatique*, équivalent à celui d'*aristocrate*, car il désigne aussi des ennemis publics qu'il met aussi hors la loi. — Peu importe que la loi soit pour eux; elle est interprétée contre eux, tordue arbitrairement, violée ouvertement par les administrations partiales ou intimidées que la constitution soustrait à l'autorité du pouvoir central et soumet à l'autorité des attroupements populaires. Dès les premiers mois de 1791, la battue commence, et souvent les municipalités, les districts, les départements eux-mêmes sont à la tête des rabatteurs. Six mois plus tard, par son décret du 29 novembre [1],

1. Duvergier, Décrets (non sanctionnés) du 29 novembre 1791 et du 27 mai

l'Assemblée législative sonne l'hallali, et, malgré le veto du roi, de toutes parts les meutes se lancent. Au mois d'avril 1792, quarante-deux départements ont pris contre les prêtres insermentés « des arrêtés qui n'étaient ni « prescrits ni autorisés par la constitution », et, avant la fin de la législative, les quarante-trois autres auront suivi leur exemple. — Par cette série d'arrêtés illégaux, sans délit, ni jugement, les insermentés sont partout en France expulsés de leur paroisse, internés au chef-lieu du département ou du district, en quelques endroits emprisonnés, assimilés aux émigrés, dépouillés de tous leurs biens, meubles et immeubles[1]. Il ne manque plus contre eux que le décret général de déportation qui va venir, sitôt que l'Assemblée sera débarrassée du roi.

Cependant les gardes nationales, qui ont extorqué les arrêtés, se mettent en devoir de les appliquer en les aggravant, et leur animosité n'a rien d'étrange. Le commerce est suspendu, l'industrie languit, l'artisan et le boutiquier souffrent, et, pour expliquer le malaise universel, ils ne trouvent que l'insubordination du prêtre. Sans son opiniâtreté, tout irait bien, puisque la constitution est parfaite, et qu'il est seul à ne pas l'accepter. Mais, puisqu'il ne l'accepte pas, il l'attaque. Il est donc le dernier obstacle au bonheur public; c'est le bouc émissaire; sus à la bête noire, et l'on voit la milice urbaine, tantôt de son autorité privée, tantôt sous l'instigation de la mu-

1792. — Après la chute du trône, décret du 26 août 1792. — *Moniteur*, XII, 200 (séance du 23 avril 1792), Rapport du ministre de l'intérieur.

1. Lallier, *le District de Machecoul*, p. 261, 263. — Archives nationales, F7, 3234, Réquisitoire du procureur de la commune de Tonneins (21 décembre 1791), pour arrêter ou expulser huit prêtres « au moindre acte d'hosti- « lité intérieure ou extérieure. » — *Ib.*, F7, 3264, Arrêté du Conseil général d'administration de la Corrèze (16, 17, 18 juillet 1792), pour mettre en état d'arrestation tous les prêtres insermentés. — Entre ces deux dates, on trouve dans presque tous les départements des arrêtés de diverses sortes et de plus en plus sévères contre les insermenté

nicipalité complice, troubler les offices, disperser les congrégations, prendre les prêtres au collet, les pousser par les épaules hors de la ville, avec menace de la corde, si jamais ils ont l'audace d'y rentrer. — A Douai[1], le fusil à la main, elle force le Directoire du département à ordonner la fermeture de tous les oratoires et chapelles des hôpitaux et des couvents. — A Caen, fusils chargés, et avec un canon, elle se met en marche contre la paroisse de Verson sa voisine, force des maisons, ramasse quinze suspects d'orthodoxie, chanoines, marchands, artisans, manœuvres, femmes, filles, vieillards, infirmes, leur coupe les cheveux, leur donne des coups de crosse, et les ramène à Caen attachés à la queue du canon, le tout parce qu'un prêtre insermenté officie encore à Verson et que, de Caen, beaucoup de personnes pieuses viennent à sa messe; d'où il suit que Verson est un foyer d'attroupements contre-révolutionnaires. De plus, dans les maisons forcées, les meubles ont été brisés, les tonneaux défoncés, le linge, l'argent et la vaisselle volés; c'est que la populace de Caen s'était adjointe à l'expédition. — Ici et partout, il n'y a qu'à la laisser faire, et, comme elle travaille sur les biens, sur la liberté, sur la vie, sur la pudeur de personnes dangereuses, la milice nationale se garde bien de la déranger. Par suite, les orthodoxes, prêtres et fidèles, hommes et femmes, sont maintenant à sa discrétion, et, grâce à la connivence de la force armée qui refuse d'intervenir, la canaille assouvit sur la classe proscrite ses instincts ordinaires de cruauté, de pillage, de lubricité et de destruction.

Public ou privé, la consigne est toujours d'empêcher

1. Archives nationales, F7, 3250, Procès-verbal du Directoire du département, 18 mars 1791, avec toutes les pièces afférentes. — F7, 3200, Lettre du Directoire du Calvados, 13 juin 1792, avec les interrogatoires. Les dégâts sont estimés 15 000 livres.

le culte, et les moyens sont dignes des exécuteurs. — Ici, un prêtre insermenté ayant eu la hardiesse d'administrer un malade, la maison où il vient d'entrer est prise d'assaut, et la porte, les fenêtres d'une autre maison habitée par un autre prêtre, volent en éclats[1]. — Là, les logements de deux ouvriers, que l'on accuse d'avoir fait baptiser leurs enfants par le prêtre réfractaire, sont saccagés et presque démolis. — Ailleurs, un attroupement refuse l'entrée du cimetière au corps d'un vieux curé qui est mort sans avoir juré. Plus loin, une église est assaillie au milieu des vêpres, et tout y est mis en pièces ; le lendemain, c'est le tour de l'église voisine, et, pour surcroît, un couvent d'Ursulines est dévasté. — A Lyon, le jour de Pâques 1791, au sortir de la messe de six heures, une troupe, armée de fouets de corde, se précipite sur les femmes[2]. Déshabillées, meurtries, le corps renversé, la tête dans la fange, elles ne sont laissées que sanglantes, demi-mortes ; une jeune fille se meurt tout à fait ; et ce genre d'attentats se multiplie tellement qu'à Paris même des dames qui vont à la messe orthodoxe ne sortent plus qu'avec leur chemise cousue en guise de caleçon. — Naturellement, pour exploiter la proie offerte, il se forme des sociétés de chasse. Il y en a à Montpellier, Arles, Uzès, Alais, Nîmes, Carpentras et dans la plupart des villes ou bourgs du

1. Archives nationales, F7, 3234, Arrêté du Directoire du Lot, 24 février 1792, sur les troubles de Marmande. — F7, 3239, Procès-verbal de la municipalité de Rheims, 5, 6, 7 novembre 1791. Les deux ouvriers sont un bourrelier et un cardeur de laine. Le prêtre qui a conféré le baptême est mis en prison comme perturbateur du repos public. — F7, 3219, Lettre du commissaire du roi près le tribunal de Castelsarrasin, 5 mars 1792. — F7, 3203, Lettre du Directoire du district de la Rochelle, 1er juin 1792. « La force « armée, témoin de ces crimes et requise d'arrêter les gens en flagrant délit, « a refusé d'obéir. »

2. Mémoire par Camille Jourdan (Sainte-Beuve, *Causeries du Lundi*, XII, 250). La garde refuse de porter secours, ou n'arrive que trop tard, seulement « pour contempler le désordre, jamais pour le réprimer. » — De Montlosier, II, 300

Gard, du Vaucluse et de l'Hérault, plus ou moins nombreuses selon la population de la cité, les unes de dix à douze, les autres de deux cents à trois cents hommes de bonne volonté et de toute provenance ; parmi eux des *tape-dur*, anciens brigands et repris de justice, ayant encore la marque sur le dos. Quelques-unes font porter à leurs membres un signe visible de reconnaissance, une médaille; toutes prennent le nom de *pouvoir exécutif*, déclarent qu'elles agissent de leur propre autorité et qu'il faut « brusquer la loi. » Leur prétexte est la protection des prêtres jureurs, et, pendant vingt mois, à partir d'avril 1791, elles opèrent à cet effet, « avec de gros bâtons « noueux hérissés de pointes de fer, » sans compter les sabres et les baïonnettes[1]. Ordinairement leurs expéditions sont nocturnes. Tout d'un coup les maisons « des citoyens « suspectés d'incivisme », des ecclésiastiques insermentés, des frères de l'Ecole chrétienne sont envahies; tout est brisé ou volé; ordre au propriétaire de vider le pays dans les vingt-quatre heures; quelquefois, sans doute par un surcroît de précaution, il est assommé sur place. Du reste, la bande travaille aussi de jour et dans les rues, fustige les femmes, entre, sabre en main, dans les églises, chasse l'insermenté de l'autel, le tout au su et au vu des autorités paralysées ou complaisantes, par une sorte de gouvernement occulte et complémentaire qui, non-seulement comble les lacunes de la loi ecclésiastique, mais encore fouille dans les bourses des particuliers. — A Nîmes, sous la conduite d'un maître à danser patriote, non contents « de

1. Archives nationales, F7, 3217, Lettres du curé d'Uzès, 29 janvier 1792 ; du curé d'Alais, 5 avril 1792; des administrateurs du Gard, 28 juillet 1792 ; du procureur-syndic, M. Griolet, 2 juillet 1792; de Castanet, ancien gendarme, 25 août 1792; de M. Griolet, 28 septembre 1792. — *Ib.*, F7, 3223, Pétition par MM. Thueri et Devès, au nom des opprimés de Montpellier, 17 novembre 1791 ; Lettre des mêmes au ministre, 28 octobre 1791 ; Lettre de M. Dupin, procureur-syndic, 22 août 1791 ; Arrêté du département, 9 août 1791 ; Pétition des habitants de Courmonterral, 25 août 1791.

« décerner des proscriptions, de tuer, d'étriller et de mas- « sacrer souvent, » ces nouveaux champions de l'Église gallicane entreprennent de réchauffer le zèle des contribuables. Une souscription ayant été proposée pour soutenir les familles des volontaires qui partent, le *pouvoir exécutif* se charge de reviser la liste des offrandes; il taxe arbitrairement ceux qui n'ont pas donné ou qui, à son avis, ont donné trop peu, tels « pauvres ouvriers, à « cinquante livres, tels à deux cents, trois cents, neuf « cents, mille livres, sous peine de dévastation et de « mauvais traitements. » Ailleurs, les volontaires de Baux et autres communes près de Tarascon se garnissent eux-mêmes les mains, et, » sous prétexte qu'ils doivent mar- « cher pour la défense de la patrie, ils lèvent des contri- « butions énormes sur les propriétaires », sur l'un quatre mille, sur l'autre cinq mille livres, emportant, à défaut de payement, tous les grains d'une ferme et jusqu'à la réserve de semence, menaçant de tout dévaster et incendier en cas de plainte, si bien que les propriétaires n'osent rien dire, et que le procureur syndic du département voisin, craignant pour lui-même, demande que sa dénonciation soit tenue secrète. — Des bas-fonds des villes, la jacquerie s'est répandue dans les campagnes. Celle-ci est la sixième, et la plus vaste que l'on ait vue depuis trois ans[1].

Deux aiguillons poussent le paysan. — D'une part, les bruits d'armes et les annonces multipliées d'une invasion prochaine l'ont effarouché. Les clubs et les journaux

1. *Moniteur,* XII, 16, séance du 1er avril 1792. Discours de M. Laureau. « Voyez les provinces en feu, l'insurrection dans dix-neuf départements, et « la révolte s'annonçant partout.... La liberté n'est que celle du brigan- « dage, nous n'avons ni impôts, ni ordre, ni autorités. » — *Mercure de France*, 7 avril 1792. « Plus de vingt départements participent maintenant « aux horreurs de l'anarchie et d'une insurrection plus ou moins dévasta- « trice. »

depuis la déclaration de Pilnitz, les orateurs de l'Assemblée législative depuis quatre mois, le tiennent en alarmes par leurs coups de trompette, et il pousse ses bœufs dans le sillon, en criant à l'un : « Hue la Prusse, » à l'autre, « Va donc, Autriche. » Autriche et Prusse, rois et nobles étrangers, joints aux nobles émigrés, vont entrer de force, rétablir la gabelle, les aides, les droits féodaux, les dîmes, reprendre les biens nationaux déjà vendus et revendus, avec l'aide des gentilshommes qui ne sont point partis ou qui sont rentrés, avec la complicité des prêtres insermentés qui déclarent la vente sacrilége et ne veulent pas absoudre les acquéreurs. — D'autre part, la semaine pascale approche, et, depuis un an, la conscience des acquéreurs s'est beaucoup chargée. Au 24 mars 1791, on n'avait encore vendu que pour 180 millions de biens nationaux ; mais, l'Assemblée ayant prorogé l'époque du payement et facilité la revente au détail, la tentation s'est trouvée trop forte pour le paysan ; tous les magots sont sortis du bas de laine ou du pot enfoui. Il a acheté en sept mois pour 1346 millions[1], et possède enfin, en pleine et franche propriété, le lopin de terre convoité par lui depuis tant d'années, quelquefois un gros lot inespéré, un bois, un moulin, une prairie. A présent, il faut qu'il se mette en règle avec l'Église, et, si l'échéance pécuniaire a été reculée, l'échéance catholique arrive à date fixe. De par la tradition immémoriale, il est obligé de faire ses pâques[2], sa femme aussi, sa mère pareillement, et, si par exception il n'y tient pas, elles y tiennent. D'ailleurs, il a be-

1. *Moniteur*, XII, 30, Discours de M. Caillasson. Le total des biens vendus au 1er novembre 1791 est de 1526 millions ; il n'en reste plus à vendre que pour 669 millions.

2. Archives nationales, F7, 3225, Lettre du Directoire d'Ille-et-Vilaine, 24 mars 1792. « C'est un parti pris par les gardes nationales du district « d'expulser tous les prêtres non sermentés et non remplacés, *sous prétexte* « *du mal qu'ils ne manqueraient pas de faire pendant la Pâques.* »

soin des sacrements pour son vieux père malade, pour son enfant nouveau-né, pour son autre enfant qui est en âge de faire la première communion. Or, communion, baptême, confession, tous les sacrements, pour être de bonne qualité, doivent être de provenance sûre, comme la farine et les écus; il n'y a déjà que trop de mauvaise monnaie dans le monde, et, tous les jours, les prêtres jureurs perdent de leur crédit comme les assignats. Force est donc de recourir à l'insermenté qui seul peut fournir l'absolution valable; et justement il se trouve que, non-seulement il la refuse, mais encore qu'il est réputé l'ennemi de tout l'ordre nouveau. — Dans cet embarras, le paysan a recours à son procédé ordinaire, la force des bras; il prend son curé à la gorge, comme jadis son seigneur, et il extorque la quittance de ses péchés comme jadis celle de ses redevances. A tout le moins, il veut contraindre les insermentés au serment, fermer leurs églises particulières, ramener tout le canton au même culte uniforme. — Par occasion, il s'en prend aussi aux partisans des insermentés, aux châteaux, aux maisons opulentes, aux nobles, aux riches, aux propriétaires de toute classe. Par occasion enfin, comme depuis l'amnistie de septembre 1791, les prisons ont lâché leurs habitants, comme la moitié des tribunaux ne sont pas encore installés[1], comme depuis trente mois il n'y a plus de police, les simples voleurs, les bandits, les gens sans aveu qui pullulent sans répression ni surveillance, se joignent à l'attroupement et remplissent leur sac.

Ici, dans le Pas-de-Calais[2], trois cents villageois, tam-

1. *Moniteur,* XI, 420 (séance du 18 février 1792), Rapport de M. Cahier, ministre de l'intérieur.

2. Archives nationales, F7, 3250, Déposition des officiers municipaux de Gosnay et d'Hesdiguel (district de Béthune), 18 mai 1792. Six paroisses ont pris part à cette expédition; la femme du maire a eu la corde au cou et a failli être pendue. — *Moniteur,* XII, 154, n° du 15 avril 1792. — Archives

bour en tête, enfoncent les portes d'un couvent de chartreuses, volent tout, comestibles, boissons, linges, meubles, effets, pendant que, dans la paroisse voisine, une autre bande opère de même chez le maire et chez l'ancien curé, menace de « tout tuer et brûler, » et promet de revenir le dimanche suivant. — Là, dans le Bas-Rhin, près de Fort-Louis, vingt maisons d'aristocrates sont pillées. — Ailleurs, dans l'Ille-et-Vilaine, des milices rurales coalisées vont de paroisse en paroisse, et, grossissant par leur violence même jusqu'à former des bandes de deux mille hommes, ferment les églises, chassent les curés insermentés, enlèvent le battant des cloches, boivent et mangent à discrétion aux frais des habitants, et parfois, chez le maire ou le receveur de l'enregistrement, se donnent le plaisir de tout casser. Si quelque officier public leur fait des remontrances, ils crient « A l'aristocrate ; » l'un de ces conseillers malencontreux reçoit un coup de crosse dans le dos, et deux autres sont couchés en joue ; du reste, les chefs de l'expédition ne sont pas en meilleure passe, et, de leur propre aveu, s'ils sont en tête, c'est pour ne pas être eux-mêmes pillés ou pendus. Même spectacle dans la Mayenne, dans l'Orne, dans la Moselle, dans les Landes[1]. — Mais ce ne sont là que des éruptions isolées et presque bénignes ; au sud et au centre, le fléau se déclare par une énorme plaque de lèpre qui, depuis Avignon jusqu'à Périgueux, depuis Aurillac jusqu'à Toulouse, couvre tout d'un coup et presque sans discontinuité dix départements, Vaucluse, Ardèche, Gard, Cantal, Cor-

nationales, F7, 3225, Lettre du Directoire d'Ille-et-Vilaine, 24 mars 1792, et Procès-verbal des commissaires pour le district de Vitré ; Lettre du même Directoire, 21 avril 1792, et Rapport des commissaires envoyés à Acigné, 6 avril.

1. *Moniteur*, XII, 200, Rapport de M. Cahier, 23 avril 1792. Les Directoires de ces quatre départements refusent de retirer leurs arrêtés illégaux, alléguant que « leurs gardes nationales armées poursuivent les prêtres ré- « fractaires. »

rèze, Lot, Dordogne, Gers, Haute-Garonne, Hérault. Les grosses masses rurales se sont ébranlées toutes à la fois, de toutes parts, et pour les mêmes causes, qui sont l'approche de la guerre et l'approche de Pâques. — Dans le Cantal, à l'assemblée de canton tenue à Aurillac pour le recrutement de l'armée [1], le commandant d'une garde nationale villageoise a demandé vengeance « contre ceux qui ne sont « pas patriotes, » et le bruit court que, de Paris, il est venu un ordre pour détruire les châteaux. De plus, les insurgés allèguent que les prêtres, par leur refus de serment, mènent la nation à la guerre civile : « on est las de ne pas « être en paix à cause d'eux; qu'ils deviennent de bons « citoyens, et que tout le monde aille à la messe. » Là-dessus, les insurgés entrent dans les maisons, rançonnent les habitants, non-seulement « les prêtres, les ci-devant nobles, » mais encore « ceux qui sont soupçonnés d'être « leurs partisans, ceux qui n'assistent point à la messe « du prêtre constitutionnel, » et jusqu'à de pauvres gens, artisans, laboureurs qu'ils taxent à cinq, dix, vingt, quarante francs, et dont ils vident la cave ou la huche. Dix-huit châteaux sont pillés, incendiés, ou démolis, entre autres ceux de plusieurs gentilshommes ou dames qui n'ont jamais quitté le pays. L'un d'eux, M. d'Humières, est un vieil officier de quatre-vingts ans; Mme de Peyronenc ne sauve son fils qu'en le déguisant en paysan ; Mme de Beauclerc, qui s'enfuit à travers la montagne, voit son enfant malade mourir entre ses bras. A Aurillac, des potences sont

1. *Mercure de France*, 7 avril 1792, Lettres écrites d'Aurillac. — Archives nationales, F7, 3202. — Lettre du Directoire du district d'Aurillac, 27 mars 1792 (avec sept procès-verbaux) ; du Directoire du district de Saint-Flour, 19 mars (avec le rapport de ses commissaires); de M. Duranthon, ministre de la justice, 22 avril; Pétition de M. Lorus, officier municipal d'Aurillac. — Lettre de M. Duranthon, 9 juin 1792. « Je viens d'être informé par le com« missaire du roi près le district de Saint-Flour que, depuis le départ des « troupes, les magistrats n'osent plus exercer leurs fonctions au milieu « des brigands qui les environnent. »

dressées devant les principales maisons; M. de Niossel, ancien lieutenant criminel, mis en prison pour son salut, est arraché de la prison, et sa tête coupée est jetée sur un fumier; M. Collinet, arrivant de Malte et suspect d'aristocratie, est éventré, haché, et sa tête promenée au bout d'une pique. Enfin, lorsque les officiers municipaux, les juges, le commissaire du roi, commencent à instruire contre les assassins, ils se trouvent eux-mêmes en si grand danger qu'ils sont obligés de se démettre ou de se sauver.

Pareillement, dans la Haute-Garonne[1], c'est aussi « contre les insermentés et leurs sectateurs » que l'insurrection a commencé. D'autant plus qu'en diverses paroisses le curé constitutionnel est du club et demande qu'on le débarrasse de ses adversaires; l'un d'eux, à Saint-Jean-Lorne, « monté sur une charrette, prêchait « le pillage à huit cents personnes attroupées. » Par suite, pour débuter, chaque bande expulse les prêtres réfractaires, et force leurs partisans à venir à la messe de l'assermenté. — Mais un pareil succès, tout abstrait et sec, n'est guère profitable, et des paysans soulevés ne se contentent pas à si bon marché. Quand des paroisses, par douzaines, se mettent en marche et emploient leur journée au service public, il leur faut un dédommagement, en bois, en blé, en vin, en argent[2], et les frais de l'ex-

1. Archives nationales, F7, 3219, Lettres de M. Niel, administrateur du département de la Haute-Garonne, 27 février 1792; de M. Sainfal, 4 mars; du Directoire du département, 1er mars; du commissaire du roi près le tribunal de Castelsarrasin, 13 mars.

2. Exemples de ces convoitises rustiques :

A Lunel, 4000 paysans et gardes nationaux de village veulent entrer pour pendre les aristocrates; leurs femmes sont avec eux, menant leurs ânes avec « des corbeilles qu'elles espèrent bien remporter pleines. » (Archives nationales, F7, 3223, Lettre de la municipalité de Lunel, 4 novembre 1791.)

A Uzès, on a grand'peine à se débarrasser des paysans qui sont entrés pour chasser les catholiques royalistes. On a beau « les faire bien boire « et bien manger; » ils s'en vont « de mauvaise humeur, surtout les femmes,

pédition sont à la charge des aristocrates. Sont aristocrates, non-seulement les fauteurs des insermentés, par exemple telle vieille demoiselle « très-fanatique et qui, « depuis quarante ans, emploie tous ses revenus à des « actes de philanthropie, » « mais encore les personnes « aisées, paysans ou messieurs; » car ils veulent faire « mourir de faim » le pauvre monde, « en retenant invendus dans leurs greniers et dans leurs celliers leur grain « et leur vin, et en ne faisant faire que les travaux indispensables, afin d'ôter aux ouvriers de la campagne « leurs moyens de subsistance. » Ainsi, plus on les pille, plus on rend service au public. Au dire des insurgés, il s'agit « d'atténuer dans les mains des ennemis de la na- « tion les revenus dont ils jouissent, afin qu'ils ne puis- « sent plus faire passer leurs revenus à Coblentz et autres « lieux hors du royaume. » — En conséquence, des bandes de six cents, huit cents et mille hommes parcourent les districts de Toulouse et de Castelsarrasin : tous les propriétaires, aristocrates et patriotes, sont mis à contribution. Ici, chez la vieille fille « philanthrope, mais fana- « tique, on enfonce tout, on brise les meubles, on prend « quatre-vingt-deux setiers de blé et seize tonneaux de « vin. » Ailleurs, à Roqueferrière, on brûle les titres féodaux, on pille un château. Plus loin, à Lasserre, on exige trente mille francs, on emporte tout l'argent comptant. Presque partout les officiers municipaux en écharpe, bon gré, mal gré, autorisent le pillage. De plus, ils « taxent les denrées à un prix infiniment moindre en as-

« qui conduisaient des mulets et des ânes pour emporter le butin, et qui « n'avaient pas prévu qu'elles retourneraient les mains vides. » (De Dammartin, I, 195.)

A propos du siége de Nantes par les Vendéens : « Une vieille femme me « disait : Oh oui, j'y étais, au siége ; ma sœur et moi, nous avions apporté « nos sacs. Nous comptions bien qu'on entrerait tout au moins jusqu'à la « rue de a Casserie » (rue des bijoutiers et orfèvres). (Michelet, V, 211.)

« signats que leur cours en argent, » et ils élèvent au double le prix de la journée de travail. — Cependant, d'autres bandes dévastent les forêts nationales, et les gendarmes, pour ne pas être appelés aristocrates, ne songent qu'à saluer les pillards.

Après cela, il est manifeste qu'il n'y a plus de propriété pour personne, sauf pour les indigents et les voleurs. — Effectivement, dans la Dordogne[1], « sous prétexte de « chasser les curés qui n'ont pas prêté le serment, des « attroupements fréquents pillent et volent tout ce qui « leur tombe sous la main.... Les grains qui se trouvent « dans les maisons à girouettes sont séquestrés. » Les campagnards exploitent, comme bien communal, toutes les forêts, tous les biens des émigrés, et cette exploitation est radicale; par exemple, une bande trouvant une grange neuve dont les matériaux lui paraissent bons, la démolit pour s'en partager les bois et les tuiles. — Dans la Corrèze, quinze mille paysans armés, qui sont venus à Tulle pour désarmer et chasser les partisans des insermentés, cassent tout dans les maisons suspectes, et l'on a bien de la peine à les renvoyer les mains vides. Aussitôt qu'ils sont revenus chez eux, ils dévastent les châteaux de Saint-Jal, de Seilhac, de Gourdon, de Saint-Basile, de la Rochette, outre une quantité de maisons de campagne appartenant à des roturiers même absents. C'est une curée, et jamais transport de la propriété n'a été plus complet. Ils enlèvent soigneusement, dit un procès-verbal, tout ce qui peut être enlevé, meubles, tapisseries,

1. Archives nationales, F7, 3209, Lettres du commissaire du roi près le tribunal de Mucidan, 7 mars 1792; du procureur-syndic du district de Sarlat, janvier 1792. — *Ib.*, F7, 3204, Lettres des administrateurs du district de Tulle, 15 avril 1792; du Directoire du département, 18 avril; Pétition de Jacques Labruc et de sa femme, avec procès-verbal du juge de paix, 24 avril. « Toutes ces voies de fait ont été commises sous les yeux de la « municipalité. Elle n'y a mis aucun obstacle, malgré qu'elle ait été requise « à temps. »

glaces, armoires, tableaux, vins, provisions, jusqu'aux planchers et boiseries, « jusqu'aux plus petits ferrements « et objets de menuiserie, » et fracassent le reste, tellement que, de la maison, « il ne reste que les quatre « murs, le couvert et l'escalier. » — Dans le Lot, où, depuis deux ans, l'insurrection est permanente, les dégâts sont plus grands encore. Pendant la nuit du 30 au 31 janvier, « toutes les meilleures maisons de Souillac » sont enfoncées, « saccagées, pillées de fond en comble[1], » leurs maîtres obligés de s'enfuir, et il y a tant d'émeutes dans le département que le Directoire n'a pas le temps de rendre compte de celles-ci au ministre. Des districts entiers sont soulevés; comme, « dans chaque commune, « tous les habitants sont complices, il ne se trouve pas « de témoins pour asseoir une procédure criminelle, et » le délit reste impuni. » Dans le canton de Cabrerets, on exige la restitution des rentes foncières jadis perçues et le remboursement de frais payés depuis vingt ans. La petite ville de Lauzerte est envahie par les milices environnantes, et ses habitants désarmés restent à la discrétion du faubourg qui est jacobin. Pendant trois mois, dans le district de Figeac, « toutes les maisons des ci« devant nobles sont saccagées et incendiées; » puis on s'en prend aux pigeonniers « et à toutes les maisons de « campagne qui ont un peu d'apparence. » Des troupes de va-nu-pieds « entrent chez les gens aisés, médecins, « avocats, marchands, enfoncent les portes des caves, « boivent le vin, » et se démènent en conquérants ivres. En plusieurs communes, ces expéditions sont devenues

1. Archives nationales, F7, 3223, Lettres de M. Brisson, commissaire des classes de la marine à Souillac, 2 février 1792; du Directoire du département, 14 mars 1792. — Pétition des frères Barrié (avec pièces à l'appui), 11 octobre 1791. — Lettre du procureur-syndic du département, 4 avril 1792. — Rapport des commissaires envoyés dans le district de Figeac, 5 janvier 1792. — Lettre des administrateurs du département, 27 mai 1792.

une coutume; on y trouve « un très-grand nombre d'in-« dividus qui ne vivent que de rapines, » et le club leur donne l'exemple. Depuis six mois, au chef-lieu, une coterie de la garde nationale, qu'on nomme la *Bande noire*, expulse les gens qui lui déplaisent, « pille à son gré dans « les maisons, assomme, blesse ou mutile à coups de sabre « ceux qui ont été proscrits dans ses assemblées, » sans qu'aucun huissier ou avoué ose se charger d'une plainte. Le brigandage, empruntant le masque du patriotisme, et le patriotisme, empruntant les procédés du brigandage, se sont unis contre la propriété en même temps que contre l'ancien régime, et, pour se délivrer de tout ce qui peut leur inspirer une crainte, ils se saisissent de tout ce qui peut leur fournir un butin.

Pourtant, ce ne sont encore là que les alentours de l'orage; le centre est ailleurs, autour de Nîmes, Avignon, Arles et Marseille, en un pays où, depuis longtemps, le conflit des cités et le conflit des religions ont amassé et enflammé les passions haineuses[1]. A regarder les trois départements du Gard, des Bouches-du-Rhône, et du Vaucluse, on se croirait en pleine guerre barbare. En effet, c'est l'invasion des jacobins et de la plèbe, par suite la conquête, l'expropriation, l'extermination, dans le Gard un fourmillement de gardes nationales qui refont la jacquerie, toute la lie du Comtat qui remonte à la surface

1. Archives nationales, F7, 3217, Procès-verbal des commissaires du département du Gard, 1er, 2, 3, 6 avril 1792, et lettre du 6 avril. Un propriétaire est taxé à 100 000 livres. — *Ib.*, F7, 3223, Lettre de M. Dupin, procureur-syndic de l'Hérault, 17 et 26 février 1792. Au château de Pignan, à Mme de Lostanges, « il n'est pas resté de tous les meubles une pièce en-« tière. La cause de ces troubles est dans les passions religieuses. Cinq ou six « prêtres insermentés avaient le château pour retraite. » — *Moniteur*, séance du 16 avril 1792, Lettre du Directoire du département du Gard. — De Dammartin, II, 85. A Uzès, 50 à 60 hommes masqués envahissent à dix heures du soir le château ducal, mettent le feu aux archives, et le château est incendié.

et couvre le Vaucluse de son écume, une armée de six mille Marseillais qui s'abat sur Arles. — Dans les districts de Nîmes, Sommières, Uzès, Alais, Jalais, Saint-Hippolyte, les titres de propriété sont brûlés, les propriétaires rançonnés, les officiers municipaux menacés de mort, s'ils essayent de s'interposer, vingt châteaux et plus de quarante maisons de campagne dévastés, incendiés, démolis. — Le même mois, Arles et Avignon[1], livrés aux bandes de Marseille et du Comtat, voient approcher les confiscations et les massacres. — Autour du commandant qui a reçu l'ordre d'évacuer Arles[2], « les habitants de tous « les partis » accourent en suppliants, « lui serrent les « mains, le conjurent, les larmes aux yeux, de ne point « les abandonner ; des femmes et des enfants s'attachent « à ses bottes, » tellement qu'il ne sait comment se dégager sans les blesser; lui parti, douze cents familles émigrent. Après l'entrée des Marseillais, on voit dix-huit cents électeurs proscrits, leurs maisons de campagne sur les deux rives du Rhône pillées « comme au temps des « pirates sarrasins, » une taxe de 1 400 000 livres levée sur tous les gens aisés, absents ou présents, des femmes et des filles demi-nues promenées sur des ânes et fouettées publiquement. « Un comité de sabres » dispose des vies, désigne et frappe ; c'est le règne des mariniers, des portefaix, de la dernière populace. — A Avignon[3] c'est celui

1. Archives nationales, F7, 3196, Procès-verbal d'Augier et Fabre, administrateurs des Bouches-du-Rhône, envoyés à Avignon, 11 mai 1792. (La rentrée de Jourdan, Mainvielle et des assassins de la Glacière avait eu lieu le 29 avril.)

2. De Dammartin, II, 63. — Portalis, *Il est temps de parler* (brochure), *passim*. — Archives nationales, F7, 7090, Mémoire des commissaires de l'administration municipale d'Arles, an IV, 22 nivôse.

3. *Mercure de France*, 19 mai 1792 (séance du 4 mai), Pétition de quarante Avignonnais à la barre de l'Assemblée législative. — Archives nationales, F7, 3195, Lettre des commissaires du roi près le tribunal d'Apt, 15 mars 1792 ; Procès-verbal de la municipalité, 21 mars ; Lettre du Directoire d'Apt, 23 et 28 mars 1792.

des simples brigands, incendiaires et assassins, qui, six mois auparavant, ont fait de la Glacière un charnier. Ils reviennent en triomphe et disent que « cette fois la Gla-« cière sera pleine. » Déjà avant le premier massacre, cinq cents familles se sont sauvées en France ; à présent tout le demeurant de la bourgeoisie honnête, douze cents personnes prennent la fuite, et la terreur est si grande que les petites villes voisines n'osent recevoir les émigrants. En effet, à partir de ce moment, les deux départements tout entiers, Vaucluse et Bouches-du-Rhône, sont une proie : des bandes de deux mille hommes armés, avec femmes, enfants et autres acolytes volontaires, se transportant de commune en commune pour y vivre à discrétion aux dépens « des « fanatiques » ; et ce ne sont pas seulement les gens bien élevés qu'ils dépouillent. De simples cultivateurs, taxés à 10 000 livres, reçoivent soixante garnisaires ; on tue et mange leur bétail sous leurs yeux, on brise tout chez eux ; ils sont chassés de leur logis, ils errent en fugitifs dans les oseraies du Rhône, attendant un moment de répit pour traverser le fleuve et se réfugier dans le département voisin[1]. — Ainsi dès le printemps de 1792, lorsqu'un citoyen est suspect de malveillance ou seulement d'indifférence envers la faction maîtresse, lorsque, par une seule des opinions de son for intérieur, il encourt la possibilité vague d'une méfiance ou d'un soupcon, il subit l'hostilité populaire, la spoliation, l'exil et pis encore, si légale que soit sa conduite, si loyal que soit son cœur, si désarmée et inoffensive que soit sa personne, quel qu'il soit, noble, bourgeois, paysan, vieux prêtre ou vieille femme, et cela quand le péril public n'est encore ni grand, ni présent, ni visible, puisque

1. Archives nationales, *ib.*, Lettre d'Amiel, président du bureau de conciliation à Avignon, 28 octobre 1792 et autres lettres au ministre Roland. — F7, 3217, Lettre du juge de paix de Roque-Maure, 31 octobre 1792. —

la France est toujours en paix avec l'Europe et que le gouvernement subsiste encore dans son entier.

IX

Que sera-ce donc, à présent que le péril, devenu palpable et grave, va croissant tous les jours, que la guerre est engagée, que l'armée de Lafayette recule à la débandade, que l'Assemblée déclare la patrie en danger, que le roi est renversé, que Lafayette passe à l'étranger, que le sol de la France est envahi, que les forteresses de la frontière se rendent sans résistance, que les Prussiens entrent en Champagne, que l'insurrection de la Vendée ajoute les déchirements de la guerre civile aux menaces de la guerre étrangère, et que le cri de trahison éclate de toutes parts? — Déjà le 14 mai, à Metz[1], M. de Fiquelmont, ancien chanoine, ayant causé sur la place Saint-Jacques avec un hussard, a été taxé d'embauchage pour les princes, enlevé malgré une triple haie de gardes, assommé, percé, haché, à coups de bâtons, de baïonnettes et de sabres: autour des meurtriers, la multitude forcenée poussait des cris de rage, et, de mois en mois, à mesure que ses craintes augmentent, son imagination s'exalte et son délire s'accroît. — Qu'on en juge par un seul exemple. Le 31 août 1792[2], huit mille prêtres insermentés, chassés de leurs paroisses, sont à Rouen, ville moins intolérante que les autres, et, conformément au décret qui les bannit, se préparent à sortir de France. Deux navires en ont déjà emmené une centaine; cent vingt autres s'embar-

1. Archives nationales, F7, 3246, Procès-verbal de la municipalité de Metz (avec pièces à l'appui), 15 mai 1792.

2. *Mémoires* de l'abbé Baton, l'un des prêtres du troisième convoi (évêque nommé de Séez), p. 233.

quent pour Ostende sur un plus grand bâtiment. Ils n'emportent rien avec eux, sauf un peu d'argent, quelques hardes, une, ou tout au plus deux parties de leur bréviaire, parce qu'ils comptent revenir bientôt. Chacun a son passe-port en règle, et, juste au moment du départ, la garde nationale a tout visité pour ne laisser fuir aucun suspect. — Il n'importe : arrivés à Quillebœuf, les deux premiers convois sont arrêtés. En effet, le bruit s'est répandu que les prêtres vont rejoindre l'ennemi, s'enrôler, et les gens du pays, se jetant dans leurs barques, entourent les navires. Il faut que les prêtres descendent, sous une tempête « de hurlements, de blasphèmes, d'injures et « de mauvais traitements » ; l'un d'eux, vieillard à cheveux blancs, étant tombé dans la vase, les cris et les huées redoublent ; tant mieux s'il se noie ; c'en sera un de moins. Débarqués, on les jette tous en prison, sur la pierre nue, sans paille, sans pain, et l'on écrit à Paris pour savoir ce qu'il faut faire de tant de soutanes. — Cependant, le troisième navire, manquant de vivres, a envoyé deux prêtres à Quillebœuf et Pont-Audemer pour faire cuire douze cents livres de pain ; signalés par des milices de village, ils sont pourchassés comme des bêtes fauves, passent la nuit dans un bois, reviennent à grand'peine et les mains vides. — Signalé lui-même, le navire est assiégé. « Dans toutes les municipalités riveraines, le tambour roule sans discontinuer, pour engager les populations à se tenir sur leurs gardes. L'apparition d'un « corsaire d'Alger ou de Tripoli aurait causé moins de « rumeur sur les côtes de l'Adriatique. Un marin du bâtiment a publié que les malles des déportés sont pleines « d'armes de toute espèce, » et le peuple des campagnes s'imagine à tout instant qu'ils vont fondre sur lui, le sabre et le pistolet au poing. — Pendant plusieurs longues journées, le convoi affamé reste au milieu du fleuve en panne et gardé à vue. Des barques chargées de volontaires et de paysans tournent alentour, avec des injures et des menaces: dans les prairies voisines, les gardes nationales se forment en bataille. Enfin on se décide; des braves, bien armés, montent dans des chaloupes, approchent avec précaution, épient l'endroit et le moment les plus favorables, s'élancent à l'abordage, s'emparent du navire, et sont tout étonnés de n'y trouver ni ennemis ni armes. — Néanmoins les prêtres sont consignés à bord, et leurs députés doivent comparaître devant le maire. Celui-ci, ancien huissier et bon jacobin, étant le plus effrayé, est le plus violent; il refuse de valider les passe-ports, et, voyant deux prêtres approcher, l'un muni d'une canne à épée, l'autre d'un bâton ferré, il croit à une invasion soudaine. « En voici encore deux, s'écriait-il avec angoisse; » ils «vont tous descendre; messieurs, la ville est en danger.» — A ce mot, la foule s'alarme, menace les députés; on crie *A la lanterne*, et, pour les sauver, des gardes nationaux sont obligés de les conduire en prison dans un cercle de baïonnettes. — Remarquez que ces furieux sont, « au « fond les meilleures gens du monde : » après l'abordage, l'un des plus terribles, barbier de son état, voyant les barbes longues de ces pauvres prêtres, s'est radouci à l'instant, a tiré sa trousse, et, complaisamment, s'est mis à raser pendant plusieurs heures. En temps ordinaires, les ecclésiastiques ne recevraient que des saluts; trois ans auparavant, ils étaient « respectés comme des pères et « des guides. » Mais, en ce moment, le campagnard, l'homme du peuple est hors de son assiette. Par force et contre nature, on a fait de lui un théologien, un politique, un capitaine de gendarmerie, un souverain local et indépendant : la tête lui tourne dans un pareil office. — Parmi ces gens qui semblent avoir perdu la raison, il n'en est qu'un, officier de la garde nationale, qui conserve son sang-froid; du reste, personnage très-poli, d'excellente tenue, causeur agréable, qui vient le soir rassurer les détenus et prendre avec eux du thé dans leur prison; en effet, il a l'habitude des tragédies, et, grâce à son métier, ses nerfs sont devenus calmes : *c'est le bourreau.* Les autres, « qu'on prendrait pour des tigres, » sont des moutons affolés; mais ils n'en sont pas moins dangereux; car, emportés par le vertige, ils foncent de toute leur masse sur tout ce qui leur porte ombrage. — Sur la route de Paris à Lyon [1], les commissaires de Roland sont témoins de cet effarement terrible. « Le peuple se demande « sans cesse ce que font nos généraux et nos armées; il « a souvent le mot de vengeance à la bouche. Oui, dit-il, « nous partirons, mais (auparavant) nous purgerons « l'intérieur. » — Quelque chose d'effroyable se prépare; la septième jacquerie va venir, celle-ci universelle et définitive, d'abord brutale, puis légale et systématique, entreprise et exécutée en vertu de principes abstraits par des meneurs dignes de leurs manœuvres. Il n'y eut jamais rien d'égal en histoire; pour la première fois, on va voir des brutes devenues folles travailler en grand et longtemps sous la conduite de sots devenus fous.

Il est une maladie étrange qui se rencontre ordinairement dans les quartiers pauvres. Un ouvrier, surmené de travail, misérable, mal nourri, s'est mis à boire; tous les jours il boit davantage et des liqueurs plus fortes. Au bout de quelques années, son appareil nerveux, déjà appauvri par le jeûne, est surexcité et se détraque. Une heure arrive où le cerveau, frappé d'un coup soudain, cesse de mener la machine : il a beau commander, il n'est plus obéi; chaque membre, chaque articulation, chaque muscle, agissant à part et pour soi, sursaute convulsivement par des secousses discordantes. Cependant, l'homme est gai; il se croit millionnaire, roi, aimé et ad-

1. Archives nationales, F7, 3225, Lettre du citoyen Bonnemant, commissaire, au ministre Roland, 11 septembre 1792.

miré de tous; il ne sent pas le mal qu'il se fait, il ne comprend pas les conseils qu'on lui donne, il refuse les remèdes qu'on lui offre, il chante et crie pendant des journées entières, et surtout il boit plus que jamais. — A la fin, son visage s'assombrit, et ses yeux s'injectent. Les radieuses visions ont fait place aux fantômes monstrueux et noirs : il ne voit plus autour de lui que des figures menaçantes, des traîtres qui s'embusquent pour tomber sur lui à l'improviste, des meurtriers qui lèvent le bras pour l'égorger, des bourreaux qui lui préparent des supplices, et il lui semble qu'il marche dans une mare de sang. Alors il se précipite, et, pour ne pas être tué, il tue. Nul n'est plus redoutable ; car son délire le soutient, sa force est prodigieuse, ses mouvements sont imprévus, et il supporte, sans y faire attention, des misères et des blessures sous lesquelles succomberait un homme sain. — De même la France, épuisée de jeûnes sous la monarchie, enivrée par la mauvaise eau-de-vie du Contrat social et de vingt autres boissons frelatées ou brûlantes, puis subitement frappée de paralysie à la tête : aussitôt elle a trébuché de tous ses membres par le jeu incohérent et par les tiraillements contradictoires de tous ses organes désaccordés. A présent elle a traversé la période de délire joyeux et va entrer dans la période de délire sombre ; la voilà capable de tout oser, souffrir et faire, exploits inouïs et barbaries abominables, sitôt que ses guides, aussi égarés qu'elle-même, auront désigné un ennemi ou un obstacle à sa fureur.

FIN DU TOME PREMIER.

TABLE DES MATIÈRES.

LIVRE PREMIER.

L'ANARCHIE SPONTANÉE.

LIVRE DEUXIÈME.

L'ASSEMBLÉE CONSTITUANTE ET SON OEUVRE.

LIVRE TROISIÈME.

LA CONSTITUTION APPLIQUÉE.

ERRATA.

P. 29, ligne 10, au lieu de « affections, » mettez « effusions ».

P. 45, ligne 29, au lieu « la », mettez « sa ».

P. 242, ligne 6, au lieu de « férociet », mettez « férocité ».

[20 533] Typographie Lahure, rue de Fleurus, 9, à Paris.